Prélude à Fondation

Isaac Asimov

Prélude à Fondation

Traduit de l'américain par Jean Bonnefoy

PRESSES DE LA CITÉ

Titre original:
Prelude to Foundation

Ceci est une œuvre de fiction. Les personnages et les situations décrits dans ce livre sont purement imaginaires et toute ressemblance avec des personnages ou des événements existants ou ayant existé ne serait que pure coïncidence.

Maquette de la couverture: France Lafond

Photo de la couverture: Réflexion

Dépôt légal:
2e trimestre 1989

ISBN 2-89111-382-9

Préface

JEUNESSE D'ASIMOV

La quintessence d'Asimov, c'est la clarté. Son écriture est si transparente qu'on ne la voit pas. Ses exposés sont si limpides qu'on n'y perd jamais le fil. Avec lui, rien n'est opaque, impénétrable ou rebutant. Toute son œuvre est un monument harmonieux à la déesse Évidence. Il est le plus parfait héritier actuel d'une tradition culturelle éminente : la lumière grecque, la sérénité goethéenne, la pureté bien ordonnée des grands classiques français comme La Fontaine, Voltaire ou Stendhal – un Stendhal qui, non content de lire et de relire le Code civil pour corriger son style, y puiserait des ABC du droit pour tous publics.

Le moins qu'on puisse dire d'Asimov, c'est qu'il est célèbre. Peut-être pourtant ne lui rend-on pas entièrement justice, au moins dans notre pays : ses livres d'information scientifique, qui représentent les trois quarts de son œuvre, sont presque tous inconnus en France faute de traductions. C'est en partie grâce à eux qu'on a pu définir cet auteur par « la passion de comprendre » [1] – il faudrait dire aussi : la passion de faire comprendre. Il y déploie cet art de simplifier sans sacrifier l'exactitude, de récapituler quand les démonstrations s'allongent, de multiplier les repères grâce aux comparaisons et aux anecdotes, de défendre l'atmosphère par l'humour et l'inimitable légèreté du ton, qui parle en tous pays à l'honnête homme curieux et intelligent. Le lecteur doué d'une certaine qualité d'écoute peut reconnaître jusque dans les romans d'Asimov la voix du conférencier possédé par le désir d'expliquer, de faire partager une fête de l'intelligence, d'instaurer une communion des esprits face aux feux du soleil.

Le public français connaît surtout Asimov par ses livres de science-fiction. On dira que c'est déjà beaucoup. C'est même la meilleure part de son œuvre, celle qui a le plus de chances de durer. Mais le paysage

1. Demètre Ioakimidis, préface à Isaac Asimov, *Prélude à l'éternité* (Presses-Pocket).

est déformé par la perspective. Les vieux amateurs ont établi une fois pour toutes que les chefs-d'œuvre de cet auteur sont des nouvelles écrites dans les années quarante, et dont la plupart s'ordonnent en deux cycles : celui des robots positroniques et celui de la Fondation. Et depuis 1950? Eh bien, Asimov est devenu gâteux; il n'a plus rien à dire, il se répète et il écrit mal. C'est un peu gros, mais c'est ce qu'on nous ressasse depuis trente ans. Cette vision malveillante a été construite par de jeunes critiques pour préparer l'avènement de jeunes écrivains. Les uns et les autres ont maintenant des cheveux gris; beaucoup ont sombré dans un oubli miséricordieux. Mais les nouvelles générations de lecteurs ou d'écrivains ont périodiquement besoin d'assassiner le père, et Asimov est là pour ça. Au fil des âges, il reste le croquemitaine des novateurs boutonneux. Il a les épaules larges.

La polémique finit par manquer son but quand elle devient trop systématique. Dans les années quatre-vingt, Asimov a écrit une série de longs romans : *Fondation foudroyée, Terre et Fondation, Les Robots de l'aube, Les Robots et l'Empire, Destination cerveau* et maintenant *Prélude à Fondation.* Sans préjuger de ce qui arrivera à ce dernier roman, on peut s'étonner que tous les précédents aient été abattus à la mitrailleuse par la critique spécialisée francophone. L'objection la plus répandue est qu'un roman de grandes dimensions est obligatoirement délayé, comme si Dickens, Melville ou Dostoïevski délayaient. Mais le plus paradoxal est que l'*Autobiographie* d'Asimov, parue en 1979 (et non traduite à ce jour), soit passée à ce point inaperçue dans un milieu très attentif aux nouvelles venues d'Amérique. On y voit un auteur conscient de la diversité de son œuvre et soucieux d'en trouver le centre. Et comment le trouverait-il, ce centre, autrement qu'en écrivant? Tous les romans des années quatre-vingts réalisent un programme dont l'*Autobiographie* fait ressortir la nécessité – voire l'urgence – et dont *Prélude à Fondation* constitue l'aboutissement à ce jour.

Asimov tient un journal depuis le jour de ses dix-huit ans. Ce document, qui parfois tient plus du livre de bord (ou même du livre de comptes) que du journal intime, lui fournit des informations nombreuses et parfois très détaillées sur son passé. Il y a puisé la matière des célèbres notices dont il a parsemé beaucoup de ses recueils de nouvelles, surtout dans les années soixante-dix, et qui préludent à son *Autobiographie*, rédigée en 1977. Ce qui manquait à l'appel, c'était le questionnement sur son enfance et ses origines. Il s'y est plongé, comme tout le monde, en puisant dans ses souvenirs, et aussi en reprenant les confidences de son père, qu'il avait recueillies peu de temps avant la mort de celui-ci, survenue en 1969. C'est assez dire que le problème ne le laissait pas, ne l'avait jamais laissé indifférent. Et les deux premières parties de son *Autobiographie*, consacrées à ce matériel élaboré en secret, sont aussi les meilleures, comme il arrive souvent.

Isaac Asimov est le fils de Judah Asimov, fils d'Aaron Asimov, fils de Mendel Asimov, fils d'Abraham Asimov, fils d'un autre Judah Asimov ou Azimy, le plus ancien personnage dont la tradition orale ait conservé la trace. Notre auteur pense que cet ancêtre a dû naître vers 1800; nous serions tenté de le faire remonter un peu plus haut. La famille habitait Petroviči, un shtetl (c'est-à-dire un bourg abritant une communauté juive) à cent kilomètres au sud de Smolensk, en Russie occidentale. Les Asimov exerçaient la profession de marchands de grains (*ozimy khleb* = « céréales d'hiver ») de père en fils. Selon Judah, ils étaient presque tous des érudits, ce qui veut dire qu'après l'école hébraïque ils avaient continué à aller chez le rabbin pour perfectionner leur connaissance du Talmud. Isaac note que toutes les familles juives originaires d'Europe orientale ont la même image de leurs ancêtres et s'interroge sur le bien-fondé d'une tradition de ce genre. Pourtant il n'oublie pas que son père pouvait citer la Bible en hébreu, la commenter et surtout l'utiliser pour conseiller ceux qui le demandaient (la quintessence de l'érudition talmudique), ce qui ne l'empêchait pas d'être – déjà – un athée convaincu. Un milieu habitué non seulement à valoriser la culture livresque, mais encore à traverser le malheur des temps avec l'aide d'un savoir soigneusement caché.

Isaac ne garde qu'un seul souvenir des trois premières années de sa vie. Il est assis dans une chaise, il tourne les pages d'un livre, et il adore ça. Aujourd'hui encore, il se souvient de vouloir le livre, il le cherche vaguement, ne le trouve pas et se demande où il est. Son père a identifié le livre, plein d'images d'oiseaux et d'animaux dont sa mère lui lisait le nom. L'enfant finit par nommer lui-même les animaux en voyant leur image. Il eut le droit de tourner lui-même les pages du livre et le réduisit en charpie. Il avait réussi à jouer le rôle de son père, l'homme qui savait lire l'objet magique et en tirait une parole qui assurait son rayonnement sur la famille et sur le voisinage – autant dire sur le monde. Toute sa carrière d'universitaire, de conférencier, d'intellectuel part de là.

Isaac naît en principe le 2 janvier 1920. A cette date, les juifs russes viennent de traverser de terribles épreuves : d'abord les persécutions et les pogroms; puis, avec les autres Russes, la guerre mondiale, les deux révolutions et la guerre civile. L'*Autobiographie* donne des événements une version tellement édulcorée qu'elle éveille les soupçons. Le père d'Asimov n'a été ni persécuté ni mobilisé : il suffisait que « les roubles changent de mains ». Il a su se faire accepter par le régime communiste : il a suffi qu'il fonde à Petroviči une coopérative d'approvisionnement. C'est d'ailleurs le moment où il s'est marié (en juin 1918) et où il a eu ses deux premiers enfants, Isaac, puis Marcia (en 1922). Enfin il a réussi à obtenir le droit d'émigrer aux États-Unis et a franchi la frontière russe le 11 janvier 1923 avec sa femme et ses enfants. Isaac venait d'avoir trois ans.

En lisant de plus près le texte de l'*Autobiographie*, on constate que toujours la bonne fortune est attribuée à un intercesseur. Le bonheur des juifs de Petroviči est dû à un grand propriétaire éclairé. La sécurité du père sous la révolution est l'œuvre d'un ami d'enfance devenu commissaire politique du parti dans la région. L'émigration a été proposée par un oncle maternel déjà établi à New York (probablement avant

1914) et acceptée par le conseil de famille. Bref, l'érudit aide les autres par son savoir, mais le cas échéant les autres peuvent l'aider par leur pouvoir et infléchir favorablement son destin. C'est dire qu'il y a une providence, ou plutôt (nous sommes entre athées) une instance compréhensive qui veille au bonheur de ceux qui tiennent le discours de la raison. Et l'on ne voit guère ce que pourrait être une telle instance, sinon la chaîne fraternelle et ininterrompue des savants. Aide-toi un peu, aide surtout la science, la science t'aidera.

Ce refus du tragique est tellement radical qu'on en vient à se dire que la famille Asimov y a mis de la bonne volonté. Judah a émigré sans couper les ponts avec Aaron, son père, et ses frères cadets, restés en URSS. Il a été informé de la mort du père en 1937. Il a adressé des colis à l'un de ses frères cadets, durement ébranlé par le siège de Leningrad et envoyé en convalescence à l'est. En 1946 encore, il en recevait des nouvelles. Cette partie de la famille paraît s'être bien adaptée au régime soviétique. Les émigrés, pour leur part, sont devenus d'excellents Américains sans rien renier de la Russie tsariste ni de leur expérience communiste, ce qui est tout de même une performance. Il y a forcément beaucoup de non-dit là-dedans.

Émigrer sans renier, c'est difficile. L'*Autobiographie* fait un récit dramatique du voyage vers New York, évidemment inspiré des récits des parents. Isaac en a gardé une agoraphobie très marquée (il ne peut ni prendre l'avion ni mettre les pieds sur la terrasse de son appartement new-yorkais) et un goût pour les atmosphères confinées qui lui a inspiré bien des descriptions de villes souterraines. Dans son esprit s'est imprimé un commandement secret : ne change pas de place!

A l'arrivée, ce fut bien pire. Les immigrants ne connaissaient ni l'anglais, ni l'alphabet latin. Judah n'était plus un érudit mais un ignorant; le leader se prolétarisa et survécut sans doute grâce à l'aide de son beau-frère, ce que manifestement il ne lui pardonna pas. C'est dans une famille réduite à la misère que s'épanouit l'œdipe du petit Isaac, prenant une forme adaptée aux circonstances. Il apprit l'anglais bien plus vite que ses parents et s'intéressa aux signes autour de lui. Avec l'aide de ses camarades de jeu, il apprit à déchiffrer les inscriptions et finalement il sut lire couramment avant l'âge de cinq ans. Quand il fut assez sûr de lui, il ne manqua pas l'occasion de démontrer ses talents à ses parents, lesquels pensèrent aussitôt qu'un génie était né dans la famille Asimov. En fait, Isaac n'avait fait que reprendre le flambeau de l'érudition, et la précocité n'était que sa réponse personnelle au traumatisme de l'émigration.

Les choses se compliquèrent quand il alla à l'école. Il y connut très vite la solitude du surdoué, celle aussi de l'orgueilleux qui veut à tout prix être le premier dans toutes les matières. Ce comportement ne lui facilita pas les relations avec ses camarades, peut-être même avec ses maîtres, et nous voyons dans l'*Autobiographie* se dessiner un nouveau personnage : Isaac le chahuteur, Isaac l'insolent qui ne résiste jamais au plaisir de faire un bon mot (si possible agressif). Son humour fameux et son autosatisfaction non moins fameuse ont une seule et même origine.

A la maison, le contraste est total. Isaac est en paix avec son père tant qu'il ramène des bonnes notes (et il en ramène toujours) mais il doit obéir. Il a six ans quand Judah réunit assez d'argent pour ouvrir un *candy store,* sorte de bazar où l'on vend non seulement de la confiserie mais des journaux, des cigarettes, des timbres, des boissons gazeuses et bien d'autres choses encore. Le magasin ouvrait à 6 heures du matin et fermait à 1 heure du matin, ce qui représentait 19 heures d'ouverture par jour, et le tout sept jours sur sept. C'est dire que la famille fut réduite aux travaux forcés; Isaac en particulier passait au magasin à peu près tout le temps où il n'était pas à l'école. Il continua à servir au *candy store* au moins jusqu'en 1942, époque à laquelle il faisait des études universitaires et commençait à être un écrivain connu. De là certainement sa simplicité, son désir très américain de sortir de la misère coûte que coûte et aussi sa passion compulsive pour le travail : aujourd'hui encore, il travaille normalement soixante-dix heures par semaine et... il ne sort guère de chez lui, comme on le sait déjà.

Il y a un étonnant contraste entre la violence d'Isaac élève et la docilité d'Isaac vendeur, et son œuvre en porte la trace. Les histoires de robots révoltés contre leurs créateurs étaient très à la mode dans les années trente et il est certain qu'il en a beaucoup lu. Quand le moment vint pour lui de traiter le thème à sa manière, son principal souci fut de préciser les lois de la robotique (c'est-à-dire les conditions auxquelles un créateur pouvait obtenir la docilité de sa créature) et aussi d'inventer une casuistique explorant les failles de la réglementation et les moyens par lesquels la créature finissait par franchir les mailles du filet. Ce qu'on croit être la sagesse d'Asimov n'est qu'une folie plus ou moins dominée.

Au cours de la période suivante se précisent les rapports d'Isaac avec les livres. A chaque rentrée scolaire, il dévore tous ses manuels en quelques semaines et il en demande plus. On l'inscrit donc, dès l'âge de six ans, à la bibliothèque municipale, où il a le droit d'emprunter deux livres par semaine. Finalement le *candy store* est mis à contribution : à neuf ans, il reçoit la permission de lire les magazines de science-fiction quand ils paraissent *à condition de les laisser intacts* pour qu'ils puissent être vendus quand même. Faites le compte : Isaac enfant n'avait pratiquement pas de bibliothèque et ne pouvait pas relire de livre. Il commença à écrire à l'âge de onze ans pour pouvoir – entre autres – *relire les livres qu'il aurait écrits lui-même.* Il fut publié pour la première fois à quatorze ans dans la revue de son école (pour un texte humoristique sur la naissance de son petit frère Stanley). Son père comprit le message et, quand il eut seize ans, lui acheta – d'occasion – sa première machine à écrire. Il cessait d'être un érudit pour accéder au statut d'auteur : sa Bible n'était plus à interpréter mais à écrire. Allant jusqu'au bout de son enfance prométhéenne, il devenait dieu.

Quel pouvait être le contenu de cette Bible? Ou, si l'on préfère, quelle est la culture d'Asimov? Étant donné la réputation du personnage, on imaginera peut-être une préférence marquée pour les livres scientifiques. C'est inexact : en fait, il s'intéresse à tout; c'est un esprit encyclopédique. En particulier, il a un goût très marqué pour l'histoire. Dès son enfance, elle lui sert de garde-fou contre un angélisme scientifique trop tentant pour lui. Et quand il s'intéresse à la science-fiction, ce n'est pas seulement à cause de la science, ni même à cause de la fiction, mais aussi à cause de l'histoire. Il écrira ce qu'il appelle de la « science-fiction sociale » décrivant non les inventions de la science future mais leurs répercussions sur l'évolution de la société. Pour lui, la science-fiction est une façon de modéliser l'avenir, de penser le complexe et de faire jouer ce merveilleux meccano aux innombrables rouages : l'histoire.

Il a d'autant plus de raisons de s'y intéresser que l'histoire se déroule sous ses yeux. A l'âge de huit ans, il assiste à sa première élection présidentielle. Comme tous les juifs de Brooklyn, il est pour le parti démocrate et se désole de la défaite de son candidat. Toute sa vie, il affichera ses opinions politiques : elles sont très nettement à gauche. Mais voici que la grande dépression s'abat sur le *candy store* au moment même où Asimov découvre la science-fiction. La conquête de l'aisance n'est plus à l'ordre du jour; les années de vaches maigres vont continuer longtemps. En même temps la catastrophe économique et les tempêtes sociales soulèvent une question : l'ordre politique peut-il en être ébranlé? Les États-Unis sont-ils menacés, comme naguère la Russie des tsars? Faudra-t-il repartir un jour? Isaac reste dans les années trente un vrai démocrate, donc un fervent rooseveltien; il pense qu'on ne peut pas bloquer le mouvement de l'histoire, qu'il faut au contraire l'accompagner. Mais il se demande avec beaucoup d'autres si l'on ne va pas vers un nouveau Moyen Age. Faute de pouvoir l'éviter, on peut toujours songer à une instance compréhensive qui veillerait à infléchir favorablement le destin de l'humanité. Une chaîne fraternelle et ininterrompue de savants, analysant l'histoire, interviendrait discrètement pour optimiser la suite – à condition, bien sûr, qu'elle parvienne à traverser le malheur des temps avec son savoir soigneusement caché. Le thème de la Fondation est là, dès les années trente, bien avant que l'auteur n'y songe.

Lecteur de science-fiction depuis l'âge de neuf ans, Asimov devient à quinze ans un fan au sens où l'on entendait ce terme à l'époque : il écrit aux magazines pour dire ce qu'il pense des nouvelles qui y sont publiées. A dix-sept ans, il commence une nouvelle et l'abandonne. A dix-huit ans, un peu par hasard, il rend visite à la revue *Astounding* et John Campbell, le rédacteur en chef, le reçoit dans son bureau. C'est le déclic. Asimov adopte aussitôt cet homme de vingt-huit ans comme père spirituel et commence à écrire des nouvelles à la cadence moyenne d'une par mois, sans se laisser rebuter par une impressionnante série de refus. Les lettres de refus de Campbell étaient toujours constructives, et presque tous ses auteurs lui doivent beaucoup. Mais il semble bien que cet homme parfois abrupt ait été inhabituellement gentil avec Asimov : il lui donna des sujets de nouvelles (parmi lesquelles *Nightfall*, qui passe parfois pour son chef-d'œuvre), il formula les trois lois de la robotique, etc. Il vit sans doute en lui le plus doué des auteurs en herbe, et sur ce point il avait raison; mais s'il crut trouver dans cette cervelle de dix-huit ans une pâte facile à modeler, les événements lui ont donné tort. Asimov partageait bien le scientisme de Campbell mais non ses positions politiques rétrogrades; il évita même d'introduire dans ses récits des personnages d'extraterrestres parce que le rédacteur en chef aimait trop qu'on les représente vaincus par les hommes.

Pendant une douzaine d'années, Asimov écrit exclusivement des nouvelles, dont les meilleures se rattachent presque toutes à deux cycles : les robots et la Fondation. Généralement ces textes sont proposés en priorité à Campbell et, à partir de 1943, régulièrement acceptés par lui. Tout cela donne l'impression d'une trajectoire harmonieuse qui contraste étrangement avec la vie privée de l'auteur. Dans les premières années, il est étudiant et le revenu de ses nouvelles l'aide à financer ses études. La guerre éclate au moment où il venait d'entreprendre un doctorat en biochimie. Robert Heinlein le fait engager comme chercheur civil dans une station expérimentale de l'aéronavale installée à Philadelphie : d'un seul coup, il échappe à New York, à la thèse et au service militaire. En outre, il se marie. En 1946, il reprend ses recherches et leur consacre un très gros travail : il espère devenir chercheur dans une grande entreprise et obtenir un gros salaire. Déception : la thèse, soutenue en 1948, ne lui procure aucun emploi et il doit accepter une année de recherche post-doctorale à l'Université. Si l'auteur paraît avoir trouvé sa voie, l'homme est manifestement en train de chercher la sienne.

Ce point est essentiel, car il explique la confusion des années suivantes, où les problèmes de l'homme retentissent sur l'auteur. La science-fiction évolue : en 1949, Asimov s'éloigne de Campbell, de plus en plus attiré par les pseudo-sciences, et publie ses récits dans des revues nouvelles comme *Galaxy* (son principal débouché jusqu'en 1953) et *The Magazine of Fantasy and Science Fiction* (qui devient son support privilégié en 1954). En outre, le genre, parti des magazines, conquiert les librairies, et Asimov commence à écrire des romans et même des romans pour la jeunesse (un genre où, pendant quelques années, il essaiera vainement de concurrencer Heinlein). C'est dans ces années-là que le mythe du déclin d'Asimov commence à s'infiltrer dans les conversations privées. L'*Autobiographie* est évidemment muette sur ce point, mais il semble bien qu'au départ la rumeur est venue... des milieux proches de Campbell. Tout cela est au fond très simple!

Et surtout, le flottement (si flottement il y a) s'explique beaucoup plus simplement encore par l'orientation nouvelle que l'écrivain donne à sa vie.

En 1949, il obtient un poste à l'Université de Boston. Ce n'est pas le salaire fastueux qu'il visait; mais enfin il fait l'expérience des cours, il commente publiquement le Grand Livre de la Science, et le résultat est si convaincant qu'il en vient à se faire applaudir (au grand dépit de ses collègues). Parallèlement, il rédige avec deux autres professeurs un manuel de biochimie à l'usage des étudiants et s'aperçoit qu'il y prend autant de plaisir qu'à écrire de la science-fiction. Du coup il passe aux ouvrages de vulgarisation pour le grand public et (à partir de 1955) aux articles de « non fiction » pour les magazines de science-fiction. Cette métamorphose est bénéfique sur le plan financier : dès 1952, il double son salaire par son travail d'écrivain. Sur le plan universitaire, le résultat est moins brillant : il consacre de moins en moins de temps à la recherche et on le lui reproche. La situation atteint le point de rupture en 1957. Dès lors Asimov se considère uniquement comme un écrivain et renonce à son salaire. Il se bat cependant pour garder son titre de professeur, ce qu'il obtient en 1958.

Cette nouvelle inflexion de parcours se traduit dans l'immédiat par un nouveau décrochage d'Asimov dans le domaine de la science-fiction : sa production de romans s'arrête pour longtemps en 1958, sa production de nouvelles diminue massivement à partir de 1960. L'auteur mise tout sur son travail d'information scientifique : un article mensuel dans *The Magazine of Fantasy and Science Fiction* à partir de 1958, plusieurs livres annuels, beaucoup de conférences. Le moment est favorable : le lancement du premier Spoutnik en 1957 a secoué l'Amérique et la demande de culture scientifique se développe très vite dans le grand public. Asimov se livre sans contrepoids à « l'impulsion forcenée qui le pousse à écrire ». Et comme il maîtrise de mieux en mieux les techniques de documentation, de rédaction, d'indexation, de relecture des épreuves, etc., sa production augmente : il publie 32 livres dans les années cinquante, 70 dans les années soixante, 109 dans les années soixante-dix et 192 dans les années quatre-vingts (1989 exclu, naturellement). Son œuvre est la continuation de son enseignement par d'autres moyens; son Université, c'est l'Amérique entière; un de ses rédacteurs en chef le surnomme « le bon docteur ». Ce galérien de la plume devient à la fois riche et célèbre : son *Intelligent's Man Guide to Science* (1960), au titre emblématique, devient, au fil des rééditions, *Asimov's Guide to Science.* Il est une très grande vedette. Il semble avoir trouvé sa voie.

Ce n'est pourtant pas là toute sa vérité. Depuis 1942, il est l'époux de Gertrude Blugerman, qui, un peu tardivement, lui a donné deux enfants : un garçon, David, en 1951; une fille, Robyn, en 1955. On sait qu'il mène une vie très sage (les deux époux sont arrivés vierges au mariage), mais c'est un homme public et son *Autobiographie,* malgré sa discrétion, laisse deviner çà et là ce qu'il appelle sa « passion pour l'hétérosexualité ». En 1956, à une convention, il rencontre Janet Jeppson, alors âgée de trente ans et fan de science-fiction. Cette première entrevue se passe mal : il lui demande sa profession, elle lui répond qu'elle est psychiatre et il lui propose d' « aller sur le divan ensemble ». Ce trait d'humour agressif, bien dans la ligne du bon docteur, la heurte et plusieurs années s'écoulent avant qu'ils ne se revoient. Mais peu à peu, dans les années soixante, ils deviennent amis : elle lui apporte quelque chose qu'il ne trouve pas dans Gertrude. Si l'on en croit l'*Autobiographie*, elle n'est rien de plus à ce stade. Mais le ménage Asimov se dégrade et, après la mort de Judah, survenue en 1969, on en vient à parler divorce. En 1970, Asimov quitte Boston et va s'établir une fois de plus à New York. Son désarroi est immense et il n'est pas le seul : l'*Autobiographie* mentionne à cette époque un nombre inhabituel de maladies dans la famille, y compris chez ses enfants. Janet Jeppson, qui habite New York, le prend en charge et c'est alors, selon lui, qu'ils tombent amoureux l'un de l'autre. Il faudra trois ans de procès pour en arriver au divorce, immédiatement suivi du mariage avec Janet. Une autre femme, une autre relation de couple, une autre manière d'être Isaac Asimov.

La séparation n'est pas seulement un événement traumatique; c'est une remise en question de tout ce qu'il a fait, et il ne s'y trompe pas. Il s'interroge sur cet étrange destin en ligne brisée. Il récapitule. Plongeant dans son journal, il en tire la matière des notices autobiographiques dont il fait désormais précéder ses nouvelles dans les grands recueils récapitulatifs qu'il entreprend à la même époque. Il se lance dans le policier d'enquête : *Ellery Queen's Mystery Magazine,* publie à partir de 1972 sa série des « Veufs Noirs » (pauvre Gertrude!). Davis, l'éditeur de cette revue, lui propose de publier *Isaac Asimov's Science Fiction Magazine,* dont il sera l'éditorialiste. C'est chose faite en 1976. La même année, l'Amérique fête le deuxième centenaire de sa déclaration d'indépendance et s'interroge sur son identité; Asimov y contribue par deux nouvelles; *L'Homme bicentenaire* et *L'Incident du tricentenaire.* Enfin, en 1977, son éditeur lui suggère d'écrire son autobiographie et il plonge dans ses souvenirs. Le résultat, immédiat, c'est une crise d'angine de poitrine. Il se soigne, se rétablit et, en six mois, écrit les mille cinq cents pages de cette somme qui verra le jour en 1979. Après quoi il reprend la course folle de ses travaux d'information scientifique.

Mais quelque chose a changé. Il a enfin réussi à penser sa vie comme un tout. Pour lui, le temps est retrouvé. Son *Autobiographie*, malgré sa précision, ne dit sans doute pas toute la vérité. Mais il la connaît, ou du moins il en sait assez pour mettre de l'ordre dans son œuvre. Et il s'attelle au travail. Les grands romans des années quatre-vingts cherchent à faire converger le cycle des robots, le cycle de la Fondation et aussi le cycle de l'Empire galactique esquissé dans les années cinquante. Il a en tête une histoire du futur unique et ne songe plus qu'à combler les vides. L'*avertissement* qu'on va lire un peu plus loin repère les places où il peut encore insérer de nouveaux romans. Peut-être même n'a-t-il pas renoncé à son intention, précédemment annoncée, d'intégrer à l'ensemble un quatrième cycle : celui des contrôleurs du temps, jusqu'ici représenté par un roman, *La Fin de l'éternité.* Nous apprenons tour à tour comment l'homme maîtrise l'agressivité individuelle atavique (les robots), comment il vient à bout de l'anarchie politique présente (l'Empire galactique), comment il limite les aléas du futur (la Fondation), comment enfin il en vient à contrôler et à recréer son propre passé (la Fin de l'éternité). Ce stade suprême, qui ressemble beaucoup à la psychanalyse, n'est pas encore clairement raccordé à l'ensemble et ne le sera peut-être pas : Asimov a subi un pontage des coronaires en 1983 (juste après avoir publié trois romans coup sur coup) et il travaille à un rythme tout à fait déraisonnable pour son état de santé. Mais le travail, c'est sa vie.

Prélude à Fondation n'est pas seulement une pièce supplémentaire apportée au puzzle. C'est un roman qui a son identité propre, et qui à certains égards marque une étape importante dans la maturation de l'auteur. L'Empire galactique est mourant, l'illusion unitaire se meurt, et Trantor, la planète-capitale – qui n'a jamais été qu'une métaphore de New York – est enfin décrite dans toute sa diversité. Asimov accède à la science-fiction ethnologique à la Jack Vance. Même chez ce rationaliste endurci, l'idéologie du *melting pot* recule devant l'idéologie du *salad bowl.*

Autre innovation : à force de parler du Livre, Asimov a voulu raconter la vie de Moïse. Son Moïse à lui, Hari Seldon, l'inventeur de la psychohistoire et le créateur de la Fondation. Un paisible universitaire sans doute, comme Asimov, mais aussi un homme traqué, comme le Moïse de la Bible, dont son père lui racontait l'histoire quand il était petit. C'est l'un des plus anciens souvenirs de l'écrivain.

Prélude à Fondation conserve assurément des traces de l'angélisme asimovien. Le problème théorique et philosophique de la psychohistoire (peut-on prévoir l'avenir?) y est discuté avec une grande clarté, propre à réjouir l'honnête homme. Mais peut-être est-ce là désormais une fausse piste. L'auteur a enfin compris que le vrai problème de la psychohistoire n'est pas de connaître l'avenir mais de l'infléchir. Ceux qui poursuivent Hari Seldon ne sont pas en quête de savoir mais de pouvoir. C'est un malentendu colossal (et à la limite comique) dont la description évoque parfois, et de façon assez inattendue, l'œuvre de Frank Herbert. L'angélisme explore ses limites face au cynisme.

Asimov est optimiste. Aux grandes angoisses contemporaines, il a toujours des remèdes à proposer. Ainsi déjà les érudits ses ancêtres conseillaient leur entourage. Mais il sait maintenant que la parole du savant ne suffit pas à forcer le destin. Le savant lui-même est pris dans la toile que tissent les faiseurs d'histoire, et il n'a guère le choix qu'entre des manipulateurs dangereux et des manipulateurs bienveillants. Tel était déjà le dilemme de Judah Asimov le 2 janvier 1920, à l'heure où naissait son fils aîné. Dans cette situation, il faut une Fondation et beaucoup de patience. Telle est la conclusion d'Isaac le Turbulent.

Jacques Goimard
Directeur de la collection
''Univers sans limites''
aux Presses de la Cité.

Avertissement de l'auteur

Lorsque j'écrivis « Fondation », qui parut dans le numéro de mai 1942 d'*Astounding Science Fiction*, je n'avais aucunement conscience d'entamer une série de récits qui allaient finalement croître jusqu'à six volumes et près de quatre millions de signes (jusqu'à présent). Je n'avais pas plus conscience qu'elle formerait un tout avec l'ensemble de mes romans et nouvelles traitant des robots, ainsi qu'avec les textes évoquant l'Empire galactique, pour atteindre un total général (jusqu'à présent) de quatorze volumes, soit environ neuf millions de signes.

Si vous étudiez les dates de publication de ces ouvrages, vous verrez qu'il existe un hiatus de vingt-cinq années (entre 1957 et 1982), durant lequel je n'ai fait aucun ajout à cette série. Non pas que j'aie cessé d'écrire. A vrai dire, j'ai même écrit à plein régime durant tout ce quart de siècle, mais sur d'autres thèmes. Mon retour à la série en 1982 n'a pas été de mon fait : ce fut le résultat de la pression conjuguée, et finalement insoutenable, du public et des éditeurs.

Toujours est-il que la situation est devenue assez compliquée pour me faire sentir qu'une manière de guide de la série serait bien accueillie par les lecteurs, les livres n'ayant pas été rédigés dans l'ordre suivant lequel il conviendrait (peut-être) de les lire.

Les quatorze volumes, tous publiés aux États-Unis par Doubleday, brossent une sorte d'histoire du futur qui n'est certes peut-être pas entièrement cohérente, vu que je n'en ai pas programmé la cohérence dès le départ. L'ordre chronologique des livres, en termes d'histoire du futur (et non de date de publication), est donc le suivant :

1. *The Complete Robot* (1982) : il s'agit d'un recueil de trente et une nouvelles sur les robots, publiées entre 1940 et 1976 et incluant tous les textes de mon premier recueil, *Les Robots* (*I, Robot*, 1950). Depuis la publication de ce recueil, je n'ai écrit qu'une seule nouvelle sur ce thème; il s'agit du « Robot qui rêvait » (« Robot Dreams ») [1].

1. Vingt-neuf de ces trente-deux nouvelles sont disponibles en français dans les recueils suivants : *Les Robots, Un défilé de robots, L'Homme bicentenaire* (pour les nouvelles « Intuition féminine », « Pour que tu t'y intéresses », « Étranger au paradis », « L'Homme bicentenaire » et « L'Incident du tricentenaire »), *Jusqu'à la 4e génération* (pour « Ségrégationniste »), *Espace vital* (pour « Un jour » et « Effet miroir ») et *Le Robot qui rêvait* (pour « Sally », « Artiste de lumière », « L'Amour vrai » et « Le Robot qui rêvait »). Restent à traduire « A Boy's Best Friend », « Point of View », « Think! » et une trente-troisième nouvelle, écrite après *Prélude à Fondation* : « Christmas without Rodney ». On trouvera une bibliographie complète et à jour d'Isaac Asimov dans son recueil *Prélude à l'éternité* (Presses-Pocket). *(N.d.E.)*

2. *Les Cavernes d'acier* (*The Caves of Steel*, 1954) : le premier de mes romans sur les robots.

3. *Face aux feux du soleil* (*The Naked Sun*, 1957) : le second tome du cycle, suite du précédent.

4. *Les Robots de l'aube* (*The Robots of Dawn*, 1983) : le troisième roman sur les robots.

5. *Les Robots et l'Empire* (*Robots and Empire*, 1985) : le quatrième roman sur les robots.

6. *Les Courants de l'espace* (*The Currents of Space*, 1952) : le premier de mes romans sur l'Empire.

7. *Tyrann* (*The Stars, Like Dust*, 1951) : le second roman sur l'Empire.

8. *Cailloux dans le ciel* (*Pebbles in the Sky*, 1950) : le troisième roman sur l'Empire.

9. *Prélude à Fondation* (*Prelude to Foundation*, 1988) : le premier roman du cycle de la Fondation, mais le dernier paru (à ce jour).

10. *Fondation* (*Foundation*, 1951) : le second roman de la Fondation. En réalité, c'est un recueil de quatre textes publiés pour la première fois de 1942 à 1944 et précédés d'une introduction écrite pour l'édition en volume en 1949.

11. *Fondation et Empire* (*Foundation and Empire*, 1952) : le troisième roman du cycle de la Fondation, composé de deux récits publiés initialement en 1945.

12. *Seconde Fondation* (*Second Foundation*, 1953) : le quatrième roman du cycle, également composé de deux récits, initialement publiés en 1948 et 1949.

13. *Fondation foudroyée* (*Foundation's Edge*, 1982) : le cinquième roman du cycle.

14. *Terre et Fondation* (*Foundation and Earth*, 1983) : le sixième roman du cycle.

Ajouterai-je d'autres livres à la série? C'est bien possible. Il reste de la place pour loger un livre entre *Les Robots et l'Empire* (5) et *Les Courants de l'espace* (6), ainsi qu'entre *Prélude à Fondation* (9) et *Fondation* (10); et, bien entendu, on peut en intercaler encore ailleurs. Et je peux également faire suivre *Terre et Fondation* par d'autres volumes – autant qu'il me plaira...

Naturellement, il faudra bien qu'il y ait une limite, car je n'escompte pas vivre éternellement, mais j'ai bien l'intention de m'accrocher le plus longtemps possible.

I.A.

Pour Jennifer Brehl, dite « Le Crayon vert »,
la meilleure directrice littéraire du monde,
et la plus dure à la tâche.

Mathématicien

CLÉON Ier. – ... dernier Empereur galactique de la dynastie Entun. Né en l'an 11988 de l'Ère galactique, la même année que Hari Seldon. (On pense que la date de naissance de Seldon, que certains estiment douteuse, aurait pu être « ajustée » pour coïncider avec celle de Cléon que Seldon, peu après son arrivée sur Trantor, est censé avoir rencontré.)

Cléon est monté sur le trône impérial en 12010, à l'âge de vingt-deux ans, et son règne représente un étrange intervalle de calme dans ces temps troublés. Cela est dû sans aucun doute aux talents de son Chef d'état-major, Eto Demerzel, qui sut si bien se dissimuler à la curiosité médiatique que l'on a fort peu de renseignements à son sujet.

Cléon, quant à lui...

ENCYCLOPAEDIA GALACTICA [1]

1

Étouffant un léger bâillement, Cléon demanda : « Demerzel, auriez-vous, par hasard, entendu parler d'un certain Hari Seldon? »

Cléon était empereur depuis dix ans à peine et, quand le protocole l'exigeait, il y avait des moments où, pourvu qu'il fût revêtu des atours et ornements idoines, il réussissait à paraître majestueux. Il y était arrivé, par exemple, pour son portrait holographique qui trônait dans une niche sur le mur, juste derrière lui. On l'avait disposé de manière à dominer nettement d'autres niches contenant les hologrammes de plusieurs de ses ancêtres.

1. Toutes les citations de l'Encyclopædia Galactica reproduites ici sont extraites de la 116e édition, publiée en 1020 E.F. par la *Société d'Édition de l'Encyclopædia Galactica,* Terminus, avec l'aimable autorisation des éditeurs.

La reproduction n'était pas absolument honnête : les cheveux étaient châtain clair comme dans la réalité, mais un peu plus épais que ceux du modèle. En outre, le visage réel était légèrement asymétrique, le côté gauche de la lèvre supérieure remontant un peu plus que le droit, détail qui n'était pas particulièrement évident sur l'hologramme. Enfin, s'il s'était placé debout à côté de sa reproduction tridimensionnelle, on aurait remarqué qu'il mesurait deux centimètres de moins que le mètre quatre-vingt-trois de son image – et qu'il était peut-être un rien plus enveloppé.

Bien sûr, l'hologramme était le portrait officiel du couronnement et résumait toute sa jeunesse. Il en avait encore l'allure, gardant belle prestance, et, lorsqu'il échappait à l'impitoyable carcan des cérémonies officielles, il y avait dans ses traits une certaine aménité.

Sur ce ton respectueux qu'il cultivait avec soin, Demerzel répondit : « Hari Seldon? Ce nom ne m'est pas familier, Sire. Devrais-je le connaître?

– Le ministre des Sciences m'en a fait mention hier au soir. Je pensais que vous pouviez le connaître. »

Demerzel fronça légèrement les sourcils, mais à peine, car cela ne se fait pas en présence de l'Empereur. « Le ministre des Sciences, Sire, aurait dû d'abord m'en parler, en ma qualité de Chef d'état-major. Si vous devez être bombardé de tous côtés par... »

Cléon éleva la main et Demerzel se tut aussitôt. « Je vous en prie, Demerzel, on ne peut pas être en permanence à cheval sur les principes. Hier au soir, croisant le ministre lors de cette réception, j'ai voulu échanger quelques mots avec lui et il m'a pour ainsi dire tenu la jambe; je ne pouvais décemment refuser de l'écouter, et je ne regrette rien car c'était fort intéressant.

– En quel sens, Sire?

– Eh bien, nous ne sommes plus au temps où sciences et mathématiques étaient du dernier chic. Les choses de ce genre semblent être tout à fait finies, peut-être parce qu'on a découvert tout ce qui pouvait l'être, vous ne croyez pas? Il semblerait malgré tout qu'il puisse encore arriver des choses intéressantes. Du moins, à ce que j'ai entendu dire.

– Par le ministre des Sciences?

– Effectivement. Il m'a appris que ce Hari Seldon a assisté à un congrès de mathématiciens ici même, à Trantor – ils l'organisent tous les dix ans, pour je ne sais quelle raison; il aurait démontré qu'on peut prévoir mathématiquement l'avenir. »

Demerzel se permit un petit sourire. « Ou le ministre des Sciences, homme sans grande jugeotte, a été induit en erreur, ou ce mathématicien s'est trompé. Il ne fait aucun doute que cette histoire de prédiction de l'avenir relève d'un puéril rêve de magie.

– En êtes-vous sûr, Demerzel? Les gens croient ce genre de chose.

– Les gens croient bien des choses, Sire!

– Mais particulièrement celle-ci. Par conséquent, peu importe que la prédiction de l'avenir soit ou non une réalité, n'est-ce pas? Si un mathématicien devait me prédire un règne long et heureux, et pour l'Empire une ère de paix et de prospérité... eh bien, ne serait-ce pas une bonne chose?

– Ce serait assurément agréable à entendre, mais ça nous avancerait à quoi, Sire?

– Eh bien, si les gens croyaient ça, ils agiraient certainement selon cette croyance. Bien des prophéties, par la seule force de la croyance qu'elles engendrent, se sont muées en réalité. Ce sont ce qu'on appelle des « prophéties auto-accomplissantes ». D'ailleurs, maintenant que j'y pense, c'est même vous qui me l'avez expliqué un jour.

– Je le crois bien, Sire », répondit Demerzel. Ses yeux scrutaient attentivement l'Empereur, comme pour voir jusqu'où il pouvait se permettre d'aller. « Pourtant, s'il devait en être ainsi, n'importe qui pourrait prophétiser.

– Les prophètes ne seraient pas tous également crédibles, Demerzel. Pourtant un mathématicien, capable de soutenir sa prophétie à coups de formules et de terminologie, pourrait bien n'être compréhensible pour personne et néanmoins crédible pour tout le monde.

– Comme toujours, Sire, remarqua Demerzel, vous faites preuve de bon sens. Nous vivons en des temps troublés et il ne serait pas inutile de calmer les esprits d'une façon ne requérant ni argent ni efforts militaires, lesquels, l'histoire récente nous l'a appris, font plus de mal que de bien.

– Tout juste, Demerzel, s'empressa de répondre l'Empereur. Dénichez-moi ce Hari Seldon. Vous me dites tirer les ficelles dans tous les secteurs de ce monde agité de turbulences, même là où mes forces n'osent se rendre. Eh bien, faites donc jouer ces ficelles et ramenez-moi ce mathématicien. Que je puisse y jeter un coup d'œil!

– Je m'en occupe de suite, Sire », répondit Demerzel qui avait localisé Seldon d'avance. Il nota, in petto, de féliciter le ministre des Sciences pour son excellent travail.

2

Hari Seldon n'avait rien d'impressionnant à l'époque. Comme l'empereur Cléon Ier, il avait trente-deux ans, mais ne mesurait qu'un mètre soixante-treize. Le visage lisse, les traits avenants, il avait les cheveux bruns, presque noirs, et ses habits trahissaient une touche de provincialisme.

Pour quiconque, dans les siècles futurs, connaîtrait Hari Seldon uniquement comme un demi-dieu de légende, il semblerait quasiment sacrilège de ne pas le voir assis dans un fauteuil roulant, arborer des cheveux blancs, un visage âgé et ridé, un calme sourire irradiant la sagesse. Cependant, même à cet âge fort avancé, son regard resterait chaleureux. Cela au moins ne changerait pas.

Et son regard était particulièrement chaleureux, pour l'heure, car son article venait d'être présenté au Congrès décennal. Il y avait même soulevé un certain intérêt et le vieil Osterfith lui avait dit, en hochant la tête : « Ingénieux, jeune homme; fort ingénieux. » Ce qui, venant d'Osterfith, pouvait être considéré comme satisfaisant. Fort satisfaisant.

Mais voilà que survenait un développement nouveau – autant qu'inattendu – et Seldon se demandait s'il était ou non de nature à renforcer son allégresse et accroître sa satisfaction.

Il fixait le jeune homme en uniforme – l'emblème au Soleil et à l'Astronef bien en évidence sur le côté gauche de sa tunique.

« Lieutenant Alban Wellis, dit l'officier de la Garde impériale avant de ranger sa carte. Voulez-vous bien me suivre, monsieur? »

Wellis était armé, bien sûr. Et deux autres gardes attendaient devant sa porte. Seldon savait qu'il n'avait pas le choix, nonobstant les circonlocutions polies de l'autre, mais rien ne lui interdisait de chercher à en savoir plus : « Pour voir l'Empereur?

– Pour être conduit au palais, monsieur. Tels sont les ordres que j'ai reçus.

– Mais pourquoi?

– On ne me l'a pas dit. Et mes ordres sont stricts : vous devez me suivre – d'une manière ou de l'autre.

– Mais cela ressemble fort à une arrestation. Je n'ai pourtant rien commis de répréhensible.

– Disons plutôt, monsieur, que l'on vous fournit une garde d'honneur, si vous ne tardez pas davantage. »

Seldon ne tarda pas plus. Il pinça les lèvres, comme pour retenir de nouvelles questions, hocha la tête, avança d'un pas. Même si c'était pour être présenté à l'Empereur et recevoir ses félicitations, il n'y trouvait aucun plaisir. Il était pour l'Empire – enfin, pour la paix et l'unité des mondes formant l'humanité –, mais il n'était pas pour l'Empereur.

Le lieutenant le précéda, les deux autres fermant la marche. Seldon sourit aux passants qu'il croisait, essayant de prendre un air dégagé. Une fois sortis de l'hôtel, ils montèrent dans un véhicule terrestre officiel (Seldon caressa de la main les garnitures intérieures : jamais il n'avait vu quelque chose d'aussi ouvragé).

Ils se trouvaient dans un des secteurs les plus opulents de Trantor : ici, le dôme était assez haut pour vous donner l'impression d'être à l'air libre et l'on aurait pu jurer – même quelqu'un comme Hari Seldon qui était né et avait grandi dans un monde ouvert – qu'on était à la lumière naturelle. Certes, il n'y avait ni ombre ni soleil, mais l'air était léger et parfumé.

Et puis l'impression se dissipa, la courbure du dôme s'accentua, les parois se rétrécirent et bientôt ils s'enfonçaient dans un tunnel confiné, balisé à intervalles réguliers par l'emblème au Soleil et à l'Astronef et donc réservé (de l'avis de Seldon) aux véhicules officiels.

Une porte s'ouvrit et le véhicule s'y engouffra. Lorsqu'elle se referma derrière eux, ils se retrouvèrent à l'extérieur, pour de bon. Il n'y avait en tout et pour tout que deux cent cinquante kilomètres carrés de terres à l'air libre sur Trantor, et sur ces terres se dressait le Palais impérial. Seldon aurait aimé avoir l'occasion de parcourir ce domaine – moins parce qu'il abritait le Palais que parce qu'il hébergeait l'Université et, détail plus intrigant encore, la Bibliothèque galactique. Et pourtant, en passant du monde clos de Trantor à cette enclave à l'air libre, pleine de bois et de forêts, il était passé dans un monde où les nuages obscurcissaient le ciel et où un vent frais s'engouffrait dans sa chemise. Il pressa le contact qui refermait la vitre du véhicule.

A l'extérieur, le temps était maussade.

3

Seldon n'était pas du tout certain de rencontrer l'Empereur en personne. Au mieux, il allait voir quelque officier de quatrième ou cinquième rang qui prétendrait parler au nom du souverain.

Combien de personnes, d'ailleurs, pouvaient prétendre l'avoir vu, cet Empereur? En chair et en os, et non en holovision? Combien de personnes avaient vu l'Empereur véritable, tangible, un Empereur qui ne quittait jamais ce domaine impérial que lui, Seldon, était en train de parcourir en cet instant?

Leur nombre était infime. Vingt-cinq millions de mondes habités, chacun avec sa cargaison d'un milliard d'hommes ou plus – et parmi tous ces quadrillions d'êtres humains, combien avaient déjà, combien auraient jamais l'occasion de poser un jour les yeux sur l'Empereur en chair et en os? Un millier?

Et quelle importance, d'ailleurs? L'Empereur n'était guère plus qu'un symbole de l'Empire, au même titre que le Soleil et l'Astronef, en moins envahissant encore, et en moins concret. C'étaient ses soldats et ses fonctionnaires qui, à force de s'insinuer partout, représentaient désormais un Empire devenu un poids mort sur les épaules de ses sujets – pas l'Empereur.

Seldon fut introduit dans une pièce de taille moyenne, meublée avec ostentation, où l'attendait un homme d'allure jeune, assis au coin d'une table dans une alcôve devant une fenêtre, un pied par terre et l'autre ballant; il s'étonna qu'un fonctionnaire pût le considérer avec une attitude si dégagée, si enjouée. Il avait déjà maintes fois pu constater que les représentants de l'autorité – et particulièrement ceux de l'entourage impérial – avaient en permanence l'air grave, comme si le poids de la Galaxie entière reposait sur leurs épaules. Et il semblait que moins leur rang était élevé, plus leur expression était menaçante.

Il devait donc s'agir d'un officier placé si haut dans la hiérarchie, irradié à tel point par le soleil du pouvoir, qu'il n'éprouvait nullement le besoin de le voiler derrière une physionomie compassée.

Seldon ne savait pas dans quelle mesure il devait avoir l'air impressionné; il jugea préférable de garder le silence et de laisser l'autre entamer la conversation.

Le fonctionnaire prit la parole : « Vous êtes Hari Seldon, n'est-ce pas? Le mathématicien? »

Seldon se contenta de répondre : « Oui, monsieur », puis attendit.

Le jeune homme fit un geste du bras. « Ce devrait être " Sire ", mais j'ai le protocole en horreur. C'est tout ce que j'obtiens et je commence à m'en lasser. Nous sommes entre nous; je vais me faire plaisir et laisser tomber le cérémonial. Asseyez-vous donc, professeur. »

C'est à mi-tirade que Seldon comprit qu'il s'adressait à l'empereur Cléon, premier du nom, ce qui lui coupa la respiration. Il y avait effectivement un vague faux air de ressemblance, maintenant qu'il y regardait de plus près, avec l'hologramme officiel que l'on voyait constamment aux informations, mais sur ces portraits, Cléon, toujours vêtu de manière imposante, semblait plus grand, plus noble, les traits figés.

Et voilà qu'il se retrouvait devant l'original, et quelque part l'homme lui semblait parfaitement ordinaire.

Seldon ne bougea pas.

L'Empereur esquissa un froncement de sourcils et, avec cette habitude du commandement toujours présente même quand il tentait d'y renoncer, au moins temporairement, il répéta sur un ton péremptoire : « J'ai dit " asseyez-vous ", mon ami. Sur ce siège. En vitesse. »

Seldon s'assit, sans voix. Il ne parvenait même pas à répondre : « Oui, Sire. »

Cléon sourit. « Voilà qui est mieux. A présent, nous pouvons discuter comme deux êtres humains que nous sommes après tout une fois le protocole oublié. Eh là, mon ami?

– Si Votre Majesté impériale se plaît à le dire, hasarda Seldon, alors il en est ainsi.

– Oh, allons, pourquoi tant de précautions? Je veux vous parler d'égal à égal. Tel est mon bon plaisir. Passez-moi ce caprice.

– Oui, Sire.

– Un simple " oui " suffira, mon ami. N'ai-je donc pas de moyen de vous atteindre? »

Cléon fixa Seldon d'un regard appuyé que ce dernier jugea vif et intéressé.

Finalement l'Empereur remarqua : « Vous n'avez pas l'air d'un mathématicien. »

Seldon trouva enfin le moyen de sourire. « J'ignore à quoi est censé ressembler un mathématicien, Votre Maj... »

Cléon brandit le doigt et Seldon ravala sa formule honorifique.

« A un homme à cheveux blancs, je suppose. Barbu, peut-être. Agé, certainement.

– Pourtant, même les mathématiciens doivent bien commencer par être jeunes.

– Mais alors, ils n'ont pas encore de réputation. Le temps qu'ils se fassent remarquer du reste de la Galaxie, ils ressemblent à la description que je viens de donner.
– J'ai bien peur de ne pas avoir de réputation...
– Vous êtes pourtant intervenu au Congrès qu'ils ont tenu ici.
– Comme bon nombre de mes pairs. Certains étaient plus jeunes que moi. Et on ne peut pas dire qu'on leur ait accordé beaucoup d'attention.
– Votre contribution a en tout cas attiré celle de certains de mes fonctionnaires. J'ai cru comprendre que vous croyiez possible de prédire l'avenir. »

Seldon éprouva soudain une grande lassitude. C'était à croire que cette erreur d'interprétation devrait constamment entacher sa théorie. Peut-être n'aurait-il pas dû présenter son article.

« Non, pas exactement, répondit-il. Ce que j'ai fait est bien plus limité. Dans de nombreux systèmes, la situation est telle que, dans certaines conditions, des événements chaotiques surviennent. Cela signifie que, au-delà d'un certain point, il devient impossible de prédire leur enchaînement. C'est également vrai dans le cas de systèmes relativement simples, mais plus leur complexité s'accroît, plus le risque de chaos grandit. On a toujours supposé qu'un système aussi complexe qu'une société humaine était destiné à devenir rapidement chaotique et, par conséquent, imprévisible. J'ai seulement démontré qu'en étudiant la société humaine, il est possible de choisir un point de départ et de faire des hypothèses appropriées qui supprimeront le chaos. Cela permettra de prédire l'avenir, non pas en détail, bien sûr, mais dans ses grandes lignes; pas avec certitude, mais avec des probabilités calculables. »

L'Empereur, qui l'avait écouté avec attention, remarqua : « Mais cela n'équivaut-il pas à une méthode pour prédire l'avenir?
– Encore une fois, pas exactement. J'ai montré que c'était possible en théorie, rien de plus. Pour aller plus loin, il nous faudrait choisir un point de départ adéquat, poser les hypothèses correctes et trouver ensuite le moyen d'effectuer l'ensemble des calculs dans un temps fini. Rien dans ma démonstration ne permet d'entrevoir la solution d'aucun de ces problèmes. Et même si c'était faisable, nous pourrions, au mieux, calculer de simples probabilités. Ce n'est pas là prédire, mais plutôt supposer ce qui est susceptible d'arriver. Tout bon politicien, tout homme d'affaires, tout individu de quelque influence doit effectuer ce genre de projection sur l'avenir, et si possible sans se tromper, sous peine d'échec.
– Ils le font sans l'aide des mathématiques.
– Exact. Par intuition.
– Avec l'outil mathématique adéquat, n'importe qui serait capable de calculer ces probabilités. Pas besoin de l'oiseau rare qui réussit grâce à une remarquable intuition.
– Encore exact, mais j'ai seulement démontré que l'analyse mathématique est possible; pas qu'elle est applicable.
– Comment une chose peut-elle être possible et néanmoins inapplicable?

– Je pourrais en théorie visiter tous les mondes de la Galaxie et rencontrer chaque habitant de chacun de ces mondes. Pourtant, cela me prendrait bien plus de temps que je n'ai d'années à vivre et, même si j'étais immortel, la vitesse à laquelle naissent de nouveaux individus est supérieure à celle à laquelle je pourrais interroger les plus âgés et, pour être plus précis encore, ces derniers mourraient en grand nombre avant que j'aie simplement eu l'occasion de les aborder.

– Et il en serait de même avec vos calculs mathématiques de prévision de l'avenir? »

Seldon hésita, puis poursuivit : « Il se pourrait que le calcul mathématique soit trop long à effectuer, même en disposant d'un ordinateur grand comme l'univers travaillant à une vitesse hyperspatiale. Le temps d'obtenir une réponse, il se serait écoulé suffisamment d'années pour modifier la situation initiale au point de rendre cette réponse sans intérêt.

– Pourquoi ne peut-on simplifier le processus? demanda sèchement Cléon.

– Votre Majesté Impériale », – Seldon sentait l'Empereur se renfrogner à mesure que les réponses devenaient de plus en plus frustrantes, et lui-même répondait sur un ton de plus en plus solennel – « considérez l'approche scientifique des particules subatomiques. Elles existent en quantités gigantesques, et chacune bouge ou vibre de manière aléatoire et imprévisible; mais ce chaos repose sur un ordre sous-jacent, de sorte que nous pouvons élaborer une mécanique quantique pour répondre à toutes les questions que nous sommes susceptibles de poser. En étudiant la société, nous remplaçons les particules subatomiques par des êtres humains, mais cette fois, il y a un facteur supplémentaire : l'esprit humain. Les particules bougent sans penser; ce n'est pas le cas des hommes. Évaluer les diverses attitudes et impulsions de leur esprit ajoute aux données une telle complexité que l'on n'a plus assez de temps pour tout prendre en compte.

– L'esprit ne pourrait-il avoir un ordre sous-jacent au même titre qu'un objet qui bouge sans penser?

– Peut-être. Mon analyse mathématique implique que l'ordre doit être sous-jacent à toutes choses, si désordonnées puissent-elles apparaître, mais elle ne fournit aucun indice quant à la méthode pour le découvrir. Imaginez... vingt-cinq millions de mondes, chacun avec ses caractéristiques et sa culture, chacun significativement différent de tous les autres, chacun contenant un milliard ou plus d'êtres humains dotés d'un esprit individuel, et tous ces mondes interagissant d'innombrables manières, en d'innombrables combinaisons! Même si, en théorie, une analyse psychohistorique est possible, il est peu probable que ce soit réalisable en pratique.

– Qu'entendez-vous par « psychohistorique »?

– J'ai donné à l'évaluation théorique des probabilités concernant l'avenir le nom de « psychohistoire ».

L'Empereur se leva brusquement, gagna l'autre bout de la pièce, pivota, revint sur ses pas puis s'arrêta devant Seldon, toujours assis, immobile.

« Debout! » ordonna-t-il.

Seldon obéit et leva les yeux vers l'Empereur qui le dominait quelque peu. Il fit un effort pour ne pas baisser le regard.

Enfin, Cléon reprit : « Votre psychohistoire, là... si on pouvait la rendre praticable, elle serait d'une grande utilité, non?

– D'une énorme utilité, à l'évidence. Savoir ce que recèle l'avenir, même d'une manière très générale et probabiliste, voilà qui constituerait un guide nouveau et merveilleux pour nos actions, un guide comme l'humanité n'en a jamais eu jusqu'à ce jour. Mais, évidemment... » Il s'interrompit.

« Eh bien? s'impatienta Cléon.

– Eh bien, il semblerait que, hormis quelques décideurs, les résultats de l'analyse psychohistorique devraient demeurer inconnus du grand public.

– Inconnus! s'exclama Cléon, avec surprise.

– C'est évident. Laissez-moi essayer de vous expliquer. Si l'on fait une analyse psychohistorique et que ses résultats sont livrés au public, les diverses émotions et réactions de l'humanité en seront aussitôt altérées. L'analyse psychohistorique, qui se fonde sur des émotions et des comportements induits dans l'ignorance de l'avenir, perdrait dès lors toute signification. Comprenez-vous? »

Les yeux de l'Empereur brillèrent soudain tandis qu'il éclatait de rire : « Magnifique! »

Et il lui asséna une grande claque sur l'épaule qui le fit vaciller sous le choc.

« Vous ne voyez donc pas, mon vieux? dit Cléon. Non? La voilà, l'utilité que vous cherchiez. Vous n'avez pas besoin de prédire l'avenir. Mais simplement d'en choisir un – un bon avenir, un avenir utile – et de faire le genre de prédiction qui modifiera les émotions et les comportements humains de telle sorte que l'avenir prédit se réalisera... Mieux vaut encore fabriquer un bon avenir qu'en prédire un mauvais. »

Seldon fronça les sourcils. « Je vois ce que vous voulez dire, Sire, mais c'est également impossible.

– Impossible?

– Eh bien, à tout le moins impraticable. Ne voyez-vous pas? Si vous ne pouvez partir des émotions et comportements humains pour prédire l'avenir, alors l'inverse non plus n'est pas possible : vous ne pourrez partir d'un avenir donné et en déduire les émotions et comportements qui mèneront à sa concrétisation. »

Cléon paraissait frustré. Il pinça les lèvres. « Et votre communication, alors?.. C'est bien votre terme, n'est-ce pas, communication?... Quelle est son utilité?

– C'était une simple démonstration mathématique. Intéressante pour des mathématiciens, mais à aucun moment je n'avais songé à une quelconque application pratique.

– Je trouve ce gâchis écœurant », s'emporta Cléon.

Seldon haussa légèrement les épaules. Plus que jamais, il regrettait d'avoir lu sa communication. Qu'adviendrait-il de lui si l'Empereur se mettait dans la tête qu'on l'avait mené en bateau?

Et vraiment, Cléon avait l'air bien près de le croire.

« Alors, reprit-il, imaginons que vous soyez amené à faire des prédictions, qu'elles soient ou non fondées mathématiquement; des prédictions que les spécialistes gouvernementaux, dont le métier est de savoir comment le public est susceptible de réagir, jugeront propres à amener des réactions utiles?

– Pourquoi auriez-vous besoin de moi pour cela? Les spécialistes gouvernementaux pourraient faire ces prédictions-là eux-mêmes en se passant d'intermédiaire.

– Les spécialistes gouvernementaux ne seraient pas aussi efficaces. Ils font bien des déclarations de ce genre de temps à autre. On ne les croit pas pour autant.

– Pourquoi me croirait-on, moi?

– Vous êtes un mathématicien. Vous auriez *calculé* le futur au lieu d'en avoir eu, disons, l'intuition.

– Mais je ne peux rien calculer de tel!

– Et qui le saurait? » Cléon le fixa en plissant les yeux.

Il y eut un silence. Seldon se sentait piégé. Devant un ordre direct de l'Empereur, serait-il prudent de refuser? S'il refusait, il risquait d'être emprisonné ou exécuté. Non sans procès, bien sûr, mais que de difficultés pour que le jugement aille à l'encontre des vœux d'une bureaucratie pesante, surtout lorsque celle-ci est aux ordres de l'Empereur du vaste Empire galactique!

Finalement, il répondit : « Ça ne marcherait pas.

– Pourquoi?

– Si encore on me demandait de prédire de vagues généralités qui ne pourraient raisonnablement se réaliser bien avant que cette génération, voire la suivante, ait disparu, nous pourrions peut-être nous en sortir; mais, dans ce cas, les gens n'y prêteraient guère attention. Peu leur importerait une éventualité située un siècle ou deux dans l'avenir.

Pour parvenir à des résultats, poursuivit Seldon, il me faudrait prédire des événements aux conséquences plus directes, plus immédiates. C'est à ceux-là seulement que réagirait le public. Tôt ou tard, cependant – et sans doute plus tôt que plus tard –, l'une de ces éventualités ne se réaliserait pas, ce qui mettrait aussitôt fin à ma crédibilité; qui plus est, votre popularité risquerait d'en pâtir du même coup, et, pis que tout, cela mettrait un terme aux recherches en psychohistoire, de sorte qu'on ne pourrait plus espérer l'améliorer, même si les progrès futurs en mathématiques pouvaient contribuer à la rapprocher d'une application pratique. »

Cléon se laissa tomber dans un fauteuil et regarda Seldon, l'air renfrogné. « Est-ce là tout ce dont vous êtes capables, vous autres mathématiciens? Souligner les impossibilités?

– C'est vous, Sire, qui soulignez les impossibilités, remarqua Seldon avec une douceur désespérée.

– Laissez-moi vous mettre à l'épreuve, mon ami. Supposons que je vous demande d'utiliser vos mathématiques pour me dire si je serai un jour assassiné. Que répondriez-vous?

– Mon système mathématique ne fournirait pas de réponse à une question aussi précise, même si la psychohistoire fonctionnait au mieux. Toute la mécanique quantique du monde ne peut permettre de prédire le comportement d'un unique électron, mais seulement le comportement moyen d'une grande quantité d'entre eux.

– Vous connaissez vos mathématiques mieux que moi. Faites une prédiction raisonnable en vous basant dessus. Serai-je un jour assassiné?

– Vous me tendez un piège, Sire, dit doucement Seldon. Ou vous me dites quelle réponse vous désirez entendre, ou vous m'accordez le droit de vous fournir la réponse de mon choix sans risque d'être puni.

– Parlez librement.

– Votre parole d'honneur?

– Vous voulez une promesse écrite? » Le ton était sarcastique.

« Votre seule parole suffira », dit Seldon, le cœur serré, car il n'était pas du tout convaincu.

« Vous avez ma parole d'honneur.

– Alors, je peux vous dire qu'au cours des quatre derniers siècles, près de la moitié des Empereurs ont été assassinés, d'où je conclus que vos chances de subir le même sort sont en gros d'une sur deux.

– N'importe quel imbécile pourrait me fournir cette réponse, fit Cléon, méprisant. Pas besoin d'être mathématicien.

– Je vous ai pourtant prévenu à plusieurs reprises que mes mathématiques sont sans application pratique.

– Vous ne pouvez même pas supposer que j'aie tiré profit des leçons données par mes infortunés prédécesseurs? »

Seldon prit une profonde inspiration et se lança. « Non, Sire. Toute l'histoire montre que nous ne savons rien tirer des leçons du passé. Par exemple, vous m'avez admis ici en audience privée. Et si j'avais eu l'intention de vous assassiner? Ce qui bien sûr n'est pas le cas, Sire », s'empressa-t-il d'ajouter.

Cléon sourit sans humour. « Mon ami, vous oubliez notre minutie – et les progrès techniques. Nous avons étudié votre biographie, l'ensemble de votre dossier. A votre arrivée, vous avez été passé au scanner. Votre expression et vos empreintes vocales ont été analysées. Nous connaissions en détail votre état émotionnel; nous connaissions quasiment vos pensées. S'il y avait eu le moindre doute sur vos intentions, on ne vous aurait pas permis de m'approcher. En fait, vous ne seriez plus en vie à l'heure qu'il est. »

Une vague de nausée submergea Seldon mais il poursuivit : « Les Exos ont toujours eu des difficultés à approcher les Empereurs, même lorsque la technique était moins avancée. Or, presque tous les assassinats sont liés à des révolutions de palais. Pour l'Empereur, ce sont les proches qui constituent le plus grand danger. Contre ce danger, une fouille méticuleuse des Exos n'est d'aucune utilité. Quant à vos propres fonctionnaires, vos propres gardes, vos propres intimes, vous ne pouvez les traiter comme vous m'avez traité.

– Ça aussi, je le sais, répondit Cléon, et au moins aussi bien que vous. En fait, je traite mes proches équitablement sans leur fournir une seule cause de ressentiment.

– Quelle absur... », commença Seldon, mais il se tut aussitôt, fort embarrassé.

« Continez, fit Cléon, avec colère. Je vous ai donné l'autorisation de parler librement. Qu'ai-je dit d'absurde?

– Le mot m'a échappé, Sire. Je voulais dire « inappropriée ». Cette façon de traiter vos intimes est inappropriée. Vous devez être soupçonneux; il serait inhumain de ne pas l'être. Un geste ou un mot imprudent, tel que celui que je viens d'employer, une expression douteuse, et vous voilà aussitôt sur la défensive, le regard inquisiteur. Et la moindre trace de méfiance met en branle un cercle vicieux. L'intime va déceler cette méfiance, d'où ressentiment de sa part et modification du comportement, malgré tous ses efforts pour l'éviter. Vous le décelez à votre tour, ce qui accroît vos soupçons, et en fin de compte, votre interlocuteur est exécuté ou vous êtes assassiné. Ce processus s'est révélé inéluctable pour les Empereurs des quatre derniers siècles, et ce n'est jamais qu'un signe des difficultés croissantes qu'il y a à mener les affaires de l'Empire.

– Alors, rien de ce que je pourrai faire n'évitera un assassinat.

– Non, Sire, mais d'un autre côté, vous pourriez avoir de la chance. »

Les doigts de Cléon tambourinaient sur le bras de son fauteuil. Rudement, il lança : « Vous êtes inutile, mon ami, tout comme votre psychohistoire. Laissez-moi. » Et sur ces mots, l'Empereur détourna le regard, paraissant soudain plus âgé que ses trente-deux ans.

« Je vous avais prévenu que mes mathématiques ne vous seraient d'aucune utilité, Sire. Mes plus profondes excuses. »

Seldon voulut faire une révérence mais, à quelque signal invisible, deux gardes étaient entrés pour le raccompagner. A la porte, la voix de Cléon lui parvint de la chambre royale : « Ramenez cet homme là où vous êtes allés le chercher. »

4

Eto Demerzel émergea, et lorgnant l'Empereur avec la déférence qui s'imposait, remarqua : « Sire, vous avez failli vous mettre en colère. »

Cléon leva les yeux et, au prix d'un effort visible, réussit à sourire. « Eh bien, oui. L'homme était très décevant.

– Et pourtant, il n'a pas promis plus que ce qu'il avait à offrir.

– Il n'avait rien à offrir.
– Et n'a rien promis, Sire.
– C'était décevant.
– Plus que décevant, peut-être. Cet homme est comme un cheval fou, Sire.
– Un quoi, Demerzel? Vous avez toujours la bouche pleine d'expressions si bizarres. »
Demerzel répondit gravement : « C'est juste une expression que j'ai entendue dans ma jeunesse, Sire. L'Empire est rempli de tournures étranges dont certaines sont inconnues sur Trantor, tout comme celles de Trantor sont parfois inconnues ailleurs.
– Êtes-vous venu pour m'apprendre que l'Empire est vaste? Qu'entendez-vous par là, en disant que cet homme est comme un cheval fou?
– Simplement qu'il peut faire beaucoup de mal sans en avoir nécessairement l'intention. Il ne connaît pas sa propre force. Ni son importance.
– Vous avez déduit cela tout seul, Demerzel?
– Oui, Sire. C'est un provincial. Il ne connaît pas Trantor, ni ses usages. Il n'est encore jamais venu sur notre planète, il ignore les bonnes manières, les façons d'un courtisan. Pourtant, il vous a tenu tête.
– Et pourquoi pas? Je lui avais donné l'autorisation de parler. J'ai laissé tomber le protocole. Je l'ai traité en égal.
– Pas tout à fait, Sire. Ce n'est pas dans votre nature de traiter les autres en égaux. Vous avez l'habitude du commandement. Et même si vous vouliez mettre les gens à l'aise, peu d'entre eux parviendraient à se détendre. La plupart resteraient sans voix ou, pire, se montreraient serviles ou flagorneurs. Or, cet homme vous a tenu tête.
– Eh bien, vous pouvez admirer son attitude, Demerzel, mais il ne me plaît pas. » Cléon semblait songeur et mécontent. « Avez-vous remarqué qu'il n'a fait aucun effort pour m'expliquer ses mathématiques? Comme s'il savait que je n'en saisirais pas un traître mot.
– Ce qui aurait été le cas, Sire. Vous n'êtes pas un mathématicien, ni un scientifique, ni un artiste. Il y a quantité de domaines de la connaissance où d'autres en savent plus que vous. C'est leur tâche d'utiliser leurs connaissances pour vous servir. Vous êtes l'Empereur, ce qui vaut bien toutes leurs spécialités réunies.
– Croyez-vous? Je ne verrais pas d'inconvénient à me sentir ignorant devant un vieillard ayant accumulé les connaissances au cours des ans. Mais cet homme, Seldon, a juste mon âge. Comment peut-il en savoir autant?
– Il n'a pas eu à apprendre l'habitude du commandement, l'art de prendre une décision qui affectera la vie des autres.
– Parfois, Demerzel, je me demande si vous ne vous moquez pas de moi.
– Sire! protesta Demerzel.
– Mais peu importe. Revenons à votre cheval fou. Pourquoi le considérer comme dangereux? Il m'a plutôt l'air d'un provincial naïf.

– Certes. Mais il y a cette recherche mathématique de sa façon.
– Il dit qu'elle est inutile.
– Vous pensiez qu'on pourrait en tirer quelque chose. Je pensais de même après avoir entendu vos explications. D'autres que nous pourraient être de cet avis. Et notre mathématicien pourrait bien être amené à réfléchir tout seul, maintenant qu'on a attiré son attention là-dessus. Et qui sait, peut-être parviendra-t-il à mettre ses idées en pratique. Si tel devait être le cas, alors prédire l'avenir, si vaguement que ce soit, le placera en position de force. Même s'il ne désire pas détenir le pouvoir pour lui-même, forme d'abnégation qui m'a toujours paru improbable, il pourrait être utilisé par d'autres.
– J'ai bien essayé de l'utiliser. Il a refusé.
– Il n'y avait pas réfléchi. Peut-être qu'à présent... Et si cela ne l'intéressait pas d'être utilisé par vous, ne pourrait-il être persuadé par... mettons... le maire de Kan?
– Pourquoi serait-il prêt à aider Kan et pas nous?
– Comme il l'a expliqué, il est difficile de prédire les émotions et le comportement des individus. »
Cléon grimaça, toujours assis, pensif. « Croyez-vous vraiment qu'il pourrait perfectionner sa psychohistoire jusqu'à la rendre utilisable? Il paraît tellement certain du contraire.
– Il peut, le temps aidant, décider qu'il a eu tort d'écarter cette possibilité.
– Alors, reprit Cléon, je suppose que j'aurais dû le garder sous la main.
– Non, Sire. Votre instinct a été correct quand vous l'avez laissé partir. Un emprisonnement, si déguisé soit-il, serait cause de ressentiment et de désespoir, ce qui ne contribuerait pas à le faire progresser dans ses recherches ou collaborer de bon gré avec nous. Mieux vaut lui laisser la liberté comme vous l'avez fait, tout en le tenant discrètement en bride. De la sorte, nous veillerons à ce qu'il ne soit pas récupéré par un de nos ennemis, Sire, et, sitôt qu'il aura fini de mettre au point sa science, nous pourrons tirer sur la bride et le ramener. A ce moment-là, nous pourrions nous montrer... plus persuasifs.
– Oui, mais s'il se fait récupérer entre-temps par un de mes ennemis, disons plutôt un ennemi de l'Empire, car, après tout, je suis l'Empire, ou si – de son propre chef – il décide de servir un ennemi... Je n'écarte pas cette hypothèse, voyez-vous.
– Et vous avez parfaitement raison. Je veillerai à ce que cela n'arrive pas, mais si, contre toute attente, cela devait se produire, mieux vaudrait encore que personne ne profite de ses services plutôt que les voir tomber en de mauvaises mains. »
Cléon paraissait mal à l'aise. « Je m'en remets entièrement à vous, Demerzel, mais j'espère que nous n'agirons pas avec trop de hâte. Il pourrait n'être, après tout, que l'inventeur d'une théorie dépourvue de toute espèce d'application pratique.
– C'est fort possible, Sire, mais il serait plus prudent de partir de

l'idée que l'homme est – ou pourrait être – important. Nous n'aurons perdu au plus qu'un peu de temps si jamais nous découvrons que nous nous sommes préoccupés d'une non-entité. Nous risquons de perdre une Galaxie si nous découvrons que nous avons ignoré quelqu'un d'important.

– Fort bien, si vous le dites... mais j'espère que je n'aurai pas à connaître les détails – s'ils s'avéraient déplaisants.

– Espérons que ce ne sera pas le cas », répondit Demerzel.

5

Seldon avait eu une soirée, une nuit et une partie de la matinée pour se remettre de son entrevue avec l'Empereur. Du moins l'éclairage des passages, des trottoirs roulants, des places et des parcs du Secteur impérial de Trantor s'était modifié plusieurs fois, donnant l'impression qu'une soirée, une nuit et une partie de la matinée s'étaient écoulés.

Il se trouvait à présent dans un petit parc, installé sur un siège en plastique qui se moulait exactement à son anatomie et se révélait confortable. A en juger par la lumière, c'était le milieu de la matinée et l'air était juste assez frais pour paraître vivifiant sans pour autant être piquant.

En allait-il toujours ainsi? Il songea au jour gris, au-dehors, quand il était allé voir l'Empereur. Et il songea à tous les jours gris et froids, aux jours torrides, ou pluvieux, ou neigeux, sur Hélicon, sa planète, et se demanda si ces alternances de climat pouvaient vous manquer. Était-il possible de rester assis dans un parc de Trantor, en jouissant jour après jour d'un temps idéal, au point de se croire entouré par le néant... et de finir par regretter les vents hurlants, le froid mordant ou l'humidité étouffante?

Peut-être. Mais pas le premier jour, ni le second ou même le septième. Et il n'aurait que cette journée-là : demain, il serait parti. Alors, il avait bien l'intention d'en profiter autant que possible. Il se pouvait, après tout, qu'il ne revienne jamais sur Trantor.

Pourtant, il se sentait encore mal à l'aise, après avoir parlé de manière aussi libre à un homme qui pouvait, selon son bon plaisir, ordonner votre emprisonnement ou votre exécution – ou, à tout le moins, votre mort économique et sociale par la perte de votre position et de votre situation.

Avant d'aller se coucher, Seldon avait consulté l'article *Cléon Ier* dans la partie encyclopédique de l'ordinateur de sa chambre d'hôtel. L'Empereur y était fort loué comme, sans doute, l'avaient été en leur temps tous ses prédécesseurs, quels que fussent leurs actes. Seldon avait négligé cet aspect mais s'était intéressé au fait que Cléon était né au Palais et n'avait jamais quitté son enceinte. Il n'était jamais allé dans Trantor même, n'avait jamais visité le moindre secteur du monde aux multiples dômes. C'était peut-être une question de sécurité, mais cela signifiait que l'Empereur était en prison, qu'il voulût ou non l'admettre. La prison la plus luxueuse de la Galaxie, mais une prison quand même.

L'Empereur avait semblé affable et ne s'était pas comporté en autocrate sanguinaire à l'instar de tant de ses prédécesseurs, mais il n'était pas bon d'avoir attiré son attention. Seldon appréciait la perspective de partir le lendemain pour Hélicon, même si, chez lui, il était destiné à retrouver l'hiver (et un hiver plutôt rigoureux, jusqu'à présent).

Il leva les yeux vers la lumière brillante et diffuse. Il ne pouvait jamais pleuvoir ici, et pourtant l'atmosphère était loin d'être sèche. Une fontaine jouait non loin de lui ; les plantes étaient vertes et n'avaient sans doute jamais senti les effets de la sécheresse. Par moments, les bosquets frémissaient comme si quelque petit animal y était dissimulé. Il entendait bourdonner des abeilles.

Vraiment, par toute la Galaxie on parlait de Trantor comme d'un monde artificiel de métal et de céramique, mais cette petite enclave paraissait tout à fait rustique.

Les quelques rares badauds qui profitaient du parc portaient tous des chapeaux légers, parfois tout petits. Il y avait également un joli brin de jeune femme, non loin de là, mais elle était penchée sur un visionneur et il ne pouvait distinguer ses traits. Un homme passa, lui jeta un bref coup d'œil dénué de curiosité, puis s'assit sur une chaise en face de lui et se plongea dans une liasse de télécopies, croisant ses jambes revêtues d'un pantalon rose étroit.

Assez curieusement, il y avait chez les hommes une tendance aux teintes pastel, alors que les femmes étaient plutôt vêtues de blanc. Vu la propreté de l'environnement, il était logique de porter des couleurs claires. Seldon baissa les yeux, amusé, pour contempler son costume héliconien, où dominait le brun passé. S'il devait rester sur Trantor – ce qui n'était pas le cas –, il lui faudrait s'acheter une garde-robe adéquate, sous peine de devenir un objet de curiosité, de risée ou de répulsion. L'homme aux télécopies, par exemple, l'avait examiné, cette fois-ci avec plus de curiosité, sans doute intrigué par sa mise exotique.

Seldon fut soulagé de ne pas le voir sourire. Il pouvait accepter avec philosophie d'être la cible des railleurs mais qu'on n'espère pas qu'il en tire plaisir.

Seldon fixa l'homme sans se gêner, car celui-ci semblait engagé dans quelque débat intérieur. Un instant, il donna l'impression d'être sur le point de parler, puis il parut se raviser, puis sembla vouloir prendre à nouveau la parole. Seldon se demanda quelle serait l'issue du débat.

Il étudia l'homme. Grand, les épaules larges, sans trace d'embonpoint, cheveux châtains avec des reflets blonds, rasé de près, l'expression grave, un air de vigueur bien qu'aucun muscle ne saillît, des traits un rien burinés – agréables mais sans rien de « joli ».

Alors que l'homme avait fini par perdre son combat avec lui-même (ou par le gagner peut-être) et se penchait vers lui, Seldon avait déjà décidé qu'il lui plaisait.

L'homme demanda : « Pardonnez-moi, mais étiez-vous au Congrès décennal? De mathématiques?

– Oui, j'y étais, répondit Seldon, affable.

– Ah, je pensais bien vous y avoir vu. C'était – excusez-moi – la raison qui m'a fait m'installer ici. Si je me montre indiscret...

– Pas du tout. Je profitais simplement d'un moment de loisir.

– Voyons voir si je tombe juste. Vous êtes bien le professeur Seldom [1].

– Seldon. Hari Seldon. Tout juste. Et vous?

– Chetter Hummin. » L'homme paraissait légèrement embarrassé. « Plutôt banal, comme nom, je le crains.

– Je n'ai jamais encore rencontré de Chetter, observa Seldon. Ni de Hummin. Cela vous rend en quelque sorte unique, à mon point de vue. On pourrait estimer que c'est toujours mieux que d'être noyé parmi les innombrables Hari. Ou les Seldon, d'ailleurs. »

Seldon rapprocha sa chaise, en raclant les pieds contre les dalles de céramoïde, légèrement élastiques.

« A propos de banalité, reprit-il, que pensez-vous de ma mise exotique? Je n'ai pas du tout pensé à me procurer des vêtements trantoriens.

– Vous pourriez », dit Hummin, lorgnant Seldon avec une trace de désapprobation.

« Je pars demain et, par ailleurs, ce ne serait pas dans mes moyens. Les mathématiciens manipulent parfois les grands nombres, mais jamais pour ce qui est de leurs revenus... Je présume que vous êtes mathématicien, Hummin.

– Non. Je suis nul en la matière.

– Oh. » Seldon était déçu. « Mais vous avez dit m'avoir vu au Congrès.

– J'y assistais en observateur. Je suis journaliste. » Il brandit ses feuillets de téléscripteur, parut soudain prendre conscience de les avoir dans la main, et les fourra dans sa poche de veste. « Je fournis du matériel aux holo-journaux. » Puis, pensif : « A vrai dire, je commence à en avoir marre.

– Du boulot? »

Hummin acquiesça. « J'en ai ras le bol de collationner toutes les sottises émanant de toutes les planètes. Je hais cette spirale descendante. »

Il jeta sur Seldon un regard spéculatif. « Parfois, pourtant, on pêche quelque chose d'intéressant. J'ai appris qu'on vous avait vu en compagnie d'un Garde impérial, vous dirigeant vers la porte du Palais. Vous n'auriez pas, par le plus grand des hasards, été reçu par l'Empereur, non? »

Le sourire déserta le visage de Seldon. C'est avec lenteur qu'il répondit : « Si tel avait été le cas, ce ne serait certes pas un sujet que je confierais pour publication.

– Non, non, pas question de publication. Si vous ignorez la chose,

1. En anglais : *rarement* (N.d.E).

Seldon, laissez-moi être le premier à vous l'apprendre : la règle première du jeu de l'info est qu'on ne dit *jamais rien* sur l'Empereur ou son entourage personnel, hormis ce qui émane des communiqués officiels. C'est une erreur, bien sûr, parce que des bruits courent et qu'ils sont pires que la vérité, mais les choses sont ainsi.

– Mais si vous ne pouvez pas en parler, l'ami, pourquoi me poser la question?

– Simple curiosité personnelle. Croyez-moi, dans mon boulot, j'en sais bien plus que n'en diffusent les ondes. Laissez-moi deviner. Je n'ai pas suivi votre communication mais j'ai cru comprendre que vous parliez de la possibilité de prédire l'avenir? »

Seldon hocha la tête et marmonna : « C'était une erreur.

– Je vous demande pardon?

– Rien.

– Eh bien, la prédiction – une prédiction précise – intéresserait l'Empereur, ou tout homme au pouvoir ; j'en déduis donc que Cléon, Premier du nom, vous a interrogé là-dessus en vous demandant si vous ne vouliez pas lui offrir quelques prédictions.

– Je n'ai pas l'intention de discuter de ça », fit Seldon, crispé.

Hummin esquissa un haussement d'épaules. « Eto Demerzel était là, je suppose.

– Qui ça?

– Vous n'avez jamais entendu parler d'Eto Demerzel?

– Jamais.

– L'alter ego de Cléon – son cerveau – son esprit maléfique. On lui a donné tous ces qualificatifs, si l'on se limite aux plus aimables. Il devait être présent. »

Seldon parut perplexe et Hummin poursuivit : « Eh bien, vous ne l'aurez peut-être pas vu mais il était bien là. Et s'il pense que vous pouvez prédire l'avenir...

– Je ne peux pas prédire l'avenir, dit Seldon en hochant la tête avec vigueur. Si vous avez bien écouté ma communication, vous savez que je n'ai parlé que d'une possibilité théorique.

– Toujours est-il que si lui pense que vous pouvez prédire l'avenir, il ne vous laissera pas échapper.

– Il a bien dû : puisque je suis ici.

– Ça ne veut rien dire. Il sait où vous êtes et continuera à le savoir. Quand il voudra vous avoir, il vous récupérera, où que vous soyez. Et s'il décide que vous êtes utile, il vous pressera comme un citron. Et s'il décide que vous êtes dangereux, il vous pressera jusqu'à ce que mort s'ensuive... »

Seldon le fixa : « Qu'est-ce que vous cherchez à faire? M'effrayer?

– J'essaie simplement de vous mettre en garde.

– Je ne crois rien de ce que vous racontez.

– Non? Il y a peu, vous avez parlé d'une erreur. Pensiez-vous qu'en présentant votre communication vous aviez commis une erreur et qu'elle vous avait conduit à des ennuis que vous auriez préféré éviter? »

Seldon se mordilla la lèvre inférieure, mal à l'aise. Cette déduction tombait bien trop près de la vérité à son goût – et c'est à ce moment précis qu'il décela une présence.

Les intrus ne jetaient aucune ombre car la lumière était trop douce et diffuse : ce fut un simple mouvement qui accrocha le coin de son regard – avant de s'interrompre.

Fuite

TRANTOR. – ... capitale du Premier Empire galactique... C'est sous le règne de Cléon Ier qu'elle a « jeté ses derniers feux ». Selon toute apparence, elle était alors à son apogée. Ses 200 millions de kilomètres carrés de terres émergées étaient entièrement recouverts de dômes (hormis le domaine du Palais impérial) sous lesquels se développait en continu une cité qui s'étendait au-dessous des plates-formes continentales. La population était de quarante milliards d'habitants et, même si de nombreux signes (clairement visibles avec le recul) annonçaient les problèmes qui s'amassaient, ceux qui vivaient sur Trantor la considéraient sans aucun doute comme la planète éternelle des légendes et ne s'attendaient certainement pas à...

ENCYCLOPAEDIA GALACTICA

6

Seldon leva les yeux. Un jeune homme se tenait devant lui, le considérant de toute sa hauteur, avec un mépris amusé. Près de lui se trouvait un autre jeune homme – un peu plus jeune, peut-être. Tous deux étaient imposants et paraissaient vigoureux.

Ils étaient vêtus à la dernière mode trantorienne, estima Seldon : couleurs vives et bariolées, larges ceintures à franges, chapeaux ronds à large bord et ruban rose vif dont les deux bouts descendaient sur la nuque.

Aux yeux de Seldon, c'était amusant et il sourit.

Le jeune homme devant lui aboya : « Qu'est-ce qu'il y a de drôle, tordu ? »

Seldon ignora le ton et répondit doucement : « Excusez mon sourire, je vous prie. Je savourais simplement votre costume.

– Mon costume? Et après? Et toi, alors, tu t'es regardé? C'est quoi, cet infâme déguisement? » Il tendit la main et son doigt vint soulever le revers de la veste de Seldon – lourde, terne et sans grâce, songea ce dernier, comparée aux couleurs légères des vêtements de l'autre.

« J'ai peur que ce soient mes habits d'Exo. C'est tout ce que j'ai. »

Il ne put s'empêcher de remarquer que les quelques rares badauds assis dans le parc s'étaient levés et s'éloignaient. Comme s'ils s'attendaient à du grabuge et n'avaient pas l'intention de rester dans les parages. Seldon se demanda si son nouvel ami, Hummin, s'apprêtait à partir, lui aussi, mais il estima peu judicieux de détourner les yeux du jeune homme qui le provoquait. Il se cala un peu mieux sur son siège.

Le jeune homme demanda : « T'es un Exo?

– Si fait. D'où ma mise.

– Si fait? C'est quoi, ça? Une expression de là-bas?

– Ce que je voulais dire, c'est qu'effectivement, je viens d'ailleurs, c'est pour cela que mon costume vous paraît bizarre. Je suis en visite ici.

– De quelle planète?

– Hélicon. »

Le jeune homme fronça les sourcils. « Jamais entendu parler.

– Ce n'est pas une bien grande planète.

– Pourquoi que t'y retournes pas?

– J'en ai bien l'intention. Je pars demain.

– Plus tôt! Tout de suite! »

Le jeune homme regarda son partenaire. Seldon suivit le regard et aperçut Hummin. Il n'était donc pas parti; en revanche, le parc était à présent désert, hormis lui, Hummin et ces deux jeunes.

« J'avais pensé consacrer ma journée au tourisme, reprit Seldon.

– Non. Pas question. Tu rentres tout de suite. »

Seldon sourit : « Désolé. Sûrement pas. »

Coup d'œil du jeune homme à son partenaire : « T'aimes bien ses fringues, Marbie? »

Marbie parla pour la première fois : « Non. Écœurant. Ça me retourne l'estomac.

– On peut pas le laisser se balader et retourner l'estomac des gens, hein, Marbie? C'est pas bon pour la santé publique.

– Non, non, pas question, Alem », répondit Marbie.

Sourire d'Alem. « Bien. T'as entendu ce qu'a dit Marbie? »

Et c'est là que Hummin intervint : « Bon, écoutez, vous deux, Alem, Marbie, ou je ne sais quoi. Vous vous êtes bien amusés. Alors, si vous déguerpissiez, à présent? »

Alem, qui s'était légèrement penché vers Seldon se redressa et pivota : « Qui t'es, toi?

– Ça ne vous regarde pas, fit Hummin, sèchement.

– T'es Trantorien? demanda Alem.

– Ça ne vous regarde pas non plus. »

Alem plissa le front et remarqua : « T'es habillé comme un Trantorien. Tu nous intéresses pas, alors viens pas chercher des crosses.

– J'ai l'intention de rester. Cela signifie que nous sommes deux. Deux contre deux, ça n'a pas l'air d'être votre manière de vous battre. Alors, si vous partiez chercher du renfort?

– Je crois franchement que vous auriez intérêt à vous retirer, Hummin, intervint Seldon. C'est aimable de votre part de chercher à me protéger, mais je ne veux pas que vous soyez blessé.

– Ce ne sont pas des individus dangereux, Seldon. Des petites frappes, des demi-sels.

– Des petites frappes! » Le terme parut rendre Alem furieux, au point que Seldon jugea qu'il devait avoir un sens bien plus insultant sur Trantor que sur sa planète natale.

« Bon, Marbie, gronda Alem, toi tu t'occupes de l'autre putain de fils à sa môman pendant que moi je déshabille ce Seldon. C'est lui qu'on veut. Et maintenant... »

L'homme plaqua les mains sur les revers de sa veste pour le soulever. Seldon le repoussa, apparemment d'instinct, et sa chaise bascula en arrière. Il chercha à saisir les mains qui se tendaient vers lui, son pied décolla, et sa chaise roula sur le sol.

Alors Alem partit en vol plané en tournoyant par-dessus sa tête pour atterrir brutalement sur le dos.

Seldon pivota sur lui-même tandis que sa propre chaise finissait de basculer et se retrouva presque aussitôt debout, fixant Alem à ses pieds avant de se tourner, le visage sévère, vers Marbie.

Alem gisait, immobile, le visage déformé de souffrance. Il se retrouvait avec deux méchantes foulures au pouce, une douleur atroce au basventre et la colonne vertébrale en piteux état.

Derrière lui, Hummin avait enserré le cou de Marbie de son bras gauche, tandis que du droit il retournait le bras de Marbie. Celui-ci cherchait laborieusement son souffle, le visage écarlate. Un couteau, dont le petit laser incorporé scintillait, gisait au sol à côté d'eux.

Hummin relâcha légèrement sa prise et dit, avec une inquiétude sincère : « Vous l'avez salement amoché.

– J'en ai bien peur, reconnut Seldon. S'il était tombé un peu autrement, il se serait rompu le cou.

– Quel genre de mathématicien êtes-vous donc?

– Un Héliconien. » Seldon se pencha pour récupérer le poignard et, l'ayant examiné, remarqua : « Dégoûtant... et meurtrier.

– Une arme ordinaire aurait pu faire le même travail sans l'aide d'une source d'énergie... Mais laissons repartir ces deux-là. Je doute qu'ils aient envie d'insister. »

Il relâcha Marbie qui se massa d'abord l'épaule puis le cou. Haletant toujours, il tourna vers les deux hommes un regard empli de haine.

« Vous auriez intérêt à déguerpir, vite fait, tous les deux, fit sèchement Hummin. Ou sinon, nous serons obligés de porter plainte contre vous pour attaque à main armée et tentative d'homicide. Ce couteau pourra sûrement permettre de vous identifier. »

Seldon et Hummin regardèrent Marbie relever Alem tant bien que mal puis le soutenir pour l'aider à s'éloigner, boitillant, toujours plié en deux de douleur. Ils se retournèrent une fois ou deux mais Seldon et Hummin les fixaient toujours, impassibles.

Seldon tendit la main. « Comment pourrais-je vous remercier d'être venu à l'aide d'un Exo attaqué par deux malfrats? Je doute que j'eusse été capable de les maîtriser tous les deux à moi seul. »

Hummin eut un geste méprisant. « Ils ne me faisaient pas peur. Ce n'étaient que deux petites gouapes fortes en gueule. Tout ce que j'ai eu à faire, c'est de leur mettre la main dessus – et vous de même, bien sûr.

– Plutôt meurtrière, votre poigne », observa Seldon, songeur.

Hummin haussa les épaules. « Et la vôtre... » Puis, sans changer de ton, il enchaîna : « Allons, venez, nous ferions mieux de partir. Nous perdons du temps.

– Pourquoi partir? Vous avez peur qu'ils reviennent?

– Ça ne risque pas. Mais certains de ces braves gens qui ont décampé tout à l'heure, tant ils étaient pressés de s'épargner la vue d'un spectacle désagréable, risquent d'avoir prévenu la police.

– A la bonne heure. Nous avons le nom de ces voyous. Et nous pouvons sans mal fournir leur signalement.

– Leur signalement? Pourquoi la police en voudrait-elle?

– Ils ont commis une agression...

– Ne soyez pas stupide. Nous n'avons pas une égratignure. Ils sont virtuellement bons pour l'hôpital, surtout Alem. C'est nous qui risquons d'être poursuivis.

– Mais c'est impossible. Ces gens ont été témoins du fait que...

– Personne ne sera appelé à témoigner. Seldon, mettez-vous bien ça dans la tête. Ces deux-là en avaient après vous – et vous seul. On leur avait dit que vous portiez des vêtements héliconiens et ils devaient avoir votre signalement. Peut-être même qu'on leur avait montré un hologramme. Je les soupçonne d'avoir été envoyés par ceux-là mêmes qui contrôlent la police; ne perdons pas plus de temps. »

Et Hummin s'éloigna en hâte, agrippant Seldon par le bras. Seldon se rendit compte qu'il était dans l'impossibilité de se libérer et, avec l'impression d'être un enfant aux mains d'une nounou impétueuse, il le suivit.

Ils plongèrent dans une galerie et, avant que Seldon ait eu le temps de s'accoutumer à la pénombre, il entendit le crissement des freins d'un engin de surface.

« Les voilà, grommela Hummin. Plus vite, Seldon. » Ils bondirent sur un trottoir roulant et bientôt se perdirent dans la foule.

7

Seldon avait tenté de persuader Hummin de le reconduire à sa chambre d'hôtel, mais ce dernier ne voulut rien entendre.

« Vous êtes fou? murmura-t-il à mi-voix. Ils doivent vous y attendre.
– Mais toutes mes affaires m'y attendent aussi.
– Eh bien, elles attendront. »
Ils se retrouvèrent donc dans un petit studio d'une agréable unité d'habitations qui, pour Seldon, aurait pu se situer absolument n'importe où. Il parcourut du regard la pièce. La majeure partie de la surface était occupée par un bureau, une chaise, un lit et un terminal d'ordinateur. Rien n'était prévu pour cuisiner ou se laver; Hummin avait toutefois indiqué une salle d'eau commune au bout du hall. Un homme en était sorti avant que Seldon ait passé la porte. Il avait jeté un bref regard curieux aux vêtements de Seldon plutôt qu'à celui qui les portait, puis avait détourné les yeux.
Seldon mentionna le fait à Hummin qui hocha la tête : « Mieux vaudrait qu'on se débarrasse de vos habits. Pas de veine qu'Hélicon soit à ce point démodée... »
Seldon s'impatienta : « Jusqu'à quel point tout cela est-il le fruit de votre imagination, Hummin? Vous m'avez à moitié convaincu et malgré tout, ce pourrait être une simple forme de... de...
– C'est le mot " paranoïa " que vous cherchez?
– Tout juste. Tout cela pourrait n'être qu'une construction paranoïaque.
– Réfléchissez un peu, voulez-vous? Je ne peux pas en discuter de façon mathématique, mais vous avez vu l'Empereur. Ne le niez pas. Il voulait de vous quelque chose que vous ne lui avez pas fourni. Ne le niez pas non plus. Je soupçonne que ce qu'il désire, ce sont des détails sur l'avenir et que vous avez refusé de les lui donner. Peut-être Demerzel pense-t-il que vous faites semblant de ne pas les posséder – en les gardant par-devers vous en attendant que les prix montent ou bien en les réservant à un autre enchérisseur. Qui sait? Je vous ai dit que, si Demerzel veut vous récupérer, il vous retrouvera, où que vous soyez. Je vous l'ai dit avant même que ces deux têtes brûlées fassent leur apparition. Je suis journaliste *et* Trantorien. Je sais comment ça se passe. A un moment, Alem a dit : " C'est lui qu'on veut. " Vous vous souvenez?
– Il se trouve que oui.
– Pour lui, je n'étais que l'autre " putain de fils à sa môman ", à tenir en respect pendant qu'il s'occupait sérieusement de vous régler votre compte. »
Hummin s'assit sur la chaise et désigna le lit. « Étendez-vous, Seldon. Mettez-vous à l'aise. Le commanditaire de ces deux malfrats, quel qu'il soit (pour moi, ce doit être Demerzel), risque de nous en envoyer d'autres, et il va falloir vous débarrasser de ces vêtements. J'ai l'impression que, dans le secteur, tout Héliconien surpris en costume local risque d'avoir des ennuis tant qu'il n'aura pu prouver qu'il n'est pas vous.
– Oh, allons donc...
– Je ne plaisante pas. Vous allez devoir retirer ces vêtements et il va falloir qu'on les atomise – si nous parvenons assez près d'une unité d'enlèvement sans nous faire remarquer. Mais d'abord, tâchons de vous

trouver une garde-robe trantorienne. Vous êtes plus petit que moi... Il va falloir que j'en tienne compte. Tant pis si les habits ne vous vont pas parfaitement... »

Seldon hocha la tête. « Je n'ai pas les crédits pour les payer. Je n'ai rien sur moi. Le peu dont je dispose – et ça ne fait pas beaucoup – se trouve dans mon coffre à l'hôtel.

– On s'inquiétera de ça plus tard. Vous allez devoir rester ici une heure ou deux, le temps que j'aille chercher les vêtements nécessaires. »

Seldon ouvrit les mains et poussa un soupir résigné. « Très bien. Si c'est si important que ça, je vais rester.

– Vous n'allez pas tenter de regagner votre hôtel? Parole d'honneur?

– Ma parole de mathématicien. Mais je suis gêné par toute la peine que vous prenez pour moi. Et ces dépenses... Après tout, malgré tous ces discours sur Demerzel, ces deux individus n'étaient pas vraiment prêts à me faire un mauvais sort ou à m'enlever. On m'a simplement menacé de me déshabiller...

– Pas uniquement. Ils s'apprêtaient aussi à vous raccompagner au spatioport et à vous fourrer dans la première hypernef pour Hélicon.

– C'était une menace en l'air – pas à prendre au sérieux.

– Et pourquoi pas?

– Je rentre à Hélicon. Je le leur ai dit. Je rentre demain.

– Et vous escomptez toujours le faire? demanda Hummin.

– Certainement. Pourquoi pas?

– Il y a quantité de raisons. »

Seldon éclata soudain. « Allons, Hummin. Je ne peux plus continuer à jouer ce jeu. J'en ai terminé ici et je veux retourner chez moi. Mon billet est resté dans ma chambre à l'hôtel. Sinon, j'aurais essayé de l'échanger contre un départ aujourd'hui. Parfaitement.

– Vous ne pouvez pas retourner à Hélicon. »

Seldon rougit. « Pourquoi? Est-ce qu'on m'y attendrait aussi? »

Hummin hocha la tête. « Ne vous emballez pas, Seldon. Ils pourraient très bien vous y attendre aussi. Mais écoutez-moi plutôt : retournez à Hélicon et vous vous livrez quasiment à Demerzel. Hélicon est un territoire impérial fidèle et sûr. Hélicon s'est-elle déjà rebellée, a-t-elle un jour rallié le camp d'un adversaire de l'Empire?

– Non, jamais... et pour de bonnes raisons. Hélicon est entourée de mondes plus importants. Sa sécurité repose sur la paix impériale.

– Tout juste! Les forces impériales sur Hélicon peuvent par conséquent compter sur l'entière coopération du gouvernement local. Vous seriez sous surveillance en permanence. Quand il voudrait, Demerzel pourrait vous mettre la main dessus. Et, hormis le fait que je vous ai maintenant prévenu, vous n'en auriez pas eu connaissance et auriez continué à travailler à découvert, empli d'une fallacieuse impression de sécurité.

– C'est ridicule. S'il me voulait sur Hélicon, pourquoi simplement ne pas me laisser tranquille? J'y retournais demain. Pourquoi envoyer ces deux voyous juste pour accélérer la chose de quelques heures en risquant d'éveiller mes soupçons?

– Pourquoi imaginerait-il que vous auriez des soupçons? Il ne savait pas que je serais avec vous, à vous immerger dans ce que vous baptisez ma paranoïa.

– Sans parler d'éveiller mes soupçons, pourquoi prendre toute cette peine pour avancer mon départ de quelques heures?

– Peut-être parce qu'il craint de vous voir changer d'avis.

– Et pour aller où, sinon chez moi? S'il peut me récupérer sur Hélicon, il pourra me récupérer n'importe où. Il pourrait me récupérer sur... Anacréon, facilement à dix mille parsecs de là – si l'envie me prenait de m'y rendre. Qu'est-ce que la distance pour un vaisseau hyperspatial? Même si je trouvais un monde moins soumis qu'Hélicon aux forces impériales, y en a-t-il un seul en rébellion ouverte? L'Empire est en paix. Même si certains n'ont jamais digéré les injustices passées, pas un ne va défier les forces armées de l'Empereur pour me protéger. Qui plus est, nulle part ailleurs que sur Hélicon je n'aurai la garantie de ma citoyenneté locale pour me protéger des entreprises impériales. »

Hummin écouta patiemment, hochant légèrement la tête, mais l'air toujours aussi grave et impassible. Puis il répondit : « Vous avez raison jusque-là, mais il reste un monde qui n'est pas vraiment contrôlé par l'Empereur. Et c'est là, je crois, ce qui doit perturber Demerzel. »

Seldon réfléchit un instant, récapitulant les récents événements historiques et se trouvant incapable de citer un monde sur lequel les forces impériales seraient impuissantes. « Lequel? demanda-t-il finalement.

– Vous êtes dessus, et c'est bien ce qui rend l'affaire si dangereuse aux yeux de Demerzel, j'imagine. Il n'est pas aussi pressé de vous voir regagner Hélicon que de vous faire quitter Trantor avant que vous ne vous avisiez – quelle qu'en soit la raison, même si ce n'est que caprice touristique – de rester ici. »

Les deux hommes restèrent silencieux jusqu'à ce que Seldon lance finalement, sardonique : « Trantor! Capitale de l'Empire, port d'attache de la flotte sur une station spatiale en orbite autour d'elle, avec les meilleures unités de l'armée basées ici. Si vous croyez que *Trantor* est le refuge suprême, alors vous progressez de la paranoïa au franc délire!

– Non! Vous venez d'un monde extérieur, Seldon. Vous ne connaissez pas Trantor. Elle a quarante milliards d'habitants et rares sont les planètes qui aient seulement le dixième de cette population. Sa complexité technologique et culturelle est inimaginable. Nous sommes en ce moment même dans le Secteur impérial – l'endroit de la Galaxie qui a le plus haut niveau de vie, exclusivement habité par des fonctionnaires impériaux. Mais le reste de la planète comprend plus de huit cents autres secteurs, certains avec des subcultures totalement différentes de celle que nous connaissons ici, et pour la plupart intouchables par les forces impériales.

– Pourquoi intouchables?

– L'Empire ne peut pas sérieusement user de la force contre Trantor. Agir ainsi risquerait de mettre en péril l'équilibre précaire de la technologie dont dépend l'ensemble de la planète. Les relations sont si étroites qu'en rompant la moindre interconnexion l'on paralyserait l'ensemble. Croyez-moi, Seldon, nous autres sur Trantor, nous sommes aux premières loges pour observer ce qui arrive lorsqu'un tremblement de terre n'est pas amorti, lorsqu'une éruption volcanique n'est pas purgée à temps, lorsqu'une tempête n'est pas désamorcée, ou simplement quand une erreur humaine n'est pas détectée assez tôt. La planète chancelle et tous les efforts doivent être mis en œuvre pour rétablir aussitôt l'équilibre.

– Je n'ai jamais entendu parler de ce genre de choses. »

L'esquisse d'un sourire fugace parcourut les traits de Hummin. « Bien sûr que non. Vous voulez que l'Empire clame partout la faiblesse qui lui ronge le cœur? Toutefois, étant journaliste, je sais ce qui se passe, même quand les Mondes extérieurs l'ignorent, même quand une grande partie de Trantor l'ignore, et même quand la pression impériale a tout intérêt a dissimuler les événements. Croyez-moi! L'Empereur sait – Eto Demerzel sait –, même si vous ne le savez pas, que perturber Trantor peut détruire l'Empire.

– Alors, vous suggérez que je reste sur Trantor pour cette raison?

– Oui. Je peux vous conduire à un endroit sur Trantor où vous serez absolument à l'abri de Demerzel. Vous n'aurez pas à changer de nom, vous serez en mesure d'opérer entièrement à découvert et vous serez intouchable. C'est pour cela qu'il voulait vous faire déguerpir au plus vite et, n'eût été le caprice du destin qui nous a réunis – et votre surprenante capacité à vous défendre –, il aurait réussi.

– Mais combien de temps devrai-je rester sur Trantor?

– Aussi longtemps que l'exigera votre sécurité, Seldon. Le restant de votre vie, peut-être.

8

Hari Seldon observa son portrait holographique affiché par le projecteur de Hummin. C'était plus pratique et spectaculaire qu'avec un miroir. En fait, on aurait cru que son double était présent dans la pièce.

Seldon étudia la manche de sa tunique neuve. Par habitude hélíconienne, il aurait préféré des couleurs moins vibrantes, mais, quoi qu'il en soit, il était reconnaissant à Hummin d'avoir choisi des teintes plus douces que celles qui étaient en usage ici. (Il songea à la mise qu'arboraient ses deux agresseurs et frémit intérieurement.)

« Et je suppose que je dois porter ce chapeau?

– Dans le Secteur impérial, oui. Aller tête nue trahit un manque de savoir-vivre. Ailleurs, les usages sont différents. »

Seldon soupira. Le couvre-chef était fait d'un matériau souple qui moulait son crâne. Le bord, tout autour, était à peine plus étroit que celui du chapeau porté par ses agresseurs. Seldon se consola en notant que, lorsqu'il le portait, le bord s'incurvait assez gracieusement.

« Il n'y a pas de bride sous le menton?
– Bien sûr que non. Ça, c'est bon pour les jeunes bringues.
– Les jeunes quoi?
– Les jeunes bringues. Une bringue, c'est une personne qui s'habille de manière provocante. Je suis sûr que vous avez ce genre d'individus sur Hélicon. »

Seldon renifla. « On en a qui portent les cheveux jusqu'aux épaules d'un côté et se rasent l'autre côté du crâne. » Ce souvenir le fit rire.

Hummin eut un léger rictus. « J'imagine que ce doit être d'une laideur peu commune.
– Pire que ça. Il y a les chevelus de gauche et les chevelus de droite, et chaque clan trouve l'autre parfaitement repoussant. Ils s'affrontent souvent dans des rixes.
– Dans ce cas, je pense que vous pouvez supporter le chapeau, surtout sans bride.
– Je suppose que je m'y habituerai.
– Il attirera quelque peu l'attention. Déjà, ses couleurs ternes feront croire que vous êtes en deuil. En outre, il ne vous va pas tout à fait. Et enfin, vous n'êtes manifestement pas à l'aise en le portant. Toutefois, nous ne resterons pas longtemps dans le Secteur impérial... Vous vous êtes assez regardé? » Et l'hologramme s'éteignit.

« Vous en avez eu pour combien?
– Quelle différence?
– Ça m'ennuie d'être votre débiteur.
– Ne vous tracassez pas pour ça. C'est ma décision. Mais nous avons suffisamment traîné ici. Ils auront eu mon signalement, j'en suis certain. Ils vont me repérer et débarquer ici.
– En ce cas, dit Seldon, les crédits que vous dépensez sont une question mineure. Vous vous exposez à cause de moi. Vous courez vous-même un danger!
– Je le sais bien. Mais c'est mon libre choix et je suis assez grand pour prendre mes responsabilités.
– Mais pourquoi?
– Nous discuterons du fond de la question plus tard... Au fait, j'ai atomisé vos vêtements et je ne pense pas qu'on m'ait vu. Il y a eu une bouffée d'énergie, bien sûr, et ça aura été enregistré. A partir de là, quelqu'un pourrait déduire ce qui s'est passé – il est difficile de dissimuler tous ses actes quand il y a un fouineur aux yeux et à l'esprit un peu vifs. Malgré tout, espérons que nous serons en sécurité loin d'ici quand ils additionneront deux et deux.

9

Ils parcoururent des coursives où régnait une douce lumière jaune. L'œil aux aguets, Hummin prenait soin de conformer leur pas au rythme de la foule environnante, sans dépasser les gens ni se faire doubler par eux.

Tout en marchant, il entretenait régulièrement la conversation sur des sujets anodins.

Seldon, énervé et incapable de faire de même, remarqua : « On dirait qu'on marche beaucoup, ici. Je vois des files interminables dans les deux sens ainsi qu'aux carrefours.

– Pourquoi pas? La marche est encore le meilleur moyen de locomotion à courte distance. C'est le plus pratique, le moins cher, le meilleur pour la santé. Les innombrables années de progrès technique n'y ont rien changé – êtes-vous acrophobe, Seldon? »

Seldon regarda, par-dessus la rambarde à sa droite, la profonde déclivité qui séparait les deux files de circulation – chacune dans un sens, entre les croisements régulièrement espacés. Il frémit légèrement. « Si vous parlez de la peur de l'altitude, pas en temps normal. Malgré tout, j'aime mieux ne pas regarder en bas. A quelle hauteur sommes-nous?

– Quarante ou cinquante étages, à cet endroit, je pense. C'est assez fréquent dans le Secteur impérial et dans quelques autres régions fortement développées. Partout ailleurs, on marche quasiment à ce qu'on pourrait considérer comme le niveau du sol.

– J'imagine que cela doit encourager les tentatives de suicide.

– Pas tant que ça. Il y a des méthodes bien plus simples. Par ailleurs, le suicide est parfaitement admis sur Trantor. Chacun peut mettre un terme à son existence par divers moyens reconnus dans des centres créés à cette fin – si l'on accepte auparavant de se soumettre à quelques séances de psychothérapie. Toujours est-il qu'il y a bien quelques accidents, mais ce n'est pas pour cela que je vous demandais si vous étiez acrophobe. Nous nous dirigeons vers une station de taxi où je suis connu comme journaliste. Je leur ai rendu quelques services à l'occasion et de temps en temps, on me renvoie l'ascenseur. On oubliera de m'enregistrer et on ne remarquera pas que je suis accompagné. Bien sûr, il faudra que je verse un supplément et, là encore, si les sbires de Demerzel insistent un peu trop, ils seront bien obligés de dire la vérité et de mettre ça sur le compte d'une négligence de gestion, mais ça peut prendre un temps considérable.

– Où intervient l'acrophobie, là-dedans?

– Eh bien, nous pouvons arriver à destination bien plus vite en prenant un ascenseur gravifique. Il n'y a pas beaucoup de gens qui l'utilisent et je dois vous avouer que l'idée ne m'enthousiasme pas outre mesure, mais si vous pensez être capable de le supporter, ça vaudrait mieux.

– Qu'est-ce qu'un ascenseur gravifique?

– C'est un dispositif encore expérimental. Le temps viendra peut-être où l'on en trouvera partout sur Trantor, à condition qu'il devienne psychologiquement acceptable pour un nombre de personnes assez grand. Alors, il se répandra peut-être également sur d'autres planètes. C'est une cage d'ascenseur sans cabine, pour ainsi dire. On avance simplement dans le vide et l'on descend – ou l'on monte – lentement, sous l'influence de l'antigravité. C'est à peu près la seule application de l'antigravité qu'on ait réalisée à ce jour, essentiellement parce que c'est la plus simple à mettre en œuvre.

– Que se passe-t-il s'il y a une coupure pendant le transit?

– Exactement ce que vous imaginez. C'est la chute, et, à moins d'être relativement bas, la mort. A ma connaissance, ça ne s'est encore jamais produit et, croyez-moi, si tel avait été le cas, je l'aurais su. On n'aurait peut-être pas voulu divulguer la chose pour des raisons de sécurité – c'est toujours le prétexte invoqué pour dissimuler les mauvaises nouvelles – mais *moi*, je l'aurais su... C'est droit devant. Si vous ne vous sentez pas de taille, on ne le prendra pas, mais les corridors sont lents et lassants et beaucoup de gens finissent par y attraper mal au cœur. »

Hummin tourna à un croisement pour gagner une vaste corniche en contrebas où attendait une file d'hommes et de femmes, un ou deux avec des enfants.

« Je n'en avais absolument pas entendu parler chez nous, dit Seldon à mi-voix. Bien sûr, nos médias sont terriblement provinciaux mais quand même, on peut penser qu'ils auraient au moins évoqué l'existence de ce genre de chose.

– Le dispositif est strictement expérimental et confiné au Secteur impérial. Il utilise plus d'énergie qu'il n'en vaut la peine, si bien que le gouvernement n'est pas vraiment pressé de lui donner de la publicité. Le vieil Empereur, Stanel VI, le prédécesseur de Cléon, qui a surpris tout le monde en mourant dans son lit, avait tenu à ce qu'il soit installé en plusieurs endroits. Il voulait voir son nom associé à l'antigravité, dit-on, parce qu'il s'inquiétait de sa place dans l'histoire, comme c'est souvent le cas des vieillards sans grandes réussites personnelles. Comme je vous le disais, la technique se diversifiera peut-être, mais d'un autre côté il est fort possible qu'elle ne débouche sur rien de plus convaincant que cet ascenseur gravifique.

– Quel autre débouché espèrent-ils? s'enquit Seldon.

– La navigation spatiale par antigravité. Cela, toutefois, requerra quantité de percées technologiques et la majorité des physiciens, à ma connaissance, sont fermement convaincus que c'est hors de question. Mais les mêmes physiciens estimaient déjà que même l'ascenseur gravifique était hors de question. »

La file devant eux diminuait rapidement et bientôt Seldon se retrouva, en compagnie de Hummin, près du rebord de la plate-forme, avec un gouffre béant à ses pieds. L'air devant lui miroitait vaguement. Machinalement, il étendit la main et sentit un léger choc. C'était indolore mais il retira vivement le bras.

Hummin grommela : « Précaution élémentaire pour éviter qu'un imprudent fasse le saut avant d'avoir activé les commandes. » Il pressa quelques chiffres sur le tableau de contrôle et le miroitement s'évanouit.

Seldon lorgna par-dessus bord, vers les tréfonds du puits.

« Vous seriez peut-être plus à l'aise si vous me donniez le bras et si vous fermiez les yeux. Ça ne prendra pas plus de quelques secondes. »

A vrai dire, Hummin ne lui laissa pas le choix : il le prit par le bras et, cette fois encore, pas question de lui faire lâcher prise. Hummin avança dans le vide et Seldon (qui, à sa grande honte, s'entendit pousser un petit couinement), suivit de mauvaise grâce en titubant.

Il ferma hermétiquement les yeux et ne ressentit aucune impression de chute, aucune sensation de courant d'air. Quelques secondes passèrent et il se sentit tiré en avant. Il trébucha légèrement, reprit son équilibre et se retrouva sur la terre ferme.

Il rouvrit les yeux : « On a réussi?

– Nous ne sommes pas morts », répondit sèchement Hummin avant de s'éloigner, sa poigne ferme forçant Seldon à le suivre.

« Je veux dire, sommes-nous parvenus au bon niveau?

– Bien entendu.

– Que nous serait-il arrivé si pendant notre descente quelqu'un d'autre avait été en train de monter?

– Il y a deux files séparées : dans la première, tout le monde descend à la même vitesse; dans la seconde, tout le monde monte. Les accès au puits ne s'ouvrent que lorsqu'il n'y a personne à moins de dix mètres de part et d'autre. Il n'y a aucun risque de collision si tout marche bien.

– Je n'ai absolument rien senti.

– Pourquoi auriez-vous senti quoi que ce soit? Il n'y avait aucune accélération. Après le premier dixième de seconde, vous étiez à une vitesse constante et l'air dans vos parages immédiats descendait à la même vitesse que vous.

– Merveilleux.

– Absolument. Mais anti-économique. Et on ne semble pas faire beaucoup d'efforts pour accroître l'efficacité du système afin de le rendre commercialement rentable. On entend partout le même refrain : " On ne peut pas le faire. Ce n'est pas possible. " C'est pareil pour tout. » Hummin haussa les épaules, visiblement contrarié, puis annonça : « Mais nous voici à la station de taxi. Allons-y. »

10

Au terminus de location de taxis aériens, Seldon essaya de se fondre dans le paysage, ce qu'il trouva difficile. Mais se fondre ostensiblement dans le paysage – déambuler discrètement, détourner le visage de tous les badauds qu'on croise pour examiner avec un intérêt soutenu l'un quelconque des véhicules – était sans aucun doute le meilleur moyen d'attirer l'attention. Il valait mieux jouer plutôt la normalité innocente.

Mais qu'est-ce que la normalité? Il se sentait mal à l'aise dans ses habits. Ils n'avaient pas de poches, alors où mettre les mains? Les deux sacoches pendues de chaque côté de sa ceinture le distrayaient en le cognant à chaque pas : il avait toujours l'impression d'avoir été bousculé par quelqu'un.

Il essaya d'examiner les femmes au passage. Elles n'avaient pas de sacoches, du moins pas suspendues en évidence, mais certaines portaient de petites pochettes carrées, parfois accrochées à la hanche par quelque dispositif indécelable. Pseudomagnétique, sans doute. Leurs vêtements ne mettaient pas spécialement en valeur leur silhouette, nota-t-il avec regret, et aucune n'arborait le moindre décolleté, même si certaines robes semblaient dessinées pour souligner les fesses.

En attendant, Hummin s'était affairé et, après avoir présenté les crédits nécessaires, il était revenu avec la plaquette de céramique supraconductrice permettant d'activer un aérotaxi déterminé.

« Montez, Seldon », dit-il en désignant un petit véhicule à deux places.

« Avez-vous dû signer quelque chose, Hummin?

– Bien sûr que non. Ils me connaissent ici, et ne s'embarrassent pas de formalités.

– Qu'est-ce qu'ils peuvent penser?

– Personne n'a rien demandé et je ne me suis pas attardé sur les explications. » Il inséra la plaquette et Seldon sentit une légère vibration quand l'aérotaxi prit vie.

« On va se diriger vers le D-7 », annonça Hummin, histoire de dire quelque chose.

Seldon ignorait ce qu'était le D-7, mais il supposait que ce devait être un itinéraire ou une route quelconque.

L'aérotaxi se fraya un chemin entre d'autres véhicules à effet de sol, gagna finalement une rampe lisse et prit de la vitesse. Puis il s'éleva avec une légère secousse.

Seldon, qui s'était retrouvé automatiquement attaché par un filet de sécurité, se sentit d'abord plaqué au fond de son siège puis poussé vers le haut, contre son harnais.

« Ça ne fait pas du tout le même effet que l'antigravité.

– Ce n'en est pas, expliqua Hummin. C'était un petit réacteur. Juste de quoi nous amener au niveau des tubes. » Une sorte de falaise apparut devant eux, ponctuée d'ouvertures de cavernes, un peu comme un damier. Hummin manœuvra pour gagner l'ouverture D-7, évitant les aérotaxis qui se dirigeaient vers d'autres tunnels.

« C'est qu'on pourrait s'écraser vite fait », remarqua Seldon en se raclant la gorge.

« Ce serait le cas si tout dépendait de mes sens et de mes réactions mais le pilotage est géré par un ordinateur et ce dernier peut me reprendre les commandes sans problème. De même pour les autres taxis... Et c'est parti. »

Ils se glissèrent dans le D-7 comme s'ils avaient été aspirés de l'intérieur; la lumière vive de l'esplanade découverte, dehors, s'atténua pour prendre une teinte d'un jaune plus chaud.

Hummin relâcha les commandes et se cala contre le dossier. Il prit une profonde inspiration et dit : « Eh bien, voilà une première étape franchie avec succès. Nous aurions pu être interceptés à la station. Ici, nous sommes à peu près en sécurité. »

Les parois du tunnel défilaient rapidement. Ils progressaient sans heurt, presque sans bruit, hormis un ronronnement velouté, tandis que filait leur véhicule.

« A quelle vitesse allons-nous? » demanda Seldon.

Hummin jeta un bref coup d'œil au tableau de bord. « Trois cent cinquante à l'heure.

– Propulsion magnétique?

– Oui. Vous avez ça sur Hélicon, j'imagine.

– Oui. Une ligne. Je ne l'ai personnellement jamais empruntée, bien que j'en aie toujours eu le projet. Je ne crois pas qu'il y ait beaucoup de rapports entre les deux systèmes.

– Ça m'étonnerait en effet. Le sous-sol de Trantor est criblé de plusieurs milliers de kilomètres de tunnels tels que celui-ci, et dont certains s'insinuent jusque sous les hauts-fonds marins. C'est le principal moyen de transport à longue distance.

– Combien de temps nous faudra-t-il?

– Pour atteindre notre première destination? Un peu plus de cinq heures.

– Cinq heures! » Seldon était consterné.

« Ne vous affolez pas. Nous passons à peu près toutes les vingt minutes devant des aires de repos où nous pouvons nous arrêter, quitter le tunnel, nous dégourdir les jambes, manger ou nous soulager. Bien sûr, j'aimerais autant que ce soit le moins souvent possible. »

Ils continuèrent leur route en silence. Au bout d'un moment, Seldon sursauta : un éclat de lumière apparut sur leur droite pendant quelques secondes et, l'espace d'un éclair, il crut distinguer deux aérotaxis.

« C'était l'aire de repos », dit Hummin en réponse à sa question non formulée.

« Vous êtes sûr que je serai en sécurité là où vous me conduisez? s'enquit Seldon.

– Tout à fait, pour les mouvements à découvert des forces impériales. Évidemment, pour un agent isolé – espion ou tueur à gages –, il faut toujours être prudent. Je vous fournirai un garde du corps. »

Seldon se sentait mal à l'aise : « Un tueur à gages? Vous êtes sérieux? Auraient-ils vraiment l'intention de me tuer?

– Je suis certain que Demerzel n'y tient pas. Je le soupçonne de vouloir vous utiliser plutôt que vous éliminer. Toutefois, d'autres ennemis peuvent surgir, ou bien il peut toujours se produire un enchaînement d'événements malheureux. Vous ne pouvez pas traverser l'existence comme un somnambule. »

Seldon hocha la tête et détourna le visage. Penser que, quarante-huit heures plus tôt, il n'était encore qu'un mathématicien exo insignifiant et virtuellement inconnu, ravi de passer le reste de son séjour sur Trantor à faire du tourisme et à contempler l'énormité de ce vaste monde avec ses yeux de provincial! Et voilà que l'idée s'ancrait peu à peu en lui : il était un homme recherché, traqué par les forces impériales. L'énormité de la situation le saisit et il fut pris de frissons.

« Et vous, alors, dans cette histoire?
– Eh bien, répondit Hummin, songeur, je suppose que je n'aurai pas droit à un traitement de faveur. Je pourrais bien finir le crâne ouvert ou la poitrine défoncée par quelque mystérieux agresseur qu'on ne retrouvera jamais. »
Hummin avait dit cela sans le moindre tressaillement, sans la moindre emphase, mais Seldon grimaça.
« Je pensais bien que vous deviez envisager un tel sort. Ça ne semble pas vous... tracasser outre mesure.
– Je suis un vieux Trantorien. Je connais la planète mieux que quinconque. Je connais bien des gens et beaucoup sont en dette envers moi. Je me plais à croire que je suis matois et pas facile à doubler. En bref, Seldon, je suis tout à fait certain de pouvoir me débrouiller.
– Je suis ravi de vous l'entendre dire et j'espère pour vous que cette confiance est justifiée, Hummin, mais je n'arrive toujours pas à comprendre pourquoi vous prenez tous ces risques. Que suis-je pour vous? Pourquoi courir même le danger le plus infime pour quelqu'un qui vous est parfaitement étranger? »
Hummin vérifia le tableau de bord, l'air préoccupé, puis se tourna vers Seldon et le fixa, le regard grave.
« Je veux vous présenter comme l'Empereur veut vous utiliser : pour vos pouvoirs de prédiction. »
Seldon ressentit une vive déception. Somme toute, la question n'était pas de le sauver. Il n'était que la proie impuissante que se disputaient deux prédateurs rivaux. « Je ne survivrai jamais à cette présentation au Congrès décennal, remarqua-t-il avec colère. J'ai ruiné ma vie.
– Non. Ne concluez pas trop vite, mathématicien. L'Empereur et son administration vous veulent pour une seule et unique raison : renforcer la sécurité de leur propre existence. Vos capacités les intéressent d'autant qu'ils pourront les utiliser pour sauvegarder l'autorité de l'Empereur, la préserver pour son jeune fils, et maintenir la situation, le statut et le pouvoir de ses fonctionnaires. Quant à moi, vos pouvoirs m'intéressent pour le bien de la Galaxie.
– Y a-t-il une différence? » cracha Seldon, acide.
A quoi Hummin répondit avec un vigoureux froncement de sourcils : « Si vous ne voyez pas la différence, alors honte à vous! Les hommes qui habitent la Galaxie y étaient avant l'actuel Empereur, avant la dynastie qu'il représente, avant l'Empire même. L'humanité est bien plus vieille que l'Empire. Peut-être même bien plus vieille que les vingt-cinq millions de mondes de la Galaxie. Des légendes parlent d'une époque où elle habitait une unique planète.
– Des légendes! dit Seldon en haussant les épaules.
– Oui, des légendes, mais je ne vois pas pourquoi il n'aurait pu en être ainsi, il y a vingt mille ans ou plus. Je suppose que l'humanité n'est pas apparue d'un coup, tout entière, avec la maîtrise du voyage hyperspatial. Sûrement, il a dû exister une époque où les gens ne pouvaient pas voyager à des vélocités supraluminiques, où ils ont dû rester prison-

niers d'un unique système planétaire. Et si nous regardons vers l'avenir, les hommes qui peuplent les mondes de la Galaxie continueront certainement d'exister bien après que vous et l'Empereur serez morts, après que toute sa lignée se sera éteinte, et après que les institutions même de l'Empire se seront dissoutes. Auquel cas il n'est guère important de se préoccuper outre mesure des individus, de l'Empereur et du jeune Prince impérial. Il n'est guère important de se préoccuper même des mécanismes de l'Empire. Et les quadrillions de gens qui vivent dans la Galaxie? Et eux, alors?

– Les mondes et leurs habitants continueront d'exister, je suppose.

– Vous n'éprouvez pas le besoin d'explorer les conditions éventuelles dans lesquelles leur existence pourrait se poursuivre?

– On peut supposer qu'ils vivront en gros comme maintenant.

– On peut le *supposer*. Mais pourrait-on le *savoir*, par cet art de la prédiction dont vous avez parlé?

– La psychohistoire, comme je l'ai baptisée? En théorie, oui.

– Et vous n'éprouvez pas le besoin de mettre cette théorie en pratique?

– J'aimerais beaucoup, Hummin, mais le désir d'y parvenir n'engendre pas automatiquement la capacité de le faire. J'ai dit à l'Empereur que la psychohistoire ne pouvait pas être transformée en une technique opérationnelle et je suis forcé de vous répéter la même chose.

– Et vous n'avez même pas l'intention simplement d'essayer au moins de trouver cette technique?

– Non, certainement pas, pas plus que je ne désirerais amasser une pile de galets de la taille de Trantor, les compter un par un, puis les ranger par masse décroissante. Je *saurais* que ce n'est pas réalisable en l'espace d'une vie et ne serais pas idiot au point de faire semblant d'essayer.

– Le feriez-vous si vous connaissiez la vérité sur l'état de l'humanité?

– C'est une question qu'on ne peut pas poser. Qu'est-ce au juste que la vérité sur l'état de l'humanité? Prétendez-vous la connaître?

– Oui. Parfaitement. Et elle tient en trois mots. » Hummin regarda de nouveau devant lui, contemplant brièvement le vide immuable du tunnel tandis qu'il se ruait sur leur machine, grandissait pour les engloutir et s'amenuisait en glissant derrière eux.

Alors il prononça ces trois mots, lugubre :

« L'Empire se meurt. »

Université

UNIVERSITÉ DE STREELING. – ... Établissement d'enseignement supérieur dans le secteur de Streeling de l'antique Trantor... Malgré sa renommée dans les domaines littéraires et scientifiques, ce n'est pas pour cette raison que le souvenir de l'Université hante encore la conscience contemporaine. Sans doute les savants qui ont fréquenté cet établissement pendant des générations auraient-ils été bien surpris si on leur avait appris que dans l'avenir, l'Université de Streeling serait connue surtout parce qu'un certain Hari Seldon, durant la période de la Fuite, y avait résidé momentanément.

ENCYCLOPAEDIA GALACTICA

11

Hari Seldon garda quelques instants un silence gêné, après cette froide déclaration de Hummin. Il se ratatina sur lui-même, soudain conscient de ses propres déficiences.

Il avait inventé une science nouvelle : la psychohistoire. Il avait étendu les lois des probabilités d'une manière très subtile afin de prendre en compte des incertitudes et complexités nouvelles, et il avait abouti à d'élégantes équations aux innombrables inconnues – peut-être en nombre infini, il n'aurait su le dire.

Mais c'était un divertissement mathématique et rien de plus.

Il avait la psychohistoire – ou, du moins, ses bases –, mais uniquement à titre de curiosité mathématique. Où étaient les connaissances historiques qui pourraient fournir quelque sens à ces équations vides?

Il n'en avait aucune. L'histoire ne l'avait jamais intéressé. Il connaissait à grands traits la chronologie d'Hélicon. Des cours sur ce fragment infime de l'histoire humaine étaient obligatoires dans les écoles héliconiennes. Mais qu'y avait-il au-delà? Le peu qu'il avait pu apprendre par ailleurs n'était sans doute que la simple armature que tout le monde pouvait assembler – moitié légende, moitié récit certainement déformé.

Pourtant, comment pouvait-on dire que l'Empire galactique se mourait? Il y avait dix mille ans qu'il existait comme pouvoir reconnu, et deux millénaires de plus où Trantor, capitale du royaume dominant, avait exercé son hégémonie sur ce qui était virtuellement un empire. L'Empire avait survécu aux premiers siècles, quand des secteurs entiers de la Galaxie avaient périodiquement refusé la fin de leur indépendance. Il avait survécu aux vicissitudes qui accompagnaient les rébellions épisodiques, les guerres de succession, et quelques graves périodes de rupture. La majorité des planètes n'en avaient quasiment pas souffert tandis que, de son côté, Trantor croissait régulièrement jusqu'à devenir cette planète entièrement urbanisée qui se nommait elle-même le Monde éternel.

Certes, au cours des quatre derniers siècles, on avait noté une légère augmentation des troubles, et une poussée d'assassinats et de révolutions de palais. Mais même cette phase s'était calmée et, à présent, la Galaxie était plus paisible que jamais. Sous le règne de Cléon Ier, et auparavant sous celui de son père, Stanel VI, les mondes avaient été prospères – et Cléon lui-même n'était pas considéré comme un tyran. Même ceux qui détestaient l'Empire en tant qu'institution avaient rarement de réels griefs à l'encontre de Cléon, même s'ils pouvaient fulminer contre Eto Demerzel.

Pourquoi, dans ce cas, Hummin affirmait-il que l'Empire galactique se mourait – et avec une telle conviction?

Hummin était journaliste. Il connaissait sans doute l'histoire galactique en détail et devait particulièrement bien appréhender la situation présente. Était-ce de là qu'il tirait les données sur lesquelles il se fondait? En ce cas, quelles étaient au juste ces données?

Plusieurs fois, Seldon fut sur le point de poser la question, d'exiger une réponse, mais quelque chose dans le visage solennel de Hummin le retint. Et puis, ancrée en lui, cette certitude que l'Empire galactique était un donné, un axiome, la fondation sur laquelle reposait toute espèce de raisonnement, le retint également. Après tout, si cela aussi était faux, il n'avait pas envie de le savoir.

Non, il se refusait à croire qu'il avait tort. L'Empire galactique ne pouvait avoir de fin, pas plus que l'univers. Ou bien, si l'univers avait une fin, alors – et alors seulement – ce serait la fin de l'Empire.

Seldon ferma les yeux, cherchant le sommeil, mais bien entendu en vain. Lui faudrait-il étudier l'histoire de l'univers pour faire avancer sa théorie de la psychohistoire? Comment y arriver? Il existait vingt-cinq millions de mondes, chacun avec son histoire interminable et complexe. Comment pourrait-il étudier tout cela? Il existait d'innombrables volumes de vidéo-livres traitant de l'histoire galactique, il le savait. Il en avait même parcouru un, un jour, pour une raison oubliée, et l'avait trouvé trop ennuyeux pour en visionner ne fût-ce que la moitié.

Le vidéo-livre parlait des mondes importants. Certains étaient mentionnés pendant toute ou presque toute leur histoire; d'autres n'étaient cités que lorsqu'ils prenaient de l'importance pour un temps et seulement jusqu'à ce qu'ils s'affaiblissent à nouveau. Seldon se souvenait d'avoir cherché Hélicon dans l'index et n'y avoir trouvé qu'une seule et unique référence. Il avait pianoté sur son clavier pour appeler l'article correspondant et avait découvert qu'Hélicon était citée dans une liste de mondes qui, à une certaine période, avaient momentanément soutenu un anonyme prétendant au trône impérial, lequel n'était pas parvenu à faire valoir ses prérogatives. En cette occasion, Hélicon avait échappé au retour de bâton, n'étant sans doute pas jugée assez importante pour valoir un châtiment.

A quoi pouvait servir l'histoire? Sans aucun doute, la psychohistoire devait tenir compte des actions, réactions et interactions de toutes les planètes – toutes, sans en omettre une seule. Comment pouvait-on étudier l'histoire de vingt-cinq millions de mondes et en envisager toutes les interactions possibles? Ce serait sans nul doute une tâche impossible, ce qui renforçait sa conclusion générale que la psychohistoire avait un intérêt théorique mais qu'on ne pourrait jamais lui trouver d'application pratique.

Seldon se sentit légèrement poussé en avant et en déduisit que l'aérotaxi décélérait.

« Que se passe-t-il?

– Je crois que nous sommes assez loin, dit Hummin, pour risquer une petite halte, le temps de manger un morceau, boire un verre et faire une visite aux toilettes. »

Et, en moins d'un quart d'heure, durant lequel leur véhicule ralentit régulièrement, ils avaient gagné une aire éclairée. Le taxi obliqua vers l'intérieur et trouva une place de stationnement parmi cinq ou six autres véhicules.

12

L'œil exercé de Hummin sembla embrasser d'un seul coup d'œil l'aire de stationnement, les autres taxis, le restoroute, les pistes et les usagers présents. Seldon, qui pour sa part essayait toujours aussi vainement d'avoir l'air transparent, l'oberva à la dérobée.

Ils s'assirent à une petite table et pianotèrent leur commande, tandis que Seldon, cherchant à paraître indifférent, demandait : « Tout va bien?

– Apparemment, dit Hummin.

– Qu'en savez-vous? »

Les yeux noirs de Hummin s'attardèrent sur Seldon : « L'instinct, expliqua-t-il. Des années passées à collecter l'information : un coup d'œil, et vous savez : “ rien d'intéressant, ici ”. »

Seldon hocha la tête; il se sentait soulagé. Hummin pouvait bien prendre un ton sardonique, sa remarque devait contenir une part de vérité.

Cette satisfaction dura jusqu'à la première bouchée de son sandwich. La bouche pleine, il releva la tête et regarda Hummin avec un air de surprise blessée.

« C'est un restoroute, mon ami : rapide, pas cher, et pas très bon. La nourriture est d'origine locale et a un goût de levure assez amer. Les palais trantoriens y sont accoutumés. »

Seldon déglutit avec difficulté : « Pourtant, à l'hôtel...

– Vous étiez dans le Secteur impérial, Seldon. La nourriture y est importée et, lorsqu'on utilise de la micro-alimentation, elle est de qualité supérieure. Le prix est en proportion. »

Seldon se demanda s'il devait y toucher encore. « Vous voulez dire que tant que je serai sur Trantor... »

D'une mimique, Hummin lui fit signe de se taire. « Ne donnez à personne l'impression que vous êtes habitué à mieux. Il y a des endroits, sur Trantor, où il vaut mieux être identifié comme un Exo que comme un aristocrate. Je vous rassure. Ces restoroutes ont une réputation de mauvaise qualité. Si vous êtes capable de digérer ce sandwich, alors vous pourrez manger n'importe où sur Trantor. Et ça ne vous fera pas de mal. Cette nourriture n'est ni avariée, ni toxique : elle a simplement cette forte amertume, mais qui sait, vous finirez peut-être par vous y habituer. Je connais des Trantoriens qui crachent sur la nourriture distinguée, disant qu'il lui manque cette saveur du terroir.

– Produit-on beaucoup de denrées alimentaires sur Trantor? » demanda Seldon. Un bref coup d'œil en coin lui révéla qu'il n'y avait personne dans les parages immédiats, aussi poursuivit-il à l'aise : « J'ai toujours entendu dire qu'il fallait les ressources de vingt planètes et des centaines de cargos pour nourrir quotidiennement Trantor.

– Je sais. Et autant pour embarquer la masse des déchets. Et, si vous voulez pimenter l'histoire, vous pouvez ajouter que ce sont les mêmes qui débarquent les vivres à l'aller et rembarquent les ordures au retour. Nous importons effectivement des quantités considérables de nourriture, mais il s'agit pour l'essentiel de produits de luxe. Et nous exportons un tonnage considérable de déchets, transformés en engrais organique, après avoir été soigneusement traités pour être rendus non toxiques – un engrais tout aussi important pour les autres mondes que la nourriture l'est pour nous. Mais cela ne représente qu'une faible part de l'ensemble.

– Ah bon?

– Oui. En plus de la pêche maritime, on trouve partout des jardins maraîchers. Et des arbres fruitiers, des élevages de volailles ou de lapins, et de vastes cultures de micro-organismes – on appelle ces installations des « jardins à levure », bien que celle-ci ne représente qu'une part minoritaire de la production. En fait, sous bien des aspects, Trantor ressemble à une énorme colonie spatiale montée en graine. En avez-vous déjà visité une?

– Absolument.

– Les colonies spatiales sont pour l'essentiel des cités en vase clos, où tout est recyclé artificiellement, avec une ventilation artificielle, une alternance artificielle des jours et des nuits, et ainsi de suite. La seule différence, c'est que la plus vaste colonie spatiale n'héberge que dix millions d'âmes tandis que Trantor en a quatre mille fois plus. Bien sûr, nous disposons d'une vraie pesanteur. Et aucune colonie spatiale, en tout cas, ne peut rivaliser avec nos micro-ressources alimentaires : nous avons des cuves à levure, des planches à moisissures, et des bassins d'algues d'une taille qui dépasse l'imagination. Et nous sommes imbattables pour ce qui est des arômes artificiels – et on n'y va pas à la légère. C'est ce qui donne du goût à ce que vous mangez. »

Seldon était pratiquement au bout de son sandwich et ne le trouvait plus aussi répugnant qu'à la première bouchée. « Et ça ne me fera pas de mal?

– Cela influe sur la flore intestinale et de temps à autre un malheureux Exo est affligé d'une crise de diarrhée, mais dans l'ensemble c'est rare, et même dans ce cas votre organisme le surmonte vite. Enfin, buvez toujours votre lait frappé, que vous n'apprécierez sans doute pas. Il contient un anti-diarrhéique qui devrait vous éviter ce genre de désagrément si vous y êtes sujet.

– Ne me parlez pas de ça, se fâcha Seldon. Certaines personnes peuvent être facilement influençables...

– Finissez votre dessert et laissez tomber les influences... »

Ils finirent de manger en silence et bientôt ils avaient repris la route.

13

Ils fonçaient de nouveau à toute vitesse dans le tunnel. Seldon décida de formuler la question qui le tracassait depuis une bonne heure :

« Pourquoi dites-vous que l'Empire galactique se meurt? »

Hummin se tourna pour le regarder : « En tant que journaliste, je dispose de statistiques qui m'assaillent de tous côtés jusqu'à ce qu'elles me ressortent par les oreilles. Et je n'ai le droit d'en publier qu'une part infime. La population de Trantor décroît. Il y a vingt-cinq ans, elle atteignait près de quarante-cinq milliards d'âmes.

« Cette diminution provient d'un déclin de la natalité. Certes, Trantor n'a jamais eu un taux de naissances élevé. Si vous regardez autour de vous en voyageant ici, vous ne verrez pas beaucoup d'enfants, compte tenu de l'énorme population. Quoi qu'il en soit, ce taux décline. Et puis, il y a aussi l'émigration. Les gens sont plus nombreux à quitter Trantor qu'à s'y installer.

– Vu la taille de la population, remarqua Seldon, ça n'a rien d'étonnant.

– Mais c'est inhabituel car ça ne s'était encore jamais produit. Et puis, dans toute la Galaxie, le commerce stagne. Sous prétexte qu'il n'y a pas de rébellion pour l'instant, que la situation est calme, les gens croient que tout va pour le mieux et que les difficultés des siècles passés sont terminées. Et pourtant les luttes politiques, les rébellions et l'agitation sont le signe d'une certaine vitalité. Aujourd'hui on constate une lassitude généralisée. Le calme règne, non parce que les gens sont prospères et satisfaits mais parce qu'ils sont fatigués et qu'ils ont renoncé.

– Oh, je ne sais pas... fit Seldon, dubitatif.

– Moi, si. Et l'affaire de l'antigravité est un autre symptôme. Nous avons quelques ascenseurs gravitiques en fonctionnement, mais on n'en construit pas de nouveaux. C'est une entreprise non rentable et ça n'intéresse apparemment personne de la rentabiliser. La croissance technologique n'a cessé de ralentir depuis des siècles jusqu'à se traîner aujourd'hui. Dans certains cas, le progrès s'est même totalement arrêté. N'est-ce pas une chose que vous avez notée? Après tout, le mathématicien, c'est vous.

– Je ne peux pas dire que j'y aie spécialement réfléchi.

– Et vous n'êtes pas le seul. C'est un fait admis. De nos jours, les scientifiques sont très forts pour dire que les choses sont impossibles, irréalisables, inutiles. Ils condamnent dès l'abord toute forme de spéculation. Vous, par exemple, que pensez-vous de la psychohistoire? Théoriquement, elle est intéressante, mais inutile d'un point de vue pratique. Je me trompe?

– Oui et non, répondit Seldon, ennuyé. Elle est effectivement inutile d'un point de vue pratique mais pas parce que mon sens de l'aventure s'est émoussé, je vous l'assure. Elle est réellement inutilisable.

– Cela, du moins, dit Hummin avec une trace de sarcasme, c'est votre impression personnelle dans cette atmosphère de décrépitude généralisée que connaît tout l'Empire.

– Cette atmosphère de décrépitude, remarqua Seldon avec colère, c'est *votre* impression. Ne pourriez-vous pas vous tromper? »

Hummin se tut un instant, l'air pensif, puis il reprit : « Oui, je pourrais me tromper. Je ne parle que par intuition, par supposition. Ce qu'il me faudrait, c'est une psychohistoire qui soit opérationnelle. »

Seldon haussa les épaules, sans relever le défi : « Je n'ai rien de tel à vous offrir... Mais supposons que vous ayez raison. Supposons que l'Empire décline en attendant de s'immobiliser et de s'effondrer. L'espèce humaine n'en continuera pas moins d'exister.

– Oui, mais dans quelles conditions? Durant près de douze mille ans, Trantor, d'une main ferme, a pratiquement maintenu la paix. Avec des interruptions – rébellions, guerres civiles locales, innombrables tragédies – mais, dans l'ensemble et sur de larges secteurs, la paix a toujours régné. Pourquoi Hélicon soutient-elle l'Empire? Je parle de votre planète. Parce qu'elle est petite et se serait fait dévorer par ses voisines s'il n'y avait eu l'Empire pour garantir sa sécurité.

– Prédisez-vous une guerre universelle et l'anarchie si l'Empire s'écroule?

– Évidemment. Je n'aime pas particulièrement l'Empire et les institutions impériales en général, mais je n'ai rien pour les remplacer. Je ne vois pas d'autre solution pour maintenir la paix, et je ne suis pas prêt à laisser faire en attendant de trouver autre chose.

– Vous parlez comme si vous teniez les rênes de la Galaxie. *Vous* n'êtes pas prêt à laisser faire? *Vous* devez trouver autre chose. Qui êtes-vous pour vous exprimer de la sorte?

– Je parle de manière générale, imagée. Ce n'est pas le sort personnel de Chetter Hummin qui me préoccupe. On pourrait très bien dire que l'Empire tiendra de mon vivant; il se peut même qu'il montre quelques signes d'amélioration. Le déclin ne suit pas une pente rectiligne. Il pourra s'écouler mille ans avant l'effondrement final, et vous imaginerez sans peine que je serai mort d'ici là, et certainement sans aucun descendant. Pour ce qui est des femmes, je n'ai que des relations occasionnelles, je n'ai pas d'enfant et pas l'intention d'en avoir. Je ne veux pas laisser d'otages au hasard. J'ai consulté votre biographie après votre communication, Seldon. Vous n'avez pas d'enfants non plus.

– J'ai mes parents et deux frères, mais pas d'enfants. » Il eut un faible sourire. « J'ai été, à une époque, très attaché à une femme, mais il semble qu'à ses yeux j'étais plus attaché à mes mathématiques.

– C'était vrai?

– Ce n'était pas mon impression, mais la sienne. Alors, elle est partie.

– Et vous n'avez eu personne, depuis?

– Non. La douleur m'a laissé un souvenir trop cuisant.

– Eh bien, dans ce cas, il semblerait que nous pourrions l'un et l'autre attendre de voir venir et laisser le poids de la souffrance aux hommes de demain. Il fut un temps où j'aurais volontiers admis ce raisonnement, mais c'est terminé. Car aujourd'hui, je dispose bel et bien d'un instrument; je suis maître de mon destin.

– Quel instrument? demanda Seldon qui connaissait déjà la réponse.

– Vous. »

Et parce qu'il avait su ce qu'allait dire Hummin, Seldon ne perdit pas de temps à se montrer choqué ou surpris. Il se contenta de hocher la tête et répondit : « Vous vous trompez du tout au tout. Je ne suis pas l'instrument qu'il vous faut.

– Pourquoi pas? »

Seldon soupira. « Combien de fois faudra-t-il vous le répéter? La psychohistoire n'est pas une science appliquée. La difficulté est d'ordre fondamental. Tout l'espace et le temps de l'univers ne suffiraient pas à résoudre les problèmes nécessaires.

– En êtes-vous certain?

– Malheureusement, oui.

– Il ne s'agit pas de travailler sur l'ensemble de l'avenir de l'Empire galactique, vous le savez. Vous n'avez pas besoin de relever en détail les agissements de chaque être humain ou même de chaque planète. Il s'agit simplement de répondre à quelques questions : l'Empire galactique s'effondrera-t-il, et si oui, à quel moment? Dans quelles conditions vivra l'humanité par la suite? Peut-on faire quelque chose pour empêcher l'effondrement ou améliorer les conditions de vie ultérieures? Ce sont des questions relativement simples, me semble-t-il. »

Seldon hocha la tête et sourit tristement. « L'histoire des mathématiques est remplie de questions simples qui ont les réponses les plus compliquées – ou pas de réponse du tout.

– Ne peut-on rien y faire? Je vois bien que l'Empire est en train de s'effondrer mais sans être capable de le prouver. Toutes mes conclusions sont subjectives, et je ne peux pas garantir que je ne suis pas dans l'erreur. Parce que la perspective est plutôt dérangeante, les gens aiment mieux ne pas croire mes conclusions subjectives, de sorte que rien ne sera fait pour prévenir ou amortir la Chute. Vous, en revanche, vous pourriez prouver que la Chute est imminente, ou même qu'elle ne l'est pas.

– Mais c'est précisément ce que je suis incapable de faire. Je ne peux pas vous trouver de preuve là où il n'en existe pas. Je ne peux pas rendre opérationnel un système mathématique quand il ne l'est pas. Je ne peux pas vous trouver deux nombres pairs dont la somme donnera un nombre impair, même si vous – ou toute la Galaxie – avez un besoin vital de ce nombre impair.

– Alors, c'est que vous faites partie du processus de déclin. Vous êtes prêt à accepter l'échec.

– Ai-je un autre choix?

– Vous ne pouvez pas au moins essayer? Si vains que puissent vous paraître vos efforts, avez-vous autre chose à quoi consacrer votre vie? Avez-vous quelque autre but plus valable? Avez-vous un dessein susceptible de mieux vous justifier à vos propres yeux? »

Seldon cligna rapidement des yeux. « Des millions de mondes. Des milliards de cultures. Des quadrillions d'individus. Des décillions d'inter-relations. Et vous voudriez que je les ramène à un ordre!

– Non, je veux que vous essayiez. Pour l'amour de ces millions de mondes, de ces milliards de cultures et de ces quadrillions d'individus. Pas pour l'Empereur. Pas pour Demerzel. Pour l'humanité.

– J'échouerai.

– Alors notre sort n'en sera pas pire. Allez-vous essayer? »

Et Seldon, contre sa volonté et sans savoir pourquoi, s'entendit dire : « Je vais essayer. » Désormais, le cours de sa vie était tracé.

14

Le voyage touchait à sa fin et l'aérotaxi pénétra dans une aire de stationnement bien plus vaste que celle où ils s'étaient arrêtés pour manger. (Seldon se rappela le goût du sandwich et son visage s'assombrit.)

Hummin alla rendre son taxi et revint, glissant sa plaque de crédit dans une pochette contre la doublure intérieure de sa chemise. Il annonça : « Vous êtes ici en parfaite sécurité contre toute entreprise effectuée au grand jour. Nous sommes dans le secteur de Streeling.

– Streeling?

– D'après le nom du premier homme à avoir ouvert la zone à la colonisation, je suppose. La plupart des secteurs portent des noms d'individus, ce qui signifie que la majorité des noms sont affreux et un bon nombre imprononçables. Toujours est-il que si vous essayez de forcer les autochtones à changer leur nom de Streeling en Strelitzia, Suaverose ou autre terme fleuri, vous aurez une bagarre sur les bras.

– Évidemment, dit Seldon en reniflant, ça ne sent pas précisément la rose...

– C'est comme ça partout sur Trantor, mais vous vous y ferez.

– Je suis content d'être ici. Non que l'endroit me plaise mais je commençais à en avoir assez de ce siège de taxi. Voyager sur Trantor doit être une horreur. Chez nous, sur Hélicon, on peut se rendre d'un point à un autre par air en bien moins de temps qu'il nous a fallu pour parcourir ici moins de deux mille kilomètres.

– Nous avons des jets, nous aussi.

– Mais dans ce cas...

– J'ai pu nous arranger un voyage en aérotaxi plus ou moins anonymement. Ç'aurait été bien plus difficile en jet. Et même si l'endroit est sûr, j'aime autant que Demerzel ne sache pas au juste où vous vous trouvez. D'ailleurs, nous ne sommes pas au bout de nos peines. Pour l'ultime étape, nous allons emprunter le Réseau express. »

Seldon connaissait : « L'un de ces monorails découverts propulsés par un champ électromagnétique, c'est ça?

– C'est ça.

– Nous n'en avons pas sur Hélicon. Pour tout dire, nous n'en avons pas besoin. J'ai pris le Réseau express dès mon premier jour sur Trantor. Pour me conduire de l'aéroport à l'hôtel. C'était pour moi une nouveauté, mais si je devais l'emprunter tous les jours, j'imagine que le bruit et la foule deviendraient vite accablants. »

Hummin semblait amusé. « Vous êtes-vous perdu?

– Non, les panneaux d'affichage étaient très bien faits. J'ai bien eu quelques problèmes pour entrer et sortir, mais on m'a aidé. Tout le monde pouvait m'identifier comme un Exo à ma mise, je m'en rends compte à présent. Mais enfin les gens semblaient ravis de m'aider; sans doute parce que c'était amusant de me voir hésiter et trébucher.

– Maintenant que vous êtes un expert de ce moyen de transport, vous n'hésiterez pas et ne trébucherez plus. » Le ton était badin, mais un léger pli déformait la commissure des lèvres. « Eh bien, allons-y. »

Ils empruntèrent tranquillement le passage pour piétons, éclairé comme par une journée couverte, avec un éclair de soleil de temps à autre entre les nuages. Machinalement, Seldon leva les yeux pour voir si tel était le cas, mais le « ciel » au-dessus de lui était uniformément lumineux.

En le voyant faire, Hummin précisa : « Ces variations d'éclairage semblent convenir au psychisme humain. Il y a des jours où les rues ont l'air baignées de soleil et d'autres où il fait encore plus sombre qu'à présent.

– Mais jamais de pluie ou de neige?

– Ni de grêle, ni de grésil. Non. Ni d'humidité forte ou de grand froid. Trantor a ses avantages, Seldon, même à présent. »

Des piétons marchaient dans les deux directions et l'on voyait un grand nombre de jeunes ainsi que quelques enfants accompagnant les adultes, nonobstant les remarques de Hummin sur la baisse du taux de natalité. Tous semblaient raisonnablement honorables et prospères. Les deux sexes étaient également représentés et les vêtements nettement plus discrets que dans le Secteur impérial. Le costume de Seldon, choisi par Hummin, s'intégrait à merveille. Il vit que très peu de gens portaient le chapeau et s'empressa de retirer son couvre-chef.

Il n'y avait pas de gouffre insondable entre les deux voies de l'allée et, comme Hummin l'avait prédit dans le Secteur impérial, ils marchaient pratiquement au niveau du sol. Il n'y avait pas non plus de véhicule, et Seldon s'en ouvrit à son compagnon.

« On en voit un bon nombre dans le Secteur impérial parce qu'ils sont utilisés par les hauts fonctionnaires. Partout ailleurs, les véhicules privés sont rares, et passent par des tunnels réservés. Ils ne sont pas réellement nécessaires puisque nous avons le Réseau express et, pour les trajets plus courts, les trottoirs roulants. Pour le reste, nous avons les passages piétonniers et nous pouvons nous servir de nos jambes. »

Seldon, qui entendait parfois des soupirs et des craquements assourdis, aperçut, à quelque distance, le passage ininterrompu des voitures du Réseau express.

Il pointa le doigt : « Le voilà.

– Je sais. Mais allons jusqu'à un quai d'embarquement. Il y a davantage de voitures disponibles et il est plus facile d'y monter. »

Une fois qu'ils furent bien calés dans leur compartiment, Seldon se tourna vers Hummin : « Ce qui me sidère, c'est le silence de ces véhicules. Je sais bien qu'ils sont propulsés par un champ électromagnétique, mais le silence est quand même étonnant. » Il prêta l'oreille aux rares crissements métalliques lorsque la voiture où ils se trouvaient frottait contre ses voisines.

« Oui, c'est un réseau superbe, mais vous ne l'avez pas connu à son apogée. Quand j'étais plus jeune, il était encore plus silencieux qu'aujourd'hui, et certains disent qu'il y a cinquante ans il ne faisait guère plus de bruit qu'un murmure – même s'il faut, comme je le soupçonne, faire la part de la nostalgie.

– Pourquoi n'est-ce plus ainsi?

– Par négligence dans l'entretien. Je vous ai parlé de décadence. »

Seldon fronça les sourcils. « Je suis sûr que les gens ne restent pas plantés là à se dire : "Nous sommes en pleine décadence. Laissons se déglinguer le Réseau express."

– Non. Ce n'est pas délibéré. On répare les caisses abîmées, on reconditionne les compartiments défraîchis, on remplace les aimants défaillants. Mais on travaille à la va-vite, avec moins de soin, et les interventions sont de plus en plus espacées. Il n'y a tout bonnement plus assez de crédits.

– Où est passé l'argent?

– Ailleurs. Nous avons eu des siècles de troubles. La flotte est plus vaste et beaucoup plus coûteuse que jadis. Les forces armées sont mieux payées, pour les faire tenir tranquilles. Agitation, révoltes et courtes flambées de guerre civile ont prélevé leur droit de péage.

– Mais tout a été calme sous le règne de Cléon. Et nous avons eu cinquante ans de paix.

– Certes, mais les soldats bien payés n'apprécieraient guère de voir leur solde réduite sous prétexte que la paix règne. Les amiraux sont réticents à voir leurs vaisseaux mis en cale sèche et eux-mêmes versés dans la réserve parce qu'ils ont moins à faire. Aussi les crédits continuent-ils d'aller – improductivement – aux forces armées, tandis qu'on laisse à l'abandon des secteurs vitaux pour le bien public. C'est ce que j'appelle la décadence. Pas vous? Vous ne croyez pas que vous pourriez faire entrer ce genre de perspective dans vos notions psychohistoriques? »

Seldon se dandina, mal à l'aise. Puis il reprit : « Où allons-nous, au fait?

– A l'Université de Streeling.

– Ah, voilà pourquoi le nom m'était familier. J'ai entendu parler de l'Université.

– Ça ne me surprend pas. Trantor possède près de cent mille établissements d'études supérieures et Streeling fait partie des mille qui sont au sommet de la pyramide.

– C'est là que je vais m'installer?

– Pour un temps. Les campus universitaires sont des sanctuaires inviolables, en règle générale. Vous y serez en sécurité.

– Mais y serai-je le bienvenu?

– Pourquoi pas? Il est difficile de trouver un bon mathématicien, de nos jours. Ils pourraient vous trouver un emploi. Et réciproquement, vous pourriez-vous servir d'eux – et pas seulement pour vous cacher.

– Vous voulez dire que c'est un endroit où je pourrai développer mes notions?

– Vous avez promis, remarqua Hummin, gravement.

– J'ai promis d'essayer, nuance », observa Seldon, en se disant que ça revenait à promettre de confectionner une corde en sable.

15

Par la suite, les deux hommes étaient retombés dans le silence et Seldon en avait profité pour observer au passage les structures du secteur de Streeling. Certains édifices étaient très bas, tandis que d'autres semblaient effleurer le « ciel ». De vastes passages transversaux rompaient la progression et l'on pouvait apercevoir de nombreuses allées.

Il remarqua bientôt que, si les bâtiments s'élevaient en altitude, ils descendaient également vers les tréfonds et qu'ils étaient peut-être plus profonds que hauts. Dès que l'idée lui vint, il fut convaincu qu'il voyait juste.

A l'occasion, il apercevait des taches de verdure à l'arrière-plan, très loin du Réseau express, et même de petits arbres.

Il observa un bon moment le paysage puis se rendit compte que la lumière baissait. Clignant les yeux, il se tourna vers Hummin qui devina sa question :

« L'après-midi tire à sa fin et la nuit approche. »

Seldon haussa les sourcils, les commissures de ses lèvres s'affaissèrent. « Impressionnant. J'imagine d'ici la planète entière en train de s'obscurcir et puis, dans quelques heures, s'illuminer à nouveau. »

Hummin le gratifia de son petit sourire hésitant : « Pas tout à fait, Seldon. La planète n'est jamais intégralement éteinte – ou allumée. L'ombre du crépuscule en balaye graduellement la surface, suivie une demi-journée plus tard par la lente montée de l'aube. En fait, l'effet suit d'assez près l'enchaînement réel des jours et des nuits au-dessus des dômes, de sorte qu'aux latitudes élevées la longueur du jour et de la nuit varie au gré des saisons. »

Seldon hocha la tête. « Mais alors, pourquoi enfermer la planète et imiter ensuite ce qui se produirait à l'air libre?

– Sans doute parce que les gens préfèrent cela. Les Trantoriens apprécient les avantages de la réclusion mais n'aiment pas malgré tout qu'on la leur rappelle trop. Vous connaissez bien mal la psychologie trantorienne, Seldon. »

Ce dernier rougit légèrement. Il n'était qu'un Héliconien et connaissait peu de choses des millions de mondes au-delà d'Hélicon. Son ignorance n'était pas limitée à Trantor. Comment, dans ces conditions, pouvait-il espérer déboucher sur une quelconque application de sa théorie de la psychohistoire?

Comment un nombre quelconque d'individus pourraient-ils ensemble en savoir assez?

Cela lui rappela une énigme qu'on lui avait posée dans sa jeunesse : peut-il exister un bloc de platine relativement petit, muni de poignées, qu'il soit impossible de soulever par la seule force musculaire, quel que soit le nombre d'individus mobilisés?

La réponse est oui. Un mètre cube de platine pèse 22 420 kilos, sous une gravité normale. Si l'on suppose que chaque individu peut décoller du sol cent vingt kilos, alors cent quatre-vingt-huit personnes suffiraient à soulever le bloc de platine. Mais il est impossible d'entasser cent quatre-vingt-huit individus autour d'un cube d'un mètre d'arête de telle sorte que chacun ait une prise. On pourrait tout au plus en masser neuf. Et les leviers ou autres dispositifs de ce genre sont interdits, l'énoncé précisant « par la seule force musculaire ».

De même, il était sans doute impossible de mobiliser assez de gens pour appréhender la masse totale de connaissances exigées par la psychohistoire, même si les faits étaient stockés sur ordinateur plutôt que par le cerveau humain. Seul un nombre limité d'individus pourrait, pour ainsi dire, se « masser autour » de ce savoir et le communiquer.

« Vous me semblez bien sombre, Seldon.

– Je mesurais l'étendue de mon ignorance.

– Tâche bien utile. Des milliards d'individus pourraient se joindre à vous... Mais il est temps de descendre. »

Seldon leva les yeux. « Comment le savez-vous?

– De la même manière que vous, lors de votre trajet en Réseau express, votre premier jour sur Trantor. Je suis les panneaux d'affichage »

Seldon en aperçut un juste comme ils le dépassaient : UNIVERSITÉ DE STREELING – 3 MINUTES.

« Nous descendons à la prochaine station. Attention à la marche. »

Seldon suivit Hummin et remarqua que le ciel était à présent d'un violet profond tandis que passages, coursives et bâtiments s'éclairaient, baignés d'une lueur jaune.

On aurait pu se croire au crépuscule sur Hélicon. Si un bandeau lui avait été mis sur les yeux puis enlevé, il aurait pu se croire dans le centre ville surpeuplé de l'une des plus grandes cités de sa planète natale.

« Combien de temps vais-je rester à l'Université de Streeling, à votre avis, Hummin?

– Difficile à dire, répondit l'intéressé avec son calme habituel. Toute votre vie, peut-être.

– Hein?

– Peut-être pas. Mais votre vie vous a échappé à l'instant où vous avez fait cette communication sur la psychohistoire. L'Empereur et Demerzel ont reconnu aussitôt votre importance. Moi de même. Et, pour autant que je sache, bien d'autres personnes. Vous voyez, cela signifie que vous n'êtes plus votre propre maître. »

Bibliothèque

VENABILI, DORS. - ... Historienne, née à Cinna... Sa vie aurait fort bien pu se dérouler sans surprises, n'eût été le fait qu'après avoir passé deux années à l'Université de Streeling, elle se trouva entraînée avec le jeune Hari Seldon durant la Fuite.

ENCYLOPAEDIA GALACTICA

16

La pièce où se retrouva Hari Seldon était plus vaste que le studio de Hummin dans le Secteur impérial. C'était une chambre avec un coin-toilette mais sans aucun équipement pour faire la cuisine ou prendre un repas. Il n'y avait pas de fenêtre, mais, derrière une grille encastrée au plafond, un ventilateur émettait un soupir régulier.

Seldon regarda autour de lui, l'air navré.

Hummin interpréta ce regard avec son assurance habituelle et l'avertit : « Ce n'est que pour la nuit, Seldon. Demain matin, quelqu'un vous conduira à l'Université et vous serez installé bien plus confortablement.

– Pardonnez-moi, Hummin, mais comment le savez-vous?

– Je vais m'arranger. J'y connais une ou deux personnes (un bref sourire sans humour) qui sont en dette envers moi; je peux donc leur demander un ou deux services. A présent, voyons un peu les détails. »

Il fixa sans ciller Seldon et poursuivit : « Ce que vous avez dû abandonner dans votre chambre d'hôtel est désormais perdu. Y avait-il quelque chose d'irremplaçable?

– Pas vraiment. Quelques affaires personnelles auxquelles j'attachais valeur de souvenirs, mais enfin, si elles sont perdues, elles sont perdues. Il y a, bien sûr, quelques notes sur ma communication. Des calculs. Le texte lui-même.

– Qui est désormais dans le domaine public jusqu'au moment où il sera retiré de la circulation parce que jugé trop dangereux – ce qui ne saurait tarder. Je pourrai toujours mettre la main sur un exemplaire, j'en suis sûr. De toute manière, vous pouvez le reconstituer, n'est-ce pas?

– Absolument. C'est bien pourquoi je vous ai dit qu'il n'y avait rien d'irremplaçable. J'ai également perdu près de mille crédits, quelques livres, des vêtements, mon billet de retour pour Hélicon, des choses dans ce genre.

– Tout cela est remplaçable... Et je vais m'arranger pour vous obtenir une plaque de crédit à débiter sur mon compte. Cela réglera le problème des dépenses courantes.

– Vous faites preuve d'une générosité peu commune à mon égard. Je ne puis l'accepter.

– Ce n'est pas de la générosité, puisque j'espère de la sorte sauver l'Empire. Vous *devez* accepter.

– Mais en avez-vous les moyens, Hummin? Je vais, dans le meilleur des cas, utiliser votre crédit avec mauvaise conscience.

– Tout ce dont vous pouvez avoir besoin pour assurer votre survie ou un confort raisonnable est dans mes moyens, Seldon. Naturellement, j'aimerais mieux que vous ne tentiez pas d'acheter le gymnase universitaire et que vous vous absteniez de distribuer un million de crédits en largesses...

– Pas besoin de vous tracasser, mais avec mon nom fiché par...

– Peu importe. Il est strictement interdit au gouvernement impérial d'exercer le moindre pouvoir de police sur l'Université ou ses membres. La liberté y est totale. On peut y discuter de tout, on peut tout y dire.

– Qu'en est-il des crimes violents?

– Dans ce cas, les autorités universitaires s'en chargent elles-mêmes, avec soin et raison – d'ailleurs, il n'y a quasiment aucun acte de violence. Les étudiants et le corps professoral savent apprécier leur liberté et en comprennent les limites. Trop de chahut, un début d'émeute, une effusion de sang, et le gouvernement pourrait se sentir en droit de rompre l'accord non écrit et d'envoyer la troupe. Personne ne veut de cela, pas même le gouvernement, si bien qu'un équilibre fragile se maintient. En d'autres termes, Demerzel lui-même ne pourrait vous extirper de là sans un prétexte bien plus important que nul à l'Université n'a pu en fournir au gouvernement depuis un siècle et demi. D'un autre côté, si vous êtes attiré hors du campus universitaire par un agent infiltré parmi les étudiants...

– Il y en a?

– Comment le saurais-je? C'est possible. Tout individu ordinaire peut être menacé, manœuvré ou simplement acheté – et rester par la suite au service de Demerzel, ou de n'importe qui d'autre, d'ailleurs. C'est bien pourquoi j'insiste sur ce point : vous êtes raisonnablement en sûreté, mais *personne* ne l'est jamais absolument. Vous devrez être prudent. Je vous avertis donc, mais je ne veux pas non plus vous affoler. Dans l'ensemble, vous serez bien plus en sûreté ici que vous ne l'auriez été si vous étiez retourné sur Hélicon, ou sur n'importe quelle autre planète de la Galaxie.

– Je l'espère, fit Seldon, maussade.

– J'en suis sûr, sinon je n'aurais pas jugé opportun de vous laisser.

– Me laisser? » Seldon leva brusquement la tête. « Vous ne pouvez pas faire ça. Vous connaissez ce monde. Moi, pas.

– Vous serez avec d'autres qui le connaissent, et qui en connaissent cette partie bien mieux que moi. Quant à moi, je dois repartir. Je vous ai accompagné toute la journée et je ne voudrais pas abandonner plus longtemps mes activités. Je ne dois pas trop attirer l'attention. Souvenez-vous que je cours des risques autant que vous. »

Seldon rougit. « Vous avez raison. Je ne puis envisager que vous risquiez indéfiniment votre existence à cause de moi. J'espère ne pas vous avoir déjà ruiné...

– Qui pourrait le dire? fit Hummin sans se démonter. Nous vivons une époque dangereuse. Rappelez-vous simplement que, si quelqu'un peut la rendre plus sûre – sinon pour nous-mêmes, du moins pour ceux qui nous suivront –, c'est bien vous. Que cette pensée soit votre source d'énergie, Seldon. »

17

Seldon ne trouvait pas le sommeil. Il réfléchissait, se tournant et se retournant dans le noir. Jamais il ne s'était senti aussi seul et désemparé qu'après que Hummin, hochant la tête, l'eut quitté sur une brève poignée de main. Il se retrouvait désormais sur un monde étrange – et dans une partie étrange de ce monde. Il était séparé de la seule personne qu'il pouvait considérer comme amicale (et ceci depuis non moins d'un jour) et n'avait aucune idée de sa destination et de son programme, demain ou n'importe quand à l'avenir.

Rien de tout cela n'était propice au sommeil, et lorsqu'il décida, en désespoir de cause, qu'il ne dormirait pas de la nuit, et peut-être jamais plus, l'épuisement prit le dessus...

Quand il s'éveilla, il faisait toujours noir – enfin pas tout à fait car, à l'autre bout de la pièce, un voyant rouge clignotait rapidement, avec un bourdonnement rauque intermittent. A coup sûr, c'était cela qui l'avait réveillé.

Alors qu'il essayait de se rappeler où il se trouvait et d'interpréter les rares messages reçus par ses sens, le clignotement et le bourdonnement cessèrent et il réalisa qu'il entendait des coups péremptoires.

Sans doute on frappait à la porte, mais il ne se rappelait plus où elle était. Sans doute, également, existait-il un contact pour inonder la chambre de lumière, mais il avait aussi oublié son emplacement.

Il s'assit donc dans le lit et tâtonna désespérément le long du mur à sa gauche tout en lançant : « Un moment, je vous prie. »

Il trouva le bouton recherché et une lumière tamisée illumina soudain la chambre.

Il sortit du lit en hâte, plissant les yeux, cherchant toujours la porte, la trouva, se pencha pour l'ouvrir, se rappela la prudence in extremis et lança, d'un ton soudain sévère, dans le genre *pas-de-bêtises* : « Qui est là? »

Une voix féminine, plutôt douce, répondit : « Je m'appelle Dors Venabili et je suis venue voir le docteur Hari Seldon. »

Simultanément une femme apparut devant la porte, alors même qu'elle n'avait pas été ouverte.

Un instant, Hari Seldon la fixa avec surprise, puis s'avisa qu'il était en sous-vêtements. Il laissa échapper un cri étranglé, fonça vers le lit et se rendit soudain compte qu'il était en train de contempler un hologramme. Il lui manquait la consistance du réel et il était évident que la femme ne le regardait pas. Elle se montrait simplement pour s'identifier.

Il marqua un temps d'arrêt, haletant, puis, élevant la voix pour être entendu derrière le battant : « Si vous voulez bien attendre, je suis à vous. Accordez-moi... disons, une demi-heure. »

La femme – ou en tout cas son hologramme – répondit : « Je vais attendre » et disparut.

Il n'y avait pas de douche; alors il s'épongea, créant un beau gâchis sur le carrelage du coin-toilette. Il y avait du dentifrice mais pas de brosse et il se servit de son doigt. Il n'avait pas d'autre choix que renfiler les vêtements de la veille. Il ouvrit enfin la porte.

Ce faisant, il se rendit compte que la visiteuse ne s'était pas vraiment identifiée. Elle s'était contentée de donner un nom, et Hummin n'avait pas nommé ses visiteurs éventuels, cette Dors Machinchose ou quelqu'un d'autre. Il s'était senti à l'abri parce que l'hologramme représentait une jeune femme avenante mais, pour ce qu'il en savait, elle aurait aussi bien pu être accompagnée d'une demi-douzaine de jeunes gens hostiles.

Il hasarda un coup d'œil prudent, ne vit que la femme, puis ouvrit suffisamment la porte pour la laisser entrer. Il referma aussitôt le battant et le verrouilla derrière elle.

« Pardonnez-moi. Quelle heure est-il?

– Neuf heures, répondit-elle. La journée est déjà bien entamée. »

Officiellement, Trantor s'en tenait au Temps universel galactique, seule manière cohérente de faire fonctionner le commerce interstellaire et les affaires d'État. Chaque planète, en revanche, avait son temps local et Seldon n'en était pas encore au point de jongler avec les références horaires trantoriennes.

« C'est le milieu de la matinée?

– Bien sûr.

– Il n'y a pas de fenêtre dans cette chambre », observa-t-il, sur la défensive.

Dors alla vers le lit, se pencha, effleura une petite touche noire sur le mur. Des chiffres rouges apparurent au plafond, juste au-dessus de son oreiller. Ils indiquaient 09 : 03.

Elle sourit sans la moindre supériorité. « Je suis désolée. Mais j'ai cru que Chetter Hummin vous avait prévenu que je passerais vous prendre à neuf heures. Le problème avec lui, c'est qu'il est tellement habitué à toujours tout savoir qu'il en oublie parfois que les autres ne sont pas au courant.

Et j'aurais dû éviter d'employer l'identification radio-holographique. J'imagine que vous n'en avez pas sur Hélicon et j'ai dû vous alarmer, je le crains. »

Seldon sentit qu'il se détendait : elle lui paraissait naturelle, amicale, et cette référence faite à Hummin, en passant, acheva de le rassurer. Il répondit : « Vous avez tout à fait tort pour Hélicon, mademoiselle...

– Appelez-moi Dors, je vous en prie.

– Vous avez pourtant tort pour Hélicon, Dors. Nous disposons bel et bien de la radio-holographie mais je n'ai jamais eu les moyens de m'en équiper. Ni d'ailleurs aucun de mes amis, si bien que je n'en avais jusqu'à présent jamais fait l'expérience. Mais j'ai assez vite compris de quoi il retournait. »

Il l'étudia. Elle n'était pas très grande, dans la moyenne pour une femme, estima-t-il, avec des cheveux d'un blond-roux assez doux, disposés en boucles courtes autour de son visage. (Il avait vu bon nombre de femmes à Trantor ainsi coiffées. C'était apparemment une mode locale qui aurait soulevé les rires sur Hélicon.) Elle n'était pas d'une beauté renversante mais était loin d'être désagréable à regarder, grâce surtout à ses lèvres pleines, comme retroussées en un léger sourire. Elle était mince, bien bâtie, et paraissait fort jeune. (Peut-être trop jeune, songea-t-il, mal à l'aise, pour être utile.)

« Ai-je passé l'inspection? » demanda-t-elle. (Elle semblait avoir le don de Hummin pour lire dans ses pensées, songea Seldon, ou peut-être était-ce lui qui ne savait pas les dissimuler.)

« Je suis désolé, fit-il. Apparemment, je vous ai déshabillée du regard, mais j'essayais simplement de vous évaluer. Je me retrouve en terre inconnue. Je ne connais personne et n'ai aucun ami.

– Je vous en prie, docteur Seldon, comptez-moi parmi vos amies. M. Hummin m'a demandé de prendre soin de vous. »

Sourire gêné de Seldon. « Vous êtes peut-être un peu jeune pour la tâche.

– Vous verrez que non.

– Eh bien, je vais essayer de causer le moins de gêne possible. Pouvez-vous me rappeler votre nom, je vous prie?

– Dors Venabili. » Elle épela son nom de famille, après avoir souligné l'accent sur la seconde syllabe. « Comme je l'ai dit, appelez-moi Dors, je vous en prie, et si vous n'y voyez pas d'inconvénient, de mon côté je vous appellerai Hari. Nous ne faisons aucune cérémonie, ici, à l'Université, et l'on fait presque un effort délibéré pour ne pas afficher sa position, familiale ou professionnelle.

– Mais comment donc, appelez-moi Hari, je vous en prie.

– A la bonne heure. Je ne ferai donc pas de cérémonies. Par exemple, l'instinct formaliste, si une telle chose existait, me pousserait à vous demander la permission de m'asseoir. Et pourtant, sans faire de formalités, je vais juste m'installer. » Ce qu'elle fit, sur l'unique chaise de la pièce.

Seldon se racla la gorge. « A l'évidence, je ne suis pas en possession de toutes mes facultés. J'aurais dû vous convier à prendre un siège. » Il s'installa au coin de son lit défait, regrettant de n'avoir pas pensé à retendre au moins les draps, mais enfin, il avait été pris par surprise.

« Voici comment nous allons procéder, Hari, reprit-elle sur un ton aimable. D'abord, nous allons prendre le petit déjeuner dans l'un des cafés de l'Université. Puis je vais vous trouver une chambre dans l'une des résidences, une chambre meilleure que celle-ci. Vous aurez une fenêtre. Hummin m'a demandé de vous fournir une plaque de crédit à son nom, mais il va me falloir un jour ou deux pour en extorquer une à l'administration universitaire. D'ici là, c'est moi qui serai responsable de vos dépenses, vous pourrez me rembourser par la suite – et nous allons pouvoir vous utiliser. Chetter Hummin m'a dit que vous êtes mathématicien, et l'Université en manque sérieusement, surtout de bons.

– Hummin vous a dit que je suis un bon mathématicien?

– En fait, oui. Il a dit que vous êtes un homme remarquable.

– Eh bien... » Seldon s'examina les ongles. « J'aimerais bien être jugé ainsi, mais Hummin me connaissait depuis moins d'une journée et, auparavant, il m'avait simplement entendu présenter une communication, dont il n'avait aucun moyen d'évaluer le niveau. Je pense que c'était simple politesse de sa part.

– Je ne crois pas, dit Dors. Il est lui-même un individu remarquable, avec une grande expérience des gens. Je me fie à son jugement. Quoi qu'il en soit, j'imagine que vous aurez l'occasion de faire vos preuves. Vous savez programmer des ordinateurs, je suppose.

– Bien sûr.

– Je parle d'ordinateurs pédagogiques, n'est-ce pas, et je me demandais si vous pourriez écrire des programmes pour enseigner les divers aspects des mathématiques contemporaines.

– Oui, ça fait partie de mes capacités professionnelles. Je suis assistant de mathématiques à l'Université d'Hélicon.

– Ça, je le sais. Hummin me l'a dit. Ce qui signifie, bien sûr, que tout le monde saura que vous n'êtes pas trantorien, mais ça ne soulèvera pas de sérieux problèmes. Nous sommes une majorité de Trantoriens, ici, à l'Université, mais il y a une minorité non négligeable d'Exos venus de toutes sortes de mondes et ils sont parfaitement admis. Je ne vous garantis pas que vous n'entendrez jamais de plaisanterie sur des thèmes planétaires mais, à vrai dire, c'est plus le fait des Exos que des Trantoriens. Je suis moi-même d'un monde extérieur, soit dit en passant.

– Oh? » Il hésita puis décida que ce ne serait que politesse de demander : « Et de quel monde êtes-vous?

– Je suis de Cinna. Vous en avez déjà entendu parler? »

Il risquait d'être piégé s'il avait la politesse de mentir, aussi répondit-il franchement : « Non.

– Ça ne me surprend pas. C'est probablement encore moins connu qu'Hélicon. Quoi qu'il en soit, pour revenir à la programmation des ordinateurs pédagogiques, je suppose que cela peut être fait avec plus ou moins de bonheur.

– Absolument.

– Et que vous saurez le faire avec bonheur.

– Je me plais à le croire.

– Eh bien, dans ce cas, le poste est pour vous. L'Université vous allouera un traitement pour ce travail. Alors, descendons déjeuner. Au fait, avez-vous bien dormi?

– C'est surprenant, mais... oui.

– Et avez-vous faim?

– Oui, mais... » Il hésita.

« Mais, fit-elle, enjouée, c'est la qualité de la nourriture qui vous tracasse, n'est-ce pas? Eh bien, il ne faut pas. Étant moi-même une Exo, je puis comprendre vos sentiments à l'égard de cette addition systématique de micro-organismes dans tous les aliments, mais les menus de l'Université ne sont pas mauvais. Au réfectoire du corps enseignant, en tout cas. Les étudiants souffrent un peu, mais ça contribue à les endurcir. »

Elle se leva pour se diriger vers la porte mais s'arrêta quand Seldon ne put s'empêcher de lui demander : « Vous faites partie du corps enseignant? »

Elle se retourna et lui adressa un sourire espiègle. « Je ne vous parais pas assez vieille? J'ai décroché mon doctorat il y a deux ans à Cinna et je suis ici depuis. Dans quinze jours, je fête mes trente ans.

– Désolé, dit Seldon, souriant à son tour, mais vous ne pouvez pas espérer en paraître vingt-cinq sans soulever des doutes quant à votre statut universitaire.

– N'est-il pas aimable? »

A cette remarque, Seldon sentit une vague de plaisir l'inonder. Après tout, se dit-il, on ne peut pas échanger des amabilités avec une femme séduisante et se sentir entièrement étranger.

18

Dors avait raison : le petit déjeuner n'était pas du tout mauvais. Il y avait quelque chose qui contenait indubitablement des œufs et la viande était agréablement fumée. La boisson au chocolat (Trantor en était friande et Seldon n'y voyait pour sa part aucune objection) était peut-être synthétique mais elle était savoureuse et les petits pains étaient frais.

Il sentit qu'il n'était que justice de le reconnaître : « Ce déjeuner a été fort agréable : la nourriture, le cadre, tout.

– Vous m'en voyez ravie. »

Seldon regarda autour de lui. L'un des murs était percé d'une rangée de fenêtres et, même si la véritable lumière du jour n'y pénétrait pas (il se demanda si, au bout d'un moment, il n'allait pas finir par se satisfaire de cet éclairage diffus et cesser de chercher des rayons de soleil dans les pièces), l'endroit était assez lumineux. Très lumineux, même, l'ordinateur météorologique local ayant apparemment décidé de programmer une journée radieuse.

Les tables étaient disposées pour quatre convives et la plupart étaient complètes, mais Dors et Seldon restèrent seuls tous les deux. Dors avait appelé quelques-uns de ses collègues pour faire les présentations. Toutes et tous s'étaient montrés polis mais aucun ne s'était joint à eux. Sans doute Dors l'avait-elle voulu ainsi, mais Seldon ne voyait pas comment elle était parvenue à ses fins.

Il remarqua : « Vous ne m'avez présenté aucun mathématicien, Dors.

– Je n'en ai pas encore vu de ma connaissance. La plupart d'entre eux commencent leur journée plus tôt et ont cours dès huit heures. Personnellement, j'estime que tout étudiant assez téméraire pour choisir les maths doit vouloir être débarrassé de cette matière le plus tôt possible.

– J'en déduis que vous n'êtes pas mathématicienne vous-même.

– Tout sauf ça, dit-elle avec un petit rire. Mon domaine est l'histoire. J'ai déjà publié plusieurs études sur l'ascension de Trantor – je veux parler du royaume originel, pas de ce monde-ci. Je suppose que cela finira par devenir ma spécialité : Trantor à l'époque royale.

– Magnifique, dit Seldon.

– Magnifique? » Dors le regarda, perplexe. « La Trantor royale vous intéresse aussi?

– En un sens, oui. Cela, et d'autres choses de cet ordre. Je n'ai jamais vraiment étudié l'histoire et j'aurais dû.

– Vous croyez? Si vous aviez étudié l'histoire, vous n'auriez guère eu de temps à consacrer aux mathématiques et l'on a un pressant besoin de chercheurs en ce domaine – particulièrement ici, sur ce campus. Nous avons une pléthore d'historiens », dit-elle en élevant la main jusqu'au ras des sourcils, « d'économistes et de spécialistes en sciences politiques, mais nous souffrons d'une pénurie de scientifiques et de mathématiciens. Chetter Hummin me l'avait un jour fait remarquer. Il appelait ça le déclin de la science et semblait estimer que c'était un phénomène général.

– Bien sûr, reprit Seldon, quand je dis que j'aurais dû étudier l'histoire, ça ne signifie pas que j'aurais dû y consacrer ma vie. Je veux dire que j'aurais dû l'étudier suffisamment pour m'aider dans mes travaux mathématiques. Mon domaine privilégié est l'analyse mathématique des structures sociales.

– Quelle horreur!

– En un sens, c'en est une. C'est extrêment compliqué et, tant que je n'en saurai pas beaucoup plus sur l'évolution des sociétés, je serai dans une impasse. Ma description est trop statique, voyez-vous.

– Je ne peux pas voir car je n'y connais rien. Chetter m'a expliqué que vous étiez en train de mettre au point un truc appelé la psychohistoire et que c'était important. C'est bien ça? La psychohistoire?

– C'est cela. J'aurais dû l'appeler « psychosociologie » mais le terme m'a paru trop affreux. Ou peut-être savais-je d'instinct qu'une connaissance de l'histoire était nécessaire; par la suite, j'ai employé le mot pour moi-même sans trop y réfléchir.

– « Psychohistoire » sonne mieux, en effet, mais je ne sais toujours pas de quoi il s'agit.

– Je le sais à peine moi-même. » Il resta plusieurs minutes abîmé dans ses réflexions, contemplant la femme en face de lui avec le sentiment qu'elle pourrait peut-être adoucir son exil. Le souvenir lui revint de cette autre femme qu'il avait connue quelques années plus tôt, mais il le refoula avec un effort délibéré. Si jamais il devait retrouver une autre compagne, celle-là comprendrait le travail de chercheur et ses servitudes.

Pour orienter son esprit sur une autre voie, il reprit : « Chetter Hummin m'a dit que l'Université était libre de toute ingérence gouvernementale.

– Il a parfaitement raison. »

Seldon hocha la tête. « Cela me paraît assez incroyable de la part des autorités impériales. Sur Hélicon, les institutions universitaires ne sont certainement pas indépendantes des pressions gouvernementales.

– Idem pour Cinna. Ou pour tous les mondes extérieurs, hormis peut-être deux ou trois des plus grands. Trantor, c'est une autre affaire.

– Certes, mais pourquoi?

– Parce que c'est le centre de l'Empire. Les Universités d'ici jouissent d'un prestige énorme. Les professionnels sont formés par n'importe quelle Université sur n'importe quelle planète, mais l'administration de l'Empire – les grands commis de l'État, les innombrables fonctionnaires qui, par millions, représentent les tentacules que l'Empire étend dans tous les coins de la Galaxie – sont formés ici même, sur Trantor.

– Je n'ai jamais vu les statistiques... commença Seldon.

– Croyez-moi sur parole. Il est important que les fonctionnaires de l'Empire aient quelque chose en commun, un sentiment particulier à l'égard de l'Empire. Et ils ne peuvent tous être Trantoriens de naissance au risque d'irriter les Mondes extérieurs. Pour cette raison, Trantor doit attirer des millions d'Exos pour les former sur place. Peu importe leur origine, leur accent ou leur culture, pourvu qu'ils prennent la patine trantorienne et s'identifient à l'arrière-plan culturel trantorien. C'est ce qui fait le ciment de l'Empire. Et puis les Mondes extérieurs sont moins rétifs lorsqu'une proportion non négligeable des administrateurs représentant le gouvernement impérial sont des autochtones.

Seldon se sentait de nouveau gêné. Voilà encore un point auquel il n'avait pas songé. Il se demanda si un individu pouvait vraiment être un grand mathématicien sans rien savoir d'autre que les mathématiques. « Est-ce de notoriété publique?

– Je suppose que non, admit Dors après quelque réflexion. Il y a tellement de choses à savoir que les spécialistes s'accrochent à leur spécialité comme à un bouclier contre la tentation d'apprendre n'importe quoi. Ça leur évite de se noyer.

– Pourtant, vous, vous êtes au courant.

– Mais c'est ma spécialité. Je suis une historienne de la Trantor royale et cette technique d'administration a été l'un des moyens pour Trantor d'étendre son influence et de réussir la transition entre la période royale et la période impériale.

– Les méfaits de la sur-spécialisation! marmonna Seldon, presque pour lui-même. Qui découpe la connaissance en un million de fragments pour la laisser toute sanguinolente... »

Dors haussa les épaules. « Que peut-on y faire? Mais vous voyez, si Trantor veut attirer les Exos dans ses Universités, elle doit leur offrir quelque chose en échange de ce déracinement, de cet exil vers un monde étrange aux structures incroyablement artificielles, aux méthodes incroyablement insolites. Voilà deux ans que je suis ici et je n'y suis toujours pas habituée. Je ne m'y ferai peut-être jamais. Mais enfin, c'est vrai, je n'ai pas l'intention de devenir fonctionnaire, de sorte que je ne fais pas d'effort particulier pour devenir trantorienne.

« Et ce que Trantor offre en échange n'est pas seulement la promesse d'une excellente situation professionnelle, avec un pouvoir considérable, et bien sûr des revenus élevés, mais aussi la liberté. Tant que les futurs administrateurs sont étudiants, ils sont libres de dénoncer le gouvernement, de manifester pacifiquement contre lui, d'élaborer leurs propres théories et leurs points de vue personnels. Ils ne se font pas faute d'en profiter et beaucoup viennent ici pour éprouver cette sensation de liberté.

– J'imagine, dit Seldon, que cela tient lieu également de soupape de sûreté. Ils éliminent tout leur ressentiment, éprouvent la douillette autosatisfaction de tout jeune révolutionnaire et, lorsque vient le temps pour eux de prendre leur place dans la hiérarchie impériale, ils sont prêts à s'installer dans le conformiste et l'obéissance. »

Dors acquiesça. « Vous avez peut-être raison. Toujours est-il que, pour toutes ces raisons, le gouvernement préserve avec soin la liberté des Universités. C'est moins un effet de sa bonté que de son... habileté.

– Et si vous n'envisagez pas une carrière dans l'administration, Dors, que comptez-vous donc faire?

– Historienne. J'enseignerai, ferai programmer mes propres vidéolivres.

– Pas une très bonne position sociale, peut-être.

– Pas un très bon revenu, Hari, ce qui est plus important. Quant à la position sociale, c'est justement le genre de chose que j'aime autant éviter. J'ai vu quantité de gens avec une position élevée, mais j'en cherche plutôt une heureuse. La position n'est pas un acquis sur lequel on peut se reposer ; il faut perpétuellement se battre pour ne pas couler. Même les Empereurs, la plupart du temps. Un de ces jours, je retournerai peut-être tout simplement sur Cinna pour être professeur.

– Et une éducation trantorienne vous assurera du prestige.

– Je suppose, fit Dors, en riant. Mais sur Cinna, qui y prêtera attention? C'est un monde bien calme, plein de fermes, de bétail et de volaille.

– Ne vous paraîtra-t-il pas morne, après Trantor?

– Oui, et j'y compte bien. Et si ça devient vraiment trop ennuyeux, je pourrai toujours décrocher une bourse pour aller ici ou là faire un peu de recherche sur le terrain. C'est l'avantage de mon domaine.

– Un mathématicien, en revanche », remarqua Seldon avec une trace d'amertume sur un point qui jusque-là ne l'avait jamais préoccupé, « est censé rester planté devant son ordinateur à réfléchir. Et à propos d'ordinateurs... » Il hésita. Le petit déjeuner était achevé et il lui apparut soudain que la jeune femme devait avoir ses propres obligations qui l'attendaient.

Mais elle ne semblait pas du tout pressée de s'en aller. « Oui? A propos d'ordinateurs?

– Pourrai-je obtenir la permission d'utiliser la bibliothèque d'histoire? »

C'était maintenant à Dors d'hésiter. « Je crois qu'on peut arranger ça. Si vous travaillez à créer des programmes d'enseignement des mathématiques, vous serez sans doute considéré pratiquement comme un membre du corps enseignant et je pourrai demander qu'on vous accorde l'autorisation. Seulement...

– Seulement?

– Je ne veux pas vous blesser mais vous êtes mathématicien et vous avez avoué ne rien connaître à l'histoire. Saurez-vous exploiter un fichier historique? »

Seldon sourit. « Je suppose que vous utilisez des ordinateurs semblables à ceux de la bibliothèque de mathématiques.

– Effectivement, mais chaque domaine a ses spécificités de programmation. Vous ne connaissez pas les vidéo-livres de référence, les méthodes rapides de recherche dans le catalogue. Vous êtes peut-être capable de reconnaître dans le noir un intervalle hyperbolique...

– Vous voulez dire une *intrégrale* hyperbolique », rectifia doucement Seldon.

Dors l'ignora : « Mais vous ne saurez sans doute pas comment retrouver les termes du Traité de Poldark en moins d'une journée et demie.

– Je suppose que je pourrais apprendre.

– Si... Si... » Elle parut légèrement se troubler. « Si vous le voulez, je puis vous faire une suggestion. Je donne un cours d'une durée d'une semaine – une heure quotidienne – sur l'utilisation de la bibliothèque. Pour les étudiants de première année. Cela n'offenserait pas votre dignité de participer à un tel cours – je veux dire, avec de jeunes étudiants? Je commence dans trois semaines.

– Vous pourriez me donner des cours particuliers... » Seldon fut surpris du ton suggestif qu'il avait adopté.

Cela n'échappa pas à son interlocutrice. « J'admets volontiers que ce serait possible mais je pense qu vous tireriez un meilleur profit d'une formation plus stricte. Nous utiliserons la bibliothèque, comprenez-vous, et à la fin de la semaine, on vous demandera de localiser des informations sur des points historiques particuliers. Tout du long, vous serez en compétition avec les autres étudiants et cela contribuera beaucoup à vous faire progresser. Les cours particuliers sont bien moins efficaces, je vous le garantis. Malgré tout, je comprends la difficulté de rivaliser avec des étudiants de première année. Si jamais vous ne faites pas aussi bien qu'eux, vous risquez de vous sentir humilié. Vous devez garder à l'esprit, toutefois, qu'ils ont déjà étudié l'histoire élémentaire et vous peut-être pas...

– Effectivement. Il n'y a pas de peut-être. Mais je n'aurai pas peur de rivaliser et peu m'importent les éventuelles humiliations en cours de route si je parviens à apprendre les arcanes de la recherche bibliographique en histoire. »

Il était clair pour Seldon qu'il commençait à apprécier cette jeune femme et qu'il saisissait volontiers l'occasion de se faire former par elle. Il était conscient aussi d'être parvenu à un tournant intellectuel.

Il avait promis à Hummin de tenter de travailler sur une application de la psychohistoire, mais ç'avait été une promesse de l'esprit, et non du cœur. Dorénavant, il était bien décidé à saisir la psychohistoire à bras-le-corps – s'il le fallait – pour la mettre en pratique. C'était peut-être l'influence de Dors Venabili.

Ou bien Hummin avait-il compté là-dessus? Hummin, décida Seldon, pouvait bien être un individu particulièrement remarquable.

19

Cléon Ier avait achevé son repas qui, malencontreusement, avait été un dîner officiel. Cela signifiait qu'il avait dû perdre son temps à discuter avec divers hauts fonctionnaires – tous de parfaits inconnus – à coups de phrases toutes faites destinées à flatter chacun d'eux et à fortifier sa fidélité à la couronne. Cela signifiait également que les plats lui étaient arrivés à peine tièdes et avaient encore refroidi avant qu'il ait pu y toucher.

Il devait bien exister un moyen d'éviter cela. Manger d'abord, peut-être, seul ou en compagnie d'un ou deux intimes avec lesquels il pourrait se détendre, pour assister ensuite à un dîner officiel au cours duquel il pourrait se faire simplement servir une poire d'importation. Il adorait les poires. Mais cela n'offenserait-il pas ses hôtes qui pourraient prendre comme une insulte délibérée le refus du monarque de partager leur repas?

De ce côté, évidemment, son épouse lui était inutile car sa présence n'aurait fait qu'exacerber son déplaisir. Il l'avait épousée parce qu'elle était issue d'une puissante famille dissidente dont on pouvait espérer qu'elle ferait taire ses divergences à la suite de cette union, bien que Cléon espérât sincèrement qu'elle, au moins, n'en ferait rien. Il n'était pas du tout mécontent de la voir vivre sa vie de son côté, hormis lors des efforts nécessaires pour mettre en route un héritier, car, pour dire la vérité, il ne l'aimait pas. Et maintenant que l'héritier était là, il pouvait l'ignorer complètement.

Il mâchonna une poignée de noisettes ramassées en quittant la table et lança : « Demerzel!

– Sire? »

Demerzel apparaissait toujours aussitôt que Cléon l'appelait. Soit qu'il traînât constamment à portée de voix derrière la porte, soit qu'il s'approchât parce que, quelque part, son instinct servile le prévenait de l'imminence d'un appel, le fait est qu'il apparaissait et, songea négligemment Cléon, cela seul importait. Bien sûr, il y avait des périodes où Demerzel devait s'absenter pour raison d'État. Cléon détestait ces absences. Elles le mettaient mal à l'aise.

« Qu'est-il arrivé à ce mathématicien... j'ai oublié son nom. »

Demerzel, qui savait sûrement quel homme l'Empereur avait à l'esprit mais qui voulait peut-être tester sa mémoire, lui demanda : « A quel mathématicien songez-vous, Sire? »

Cléon agita la main avec impatience. « Le devin. Celui qui est venu me voir.

– Celui que nous avons fait chercher?

– Que nous avons fait chercher, si vous voulez. En tout cas, il est bien venu me voir. Vous deviez vous occuper de cette affaire, autant que je me souvienne. L'avez-vous fait? »

Demerzel se racla la gorge. « Sire, j'ai essayé...

– Ah! Cela signifie que vous avez échoué. N'est-ce pas? » En un sens, Cléon n'était pas mécontent. Demerzel était le seul de ses ministres à ne pas faire un plat de ses défaillances. Les autres n'admettaient jamais l'échec, et, comme l'échec était courant, il devenait d'autant plus difficile à rectifier. Peut-être Demerzel pouvait-il se permettre d'être plus honnête parce qu'il échouait plus rarement? S'il n'y avait pas eu Demerzel, songea tristement Cléon, il aurait fort bien pu ne jamais savoir à quoi ressemblait l'honnêteté. Peut-être d'ailleurs aucun Empereur n'en avait-il jamais rien su et peut-être était-ce l'une des raisons qui faisaient que l'Empire...

Il écarta ces pensées et, brusquement piqué par le silence de son interlocuteur, désireux de l'entendre reconnaître son impuissance comme il venait mentalement de rendre hommage à son honnêteté, Cléon répéta sèchement : « Alors, vous avez échoué, n'est-ce pas? »

Demerzel ne cilla pas. « Sire, j'ai partiellement échoué. J'ai senti que le garder ici sur Trantor, où la situation est... disons, difficile, pourrait nous poser des problèmes. Il m'a semblé qu'il serait plus à sa place sur sa planète natale. Il avait l'intention d'y retourner dès le lendemain, mais il y avait toujours un risque de complications – le risque qu'il décide de rester ici –, aussi ai-je fait en sorte que deux jeunes loubards se chargent de le raccompagner à l'astronef le jour même.

– Vous connaissez beaucoup de loubards, Demerzel? » Cléon s'amusait.

« Il est important, Sire, d'être en mesure de toucher toutes sortes d'individus, car chaque type a son emploi spécifique – les loubards n'étant pas les moins utiles. Or, il se trouve qu'ils ont échoué.

– Et pourquoi cela?

– Fait surprenant, Seldon a été capable de leur donner une correction.

– Le mathématicien savait se battre?

– Apparemment, les mathématiques et les arts martiaux ne s'excluent pas mutuellement. J'ai découvert, trop tard hélas, que son monde, Hélicon, est réputé en ce domaine... celui des arts martiaux, pas des mathématiques. Le fait que je ne l'aie pas su à temps est bel et bien un échec, Sire, et je ne puis qu'implorer votre pardon.

– Mais alors, je suppose que le mathématicien est reparti vers sa planète natale dès le lendemain, comme prévu.

– Malheureusement, l'épisode s'est retourné contre nous. Échaudé par l'aventure, il a décidé non pas de retourner sur Hélicon mais de rester sur Trantor. Il semble avoir été conseillé en ce sens par un passant qui se trouvait être présent sur les lieux durant la rixe. Encore une complication imprévue... »

L'Empereur fronça les sourcils. « Alors, notre mathématicien... quel est son nom, déjà?

– Seldon, Sire. Hari Seldon.

– Alors, ce Seldon est hors d'atteinte?

– En un sens, Sire. Nous avons suivi ses mouvements et il se trouve à présent à l'Université de Streeling. Tant qu'il y séjourne, il est hors d'atteinte. »

L'Empereur fit la moue et rougit légèrement. « Ce « hors d'atteinte » me gêne. Il ne devrait y avoir nul endroit dans l'Empire hors de portée de ma main. Or ici, sur mon propre monde, vous me dites que quelqu'un peut être hors d'atteinte. Inadmissible!

– Votre main peut atteindre l'Université, Sire. Vous pouvez envoyer votre armée pour en extirper ce Seldon quand vous voulez. Agir ainsi, toutefois, serait... indésirable.

– Pourquoi ne dites-vous pas « irréalisable », Demerzel? Vous me faites penser à ce mathématicien quand il parle de ses prédictions. C'est possible, mais irréalisable. Je suis un Empereur qui trouve que tout est possible et bien peu réalisable. Rappelez-vous, Demerzel, si atteindre Seldon n'est pas réalisable, vous atteindre, vous, l'est parfaitement. »

Demerzel laissa passer sans relever. L' « homme derrière le trône » était conscient de son importance pour l'Empereur; ce n'était pas la première fois qu'il entendait pareille menace. Il attendit en silence tandis que le monarque fulminait. Tambourinant des doigts sur le bras de son fauteuil, Cléon demanda : « Eh bien alors, à quoi nous sert ce mathématicien s'il est à l'Université de Streeling?

– Il est peut-être encore possible, Sire, de tirer profit de la malchance. Là-bas, il se pourrait qu'il décide de travailler sur sa psychohistoire.

– Même s'il persiste à la trouver inutilisable?

– Il peut se tromper et découvrir son erreur. Et si tel est le cas, nous trouverons bien un moyen de le faire sortir de l'Université. Il est même possible qu'il désire nous rejoindre de lui-même, dans de telles circonstances. »

L'Empereur demeura quelque temps abîmé dans ses pensées, puis : « Et si jamais quelqu'un d'autre l'y cueille avant nous?

– Qui voudrait le faire, Sire? demanda doucement Demerzel.

– Le Maire de Kan, pour commencer, s'écria soudain Cléon. Il rêve toujours de s'emparer de l'Empire.

– L'âge a émoussé ses crocs, Sire.

– N'allez pas croire ça, Demerzel.

– Et nous n'avons aucune raison de supposer qu'il s'intéresse le moins du monde à Seldon ou même connaisse son existence, Sire.

– Allons donc, Demerzel. Si nous avons entendu parler de son article, Kan également. Si nous avons décelé la possible importance de Seldon, alors Kan aussi.

– Si une telle chose devait arriver, Sire, ou même seulement risquait d'arriver, alors cela justifierait que l'on prît des mesures radicales.

– Radicales... jusqu'à quel point?

– On pourrait estimer, hasarda prudemment Demerzel, que, plutôt que de voir Seldon aux mains de Kan, il vaudrait mieux pour nous ne le voir aux mains de personne. Le faire cesser d'exister, Sire.

– Le faire tuer, vous voulez dire.

– Si vous préférez le formuler ainsi », dit Demerzel.

20

Hari Seldon se rencoigna dans son fauteuil au fond de l'alcôve qui lui avait été assignée grâce à l'intervention de Dors Venabili. Il était mécontent.

A vrai dire, bien que ce fût l'expression qu'il utilisait mentalement, il savait que c'était un euphémisme : il n'était pas seulement mécontent, il était furieux – et d'autant plus qu'il ne savait pas au juste pourquoi. Était-ce à cause de l'histoire? Des chroniqueurs et d'autres compilateurs d'histoire? Des mondes et des gens qui faisaient cette histoire?

Quelle que fût la cible de sa fureur, peu importait. Ce qui comptait, c'était que ses notes étaient inutiles, inutile son savoir tout neuf, tout était inutile.

Cela faisait près de six semaines qu'il était à l'Université. Dès le début, il était parvenu à trouver un terminal d'ordinateur avec lequel il s'était mis au travail – sans instructions, d'instinct, grâce au métier acquis au prix d'années de labeur mathématique. Un travail lent et éprouvant, mais il y avait un certain plaisir à définir graduellement les itinéraires par lesquels il pourrait obtenir des réponses à ses questions.

Puis vint la semaine de formation avec Dors, qui lui avait enseigné plusieurs douzaines de raccourcis et lui avait procuré deux sortes d'embarras : le premier, c'étaient les regards appuyés des étudiants de première année, qui ne semblaient pas se gêner pour mépriser son âge et acceptaient mal que Dors ne manque jamais de l'appeler solennellement « docteur » chaque fois qu'elle s'adressait à lui.

« Je n'ai pas envie, avait-elle dit pour se justifier, qu'ils vous prennent pour un de ces éternels étudiants attardés inscrits en cours de rattrapage d'histoire.

– Mais, depuis le temps, ils ont dû comprendre. Je suis sûr qu'un simple " Seldon " suffirait à présent.

– Non. » Et Dors sourit soudain. « En outre, j'aime bien vous appeler " docteur Seldon ". J'aime votre air gêné, à chaque fois.

– Vous avez un sens de l'humour particulièrement sadique.

– Vous voudriez m'en priver? »

Bizarrement, cette remarque le fit rire. Sans nul doute, la réaction naturelle aurait été de dénier l'accusation de sadisme. D'une certaine manière, il trouvait plaisant qu'elle saisisse la balle au bond et la lui renvoie illico. L'idée le conduisit naturellement à poser la question : « Jouez-vous au tennis sur le campus?

– Nous avons des courts mais je ne joue pas.

– Bien. Je vous donnerai des leçons. Et pendant mon cours je vous appelerai professeur Venabili.

– C'est ainsi que vous m'appelez en classe, de toute façon.

– Vous serez surprise du ridicule que cela peut avoir sur un court de tennis.

– Ça finira peut-être par me plaire.

– Auquel cas, je tâcherai de trouver autre chose qui ne vous plaise pas.

– Je vois que vous avez un sens de l'humour particulièrement salace. »

Elle avait délibérément renvoyé la balle sur ce terrain et il répliqua aussitôt : « Voudriez-vous m'en priver? »

Elle sourit, et plus tard se montra étonnamment douée derrière le filet. « Vous êtes sûre de n'y avoir jamais joué? » demanda-t-il, hors d'haleine, à l'issue de la première leçon.

« Affirmatif. »

L'autre sujet d'embarras était plus intime. Il avait appris les techniques nécessaires à la recherche historique puis brûlé – en privé – ses tentatives initiales pour se servir de la mémoire de l'ordinateur. C'était tout simplement une tournure d'esprit radicalement différente de celle qui sert en mathématiques. Tout aussi logique, supposait-il, puisqu'elle était opérationnelle, lui permettant de se mouvoir dans les directions de son choix sans risque d'erreur, mais il s'agissait d'une forme de logique fondamentalement étrangère à celle dont il avait l'habitude.

Mais, avec ou sans instructions, qu'il trébuche ou progresse avec aisance, il n'obtenait tout bonnement aucun résultat.

Son embarras se faisait sentir jusque sur le court de tennis. Dors atteignit rapidement le stade où il n'était plus nécessaire de lui renvoyer des balles faciles pour lui laisser le temps d'estimer l'angle et la distance. Il en oublia d'autant plus vite qu'elle était une débutante et exprima sa colère en lui réexpédiant la balle comme un faisceau laser matérialisé.

Elle monta au filet en trottinant et lança : « Je comprends sans peine votre désir de me tuer, vu que vous devez vous lasser de me voir rater autant de balles. Mais enfin, comment se fait-il, ce coup-ci, que vous soyez parvenu à manquer ma tête de trois bons centimètres? Je veux dire : vous ne m'avez même pas effleurée! vous êtes sûr que vous ne pouvez pas faire mieux? »

Horrifié, Seldon voulut s'expliquer mais ne parvint qu'à bafouiller avec embarras.

« Bon, écoutez, lui dit-elle. Je ne suis pas de taille à encaisser un autre de vos retours aujourd'hui, alors si on allait plutôt prendre une douche avant de se retrouver autour d'une tasse de thé, que vous m'expliquiez ce que diantre vous essayiez de tuer. Si ce n'est pas ma pauvre tête et si vous n'arrivez pas à identifier votre véritable ennemi, vous allez être trop dangereux de l'autre côté du filet pour que je continue à vous servir de cible. »

Pendant qu'ils prenaient le thé, il lui confia : « Dors, j'ai parcouru tous les manuels d'histoire; simplement parcouru, en vitesse. Je n'ai pas encore eu le temps de les étudier en profondeur. Même ainsi, il y a une évidence : tous les vidéo-livres se concentrent sur le même petit nombre d'événements.

– Les événements cruciaux. Ceux qui font l'histoire.

– Ce n'est qu'une excuse. Ils se recopient mutuellement. Il y a vingt-cinq millions de mondes là-haut, et ils ne font des mises au point un peu substantielles que pour vingt-cinq d'entre eux, peut-être.

– Vous ne lisez que les manuels généraux d'histoire galactique. Examinez l'histoire spécifique de certaines planètes mineures. Sur chacune, si petite soit-elle, on apprend aux enfants l'histoire locale avant même qu'ils ne découvrent l'existence d'une vaste Galaxie autour d'eux. Vous-même, n'en savez-vous pas plus sur Hélicon que vous n'en savez sur l'ascension de Trantor ou la Grande Guerre interstellaire?

– Ce genre de connaissance est également limité, remarqua Seldon, maussade. Je connais la géographie d'Hélicon, l'histoire de sa colonisation, les faits et méfaits de la planète Jennisek – c'est notre ennemi traditionnel, bien que nos professeurs aient pris soin de nous répéter qu'il fallait dire « rival » traditionnel. Mais je n'ai jamais appris quoi que ce soit sur la contribution d'Hélicon à l'histoire générale de la Galaxie.

– Peut-être n'y en a-t-il eu aucune.

– Ne soyez pas stupide. Bien sûr, qu'il y en a une. Hélicon n'a peut-être pas été mêlée à de gigantesques batailles, à des rébellions cruciales ou à des traités de paix. Elle n'a peut-être pas servi de base à quelque prétendant au trône impérial. Mais il doit bien y avoir eu de subtiles influences. A l'évidence, rien ne peut se produire où que ce soit sans conséquences pour le reste de l'univers. Pourtant, je ne trouve rien qui puisse m'aider. Tenez, Dors. En mathématiques, on peut absolument tout trouver dans l'ordinateur : tout ce que nous savons ou avons découvert depuis vingt mille ans. En histoire, c'est différent. Les historiens sélectionnent et choisissent, et chacun d'eux sélectionne et choisit la même chose que les autres.

– Mais, Hari, les mathématiques sont quelque chose d'ordonné, inventé par l'homme. Tout s'enchaîne logiquement. Il y a des définitions et des axiomes, tous bien connus. L'ensemble est... disons, tout d'une pièce. L'histoire est différente. Elle est l'œuvre inconsciente des actes et des pensées de trillions d'êtres humains. Les historiens sont bien obligés de choisir et de sélectionner.

– Exactement, dit Seldon, mais je dois connaître l'intégralité de l'histoire si je veux mettre au jour les lois de la psychohistoire.

– En ce cas, vous ne formulerez jamais les lois de la psychohistoire. »

Cela se passait la veille. A présent, Seldon était assis dans son alcôve, après une nouvelle journée d'échec complet, et il entendait encore la voix de Dors lui disant : « En ce cas, vous ne formulerez jamais les lois de la psychohistoire. »

Ç'avait été son opinion initiale et, s'il n'y avait pas eu Hummin, convaincu du contraire, et son étrange aptitude à lui faire partager cette conviction, Seldon aurait continué à penser de la sorte.

Et pourtant, il ne pouvait pas non plus renoncer. Peut-être y avait-il une issue?

Pour l'heure, il ne pouvait en imaginer aucune.

Couverture

TRANTOR. – ... Elle n'est presque jamais décrite comme un monde vu de l'espace. Depuis longtemps, l'inconscient collectif la voit comme un monde de l'intérieur dont l'image est celle de la ruche humaine vivant sous dôme. Pourtant, il existait également un extérieur, et il nous reste encore des hologrammes pris de l'espace qui le montrent plus ou moins en détail (cf. figures 14 et 15). On remarquera que la surface des dômes, l'interface de la vaste cité et de l'atmosphère qui la surmonte, surface appelée à l'époque la « Couverture », est...

ENCYCLOPAEDIA GALACTICA

21

Le lendemain pourtant trouva Hari Seldon de retour à la bibliothèque. D'abord, il y avait sa promesse à Hummin. Il avait promis de faire son possible et se refusait aux demi-mesures. Ensuite, il avait un contrat moral avec lui-même : il avait horreur de reconnaître l'échec. Pas tout de suite, en tout cas. Pas tant qu'il pouvait encore plausiblement se dire qu'il tenait une piste.

Aussi fixait-il la liste des vidéo-livres de référence qu'il n'avait pas encore examinés en essayant de décider lequel dans ce menu peu appétissant avait la moindre chance de lui être utile. Il avait quasiment conclu que la réponse était « aucun » et ne voyait d'autre solution que de les feuilleter tous quand un discret tapotement contre la cloison le fit sursauter.

Seldon leva les yeux pour découvrir le visage embarrassé de Lisung Randa dans l'embrasure de son réduit. Seldon connaissait Randa, Dors le lui avait présenté et il avait dîné avec lui (et avec d'autres) à plusieurs occasions.

Instructeur en psychologie, Randa était un petit bonhomme trapu, grassouillet, avec un visage rond et avenant au sourire quasi perpétuel. Il avait le teint cireux et les yeux bridés caractéristiques des habitants de millions de planètes. Seldon connaissait bien ce genre de visage, qu'il avait vu sur nombre de grands mathématiciens dont il avait fréquemment contemplé les hologrammes. Pourtant, sur Hélicon, il n'avait jamais vu l'un de ces Orientaux. (Par tradition, on les appelait ainsi, bien que personne ne sût pourquoi; et l'on disait que les Orientaux eux-mêmes n'appréciaient pas beaucoup ce terme, bien que, là non plus, personne n'en sût la raison.)

« Nous sommes des millions ici, sur Trantor », avait dit Randa, souriant sans la moindre gêne quand Seldon, lors de leur première rencontre, n'avait pas réussi à dissimuler entièrement sa surprise. « Vous trouverez également un bon nombre de Méridionaux – le teint sombre, les cheveux crépus. Vous en avez déjà vu?

– Pas sur Hélicon, avait marmonné Seldon.

– Que des Occidentaux sur Hélicon, hein? Quel ennui! Mais peu importe. Il faut de tout pour faire un monde. » (Il avait laissé Seldon s'étonner qu'il y ait des Orientaux, des Méridionaux et des Occidentaux mais pas de Septentrionaux. Il avait essayé de trouver pourquoi en examinant ses archives historiques; sans succès.)

Et maintenant, le visage avenant de Randa le fixait avec une sollicitude qui lui donnait presque envie de rire. " Vous vous sentez bien, Seldon? »

Étonnement de ce dernier : « Mais oui, bien sûr. Pourquoi ne me sentirais-je pas bien?

– Je me fiais simplement au bruit, mon ami. Vous étiez en train de crier.

– De crier? » Seldon le regarda avec une incrédulité outrée.

« Oh, pas fort. Comme ceci. » Randa grinça des dents et émit un petit couinement aigu venu du fond de la gorge. « Si je me suis trompé, je vous présente mes excuses pour cette intrusion incongrue. Pardonnez-moi, je vous prie. »

Seldon pencha la tête. « Vous êtes tout pardonné, Lisung. J'émets effectivement parfois ce genre de cri, m'a-t-on dit. Je vous assure que c'est inconscient. Je ne m'en rends jamais compte.

– Savez-vous au moins pourquoi vous l'avez poussé?

– Oui. C'était un cri de frustration. *Frus-tra-tion.* »

Randa lui fit signe de se pencher et, baissant encore la voix, expliqua : « Nous gênons. Allons dans le foyer avant de nous faire expulser. »

Au foyer, derrière un verre de soda, Randa poursuivit : « Puis-je me permettre – simple curiosité professionnelle – de vous demander l'origine de cette frustration? »

Seldon haussa les épaules. « Pourquoi en général se sent-on frustré? Je m'attaque à un problème et je ne fais aucun progrès.

– Mais vous êtes mathématicien, Hari. Qu'est-ce qui pourrait vous causer une frustration dans une bibliothèque d'histoire?

– Et vous, qu'est-ce que vous y faisiez?
– Je ne faisais que la traverser pour raccourcir mon chemin quand je vous ai entendu... gémir. A présent, vous voyez (et il sourit), ce n'est plus un raccourci mais un sérieux rallongement – mais que je ne regrette en rien, bien au contraire.
– J'aimerais bien, moi aussi, ne faire que traverser la bibliothèque d'histoire, mais j'essaie de résoudre un problème mathématique qui requiert un minimum de connaissances en la matière et j'ai bien peur de ne pas trop savoir me débrouiller. »
Randa le fixa avec une solennité peu coutumière et lui dit : « Pardonnez-moi, mais je dois à présent courir le risque de vous offenser. J'avoue vous avoir passé sur ordinateur.
– Me passer sur ordinateur, moi! » Les yeux de Seldon s'agrandirent. Il se sentait franchement outré.
« Voilà, je vous ai offensé. Mais, vous comprenez, j'ai un oncle mathématicien. Vous avez sans doute entendu parler de lui : Kiangtow Randa. »
Seldon resta bouche bée : « Vous êtes parent avec ce Randa-là?
– Oui. C'est le frère aîné de mon père et il était tout à fait mécontent de ne pas me voir suivre sa voie – il n'a pas eu d'enfants. J'ai pensé en quelque sorte que ça lui ferait peut-être plaisir si je rencontrais un mathématicien, et j'avais envie de vous couvrir d'éloges devant lui, si possible, alors j'ai pioché quelques informations à la bibliothèque de mathématiques.
– Je vois. Et c'est en fait ce que vous faisiez là-bas. Eh bien... je suis désolé. Je suppose que vous n'aurez pas grand-chose pour me couvrir d'éloges.
– Détrompez-vous. Ça m'a impressionné. J'ai été incapable de comprendre quoi que ce soit concernant vos articles, mais, d'une certaine manière, votre portrait était très favorable. Et quand j'ai consulté les fichiers de mise à jour, j'ai découvert que vous étiez présent au Congrès décennal du début de cette année. Alors... mais, au fait, c'est quoi, la « psychohistoire »? Vous ne serez pas surpris si les deux premières syllabes ont excité ma curiosité.
– Je vois que vous en avez extrait ce mot.
– A moins d'être totalement dans l'erreur, j'ai cru comprendre que vous pouviez déterminer le cours de l'histoire à venir. »
Seldon hocha la tête avec lassitude. Voilà, plus ou moins, ce qu'est la psychohistoire, ou plutôt ce qu'elle voudrait être.
– Mais est-ce bien une discipline sérieuse? » Randa souriait. « Vous ne vous contentez pas de lancer des baguettes?
– Lancer des baguettes?
– Ce n'est qu'une référence a un jeu pratiqué par les enfants sur ma planète natale, Hopara. Le jeu est censé prédire l'avenir et, si vous êtes un gosse malin, vous pouvez en tirer un bon profit : dites à une mère que son enfant deviendra une belle jeune fille qui épousera un homme riche, et vous êtes bon pour une part de gâteau ou une pièce d'un demi-crédit.

Elle ne va pas attendre de vérifier que la prédiction se réalise; vous êtes récompensé de l'avoir simplement faite.

– Je vois. Non, je ne lance pas de baguettes. La psychohistoire n'est qu'une étude théorique. Strictement théorique. Elle n'a pas la moindre application pratique, excepté...

– Nous y voilà. Les exceptions sont toujours les plus intéressantes.

– Excepté que j'aimerais bien mettre au point une telle application. Peut-être que si j'en savais plus sur l'histoire...

– Ah, et c'est pour cela que vous en lisez?

– Oui, mais pour ce que j'en retire, avoua tristement Seldon. Il y a trop d'histoire et il y en a trop peu dans les livres.

– Et c'est cela qui vous frustre? »

Seldon acquiesça.

« Mais, Hari, vous n'êtes ici que depuis quelques semaines.

– Certes, mais je discerne déjà...

– Vous ne pouvez rien discerner du tout en l'espace de quelques semaines. Vous pouvez fort bien consacrer toute votre existence à ne réaliser qu'un progrès infime. Cela exigera peut-être le travail de générations de nombreux mathématiciens pour que s'effectue une véritable percée sur ce problème.

– Je le sais, Lisung, mais ce n'est pas une consolation. Je veux effectuer moi-même quelques progrès visibles.

– Eh bien, vous abrutir dessus ne vous aidera pas non plus. Si cela peut vous réconforter, je puis vous fournir l'exemple d'un sujet bien moins complexe que l'histoire humaine et sur lequel les gens ont trimé depuis je ne sais combien de temps sans faire beaucoup de progrès. Je le sais parce qu'un groupe travaille dessus, ici même, à l'Université, et qu'un de mes bons amis y participe. Parlez-moi de frustration! Vous ne savez pas ce que c'est!

– Quel est ce sujet? » Seldon sentait un début de curiosité le titiller.

« La météorologie.

– La météorologie! » Il ne cacha pas sa déception.

« Ne faites pas cette tête. Réfléchissez. Chaque planète habitée a une atmosphère. Chacune avec sa propre composition, sa gamme de températures spécifiques, ses vitesses de révolution et de rotation particulières, sa propre inclinaison axiale, sa propre répartition eaux-terres émergées. Cela nous donne vingt-cinq millions de problèmes différents et personne encore n'a réussi à en trouver un modèle général.

– C'est parce que le comportement atmosphérique est sujet à des phases chaotiques. Tout le monde sait ça.

– C'est ce que dit mon ami Jenarr Leggen. Vous l'avez déjà vu. »

Seldon réfléchit. « Un grand type? Un grand nez? Taciturne?

– C'est bien lui. Et Trantor elle-même constitue un puzzle bien plus colossal encore que n'importe quel autre monde. D'après les archives, elle avait une structure climatique à peu près normale au moment de sa première colonisation. Puis, avec l'accroissement démographique et l'urbanisation croissante, on a utilisé de plus en plus d'énergie, libéré de plus en plus de chaleur dans l'atmosphère. La calotte glacière s'est rétrécie, la couverture nuageuse s'est épaissie et le temps est devenu de plus en plus exécrable. Ce qui a encouragé un mouvement d'enfouissement et déclenché un cercle vicieux : plus le temps se dégradait, plus on s'échinait à creuser le sol et à bâtir des dômes, et plus le temps accélérait sa dégradation. Aujourd'hui, la planète est devenue un monde au ciel à peu près constamment nuageux, affligé de pluies fréquentes – voire de chutes de neige s'il fait assez froid. Le seul problème est que personne ne peut l'expliquer convenablement. Personne n'a pu déterminer pourquoi le temps s'est détérioré aussi vite ni comment on pourrait raisonnablement prédire en détail ses modifications quotidiennes. »

Seldon haussa les épaules. « Ce genre de chose est-il important?

– Pour un météorologiste, oui. Pourquoi ne pourraient-ils pas être aussi frustrés par leurs problèmes que vous par le vôtre? Ne faites pas du chauvinisme de spécialiste. »

Seldon se souvint du ciel bouché et du froid humide sur la route du Palais impérial.

« Et alors, quelles solutions envisage-t-on?

– Eh bien, répondit Randa, il y a un vaste projet en cours, ici même, à l'Université – Jenarr Leggen y est partie prenante. Les chercheurs pressentent que, s'ils parviennent à comprendre les changements climatiques sur Trantor, cela leur apprendra beaucoup de choses sur les lois fondamentales de la météorologie en général. Et Leggen désire aboutir autant que vous avec vos lois de la psychohistoire. Aussi a-t-il installé une incroyable batterie d'instruments de toutes sortes sur la Couverture... Vous savez, le dessus des dômes. Jusqu'à présent, ça ne l'a pas beaucoup aidé. Et si l'on travaille autant sur l'atmosphère, depuis tant de générations, sans obtenir de résultats, comment pouvez-vous vous plaindre de n'avoir rien tiré de l'histoire de l'humanité en quelques semaines? »

Randa avait raison. Seldon se dit que lui-même était déraisonnable et qu'il avait tort. Et pourtant... Pourtant, Hummin aurait dit que cet échec dans l'approche scientifique des problèmes était un nouveau signe de la dégradation des temps. Peut-être avait-il raison, lui aussi, hormis qu'il parlait d'une dégradation générale et de son effet moyen. En particulier, Seldon ne ressentait aucune dégradation de ses aptitudes mentales.

Aussi est-ce avec un certain intérêt qu'il demanda : « Vous voulez dire que des gens grimpent hors des dômes à l'air libre, au-dessus?

– Oui. Sur la Couverture. C'est curieux, la plupart des Trantoriens de naissance répugnent à le faire. Ils n'aiment pas monter sur la Couverture. L'idée leur donne le vertige ou je ne sais quoi. La plupart de ceux qui travaillent sur le projet météorologique sont des Exos. »

Seldon regarda par la fenêtre les pelouses et le petit jardin du campus universitaire, brillamment illuminé, sans ombre ni chaleur oppressante, et remarqua, songeur : « Je ne peux pas reprocher aux Trantoriens de goûter le confort d'être à l'intérieur, mais j'ose imaginer que la curiosité devrait en pousser quelques-uns à monter sur la Couverture. Ce serait mon cas, tout du moins.

– Voulez-vous dire que vous aimeriez voir la météorologie en action?

– Je crois bien. Comment fait-on pour gagner la Couverture?

– Rien de bien sorcier. On prend un ascenseur, une porte s'ouvre, et vous y êtes. J'y suis déjà monté... C'est singulier.

– Ça me distrairait un moment de la psychohistoire. » Seldon soupira. « Ce ne serait pas du luxe.

– D'un autre côté, observa Randa, mon oncle avait coutume de dire : " tout le savoir est un ", et il se pourrait qu'il ait raison. Qui sait si vous n'apprendrez pas de la météorologie quelque chose qui puisse vous aider en psychohistoire? N'est-ce pas possible? »

Seldon sourit faiblement. « Un grand nombre de choses sont possibles. » Et pour lui seul, il ajouta : « Mais inutilisables. »

22

Dors parut amusée : « La météorologie?

– Oui, répondit Seldon. Ils ont des travaux au programme pour demain et je vais monter avec eux.

– En avez-vous assez de l'histoire? »

Seldon hocha la tête sombrement. « Effectivement. Ce changement sera le bienvenu. D'autre part, Randa dit que c'est aussi un problème trop massif pour être appréhendé par les mathématiques et ça me fera le plus grand bien de voir que ma situation n'est pas unique.

– J'espère que vous n'êtes pas agoraphobe. »

Il sourit. « Non, mais je vois pourquoi vous me posez la question. D'après Randa, les Trantoriens le sont fréquemment et refusent de monter sur la Couverture. J'imagine qu'ils se sentent mal à l'aise sans abri protecteur. »

Dors acquiesça. « Ça pourrait vous paraître normal, mais on trouve de nombreux Trantoriens sur toutes les planètes de la Galaxie – touristes, fonctionnaires, soldats... Et l'agoraphobie n'est pas non plus si rare sur les Mondes extérieurs.

– C'est bien possible, Dors, mais je n'en souffre pas. Je suis curieux et ce changement sera le bienvenu, aussi ai-je bien l'intention de me joindre à eux demain. »

Dors hésita. « Je devrais monter avec vous, mais, demain, j'ai un emploi du temps chargé... Enfin, si vous n'êtes pas agoraphobe, vous n'aurez pas de problème et passerez sans doute une bonne journée. Oh... et restez près des météorologues. J'ai entendu dire que des gens s'étaient perdus, là-haut.

– Je serai prudent. Ça fait bien longtemps que je ne me suis pas perdu quelque part. »

23

Jenarr Leggen avait la mine sombre. Ce n'était pas tant à cause de son teint, plutôt clair; ou de ses sourcils, qui étaient bruns et fournis. C'était plutôt parce que lesdits sourcils surmontaient des yeux profondément enfoncés dans les orbites et un long nez proéminent, ce qui lui donnait cet air passablement chagrin. Ses yeux ne souriaient pas et, lorsqu'il parlait, ce qui était rare, c'était d'une voix grave et forte, étrangement sonore pour ce corps plutôt grêle.

« Vous allez avoir besoin de vêtements plus chauds, dit-il à Seldon.

– Oh? » fit ce dernier en regardant autour de lui.

Il y avait deux hommes et deux femmes qui s'apprêtaient à monter avec Leggen et lui et, comme ceux de Leggen, leurs légers vêtements trantoriens étaient recouverts de pulls épais décorés (ce n'était pas une surprise) de motifs voyants aux couleurs vives. Il n'y en avait pas deux pareils, bien sûr.

Seldon baissa les yeux sur sa propre mise et s'excusa : « Désolé, je ne savais pas... mais je n'ai pas le moindre vêtement chaud.

– Je peux vous en donner. Je crois bien qu'il y a quelque part une tenue de rechange... Oui, tenez, voilà un pull. Un peu élimé, mais enfin, c'est toujours mieux que rien.

– On risque d'avoir désagréablement chaud avec un truc pareil, remarqua Seldon.

– Ici, sûrement. Mais il règne d'autres conditions sur la Couverture. Froid et vent. Dommage que je n'aie pas de jambières et de bottes à vous prêter. Vous regretterez tout à l'heure de ne pas en avoir. »

Ils emportaient avec eux un chariot bourré d'instruments qu'ils étaient en train de vérifier avec une lenteur bien inutile aux yeux de Seldon.

« Fait froid, sur votre planète? demanda Leggen.

– Par endroits, répondit Seldon. Le monde d'Hélicon, dont je suis originaire, jouit d'un climat doux et souvent pluvieux.

– Pas de veine. Le climat de la Couverture risque de ne pas vous plaire.

– Je pense être en mesure de le supporter tant que nous serons là-haut. »

Dès qu'ils furent prêts, leur groupe monta dans un ascenseur marqué : STRICTEMENT RÉSERVÉ AU PERSONNEL OFFICIEL.

« C'est parce qu'il permet d'accéder à la Couverture, expliqua l'une des jeunes femmes, et les gens ne sont pas censés aller là-haut sans raison valable. »

Seldon n'avait pas encore rencontré cette jeune femme mais il l'avait entendue se faire appeler Clowzia. Il ignorait si c'était un prénom, un nom de famille ou un surnom.

L'ascenseur ressemblait à ceux que Seldon connaissait ici sur Trantor ou chez lui à Hélicon (hormis, bien sûr, l'appareil gravifique que Hummin et lui avaient utilisé), mais la certitude qu'il allait le mener au-delà des confins de la planète et jusqu'au vide au-dessus d'elle lui donnait des airs d'astronef.

Seldon sourit intérieurement. Fantasme stupide.

La cabine vibrait un peu, ce qui lui remit en tête les sombres pressentiments de Hummin sur la décadence galactique. Leggen, de même que ses collègues mâles et l'une des femmes, semblaient figés et interdits, comme s'ils avaient suspendu toute pensée, toute activité jusqu'à la sortie; Clowzia, en revanche, ne cessait de lui jeter des coups d'œil à la dérobée, comme si elle le trouvait terriblement impressionnant.

Seldon se pencha pour lui murmurer à l'oreille (il hésitait à déranger les autres) : « Allons-nous monter très haut?

– Haut? » répéta-t-elle, d'une voix normale, apparemment inconsciente du silence ambiant. Elle paraissait très jeune et Seldon se dit qu'elle était sans doute étudiante de première année. Apprentie, peut-être.

« Cela prend du temps. La Couverture doit être située à un niveau très élevé. »

Un moment, elle parut intriguée. Puis : « Oh, non. Pas élevé du tout. Nous avons démarré très bas. L'Université est située à une grande profondeur. Nous utilisons d'énormes quantités d'énergie et, plus on est bas, plus le coût énergétique diminue. »

Leggen intervint. « Très bien. Nous y sommes. Sortons le matériel. »

La cabine s'arrêta avec un léger tremblement et la large porte coulissa rapidement. La température dégringola aussitôt et Seldon fourra les mains dans ses poches, bien content d'avoir enfilé un pull. Un vent froid lui ébouriffa les cheveux et il s'aperçut qu'un bonnet n'aurait pas été de trop. Alors même qu'il formulait cette pensée, Leggen sortit quelque chose d'un repli de son chandail, l'ouvrit d'un geste sec et se le mit sur la tête. Les autres firent de même.

Seule, Clowzia hésita. Elle s'arrêta juste avant de mettre le sien, puis l'offrit à Seldon.

Ce dernier hocha la tête. « Je ne peux pas vous prendre votre bonnet, Clowzia.

– Allez-y. J'ai les cheveux longs et épais. Les vôtres sont courts et un peu... dégarnis. »

Seldon aurait bien aimé contester cette remarque et, en d'autres circonstances, il ne s'en serait pas privé. Pour l'heure, toutefois, il se contenta de saisir le couvre-chef en marmonnant : « Merci. Si vous avez froid à la tête, je vous le rends. »

Peut-être n'était-elle pas si jeune. C'était à cause de son visage rond, presque poupin. Et maintenant qu'elle avait attiré son attention sur sa chevelure, il remarqua qu'elle était d'un brun-roux tout à fait charmant. Il n'avait jamais vu de tels cheveux sur Hélicon.

Dehors, le ciel était couvert, comme lorsqu'on l'avait emmené à l'air libre pour le conduire au Palais. Le froid était bien plus vif, mais il se dit que l'hiver s'était rapproché de six semaines. Les nuages étaient plus épais que lors de cette première sortie, et le jour plus sombre et menaçant – ou bien la nuit était-elle plus proche? Ils n'allaient certainement pas monter faire un travail important sans se réserver une ample période de lumière du jour pour l'effectuer. Ou bien escomptaient-ils le réaliser en un temps très court?

Il aurait bien aimé le leur demander, mais il s'avisa que le moment était peut-être mal choisi. Tous paraissaient être dans des états allant de l'excitation à la colère.

Seldon inspecta les alentours.

Il se tenait sur une surface qui semblait métallique au bruit qu'elle rendit quand, discrètement, il la martela du pied. Pourtant ce n'était pas du métal nu : il y laissait des empreintes en marchant. La surface était manifestement recouverte de poussière, ou peut-être de sable fin ou d'argile.

Et pourquoi pas? Il y avait peu de chance que quelqu'un monte ici faire le ménage. Par curiosité, il se pencha pour saisir un peu de cette poussière entre les doigts.

Clowzia, derrière lui, remarqua ce qu'il faisait et dit, l'air d'une ménagère prise en flagrant délit de négligence : « On balaie le secteur pour protéger les instruments. C'est bien pire à d'autres endroits de la Couverture mais ça n'a pas vraiment d'importance. Ça renforce l'isolation, vous savez. »

Seldon grommela et poursuivit ses observations. Il n'avait aucune chance de comprendre la fonction des appareils qui donnaient l'impression de jaillir de cette mince couche de sol (si l'on pouvait l'appeler ainsi). Il n'avait pas la moindre idée de leur nature ou de ce qu'ils mesuraient.

Leggen se dirigeait vers lui. Il levait haut les jambes et posait les pieds avec précaution et Seldon s'aperçut qu'il procédait ainsi pour éviter de déranger les instruments. Il nota mentalement de marcher de même.

« Eh, vous! Seldon! »

Seldon n'apprécia guère le ton de sa voix et répliqua, glacial : « Oui, docteur Leggen?

– Eh bien, docteur Seldon, alors, fit-il avec impatience. Le petit Randa m'a dit que vous étiez mathématicien.

– C'est exact.

– Bon mathématicien?

– J'aimerais le croire, mais c'est difficile à garantir.

– Et vous vous intéressez aux problèmes insolubles?

– Je butte sur l'un d'entre eux, répondit-il avec humeur.

– Moi de même. Jetez-y un coup d'œil, ne vous gênez pas. Si vous avez des questions, Clowzia, notre interne, vous viendra en aide. Vous pourrez peut-être nous donner un coup de main.

– J'en serais ravi mais je ne connais rien à la météorologie.

– Pas grave, Seldon. Je veux simplement que vous voyiez en gros de quoi il retourne, et ensuite j'aimerais bien discuter avec vous de *mes* mathématiques.

– Tout à votre service. »

Leggen fit demi-tour, un air résolu sur son long visage grimaçant. Puis il se retourna : « Si jamais vous avez froid – trop froid –, la porte de l'ascenseur est ouverte. Vous n'avez qu'à entrer et à toucher le voyant marqué : UNIVERSITÉ/BASE. La cabine vous descendra puis remontera ici automatiquement. Clowzia vous montrera – si jamais vous oubliez.

– Je n'oublierai pas. »

Cette fois, il partit pour de bon et, en le regardant s'éloigner, Seldon sentait le poignard glacial du vent traverser son chandail. Clowzia revint vers lui, le visage légèrement rougi par la bise.

« Le docteur Leggen avait l'air ennuyé. Ou est-ce son air habituel? »

Elle gloussa : « Effectivement, il a toujours l'air ennuyé, mais cette fois il l'est pour de bon.

– Ah bon, pourquoi? » demanda tout naturellement Seldon.

Clowzia regarda derrière elle, faisant voltiger ses longs cheveux. Puis elle confia : « Je ne suis pas censée le savoir, mais je le sais quand même. Le docteur Leggen avait calculé qu'aujourd'hui, à cette heure précise, il devait se produire une percée dans la couche nuageuse et il avait escompté effectuer certaines mesures particulières à la lumière du soleil. Seulement... eh bien, regardez le temps. »

Seldon acquiesça.

« Nous avons ici des caméras d'holovision, il savait donc que le temps était couvert – plus encore que d'habitude – et je suppose qu'il espérait découvrir une défaillance des instruments si bien que tout serait de leur faute et que sa théorie serait hors de cause. Seulement, jusqu'à présent, on n'a rien décelé d'anormal dans leur fonctionnement.

– Et c'est ça qui lui donne cet air malheureux?

– Eh bien, il n'a jamais l'air vraiment heureux. »

Seldon regarda alentour en plissant les yeux. Malgré les nuages, la lumière était vive. Il se rendit compte que la surface sous ses pieds n'était pas parfaitement horizontale. Il se tenait au sommet d'un dôme aplati et, lorsqu'il regarda au loin, il découvrit d'autres dômes dans toutes les directions, plus ou moins larges et hauts.

– La surface de la Couverture paraît irrégulière, remarqua-t-il.

– C'est à peu près partout pareil, je crois. Ça s'est trouvé ainsi.

– Il y a une raison particulière?

– Pas vraiment. D'après les explications que j'ai entendues – j'ai regardé autour de moi et posé des questions comme vous, vous savez –, les gens de Trantor ont d'abord mis sous dôme certains édifices : les galeries commerciales, les terrains de sport, des choses comme ça, puis des villes entières, de sorte qu'il y avait des tas de dômes çà et là, plus ou moins hauts, plus ou moins larges. Quand ils se sont tous rejoints, la surface résultante était irrégulière mais, entre-temps, les gens avaient estimé qu'il ne pouvait pas en être autrement.

– Vous voulez dire qu'un élément tout à fait fortuit peut finir par s'intégrer dans une tradition?

– Je suppose... si vous voulez voir les choses ainsi. »

(Si quelque chose de tout à fait fortuit peut s'intégrer dans une tradition et devenir quasiment intouchable, se dit Seldon, peut-on l'instaurer en loi de la psychohistoire? Cela paraissait trivial mais combien d'autres lois, tout aussi triviales, pouvaient alors exister? Un million? Un milliard? Existait-il un nombre relativement réduit de lois générales dont on pouvait déduire en corollaire ces lois triviales? Comment pourrait-il le dire? Durant un moment, perdu dans ses pensées, il en oublia presque la morsure du vent.)

Clowzia sentait le vent, toutefois, car elle frissonna et lui dit : « Quel sale temps. Il fait bien meilleur sous le dôme.

– Vous êtes trantorienne?

– En effet. »

Seldon se rappela la remarque de Randa sur l'agoraphobie des Trantoriens et lui demanda : « Ça ne vous ennuie pas de monter ici?

– Je déteste, mais je veux décrocher mon diplôme de spécialisation et mon poste, et le docteur Leggen dit que je ne peux pas l'obtenir sans un minimum de travail sur le terrain. Alors voilà, je me retrouve ici, même si j'ai horreur de ça, surtout quand il fait ce froid. A propos, avec une température pareille, vous n'imagineriez pas qu'une végétation pousse sur ces dômes, n'est-ce pas?

– Il y en a? » Il la fixa, l'air sévère, soupçonnant quelque plaisanterie visant à le ridiculiser. Elle semblait parfaitement innocente, mais comment, sur ce visage, faire la part de la sincérité et des traits enfantins?

« Oh, absolument, répondit la jeune femme. Même ici, quand il fait plus doux. Vous avez remarqué le sol? On le balaie en permanence à cause de nos travaux, comme je l'ai dit, mais ailleurs le terreau s'accumule çà et là, et la couche est particulièrement épaisse dans les déclivités où se rejoignent les dômes. Des plantes y poussent.

– Mais d'où vient ce terreau?

– Quand les dômes ne couvraient qu'une partie de la planète, le vent y a déposé de la poussière, petit à petit. Puis, quand Trantor a été entièrement recouverte et qu'on a enfoui les niveaux d'habitation de plus en plus profondément, une partie des déblais, quand ils convenaient, ont été remontés au-dessus des dômes.

– Mais ça aurait dû les défoncer.

– Oh non. Ils sont très solides et étayés pratiquement partout. D'après les vidéo-livres que j'ai visionnés, l'idée initiale était de mettre en culture la Couverture, mais il était bien plus pratique de le faire sous dôme. Et puis, on pouvait également cultiver les levures et les algues à l'intérieur, ce qui diminuait d'autant l'utilité des cultures classiques, si bien qu'on décida de laisser la Couverture en friche. On y trouve également des animaux : des papillons, des abeilles, des souris, des lapins... Il y en a beaucoup.

– Les racines ne risquent-elles pas d'endommager les dômes?

– Depuis des milliers d'années, elles n'ont rien fait. Les dômes sont traités pour repousser les racines. La majeure partie du couvert végétal est formée d'herbe, mais il y a également des arbres. Vous pourriez en voir si nous étions à la saison chaude ou plus au sud, ou encore à bord d'un astronef. » Elle le regarda du coin de l'œil. « Est-ce que vous avez vu Trantor quand vous descendiez de l'espace?

– Non, Clowzia. Je dois confesser que non. Les hypernefs n'ont jamais été l'idéal pour admirer le paysage. Et vous, avez-vous déjà vu Trantor de l'espace? »

Elle sourit timidement. « Je ne suis jamais allée dans l'espace. »

Seldon regarda alentour. Du gris partout.

« Je n'arrive pas à y croire... A la présence de végétation sur la Couverture, je veux dire.

– C'est pourtant vrai. J'ai entendu des gens dire – des Exos comme vous, qui avaient pu voir Trantor de l'espace – que la planète paraît verte comme une pelouse, parce que la Couverture est pour l'essentiel formée d'herbe et de broussailles. En fait, il y a aussi des arbres. Il y a un bosquet, non loin d'ici. Je l'ai vu. Des résineux, et ils font près de six mètres de haut.

– Où ça?

– Vous ne pouvez pas le voir d'ici. Il est de l'autre côté du dôme. Il est... »

L'appel leur parvint, assourdi (Seldon se rendit compte qu'ils avaient marché tout en devisant et s'étaient quelque peu éloignés des autres).

« Clowzia. Revenez par ici. On a besoin de vous.

– Ouais! lança Clowzia. J'arrive! Désolée, docteur Seldon, il faut que j'y aille. » Elle détala, réussissant à courir avec légèreté malgré ses bottes fourrées.

S'était-elle jouée de lui? Avait-elle servi à l'Exo crédule une pleine ration de mensonges, juste pour s'amuser? Ce genre de chose se produisait sur toutes les planètes et à toutes les époques. Son air de transparente honnêteté n'était pas une preuve; en fait, les meilleurs fabulateurs cultivaient systématiquement ce genre d'expression.

Alors, des arbres de six mètres pouvaient-ils réellement croître au-dessus de la Couverture? Sans trop y réfléchir, Seldon se dirigea vers le dôme le plus haut à l'horizon. Il battit des bras pour tenter de se réchauffer. Et il avait les pieds engourdis par le froid.

Clowzia ne lui avait pas indiqué de direction. Elle aurait dû lui donner une indication mais n'en avait rien fait. Pourquoi? Évidemment, on l'avait rappelée.

Les dômes étaient plus larges que hauts : une bonne chose, car la progression était bien plus facile. D'autre part, la pente douce l'obligeait à peiner plus longtemps avant de parvenir au sommet pour embrasser du regard l'autre côté.

Au bout du compte, il parvint à voir de l'autre côté du dôme qu'il venait d'escalader. Il se retourna pour s'assurer qu'il pouvait encore repérer les météorologues et leurs instruments. Ils étaient à bonne distance, dans une vallée éloignée, mais ils restaient parfaitement visibles. Bien.

Il ne vit ni bosquet, ni arbre, mais une dépression s'étirait entre deux dômes. Au fond de la vallée, le sol était plus épais avec quelques taches vertes qui devaient être de la mousse. S'il suivait la vallée, et si elle descendait suffisamment et était recouverte d'un sol assez épais, il se pouvait qu'il trouvât des arbres.

Il se retourna, cherchant à mémoriser des repères, mais il ne vit que le moutonnement des dômes. Du coup, il hésita; et la mise en garde de Dors, l'avertissant de ne pas se perdre, qui lui avait paru sur le moment bien superflue, prenait tout son sens à présent. Malgré tout, il lui semblait évident que la vallée dessinait une sorte de route. S'il la suivait sur une certaine distance, il n'aurait qu'à faire demi-tour et cheminer en sens inverse pour se retrouver ici.

Il se mit donc en marche d'un pas résolu et descendit la vallée au fond plat. Il y avait un grondement assourdi au-dessus de lui mais il n'y prêta pas attention. Il avait décidé qu'il avait envie de voir des arbres et c'était tout ce qui l'occupait pour l'instant.

La mousse s'épaississait et s'étendait comme un tapis d'où jaillissaient çà et là des touffes d'herbe. Malgré la désolation ambiante, cette mousse était d'un vert soutenu et Seldon s'avisa que, sur une planète au temps couvert et nuageux, les pluies étaient sans aucun doute abondantes.

La vallée continua à s'incurver, puis, juste au-dessus d'un autre dôme, apparut une tache sombre à contre-jour sur le ciel gris : il sut qu'il avait découvert les arbres.

Comme si son esprit, soudain libéré par cette vision, pouvait se tourner vers d'autres choses, Seldon remarqua le grondement qu'il avait déjà perçu et, sans plus réfléchir, classé comme un bruit de machine. A présent, il reconsidérait la question : était-ce bien, en fait, un bruit mécanique?

Pourquoi pas? Il se trouvait sur l'un des innombrables dômes qui couvraient les centaines de millions de kilomètres carrés de la cité planétaire. Il devait y avoir toute sorte de machines dissimulées sous ces dômes – des moteurs de ventilation, déjà. Peut-être pouvait-on les entendre, quand les autres bruits de la ville étaient assez éloignés.

Mais ce bruit ne semblait pas venir du sol. Il leva les yeux vers le ciel uniformément morne. Rien.

Il continua à scruter l'espace, les grandes déchirures verticales qui s'ouvraient dans la brume devant ses yeux et puis, très loin... Un minuscule point sombre se détacha sur le fond gris. Il semblait évoluer comme s'il cherchait à se repérer avant d'être à nouveau avalé par les nuages.

Sans savoir pourquoi, Seldon pensa : ils sont à mes trousses.

Et presque avant d'avoir pu décider d'une ligne d'action, il avait fait son choix : il courut désespérément en direction des arbres puis, pour les atteindre plus vite, coupa sur la gauche en escaladant un dôme bas, trébuchant au milieu d'espèces de fougères brunes en train de se dessécher et parmi lesquelles poussaient également des épineux porteurs de baies rouge vif.

24

Haletant, Seldon vint s'affaler contre un arbre, dont il étreignit le tronc avec la dernière énergie. Il attendait que l'engin volant réapparaisse pour se placer le dos à l'arbre et se cacher de l'autre côté, tel un écureuil.

L'arbre était froid, son écorce était rêche, il n'avait rien de confortable mais il lui procurait au moins un abri. Bien sûr, cela risquait d'être insuffisant s'ils le recherchaient à l'aide d'un détecteur de chaleur, mais, d'un autre côté, le tronc glacé pouvait brouiller l'instrument.

Sous ses pieds, le sol était compact. Alors même qu'il se cachait et tentait d'apercevoir son poursuivant tout en restant invisible, il ne put s'empêcher de s'interroger sur l'épaisseur de la couche de terreau, sur le temps qu'il lui avait fallu pour s'accumuler, sur le nombre de dômes qui, dans les zones plus chaudes de Trantor, portaient sur leur dos des forêts, et sur les systèmes écologiques : les arbres étaient-ils toujours confinés aux dépressions entre les dômes, laissant les régions plus élevées aux mousses, à l'herbe et aux buissons?

Il revit l'appareil. Ce n'était pas une hypernef, ni même un jet ordinaire. C'était un vertijet. Il apercevait la vague lueur de la traînée d'ions qui jaillissaient aux arêtes de l'hexagone, neutralisant l'attraction gravitationnelle et permettant aux ailes de maintenir l'engin en vol, tel un grand oiseau. Ce véhicule était capable de planer au-dessus d'un terrain pour l'explorer.

C'étaient les nuages qui l'avaient sauvé. Même s'ils utilisaient des détecteurs de chaleur, ceux-ci ne pourraient que leur indiquer la présence de gens en dessous. Le vertijet devrait tenter de percer le plafond nuageux avant d'espérer savoir combien de personnes se trouvaient là et si l'une ou l'autre était l'individu recherché précisément par les occupants de l'appareil.

Le vertijet était plus proche maintenant mais il ne pouvait pas non plus rester caché. Le grondement des moteurs trahissait sa présence et ses occupants ne pouvaient pas les couper tant qu'ils avaient l'intention de poursuivre leurs recherches. Seldon connaissait les vertijets car on en trouvait sur Hélicon comme sur toutes les planètes sans dômes où le ciel était parfois dégagé; il y avait même des particuliers qui en possédaient.

A quoi pouvaient bien servir des vertijets sur Trantor – où toute la vie humaine était cantonnée sous dôme, où la couche nuageuse était basse et quasi perpétuelle – sinon, en tant que véhicules gouvernementaux conçus dans un but unique, à récupérer une personne recherchée qui se serait aventurée sur la couverture?

Pourquoi pas? Les forces gouvernementales ne pouvaient pénétrer sur le campus mais Seldon avait pu en sortir. Il se trouvait sur les dômes et peut-être en dehors de toute juridiction locale. Un véhicule impérial avait peut-être le droit de se poser n'importe où sur la Couverture pour interroger ou interpeller toute personne qui s'y trouverait. Hummin ne l'en avait pas averti mais sans doute était-ce une simple omission de sa part.

Le vertijet s'était encore rapproché, fouinant comme une bête aveugle qui flaire sa proie. Auraient-ils l'idée de scruter ce bouquet d'arbres? Allaient-ils atterrir et envoyer un ou deux soldats en armes fouiller le taillis?

Et dans ce cas, que pouvait-il faire? Il était sans arme et toute sa souplesse et son agilité lui seraient inutiles face à l'intolérable douleur d'un fouet neuronique.

L'engin n'essayait pas d'atterrir. Ou bien l'intérêt du bouquet d'arbres leur avait échappé...

Ou bien...

Une idée nouvelle le frappa soudain. Et si ce n'était pas du tout un vaisseau de poursuite? S'il faisait partie de l'expérience météorologique? Des météorologues chercheraient certainement à faire des mesures dans les couches supérieures de l'atmosphère.

Ne faisait-il pas l'idiot en se dissimulant ainsi?

Le ciel s'assombrissait. Les nuages s'épaississaient ou, plus vraisemblablement, la nuit était en train de tomber.

En plus, le froid gagnait et allait encore s'accentuer. Allait-il rester dehors à se geler sous prétexte que l'apparition d'un vertijet parfaitement inoffensif avait déclenché en lui une paranoïa comme il n'en avait jamais connu? Il avait soudain envie de quitter le couvert du bosquet pour retourner à la station météo.

Après tout, comment l'homme que Hummin craignait tant – ce Demerzel – aurait-il su que Seldon se trouverait, à cet instant précis, sur la Couverture, prêt à être cueilli?

L'espace d'un instant, l'idée lui parut convaincante et, frissonnant de froid, il sortit de derrière son arbre.

Puis il retourna s'y cacher en vitesse lorsque le vaisseau reparut, encore plus proche. L'engin n'avait pas un comportement évoquant la recherche scientifique: il n'avait effectué ni prises d'échantillon, ni mesures, ni évaluations. Mais les reconnaîtrait-il, ces opérations, si elles avaient lieu? Il ignorait quel genre d'instruments de précision embarquait l'appareil et comment ils fonctionnaient. Si l'équipage procédait effectivement à des travaux météorologiques, il serait peut-être bien en peine de le dire. Néanmoins, pouvait-il courir le risque de se mettre à découvert?

Et si, après tout, Demerzel savait qu'il se trouvait sur la Couverture parce qu'un de ses agents, à l'Université, lui avait transmis l'information? Lisung Randa, ce petit Oriental souriant et jovial, lui avait suggéré de monter. Il l'avait fait non sans une certaine insistance et le sujet ne s'était pas présenté naturellement lors de la conversation; en tout cas, pas assez naturellement. Était-il possible qu'il fût un agent gouvernemental et soit parvenu d'une manière ou d'une autre à prévenir Demerzel?

Puis il y avait Leggen, qui lui avait donné le chandail. Le chandail était bien utile mais pourquoi Leggen ne lui avait-il pas dit plus tôt qu'il lui en faudrait un, ce qui lui aurait permis de prendre le sien? Celui qu'il portait aurait-il quelque signe distinctif? Il était d'un violet uniforme, alors que tous les autres cédaient à la mode trantorienne des motifs bariolés. De haut, n'importe quel observateur apercevrait une tache terne en mouvement au milieu d'autres de couleurs vives et reconnaîtrait aussitôt la personne recherchée.

Et Clowzia? Elle était censée monter sur la Couverture pour apprendre la météorologie et aider ses collègues. Comment se faisait-il qu'elle ait pu l'aborder, discuter avec lui, puis l'éloigner tranquillement des autres afin de l'isoler et de faciliter ainsi son éventuelle récupération?

Dans le même ordre d'idée, que penser de Dors Venabili? Elle savait qu'il montait sur la Couverture. Elle ne l'avait pas retenu. Elle aurait pu l'accompagner mais, comme par hasard, elle était occupée.

C'était un complot. Sans le moindre doute, c'était un complot.

Il en était à présent convaincu et ne songeait plus du tout à quitter le couvert des arbres. (Il avait les pieds comme des blocs de glace et il battait la semelle sans améliorer la situation.) Le vertijet n'allait-il donc jamais s'en aller?

A l'instant même où il pensait cela, le grondement de l'engin monta vers l'aigu et le vertijet s'éleva pour disparaître dans les nuages.

Seldon prêta attentivement l'oreille, à l'affût du moindre son, pour s'assurer qu'il était bien parti. Ensuite, alors même qu'il était sûr de son départ, il se demanda si ce n'était pas une simple astuce pour l'amener à se découvrir. Il resta donc planté derrière son arbre tandis que les minutes s'écoulaient lentement et que la nuit continuait à tomber.

Finalement, quand il sentit qu'il devait prendre le risque de se découvrir ou choisir de geler sur place, il avança d'un pas et quitta précautionneusement l'abri des arbres.

Le crépuscule était sombre, après tout. Seldon restait indétectable, sauf aux détecteurs de chaleur, mais, si le problème se posait, il entendrait le vertijet revenir. Il attendit donc à la lisière des arbres, prêt à retourner se cacher au moindre bruit – une manœuvre qui perdrait d'ailleurs tout intérêt s'il était découvert.

Il regarda autour de lui, cherchant à distinguer les météorologues – ils disposaient sûrement d'un éclairage artificiel mais rien d'autre ne permettrait de les repérer.

Il pouvait encore percevoir les alentours mais, d'ici un quart d'heure, une demi-heure au mieux, il ne verrait plus rien. Sans lumière et avec ce ciel bouché, il ferait noir – complètement noir.

Terrifié à la perspective d'être plongé dans l'obscurité totale, Seldon se rendit compte qu'il allait devoir au plus vite retrouver son chemin jusqu'à la vallée qu'il avait suivie, puis revenir sur ses pas. Les bras serrés pour conserver sa propre chaleur, il partit dans ce qu'il estimait être la direction de la vallée entre les dômes.

Il pouvait, évidemment, en trouver plus d'une en s'éloignant du bosquet, mais il crut distinguer quelques ronciers aperçus à l'aller et dont les baies semblaient à présent plus noires que rouge vif. Plus question de traîner. Il était obligé de supposer qu'il ne faisait pas fausse route. Il remonta la vallée le plus vite possible, guidé par sa vue de moins en moins utile et par la végétation sous ses pas.

Mais il ne pouvait demeurer éternellement au fond de la vallée. Au départ, il avait franchi le dôme apparemment le plus élevé du secteur et découvert cette dépression qui coupait sa route à angle droit. D'après ses calculs, il devait à présent tourner à droite, puis complètement à gauche, et il se retrouverait sur le chemin du dôme des météorologues.

Seldon tourna à gauche et, en levant la tête, il parvint tout juste à distinguer la courbure d'un dôme sur un fond de ciel à peine moins sombre. Ce devait être le bon!

Ou bien prenait-il ses désirs pour des réalités?

Il n'avait pas le choix. Sans quitter de l'œil le sommet afin de garder à peu près un cap rectiligne, il avança aussi vite qu'il put. Tandis qu'il se rapprochait, le dôme grandissait et il pouvait de moins en moins en distinguer les contours. Bientôt, s'il ne s'était pas trompé, il allait gravir une pente douce et, quand il serait parvenu au sommet, il serait en mesure d'apercevoir, de l'autre côté, les lumières de la station météorologique.

Dans ce noir d'encre, il était incapable de voir ce qu'il avait devant les pieds. Tout en regrettant qu'il n'y ait pas quelque étoile pour donner un peu de lumière, il se demanda si cela faisait cet effet d'être aveugle. Il agitait les bras devant lui comme des antennes.

Le froid gagnait de minute en minute et il s'arrêtait de temps en temps pour souffler sur ses doigts et pour les cacher sous les aisselles. Il aurait bien aimé pouvoir faire de même avec ses pieds. Il pensa qu'à présent, s'il se mettait à pleuvoir, ce serait de la neige ou, pire encore, de la neige fondue.

Marcher... marcher. Il n'y avait rien d'autre à faire.

Enfin, il eut l'impression qu'il commençait à redescendre. Ou il fantasmait encore, ou il avait effectivement dépassé le sommet du dôme.

Il s'arrêta. S'il avait franchi le sommet, il aurait dû distinguer les lumières de la station, apercevoir les lampes des météorologues scintillant et dansant comme des lucioles.

Seldon ferma les yeux comme pour les accoutumer à l'obscurité puis les rouvrit : démarche inutile. Le noir était le même qu'il ait les yeux ouverts ou fermés.

Peut-être Leggen et les autres étaient-ils partis, remportant leurs lampes et coupant l'éclairage? Ou Seldon avait escaladé un mauvais dôme? Ou bien il avait suivi un itinéraire incurvé qui l'avait égaré sur la direction à prendre? Ou bien il n'avait pas suivi la bonne vallée en partant du bosquet?

Que faire?

S'il était tourné dans la mauvaise direction, il y avait une chance pour que la lumière soit visible à gauche ou à droite – et ce n'était pas le cas. S'il avait suivi la mauvaise vallée, il n'avait aucun moyen de regagner le bosquet d'arbres pour emprunter un autre itinéraire. Sa seule chance était de parier qu'il était orienté dans la bonne direction et que la station se trouvait plus ou moins directement en face de lui mais que les météorologues étaient repartis, le laissant seul dans l'obscurité.

Alors, avancer. Les chances de succès étaient peut-être réduites, mais c'étaient les seules qu'il eût.

Il estima qu'il lui avait fallu une demi-heure pour gagner le sommet du dôme depuis la station météo : il avait effectué une partie du chemin avec Clowzia en flânant plus ou moins. A présent, il progressait un peu plus vite dans ces ténèbres oppressantes.

Seldon continua d'avancer à pas lourds. Ç'aurait été bien d'avoir l'heure; évidemment, il avait un chrone, mais dans le noir...

Il s'arrêta. Il portait un bracelet-chrone trantorien qui donnait le Temps universel galactique (comme tous les chrones) mais également l'heure locale de Trantor. Le cadran des chrones était normalement lisible dans le noir, afin qu'on puisse lire l'heure dans l'obscurité tranquille d'une chambre à coucher. En tout cas, un chrone héliconien s'éclairait; pourquoi pas un trantorien?

Il consulta son bracelet-chrone avec appréhension et effleura le contact d'éclairage du cadran. Celui-ci s'illumina faiblement, lui indiquant qu'il était 18:47. Pour qu'il fasse déjà nuit, Seldon savait qu'on devait être en hiver. Depuis combien de temps avait-on dépassé le solstice? Quel était le degré d'inclinaison axiale? Quelle était la durée de l'année? A quelle distance de l'équateur se trouvait-il en ce moment? Rien ne lui permettait d'avancer des réponses, mais ce qui comptait, c'était que cette étincelle de lumière fût visible.

Il n'était pas aveugle! Quelque part, la vague lueur de son bracelet-chrone lui rendit espoir.

Son moral remonta. Il allait poursuivre sa route dans la même direction. Il continuerait pendant une demi-heure. S'il ne trouvait rien, il insisterait encore cinq minutes – cinq minutes, pas plus! S'il n'y avait toujours rien, il s'arrêterait pour réfléchir. Ça ferait trente-cinq minutes à partir de maintenant. D'ici là, il ne penserait qu'à marcher et se concentrerait sur sa chaleur interne (il agita les orteils, vigoureusement. Il les sentait encore.)

Il repartit et la demi-heure s'écoula. Il s'arrêta puis, hésitant, poursuivit encore cinq minutes.

A présent, il lui fallait décider. Il n'y avait toujours rien. Il pouvait aussi bien n'être nulle part, loin de tout accès au dôme. D'un autre côté, il pouvait se trouver à trois mètres à gauche ou à droite de la station météo – ou devant. Il pouvait se trouver à deux longueurs de bras de l'ouverture du dôme – laquelle, toutefois, ne serait pas ouverte.

Bon, et maintenant?

Servait-il de crier? Hormis le sifflement du vent, un silence total l'enveloppait. S'il y avait des oiseaux, des bêtes ou des insectes parmi la végétation sur la Couverture, ils n'étaient pas là en cette saison, à cette heure-ci, ou à cet endroit précis. Le vent continuait à le frigorifier.

Peut-être aurait-il dû crier tout le temps. Le son devait porter loin dans l'air froid. Mais y aurait-il quelqu'un pour l'entendre?

L'entendrait-on à l'intérieur du dôme? Y avait-il des instruments pour détecter les sons ou les mouvements venus d'en haut? Ne devait-il pas y avoir des sentinelles postées juste à l'intérieur?

Tout cela paraissait ridicule. On aurait entendu ses pas, non?

Et malgré tout...

Il s'écria : « A l'aide! A l'aide! Est-ce que quelqu'un m'entend? »

Son cri était étranglé, à moitié gêné. Ça avait l'air idiot de crier ainsi dans ce vaste néant ténébreux.

Mais enfin il sentait qu'il serait encore plus idiot d'hésiter dans une situation pareille. La panique montait en lui. Il aspira l'air glacé et cria aussi longtemps qu'il put. Nouvelle inspiration et nouveau cri, sur un autre ton. Et encore une fois.

Seldon s'arrêta de crier, hors d'haleine, et tourna la tête dans tous les sens, bien qu'il n'y eût strictement rien à voir. Il ne parvenait même pas à déceler un écho. Il ne restait rien d'autre à faire qu'à attendre l'aube. Mais combien de temps la nuit durait-elle en cette saison? Et jusqu'où la température allait-elle descendre?

Il sentit une imperceptible sensation glacée lui picoter le visage. Puis une autre encore, après quelques instants.

Une averse de neige fondue commençait à tomber, invisible dans les ténèbres totales. Et nul refuge où s'abriter.

Il songea : j'aurais été mieux loti si le vertijet m'avait repéré et ramassé. Je serais peut-être prisonnier en ce moment, mais au moins je serais à l'aise et au chaud.

Ou, si Hummin n'avait pas mis son grain de sel, il aurait été de retour sur Hélicon depuis belle lurette. Sous surveillance, peut-être, mais à l'aise et au chaud. Pour l'heure, c'était tout ce qu'il désirait : être à l'aise et au chaud.

Mais, pour l'heure, il ne pouvait qu'attendre. Il s'accroupit, sachant que si longue que fût la nuit, il n'oserait pas dormir. Il retira ses chaussures pour masser ses pieds gelés. Très vite, il se rechaussa.

Il savait qu'il allait devoir répéter cette opération, et aussi se frotter les mains et les oreilles, pendant toute la nuit, pour maintenir la circulation. Mais le plus important était de se rappeler qu'il ne devait ab-so-lu-ment pas laisser le sommeil le gagner. Sinon, c'était la mort certaine.

Et, ayant soigneusement réfléchi à la question, il ferma les yeux, sa tête s'inclina et il s'assoupit sous la neige qui tombait.

Sauvetage

LEGGEN, JENARR. – ... Ses contributions à la météorologie, toutefois, bien que considérables, s'effacent devant ce que l'on a, depuis, pris coutume d'appeler la Controverse Leggen. Que ses actes aient contribué à mettre en péril la vie de Seldon est indiscutable, mais le débat fait toujours rage entre les tenants des circonstances fortuites et ceux du complot délibéré. De part et d'autre, les passions ne sont pas retombées et les recherches, même les plus poussées, n'ont pas permis d'aboutir à une conclusion définitive. Toujours est-il que les soupçons nés à cette occasion devaient contribuer à empoisonner la vie privée et la carrière de Leggen dans les années qui suivirent.

ENCYCLOPAEDIA GALACTICA

25

La nuit n'était pas tout à fait tombée quand Dors Venabili aborda Jenarr Leggen. Il répondit à son salut quelque peu anxieux par un grognement assorti d'un bref signe de tête.

« Eh bien, fit-elle avec un rien d'impatience. Comment était-il? »

Leggen, qui était occupé à entrer des données dans son ordinateur, répondit : « Comment était *qui*?

– Mon étudiant de la bibliothèque, Hari. Le docteur Hari Seldon. Il est monté avec vous. Vous a-t-il été d'une aide quelconque? »

Leggen retira les mains du clavier et pivota sur son siège : « L'autre Héliconien, là? Absolument pas. Pas intéressé le moins du monde. Il n'arrêtait pas de regarder le paysage quand il n'y avait aucun paysage à regarder. Un vrai excentrique. Pourquoi vouliez-vous donc l'expédier là-haut?

– L'idée n'était pas de moi. C'est lui qui voulait. Je n'y comprends rien. Il semblait très intéressé. Où est-il, à présent? »

Leggen haussa les épaules. « Comment voulez-vous que je le sache? Quelque part dans le secteur.

– Où est-il allé après être redescendu avec vous? Il vous l'a dit?

– Il n'est pas redescendu avec nous. Je vous ai dit qu'il n'était pas intéressé.

– Alors, quand est-il descendu?

– J'en sais rien. Je ne le surveillais pas. J'avais un énorme boulot à faire. Il a dû se produire une tempête accompagnée d'une espèce de déluge, avant-hier, et rien n'avait été prévu. Rien dans les indications de nos instruments n'a pu l'expliquer; je ne comprends pas non plus pourquoi le soleil attendu aujourd'hui ne s'est pas montré. J'essaie de tirer ça au clair et vous choisissez ce moment pour venir m'embêter.

– Vous voulez dire que vous ne l'avez pas vu redescendre?

– Écoutez. Je n'avais pas la tête à ça. Cet idiot n'était pas habillé convenablement et j'ai bien vu qu'en moins d'une demi-heure il n'allait plus supporter le froid. Je lui ai refilé un pull mais ce n'est pas ça qui pouvait lui réchauffer les mains et les pieds. Alors j'ai laissé l'ascenseur ouvert en lui expliquant comment il fonctionnait et comment la cabine le redescendrait avant de remonter automatiquement. Tout était parfaitement simple et je suis sûr qu'il a dû attraper froid, qu'il a pris l'ascenseur, puis la cabine est remontée et nous sommes tous descendus à notre tour.

– Mais vous ne savez pas quand, au juste, il est redescendu?

– Non, je ne sais pas. Je vous l'ai dit : j'étais occupé. En tout cas, il n'était certainement pas là-haut quand on est reparti, et, à ce moment-là, le soir tombait et la neige menaçait. Il avait déjà dû redescendre.

– Quelqu'un l'a-t-il vu redescendre?

– Je ne sais pas. Clowzia, peut-être. Elle est restée avec lui un moment. Pourquoi n'iriez-vous pas lui poser la question? »

Dors trouva Clowzia dans ses quartiers, émergeant tout juste d'une douche brûlante.

« Qu'est-ce qu'il faisait froid, là-haut...

– Vous étiez avec Hari Seldon, sur la Couverture? demanda Dors.

– Oui, répondit Clowzia en haussant les sourcils. Pendant un moment. Il avait envie de se promener un peu et de poser des questions sur la végétation là-haut. Rien ne lui échappe, à ce type, Dors. Tout à l'air de l'intéresser, alors je lui ai dit tout ce que je savais jusqu'à ce que Leggen me rappelle. Il était d'une humeur massacrante. Le temps n'allait pas et il... »

Dors l'interrompit. « Alors, vous n'avez pas vu Hari reprendre l'ascenseur?

– Je ne l'ai pas revu du tout après que Leggen m'a appelée... Mais il doit certainement être ici. Il n'était pas là-haut quand nous sommes partis.

– Mais je ne le trouve nulle part. »

Clowzia parut troublée. « Vraiment? Mais il doit quand même bien être quelque part.

– Non, il *ne doit pas* être quelque part fit Dors, avec une angoisse grandissante. Et s'il était toujours là-haut?

– C'est impossible. Il n'y était pas. Naturellement, on l'a cherché avant de partir. Leggen lui avait montré comment redescendre. Il n'était pas vêtu convenablement et le temps était exécrable. Leggen lui avait dit, s'il avait froid, de ne pas nous attendre. Et il avait froid. Ça, je le sais! Alors, que pouvait-il faire d'autre?

– Oui, seulement personne ne l'a vu redescendre... Il avait quelque chose qui n'allait pas?

– Absolument rien. En tout cas, pas tant que j'étais avec lui. Il était parfaitement bien – hormis qu'il devait peler de froid, bien sûr. »

Dors, à présent franchement inquiète, insista : « Puisque personne ne l'a vu descendre, il est peut-être bien resté là-haut. Vous ne croyez pas qu'on devrait monter voir?

– Je vous ai dit, répondit Clowzia, nerveuse, qu'on avait regardé partout avant de repartir. Il faisait encore jour et on ne l'a vu nulle part.

– Allons quand même jeter un coup d'œil.

– Mais c'est que je ne peux pas vous emmener là-haut. Je ne suis qu'une interne et je n'ai pas la combinaison pour ouvrir la Couverture du dôme. Il va falloir que vous demandiez au docteur Leggen. »

26

Dors Venabili savait que Leggen n'aurait certainement pas envie de remonter sur la Couverture en ce moment. Il faudrait l'y forcer.

Mais, d'abord, elle alla de nouveau inspecter la bibliothèque et la cantine. Puis elle appela la chambre de Seldon. Finalement, elle monta chez lui et sonna à la porte. N'obtenant pas de réponse, elle demanda au gardien d'étage de lui ouvrir. Seldon n'était pas là. Elle interrogea certains de ceux qui, ces dernières semaines, avaient eu l'occasion de faire sa connaissance. Personne ne l'avait vu.

Eh bien, dans ce cas, elle allait *forcer* Leggen à la conduire sur la Couverture. Quoique, à présent, il dût faire nuit. Il allait protester énergiquement et combien de temps pouvait-elle perdre à discutailler alors que Seldon était peut-être piégé là-haut par une nuit glaciale, sous une pluie en train de tourner à la neige?

Une idée lui vint et elle se précipita vers le petit ordinateur de l'Université qui permettait de garder trace des activités des étudiants, des enseignants et du personnel administratif.

Ses doigts volèrent sur les touches et bientôt elle eut ce qu'elle désirait.

Trois d'entre eux résidaient dans une autre partie du campus. Elle héla un petit glisseur et se fit conduire au domicile qu'elle cherchait. Il y en aurait bien un qui serait disponible – ou trouvable.

La chance était avec elle. A la première porte où elle s'annonça, le voyant d'interrogation s'éclaira. Elle composa son code d'identité, mentionnant son département d'affiliation. La porte s'ouvrit, révélant un petit homme rondouillard d'âge mûr qui la fixait, ahuri. Manifestement, il était en train de se laver avant le dîner. Ses cheveux châtains étaient en bataille et il était torse nu.

« Désolé, fit-il. Vous me prenez au dépourvu. Que puis-je faire pour vous, docteur Venabili? »

Un peu essoufflée, elle lui demanda : « Vous êtes bien Rogen Benastra, chef sismologue, n'est-ce pas?

– Oui.

– Il s'agit d'une urgence. Je dois avoir les enregistrements sismologiques relevés sur la Couverture ces dernières heures. »

Surprise de Benastra : « Pourquoi? Il ne s'est rien passé. Je l'aurais su, autrement. Les sismographes nous l'indiqueraient.

– Je ne parle pas d'un impact météorique.

– Moi non plus. Pour ça, on n'a pas besoin de sismographe. Je parle d'éboulis, de fractures infimes. Rien aujourd'hui.

– Ce n'est pas ça, non plus. Je vous en prie : montrez-moi le sismographe et lisez-moi ses résultats. C'est une question de vie ou de mort.

– J'ai un dîner de prévu...

– J'ai dit une question de vie ou de mort et ce n'est pas une plaisanterie.

– Mais enfin, je ne vois pas... » Il se tut soudain devant le regard noir de Dors. Il s'essuya le visage, laissa un bref message sur son répondeur et enfila tant bien que mal une chemise.

Courant à moitié, impitoyablement pressé par Dors, ils se précipitèrent vers le petit bâtiment trapu du service de sismologie. Dors, qui ne le connaissait pas, demanda : « On descend? Il faut descendre?

– Sous les niveaux habités, bien sûr. Le sismographe doit être fixé au substrat rocheux et mis à l'écart du bruit de fond et des vibrations des niveaux habités.

– Mais comment pouvez-vous savoir ce qui se passe sur la Couverture à partir de ces caves?

– L'appareillage est raccordé à un ensemble de capteurs de pression situés dans l'épaisseur du dôme. L'impact d'un grain de sable modifierait la courbe sur l'écran. Nous pouvons détecter l'effet d'aplatissement sur le dôme d'un vent un peu fort. Nous pouvons...

– D'accord, d'accord », s'impatienta Dors. Elle n'était pas là pour assister à une conférence sur les vertus et les raffinements de ses appareils. « Pouvez-vous détecter les pas d'un homme?

– Les pas d'un homme? » Perplexité de Benastra. « Sur la Couverture? C'est peu probable.

– Bien sûr que si. Un groupe de météorologues y est monté cet après-midi.

– Oh. Eh bien, des pas seraient à peine détectables.

– Ils le seraient à condition d'y regarder attentivement et c'est ce que je veux que vous fassiez. »

Benastra devait apprécier modérément la fermeté de ce ton, mais toujours est-il qu'il n'en laissa rien paraître. Il effleura un contact et l'écran du moniteur s'illumina.

A l'extrême droite, au milieu, apparut un gros spot lumineux; un mince trait horizontal s'en étira jusqu'au bord gauche de l'écran. Celui-ci se tortillait imperceptiblement en une série de petits hoquets aléatoires, qui progressaient régulièrement vers la gauche. L'effet sur Dora était presque hypnotique.

« On ne pourrait trouver plus calme, observa Benastra. Tout ce que vous voyez là est le résultat des changements de pression atmosphérique au-dessus de nous, des gouttes de pluie, peut-être le grondement lointain des machines. Il n'y a rien là-haut.

– Très bien. Mais il y a quelques heures? Vérifiez vos enregistrements, mettons à quinze heures cet après-midi. Vous devez sûrement en avoir. »

Benastra tapa sur le clavier les instructions nécessaires et, durant une seconde ou deux, ce fut le chaos sur l'écran. Puis l'image se stabilisa, et le trait horizontal réapparut.

« Je vais accroître la sensibilité au maximum », marmonna Benastra. On voyait à présent des hoquets prononcés et, alors qu'ils progressaient en cahotant vers la gauche, leur allure changea nettement.

– C'est quoi, ça? demanda Dors. Expliquez-moi.

– Puisque vous dites qu'il y avait des gens là-haut, Venabili, j'en déduis donc qu'il s'agit de pas : le balancement du poids, l'impact des chaussures. Je ne l'aurais peut-être pas deviné si je n'avais pas su qu'il y avait des gens là-haut. C'est ce que nous appelons une vibration bénigne, qui n'est liée à aucun phénomène dangereux.

– Pouvez-vous me dire combien de personnes sont présentes?

– Certainement pas à vue de nez. Voyez-vous, nous recueillons la résultante de tous les impacts.

– Vous dites " pas à vue de nez ". La résultante pourrait-elle être analysée par l'ordinateur?

– J'en doute. Ce sont des vibrations infimes et il faut tenir compte de l'inévitable bruit de fond. Les résultats ne seraient pas fiables.

– Eh bien alors, avancez jusqu'à ce que les traces de pas disparaissent. Vous pouvez, disons, lire en accéléré?

– Si je le fais, comme vous dites, alors vous ne verrez plus qu'une ligne droite avec une bande floue de part et d'autre. Ce que je peux faire, en revanche, c'est avancer par tranches d'un quart d'heure et étudier rapidement chaque sismogramme.

– Parfait. Allez-y! »

Tous deux examinèrent l'écran jusqu'à ce que Benastra conclue : « Vous voyez : il n'y a plus rien à présent. »

A nouveau, un trait rectiligne, à peine ponctué d'infimes hoquets de bruit de fond, s'étirait sur l'écran.

« Quand les pas ont-ils cessé?

– Il y a deux heures. Juste un peu avant.

– Et quand ils ont cessé, étaient-ils moins nombreux qu'auparavant? »

Benastra prit un air légèrement scandalisé : « Je ne saurais le dire. Je ne crois pas que l'analyse, même la plus détaillée, pourrait l'indiquer avec certitude. »

Dors pinça les lèvres. Puis elle demanda : « Êtes-vous en train de tester un... capteur – c'est bien ainsi que vous l'appelez? – situé près de la station météo?

– Oui, là où sont installés les instruments et où auraient dû se trouver les météorologues. Puis, incrédule : « Vous voulez que je vérifie les autres, dans les parages? Un par un?

– Non. Restez sur celui-ci. Mais continuez d'avancer par bonds d'un quart d'heure. Une personne est peut-être restée derrière avant de revenir auprès des instruments. »

Benastra hocha la tête en marmonnant quelque chose dans sa barbe.

L'écran changea encore et Dors s'écria : « Qu'est-ce que c'est? » Elle pointait le doigt.

« Je ne sais pas. Du bruit.

– Non. C'est périodique. Pourrait-il s'agir des pas d'une seule personne?

– Bien sûr. Mais ce pourrait être une douzaine d'autres choses.

– Le rythme correspond en gros à celui de pas humains, non? » Puis, après quelques secondes, elle demanda : « Avancez encore un peu. »

Il obtempéra et, quand l'écran se fut stabilisé, elle remarqua : « Ces irrégularités se sont amplifiées, n'est-ce pas?

– Possible. On peut les mesurer.

– Pas besoin. Ça se voit bien. Les pas approchent de votre capteur. Continuez d'avancer. Voyez quand ils cessent. »

Après un moment, Benastra indiqua : « Le signal s'est arrêté il y a vingt, vingt-cinq minutes, quoi que ça puisse être, conclut-il prudemment.

– Ce sont des pas, fit Dors avec une conviction à ébranler les montagnes. Il y a un homme, là-haut, et pendant que vous et moi batifolons ici, il s'est évanoui et il est en train de mourir gelé. Alors, ne dites pas " quoi que ça puisse être "! Appelez plutôt le service météo et passez-moi Jenarr Leggen. Une question de vie ou de mort, je vous l'ai dit. Dites-lui ça! »

Les lèvres tremblantes, Benastra avait dépassé le stade où il pouvait résister à cette femme étrange et passionnée.

Il ne fallut pas plus de trois minutes pour avoir l'hologramme de Leggen sur la plate-forme à messages. On l'avait dérangé durant son dîner : il avait la serviette à la main et, détail révélateur, le dessous de la lèvre inférieur un rien graisseux.

Son visage allongé était figé en un rictus peu avenant : « " De vie ou de mort "? C'est quoi, cette histoire? Qui êtes-vous? » Puis il aperçut

Dors qui s'était rapprochée de Benastra pour que son image apparût sur l'écran de Jenarr. « Encore vous! s'écria-t-il. Mais c'est du harcèlement!

– Absolument pas. Je viens de consulter Rogen Benastra qui est chef sismologue à l'Université. Après que vous et vos collègues avez quitté la Couverture, ses appareils ont clairement détecté les pas d'une personne restée là-haut. C'est mon étudiant, Hari Seldon, qui est monté avec vous, sous votre responsabilité, et qui, très certainement, à cette heure-ci, est étendu sans connaissance et risque bien de ne pas survivre longtemps.

« Vous allez, en conséquence, me conduire sur-le-champ là-haut, avec tout l'équipement nécessaire. Si vous ne le faites pas im-mé-dia-tement, j'en référerai aux services de sécurité de l'Université, au Recteur en personne s'il le faut. D'une manière ou d'une autre, je vais aller là-haut et, si jamais il est arrivé malheur à Hari parce que vous nous aurez retardés d'une minute, je veillerai à ce que vous soyez poursuivi pour négligence, incompétence – tout ce que je pourrai vous coller sur le dos –, et vous serez démis de vos fonctions et viré du corps enseignant. Et bien sûr, s'il est mort, inculpé d'homicide par imprudence. Ou pire, puisque je viens de vous avertir qu'il est mourant. »

Furieux, Jenarr se tourna vers Benastra : « Avez-vous détecté... »

Mais Dors l'interrompit. « Il m'a dit ce qu'il a détecté et je vous l'ai répété. Je n'ai pas l'intention de vous laisser perdre du temps à le harceler de questions. Est-ce que vous venez? Illico?

– L'idée vous a-t-elle effleurée que vous pourriez vous tromper? reprit Jenarr, les lèvres pincées. Savez-vous ce que je peux vous faire s'il s'agit d'une fausse alerte déclenchée par malveillance? La démission est valable dans les deux sens.

– Pas l'homicide. Je suis prête à risquer un procès pour fraude malveillante. Et vous, êtes-vous prêt à risquer un procès pour homicide? »

Jenarr rougit, plus peut-être devant l'obligation de céder que devant la menace. « J'arrive, mais je serai impitoyable avec vous, jeune fille, si votre étudiant se révèle avoir été bien à l'abri sous le dôme pendant ces trois dernières heures. »

27

Tous trois prirent l'ascenseur dans un silence hostile. Leggen n'avait mangé qu'une partie de son dîner, plantant là son épouse sans explication valable. Benastra n'avait pas dîné du tout et il avait sans doute déçu quelque compagne, également sans justification adéquate. Dors Venabili n'avait pas dîné non plus et c'est elle qui semblait la plus crispée et la plus malheureuse des trois. Elle portait une couverture de survie et deux sources photoniques.

Quand ils furent parvenus à l'accès à la Couverture, Leggen, les mâchoires crispées, tapa son code d'identification et la porte s'ouvrit. Un vent glacé se rua sur eux et Benastra grogna. Aucun des trois n'était vêtu de manière idoine, mais les deux hommes n'avaient pas l'intention de s'éterniser.

« Il neige, fit Dors d'une voix crispée.

– C'est de la neige humide : la température est juste au-dessus de zéro. Ce n'est pas un froid mortel.

– Tout dépend de combien de temps on y reste, n'est-ce pas? Et quand on se retrouve trempé de neige fondue, ça n'arrange rien. »

Leggen grommela. « Eh bien, où est-il? » Il fixait, l'air mauvais, les ténèbres absolues, accentuées encore par la lumière de l'entrée, dans son dos.

« Tenez, docteur Benastra, dit Dors, prenez-moi cette couverture. Et vous, docteur Leggen, fermez la porte derrière vous sans la verrouiller.

– Elle n'a pas de verrouillage automatique. Vous nous prenez pour des idiots?

– Peut-être pas, mais on peut toujours la bloquer de l'intérieur et empêcher éventuellement une personne restée dehors de réintégrer le dôme.

– S'il y a quelqu'un dehors, dites-moi où. Montrez-le-moi, tiens, fit Leggen.

– Il pourrait être n'importe où. » Dors leva les bras, une source photonique passée autour de chaque poignet.

« On ne peut pas regarder partout, marmonna Benastra, misérable.

Les sources photoniques se mirent à déverser leur lumière dans toutes les directions. Les flocons de neige scintillaient comme un vaste essaim de lucioles, diminuant d'autant la visibilité.

« Le bruit de pas croissait avec régularité, reprit Dors. Il devait approcher du capteur. Où ce capteur est-il situé?

– Je n'en ai pas la moindre idée, aboya Leggen. Ce n'est ni mon domaine ni ma responsabilité.

– Docteur Benastra?

– Je ne sais pas vraiment, hésita ce dernier. Pour tout vous dire, c'est la première fois que je monte ici. L'installation n'a pas été effectuée de mon temps. L'ordinateur le sait, mais on n'a jamais songé à le lui demander... J'ai froid et je ne vois vraiment pas ce que je viens faire ici.

– Vous allez devoir y rester encore un moment, rétorqua Dors avec fermeté. Suivez-moi. Je vais tourner autour de l'entrée en décrivant une spirale de plus en plus grande.

– On ne voit pas grand-chose à travers toute cette neige, nota Leggen.

– Ça, je le sais. S'il ne neigeait pas, on l'aurait déjà vu, j'en suis sûre. En fait, ça peut fort bien ne prendre que quelques minutes. On peut supporter ça. » Elle était loin d'éprouver la confiance qui ressortait de ses paroles.

Elle se mit à marcher, agitant ses bracelets lumineux pour couvrir le champ le plus vaste possible, écarquillant les yeux en quête d'une tache sombre sur la blancheur de la neige.

Finalement, ce fut Benastra qui, le premier, s'écria : « Qu'est-ce que c'est? » tout en pointant le doigt.

Dors superposa les deux sources lumineuses, braquant de la sorte un cône brillant dans la direction indiquée. Elle se précipita, et les deux hommes avec elle.

Ils l'avaient retrouvé, blotti et trempé, à dix mètres à peine de la porte, et à cinq mètres de l'appareil météorologique le plus proche. Dors lui tâta le pouls mais ce n'était pas nécessaire car, réagissant à son contact, Seldon s'agita et gémit.

« Donnez-moi la couverture, docteur Benastra », dit Dors d'une voix défaillante de soulagement. Elle l'ouvrit d'un geste sec et l'étendit dans la neige. « Soulevez-le délicatement, que je l'emballe. Ensuite, on le redescendra. »

Dans l'ascenseur, une vapeur montait de Seldon emmaillotté à mesure que la température de la couverture de survie s'élevait à celle du corps.

Dors reprit : « Une fois que nous l'aurons ramené dans sa chambre, docteur Leggen, vous allez me trouver un médecin – et un bon –, et tâchez qu'il vienne tout de suite. Si le docteur Seldon s'en tire sans problème, je ne dirai rien, mais uni-que-ment dans ce cas. Souvenez-vous-en.

– Inutile de me faire un sermon, répondit Leggen, glacial. Je regrette ce qui est arrivé et je vais faire ce que je peux, mais ma seule faute a été de laisser cet homme monter là-haut. »

La couverture s'agita et une voix basse et faible se fit entendre.

Benastra sursauta car Seldon avait la tête nichée au creux de son bras. « Il essaie de nous dire quelque chose.

– Je sais, répondit Dors. Il a dit : " Qu'est-ce qui se passe? " »

Elle ne put réprimer un petit rire. Après tout, c'était une remarque tellement normale.

28

Le médecin était ravi.

« Je n'avais encore jamais observé de pathologie du froid, expliqua-t-il. Les circonstances s'y prêtent rarement sur Trantor.

– C'est bien possible, fit Dors froidement, et je suis ravie que vous ayez la chance de tester cette nouveauté, mais faut-il en conclure que vous ne savez pas traiter le docteur Seldon? »

Le médecin, un homme qui n'était plus tout jeune, chauve avec une petite moustache grise, se hérissa : « Bien sûr que si. Les cas d'exposition au grand froid sont monnaie courante sur les Mondes extérieurs – il y en a tous les jours –, et j'ai lu quantité d'articles là-dessus. »

Le traitement consistait en un sérum antiviral associé à un passage aux micro-ondes.

« Ça devrait régler la question, dit le médecin. Sur les Mondes extérieurs, ils utilisent en milieu hospitalier des équipements bien plus élaborés mais, évidemment, nous en sommes dépourvus sur Trantor. Ceci est un traitement destiné aux cas bénins, mais je suis sûr qu'il suffira. »

Plus tard, alors que Seldon se remettait sans séquelle apparente, Dors se dit que c'était peut-être parce qu'il était natif d'un Monde extérieur qu'il avait si bien survécu. La nuit, le froid, la neige même ne lui étaient pas totalement étrangers. Dans des circonstances analogues, un Trantorien serait sans doute mort, moins à cause du trauma physique que du choc psychique.

Elle n'en était pas certaine, bien sûr, n'étant pas elle-même trantorienne.

Et, détournant son esprit de ces pensées, elle tira une chaise près du lit de Seldon et s'installa pour attendre.

29

Le second matin, Seldon remua, s'éveilla et regarda Dors qui, assise à son chevet, visionnait un vidéo-livre en prenant des notes.

D'une voix presque normale, il demanda : « Encore là, Dors? »

Elle reposa son vidéo-livre. « Je ne peux pas vous laisser seul, non? Et je ne me fie à personne d'autre.

– J'ai l'impression que, chaque fois que je me réveille, je vous vois. Êtes-vous restée ici tout le temps?

– Endormie ou éveillée, oui.

– Mais vos cours?

– J'ai un assistant qui me remplace. »

Dors se pencha pour lui saisir la main. Notant son embarras (après tout, il était au lit), elle s'écarta.

« Hari, que s'est-il passé? J'ai eu une telle peur.

– J'ai une confession à vous faire.

– Laquelle, Hari?

– J'ai cru un moment que vous faisiez partie d'un complot...

– Un *complot?* s'exclama-t-elle, furieuse.

– Je veux dire, pour m'attirer sur la Couverture, où je me retrouverais en dehors de la juridiction universitaire et, par conséquent, susceptible d'être ramassé par les Forces impériales.

– Mais la Couverture n'est pas en dehors de la juridiction universitaire. Sur Trantor, la juridiction des secteurs s'étend du centre de la planète jusqu'au ciel.

– Ah, j'ignorais. Mais vous n'étiez pas venue avec moi parce que vous aviez un emploi du temps chargé et, dans un moment de paranoïa, j'ai imaginé que vous m'aviez abandonné délibérément. Je vous en prie, pardonnez-moi. Manifestement, c'est vous qui êtes venue me repêcher là-haut. Tout le monde s'en fichait, non?

– Ce sont des gens très occupés, fit Dors, prudemment. Ils ont cru que vous étiez descendu plus tôt. Je veux dire, ils étaient en droit de le penser.

– Clowzia était du même avis?

– La jeune interne? Oui.

– Eh bien, ce pourrait quand même avoir été un complot. Sans vous, je veux dire.

– Non, Hari. C'était entièrement ma faute. Je n'avais absolument pas le droit de vous laisser monter là-haut seul. C'était mon boulot de vous protéger. Je ne cesse de me reprocher qu'il soit arrivé quelque chose, que vous vous soyez perdu là-haut.

– Eh là, attendez un peu, intervint Seldon, soudain irrité. Je ne me suis pas perdu. Vous me prenez pour qui?

– J'aimerais savoir comment vous appelez ça : vous étiez introuvable quand les autres sont partis, et vous n'avez pas rallié l'entrée – ou du moins ses parages – avant la pleine nuit.

– Mais ça ne s'est pas du tout passé comme ça. Je ne me suis pas perdu en vagabondant et en oubliant mon chemin. Je vous ai dit que je soupçonnais un complot et j'avais mes raisons. Je ne suis pas seulement paranoïaque.

– Eh bien alors, que s'est-il passé, en réalité? »

Seldon le lui dit. Il n'avait aucun mal à se le rappeler dans le moindre détail; il l'avait revécu en cauchemar presque toute la journée de la veille.

Dors l'écouta, le front plissé. « Mais c'est impossible. Un vertijet? Êtes-vous sûr?

– Bien sûr, que j'en suis sûr! Vous croyez que j'ai des hallucinations?

– Mais les Forces impériales n'auraient pas pu être à votre recherche. Elles ne pouvaient pas vous arrêter sur la Couverture sans créer la même tempête que si elles avaient envoyé une escouade de policiers vous interpeller sur le campus.

– Alors, comment l'expliquez-vous?

– Je n'en suis pas certaine, mais il est possible qu'en omettant de vous accompagner là-haut j'aie provoqué des conséquences bien pires que ce que je craignais, et que Hummin soit sérieusement fâché contre moi.

– Dans ce cas, ne lui disons rien. Tout est bien qui finit bien.

– Il faut le prévenir, insista Dors. Ce n'est peut-être pas la dernière fois. »

30

Ce même soir, Jenarr Leggen vint leur rendre visite. L'heure du dîner était passée, et il regarda tour à tour Dors et Seldon, comme s'il ne savait quoi dire. Aucun des deux ne lui tendit la perche; ils attendirent patiemment. L'homme ne leur avait pas donné l'impression d'exceller dans l'art de la conversation.

Finalement, il dit à Seldon : « Je suis venu prendre de vos nouvelles.

– Elles sont très bonnes, dit l'intéressé. Sauf que je me sens un peu assoupi. Le docteur Venabili me dit qu'à cause du traitement, je vais me sentir fatigué quelques jours, sans doute pour me forcer à prendre le repos nécessaire. » Il sourit. « Franchement, ça ne me dérange pas. »

Leggen inspira un grand coup, soupira, hésita comme si les mots avaient du mal à sortir, puis il se jeta à l'eau : « Je ne vais pas vous retenir longtemps. Je comprends parfaitement que vous ayez besoin de repos. Je tiens à vous dire, pourtant, que je suis désolé pour ce qui est arrivé. Je n'aurais pas dû supposer aussi légèrement que vous étiez redescendu de votre côté. Vous étiez novice, j'aurais dû me sentir plus responsable. Après tout, j'avais accepté de vous laisser monter. J'espère que vous aurez le cœur à me... pardonner. C'est vraiment tout ce que je voulais vous dire. »

Seldon bâilla, la main devant sa bouche. « Excusez-moi... Puisque, apparemment, tout s'est bien terminé, il est inutile d'en garder rancune. Dans un sens, ce n'était pas votre faute. Je n'aurais pas dû aller me promener et, en outre, ce qui est arrivé était... »

Dors l'interrompit. « Bon, Hari, je vous en prie, pas de conversation. Détendez-vous, c'est tout. A présent, j'aimerais bien échanger quelques mots avec le docteur Leggen juste avant qu'il s'en aille. Et tout d'abord, docteur Leggen, je comprends parfaitement votre inquiétude sur les éventuelles conséquences de cette affaire pour vous. Je vous avais dit qu'il n'y aurait pas de suite si le docteur Seldon se remettait sans séquelles. Cela semble être le cas et vous pouvez vous détendre... pour l'instant. J'aimerais bien vous questionner sur un autre point et j'espère, cette fois, avoir votre entière coopération.

– Je vais essayer, docteur Venabili, fit Leggen, crispé.

– S'est-il produit quelque chose d'inhabituel durant votre séjour sur la Couverture?

– Vous le savez bien : j'ai perdu le docteur Seldon, ce dont je viens de m'excuser.

– Je ne faisais évidemment pas allusion à cela. S'est-il produit autre chose?

– Non, rien. Rien du tout. »

Dors regarda Seldon et ce dernier fronça les sourcils. Il lui semblait que Dors essayait de recouper son récit avec un témoignage extérieur. Pensait-elle qu'il avait imaginé le vaisseau de recherche? Il aurait bien aimé protester avec fougue mais, d'un signe de main, elle l'avait réduit au silence, comme pour prévenir justement cette éventualité. Il se retint, en partie pour cela, en partie parce qu'il avait vraiment sommeil. Il espérait bien que Leggen ne s'éterniserait pas.

« En êtes-vous sûr? dit Dors. N'y a-t-il pas eu d'intrusion extérieure?

– Non, bien sûr que non. Oh...

– Oui, docteur Leggen?
– Il y avait un vertijet.
– Cela vous a-t-il semblé bizarre?
– Non, bien sûr que non.
– Et pourquoi pas?
– Tout cela ressemble beaucoup à un interrogatoire, docteur Venabili. Je n'aime pas beaucoup ça.
– Je veux bien l'admettre, docteur Leggen, mais ces questions sont en rapport avec la mésaventure du docteur Seldon. Il se pourrait que toute cette affaire soit plus compliquée que je l'avais cru.
– Comment cela? » La voix s'était soudain crispée. « Avez-vous l'intention de me poser de nouvelles questions, d'exiger de nouvelles excuses? Dans ce cas, je pourrais juger préférable de me retirer.
– Peut-être pas avant que vous m'ayez expliqué pourquoi vous n'avez trouvé rien de bizarre à voir planer un vertijet au-dessus de vous.
– Parce que, chère madame, un certain nombre de stations météorologiques sur Trantor possèdent des vertijets pour l'étude directe des nuages de la haute atmosphère. Notre propre station n'en a pas.
– Pourquoi? Ce serait utile.
– Bien sûr. Mais nous ne sommes pas en rivaux, nous ne faisons pas de secrets : nous publions nos résultats, eux publient les leurs. Il est par conséquent logique de répartir les différences et les spécialisations. Il serait stupide de dupliquer systématiquement nos efforts. L'argent et le personnel que nous utiliserions à exploiter des vertijets peuvent être consacrés à des réfractomètres à mésons, tandis que d'autres répartiront différemment leur budget. Après tout, il peut exister beaucoup de rivalité et d'animosité entre divers secteurs, mais la science reste notre seul et unique ciment. » Et il ajouta, ironique : « Vous savez cela, je présume.
– Je le sais, mais c'est quand même une sacrée coïncidence que quelqu'un ait expédié un vertijet au-dessus de votre station le jour même où vous y montiez.
– Absolument pas. Nous avons annoncé que nous montions effectuer des mesures ce jour-là et, en conséquence, l'une ou l'autre station aura estimé, à juste titre, qu'elle pourrait effectuer simultanément des mesures néphélométriques – enfin, sur les nuages, vous savez. Réunis, les résultats de ces mesures seraient bien plus utiles et cohérents qu'étudiés séparément. »
Seldon intervint, d'une voix un rien pâteuse : « Alors, ils effectuaient tout simplement des mesures?
– Oui, confirma Leggen. Que pouvaient-ils faire d'autre? »
Dors plissa les yeux, comme elle le faisait parfois quand elle essayait de réfléchir rapidement. « Ça se tient. A quelle station appartenait ce vertijet? »
Leggen hocha la tête. « Docteur Venabili, comment voulez-vous que je vous le dise?
– Je pensais que chaque vertijet météorologique portait peut-être l'immatriculation de sa station.

– Sans aucun doute, mais je n'étais pas le nez en l'air à l'étudier, voyez-vous. J'avais mon boulot à faire et je laisse les autres faire le leur. Quand ils publieront leurs résultats, je saurai à qui appartenait ce vertijet.

– Et s'ils ne publient rien?

– Alors, je supposerai que leurs instruments ont eu une défaillance. Cela se produit parfois. » Il avait le poing droit serré. « Ce sera tout?

– Attendez un instant. D'où le vertijet aurait-il pu provenir, selon vous?

– De n'importe quelle station équipée de ces appareils. En l'espace d'une journée – et ils pouvaient disposer d'un délai plus grand –, un vertijet peut sans problème rallier notre région en partant de n'importe quel autre secteur de la planète.

– Mais lequel, de préférence?

– Difficile à dire : Hestelonia, Kan, Ziggoreth, Damiano Nord. Sans doute l'un de ces quatre secteurs, mais l'appareil aurait fort bien pu venir d'au moins quarante autres.

– Encore une question, dans ce cas. Rien qu'une. Docteur Leggen, quand vous avez annoncé que votre groupe allait monter sur la Couverture, auriez-vous, par hasard, indiqué qu'un mathématicien, le docteur Hari Seldon, vous accompagnerait? »

Sur les traits de Leggen, la surprise apparemment honnête et sincère laissa bien vite place au mépris : « Pourquoi devrais-je donner une liste de noms? Quel intérêt pour qui que ce soit?

– Très bien, fit Dors. La vérité, docteur Leggen, est que le docteur Seldon a vu le vertijet et que celui-ci l'a troublé. Je ne connais pas avec certitude la cause de son émoi, et ses souvenirs à ce propos sont plutôt embrouillés. Il prétend avoir fui devant l'appareil, s'être égaré, n'avoir pas songé – ou pas osé – revenir avant le crépuscule et s'être au bout du compte perdu dans le noir. Vous ne pouvez absolument pas en être tenu pour responsable, et nous pouvons oublier cet incident de part et d'autre. D'accord?

– D'accord, dit Leggen. Au revoir! » Il tourna les talons et sortit.

Dès qu'il fut parti, Dors se leva, retira doucement à Seldon ses pantoufles, l'allongea, le couvrit. Il dormait, évidemment.

Puis elle s'assit et réfléchit. Dans quelle mesure le récit de Leggen était-il vrai et que pouvait-il dissimuler sous couvert de ses explications? Elle l'ignorait.

Mycogène

MYCOGÈNE. – ... Secteur de l'antique Trantor... Enfouie dans le passé de ses propres légendes, Mycogène n'eut que peu d'impact sur la planète. Cultivant l'isolationnisme et l'autosatisfaction à un point...

ENCYCLOPAEDIA GALACTICA

31

Quand Seldon s'éveilla, ce fut pour découvrir un nouveau visage qui le fixait, solennel. Un instant, il fronça les sourcils, ahuri, puis dit : « Hummin? »

Ce dernier sourit imperceptiblement. « Vous vous souvenez donc de moi?

– Cela n'a duré qu'une journée, il y a deux mois, mais je m'en souviens. Vous n'avez pas été arrêté, donc, ni...

– Comme vous le voyez, je suis ici parfaitement sain et sauf, mais... » – il jeta un œil à Dors qui se tenait à l'écart – « ça n'a pas été facile d'y parvenir.

– Je suis bien content de vous voir... Au fait, vous permettez? » Du pouce, il désignait le cabinet de toilette.

« Je vous en prie. Prenez votre temps. Et mangez un peu!

Hummin ne prit pas le petit déjeuner avec lui. Dors non plus. D'ailleurs, ils n'ouvrirent pas la bouche. Hummin parcourut un vidéo-livre avec un air délibérément absorbé. Dors inspecta ses ongles d'un œil critique puis, sortant un micro-ordinateur, elle se mit à prendre des notes avec un crayon optique.

Seldon les examina, pensif, et ne chercha pas à entamer la conversation. Le silence du moment était peut-être dû à quelque réserve trantorienne coutumière au chevet d'un malade. Il se sentait parfaitement bien, mais peut-être ne s'en étaient-ils pas rendu compte.

Lorsqu'il eut mastiqué le dernier morceau et bu la dernière goutte de lait (auquel il s'était si bien habitué qu'il ne lui trouvait même plus un goût bizarre), Hummin retrouva brusquement sa langue.

Pour demander : « Comment vous sentez-vous, Seldon?

– Parfaitement bien, Hummin. Assez bien, en tout cas, pour être sur pied et sortir.

– Je suis heureux de l'apprendre, dit Hummin, sèchement. Dors Venabili est impardonnable d'avoir laissé une telle chose se produire. »

Seldon fronça les sourcils. « Non. C'est moi qui ai insisté pour monter sur la Couverture.

– J'en suis sûr mais elle aurait dû, à tout prix, vous accompagner.

– Je lui ai dit que je ne voulais pas qu'elle vienne. »

Dors intervint : « Ce n'est pas vrai, Hari. Inutile de me défendre par des mensonges galants.

– Mais n'oubliez pas, poursuivit Seldon en colère, que Dors est aussi montée à ma recherche, malgré de fortes résistances, et qu'elle m'a sans aucun doute sauvé la vie. Ça, ce n'est pas un mensonge. Aviez-vous ajouté ce détail à votre évaluation, Hummin? »

Dors l'interrompit à nouveau, visiblement embarrassée : « Je vous en prie, Hari. Chetter Hummin est parfaitement en droit d'estimer que j'aurais dû vous dissuader de monter sur la Couverture ou alors vous y accompagner. Quant à mes actions ultérieures, il m'en a félicitée.

– Quoi qu'il en soit, reprit Hummin, tout cela est du passé, restons-en là. Parlons plutôt de ce qui vous est arrivé sur la Couverture, Seldon. »

Ce dernier regarda autour de lui et demanda, sur ses gardes : « Est-ce bien prudent? »

Petit sourire de Hummin : « Dors a placé cette chambre dans un champ de distorsion. Je suis quasiment certain qu'aucun agent de l'Empire infiltré à l'Université – s'il en existe – n'est capable de le pénétrer. Vous êtes soupçonneux, Seldon.

– Pas par nature. Mais à vous écouter dans le parc, et par la suite... Vous êtes un individu persuasif, Hummin. Quand vous avez eu terminé, j'étais prêt à voir le redoutable Eto Demerzel derrière chaque ombre.

– J'ai parfois l'impression qu'il pourrait y être, fit Hummin, sans ciller.

– Si c'était le cas, je ne pourrais pas le savoir. A quoi ressemble-t-il?

– Peu importe. De toute manière, vous ne le verriez pas, à moins qu'il le veuille, et à ce moment-là tout serait terminé, j'imagine – ce qu'il nous faut éviter à tout prix. Parlons plutôt du vertijet que vous avez aperçu.

– Comme je vous l'ai dit, Hummin, vous m'avez pénétré de la peur de Demerzel. Sitôt que j'ai vu le vertijet, j'ai pensé qu'il était à mes trousses, que j'avais sottement quitté la protection du campus de Streeling en montant sur la Couverture, qu'on m'y avait attiré délibérément dans le but de m'enlever sans difficulté.

– D'un autre côté, intervint Dors, Leggen...
– Était-il ici, hier soir? pressa Seldon.
– Oui. Vous ne vous souvenez pas?
– Vaguement. J'étais mort de fatigue. Tout se brouille dans ma tête.
– Eh bien, quand il était ici hier soir, Leggen a dit que le vertijet n'était qu'un simple appareil météorologique d'une station voisine. Parfaitement ordinaire. Parfaitement inoffensif.
– Quoi? Seldon était abasourdi. Je n'en crois rien. »
Hummin intervint. « Là est la question : *Pourquoi* n'en croyez-vous rien? Y avait-il quelque chose dans ce vertijet qui vous l'a fait estimer dangereux? Quelque chose de précis, je veux dire, et non un vague soupçon que je vous aurais mis dans la tête? »
Seldon réfléchit à la question, en se mordillant la lèvre inférieure.
« Son comportement, dit-il enfin. Il donnait l'impression de pointer le nez sous le plafond nuageux, comme s'il cherchait quelque chose, puis il réapparaissait à un autre endroit, réitérant sa manœuvre, ailleurs encore, et ainsi de suite. Comme s'il fouillait méthodiquement la Couverture, section par section, en se dirigeant sur moi.
– Peut-être avez-vous eu une hallucination? Vous avez assimilé le vertijet à quelque animal bizarre lancé à votre recherche. Ce n'était pas le cas, bien sûr. C'était simplement un vertijet et, s'il s'agissait bien d'un vaisseau météorologique, ses manœuvres étaient parfaitement normales... et inoffensives.
– Ce n'est pas l'impression que j'ai eue.
– J'en suis certain mais, en fait, nous ne savons rien de concret. Votre conviction d'avoir couru un danger repose sur une simple supposition. Et quand Leggen identifie un engin météorologique, c'est également une supposition. »
Seldon s'entêtait : « Je n'arrive pas à croire qu'il puisse s'agir d'un événement totalement innocent.
– Eh bien, dans ce cas, reprit Hummin, supposons le pire : que le vaisseau vous recherchait effectivement. Comment celui qui a expédié cet appareil pouvait-il savoir qu'il faudrait justement vous rechercher là-haut?
– J'ai demandé au docteur Leggen, intervint Dors, s'il avait indiqué, dans le communiqué annonçant sa prochaine sortie, que le docteur Hari Seldon serait dans le groupe. Normalement, rien ne l'y obligeait et il a nié l'avoir fait, non sans se montrer fort surpris par ma question. Je l'ai cru.
– N'allez pas le croire trop vite, dit Hummin, songeur. De toute manière, n'aurait-il pas nié? A présent, demandez-vous pourquoi il a laissé Seldon les accompagner. Nous savons qu'il a tout d'abord soulevé des objections, mais ensuite il s'est laissé convaincre sans trop discuter. Et là, je trouve que ça ne lui ressemble pas. »
Dors fronça les sourcils : « Je suppose que cela conforte l'hypothèse qu'il aurait arrangé toute l'opération. Peut-être a-t-il permis à Hari de l'accompagner pour le mettre en position de se laisser cueillir. Il aurait

pu recevoir des instructions en ce sens. Dans le même ordre d'idées, nous pourrions admettre qu'il a encouragé sa jeune interne, Clowzia, à capter l'attention de Hari pour l'attirer hors du groupe et l'isoler. Cela expliquerait l'étrange sang-froid de Leggen devant la disparition d'Hari au moment de redescendre. Il maintenait qu'Hari était rentré plus tôt – il avait d'ailleurs tout fait pour cela, lui ayant montré comment procéder pour redescendre seul. On comprendrait aussi sa réticence à remonter sur la Couverture : il n'avait pas envie de chercher quelqu'un qu'on ne retrouverait pas, à ce qu'il croyait. »

Hummin, qui avait écouté attentivement, remarqua : « C'est une accusation intéressante, mais ne l'acceptons pas trop facilement. Après tout, il a bien fini par monter avec vous sur la Couverture.

– Parce qu'on avait détecté des pas. Le Chef sismologue en avait porté témoignage.

– Eh bien, Leggen a-t-il accusé le coup quand Seldon a été retrouvé? Je veux dire, en dehors de la surprise de retrouver quelqu'un qui courait un péril extrême du fait de sa propre négligence. S'est-il comporté comme si Seldon n'aurait pas dû être là? Comme s'il se demandait : pourquoi ne l'ont-ils pas récupéré? »

Après mûre réflexion, Dors répondit : « Il était manifestement choqué par la vue de Hari gisant là dans la neige, mais je ne saurais dire si son attitude trahissait autre chose que l'horreur fort naturelle de cette situation.

– Non, je suppose que non. »

Mais voilà que Seldon, qui, jusque-là, les observait l'un et l'autre en écoutant attentivement la discussion, remarqua : « Je ne crois pas que ce soit Leggen. »

Hummin reporta son attention sur lui. « Pourquoi dites-vous ça?

– Primo, comme vous l'avez noté, il rechignait manifestement à l'idée que je l'accompagne. Il a fallu, pour le convaincre, discuter toute une journée, et je crois qu'il a accepté uniquement parce qu'il avait l'impression que j'étais un mathématicien doué susceptible de l'aider à mettre au point sa théorie météorologique. J'avais, quant à moi, la plus grande envie de monter là-haut et, s'il avait eu des instructions pour veiller à ce que je gagne la Couverture, il n'aurait pas eu besoin de se montrer aussi réticent.

– Est-il raisonnable de supposer que seules vos connaissances mathématiques l'intéressaient? A-t-il discuté mathématiques avec vous? A-t-il fait une tentative pour expliquer sa théorie?

– Non, dit Seldon. Pas du tout. Il a bien évoqué la possibilité d'aborder la question plus tard. Le problème, c'est qu'il était entièrement accaparé par ses instruments. J'ai cru comprendre qu'il avait escompté une éclaircie qui ne s'est pas produite; il avait espéré mettre cette erreur de prévision sur le compte d'une défaillance de ses appareils, mais apparemment ceux-ci fonctionnaient très bien, d'où son irritation. Je crois que cet incident imprévu a tout à la fois aigri son humeur et détourné son attention de moi. Quant à Clowzia, la jeune femme que j'avais soupçonnée quelques instants, je n'ai plus l'impression, maintenant que j'y repense, qu'elle m'ait éloigné de propos délibéré. L'initiative venait de moi. J'étais curieux de découvrir la végétation de la Couverture et c'est plutôt moi qui l'ai entraînée à l'écart. Loin de l'encourager dans cette voie, Leggen, bien au contraire, l'a rappelée alors que j'étais encore visible, et c'est tout seul que j'ai poursuivi ma route pour disparaître de leur vue.

– Pourtant », reprit Hummin qui semblait prendre un malin plaisir à réfuter toutes les suggestions, « si ce vaisseau vous cherchait, son équipage devait bien être prévenu de votre présence. Comment auraient-ils pu l'être, sinon grâce à Leggen?

– L'homme que je soupçonne, dit Seldon, est un jeune psychologue du nom de Lisung Randa.

– Randa? s'étonna Dors. Je ne peux pas le croire. Je le connais bien. Il ne travaillerait certainement pas pour l'Empereur. C'est un anti-impérialiste convaincu.

– Il pourrait faire semblant de l'être, remarqua Seldon. En fait, il lui faudrait se montrer ouvertement, violemment, farouchement anti-impérialiste s'il voulait cacher qu'il est un agent de l'Empire.

– Mais c'est exactement ce qu'il n'est pas, reprit Dors. Il n'est ni violent ni extrémiste. C'est un garçon calme et jovial, et qui exprime toujours ses opinions de manière discrète, presque timide. Je suis convaincu qu'elles sont sincères.

– Et pourtant, Dors, dit Seldon avec conviction, c'est lui qui m'a parlé le premier du projet météorologique, lui qui m'a convaincu de monter sur la Couverture et lui qui a persuadé Leggen de m'autoriser à l'accompagner, non sans exagérer quelque peu mes prouesses mathématiques à cette occasion. On pourrait se demander pourquoi il était si pressé de me voir monter là-haut, pourquoi il y a consacré tant d'efforts.

– Pour votre propre bien, peut-être. Il s'intéressait à vous, Hari, et il doit avoir pensé que la météorologie pouvait être utile à la psychohistoire. N'est-ce pas possible? »

Hummin intervint calmement : « Considérons un autre point. Il s'est écoulé un délai notable entre le moment où Randa vous a parlé du projet météorologique et celui où vous êtes effectivement monté sur la Couverture. Si Randa est innocent de toute manœuvre subversive, alors il n'avait aucune raison particulière de garder le silence à ce sujet. Si c'est un individu amical et sociable...

– Il l'est, confirma Dors.

– Alors, il est fort probable qu'il en a parlé à un certain nombre d'amis, et, dans ce cas, nous ne pourrons jamais identifier l'éventuel informateur. Nous pouvons aussi supposer que Randa est bel et bien un anti-impérialiste. Cela n'en fait pas pour autant un espion. Nous devrions nous demander : de qui est-il l'agent? Pour quoi travaille-t-il? »

Seldon était abasourdi. « Pour qui travailler, sinon pour l'Empire? Pour qui d'autre que Demerzel? »

Hummin leva la main. « Vous êtes loin de saisir la politique trantorienne dans toute sa complexité, Seldon. » Il se tourna vers Dors. « Redites-moi quels étaient les quatre secteurs cités par le docteur Leggen comme base éventuelle d'un vaisseau météorologique?

– Hestelonia, Kan, Ziggoreth et Damiano Nord.

– Et vous n'avez pas orienté votre question? Vous n'avez pas demandé si tel secteur en particulier pouvait être à l'origine de cette visite?

– Non, absolument pas. J'ai simplement demandé s'il pouvait émettre une hypothèse quant à l'origine de cet appareil.

– Et vous (Hummin s'était tourné vers Seldon), vous avez peut-être relevé une marque ou un signe quelconque sur le vertijet? »

Seldon faillit rétorquer que l'appareil était à peine visible à travers les nuages, qu'il n'avait émergé que brièvement, que lui-même ne cherchait pas à lire des marques distinctives mais simplement à s'échapper – mais il se retint. Nul doute que Hummin sût déjà tout cela.

Au lieu de quoi il dit simplement : « J'ai bien peur que non. »

Dors reprit : « Si le vertijet était chargé de venir l'enlever, ses insignes n'auraient-ils pas été masqués?

– C'est une supposition raisonnable, reconnut Hummin, et c'était peut-être le cas, mais, dans cette Galaxie, la raison ne triomphe pas toujours. Toutefois, puisque Seldon ne semble pas avoir spécialement prêté attention à l'appareil, nous ne pouvons que spéculer. Pour ma part, je chercherais du côté de Kan.

– Quand? répéta Seldon. Quand ils auront estimé mes recherches suffisamment avancées pour justifier leur opération...

– Non, non. » Hummin leva l'index droit comme s'il donnait un cours à un jeune étudiant : « Kan, *K-A-N*. C'est le nom d'un secteur de Trantor. Un secteur très particulier. Dirigé par une lignée de Maires depuis quelque trois mille ans. Une lignée continue, une unique dynastie. Il y a quelque cinq siècles, deux Empereurs et une Impératrice ont été originaires de Kan. Ce fut une période assez brève et aucun des monarques de la lignée de Kan ne s'est particulièrement distingué par ses réussites ou ses prouesses, mais les Maires de Kan n'ont jamais oublié ce passé impérial.

« Ils n'ont pas été activement déloyaux envers les Maisons qui leur ont succédé, mais aucun ne s'est fait remarquer par son dévouement à leur égard. Durant les quelques périodes de guerre civile, ils ont entretenu une politique de bascule, apparemment neutre mais agissant de façon à favoriser pratiquement la prolongation de la guerre civile, ce qui aurait pu rendre nécessaire un recours à Kan pour trouver une solution de compromis. Ça n'a jamais abouti, mais ils n'ont pas cessé d'essayer.

« L'actuel Maire de Kan est un homme tout à fait sagace. Il est aujourd'hui âgé, mais son ambition est intacte. S'il arrive quoi que ce soit à Cléon – y compris une mort naturelle –, le Maire aura une chance de lui succéder, le fils de Cléon étant actuellement trop jeune. L'opinion publique a toujours eu un a priori favorable à l'égard des prétendants dont l'arbre généalogique remonte à un empereur.

« En conséquence, si le Maire de Kan a entendu parler de vous, vous pourriez utilement jouer les prophètes scientifiques au service de sa maison. Kan y trouverait le prétexte idéal pour imaginer un moyen quelconque d'éliminer Cléon, en se servant de vous pour prédire l'inévitable succession de la maison de Kan au trône et l'avènement d'une ère de paix et de prospérité pour le millénaire à venir. Bien entendu, une fois le Maire de Kan au pouvoir, vous deviendriez inutile et vous auriez toutes les chances de suivre Cléon dans la tombe. »

Seldon rompit le lourd silence qui s'ensuivit en remarquant : « Mais nous ne sommes pas sûrs que ce soit le Maire de Kan qui est à mes trousses.

– Non, certes. Ni même si vous avez quelqu'un à vos trousses en ce moment. Le vertijet pourrait très bien, après tout, être un banal vaisseau de recherches météorologiques comme l'a suggéré Leggen. Toutefois, à mesure que va se répandre l'information concernant la psychohistoire et ses retombées potentielles – et elle va fatalement se répandre –, on va voir de plus en plus de puissants et de semi-puissants sur Trantor (ou même ailleurs) tenter d'accaparer vos services.

– Dans ce cas, demanda Dors, qu'allons-nous faire?

– C'est effectivement la question. » Hummin rumina quelques instants puis répondit : « Peut-être était-ce une erreur de venir ici. Pour un professeur, le choix d'une université comme cachette est trop prévisible. Streeling en est une parmi d'autres, mais c'est l'une des plus grandes et des plus libres : il ne faudra pas attendre longtemps avant que les antennes des uns et des autres s'orientent discrètement par ici. Je pense qu'il faudrait au plus tôt – aujourd'hui, peut-être – transférer Seldon vers une meilleure cachette. Mais...

– Mais? dit l'intéressé.

– Mais je ne sais pas où.

– Appelez un index géographique sur l'écran du terminal, suggéra Seldon, et choisissez un lieu au hasard.

– Certainement pas, dit Hummin. Si nous faisons cela, nous avons une chance sur deux de trouver un endroit moins sûr que la moyenne. Non, il faut faire un choix raisonné – d'une manière ou d'une autre. »

32

Tous trois restèrent dans la chambre de Seldon bien après l'heure du déjeuner. Durant tout ce temps, Hari et Dors discutèrent tranquillement de sujets anodins, mais Hummin conserva un silence quasi total. Il resta assis très raide, mangea peu, sans jamais se départir de son air grave, calme et réservé (qui, jugea Seldon, le faisait paraître plus âgé).

Seldon l'imaginait en train de réviser mentalement l'immense géographie de Trantor, à la recherche de l'endroit idéal. Apparemment, la tâche n'avait rien d'aisé.

Hélicon était d'un à deux pour cent plus vaste que Trantor et avait un océan plus petit. La surface des terres émergées était peut-être de dix pour cent plus grande. Mais la population était faible, la planète n'étant parsemée que de quelques cités; Trantor, en revanche, était une unique cité. Hélicon était divisée en vingt secteurs administratifs, mais Trantor en possédait plus de huit cents, chacun d'eux formant un complexe de subdivisions.

Finalement, en désespoir de cause, Seldon remarqua : « Peut-être vaudrait-il mieux, Hummin, choisir le candidat le plus bienveillant à l'égard de mes capacités supposées, me confier à sa garde et compter sur lui pour me défendre contre les autres. »

Hummin leva la tête et répondit avec le plus grand sérieux : « Ce n'est pas nécessaire. Je connais le candidat le plus bienveillant et il vous détient déjà. »

Seldon sourit : « Vous placeriez-vous au même niveau que le Maire de Kan et l'Empereur de toute la Galaxie?

– Pour la position, non. Mais pour le désir de vous contrôler, je me pose en rival. Ceux que vous nommez, et tous ceux qui me viennent à l'esprit, veulent vous avoir pour renforcer leur pouvoir et leur richesse personnels, alors que je ne nourris pas d'autre ambition que le bien de la Galaxie.

– Je soupçonne, dit Seldon, que chacun de vos compétiteurs – si on leur posait la question – soutiendrait qu'il ne pense lui aussi qu'au bien de la Galaxie.

– J'en suis certain, admit Hummin, mais, pour l'instant, le seul que vous ayez rencontré parmi les compétiteurs – comme vous les appelez –, c'est l'Empereur, et tout ce qui l'intéresse, c'est que vous avanciez des prédictions romancées susceptibles de stabiliser sa dynastie. Je ne vous demande rien de tel. Je vous demande simplement de perfectionner votre technique psychohistorique afin qu'on puisse élaborer des prédictions mathématiquement valides, même si elles ne sont que statistiques.

– Vrai. Du moins jusqu'à présent, ajouta Seldon avec un demi-sourire.

– Par conséquent, je ferais aussi bien de demander : comment avancent vos travaux? Faites-vous des progrès? »

Seldon ne savait pas s'il devait rire ou pester. Après un temps d'arrêt, il ne fit ni l'un ni l'autre mais réussit à parler avec calme : « Des progrès? En moins de deux mois? Hummin, il s'agit d'une tâche qui pourrait bien prendre toute mon existence et celle d'une douzaine de successeurs – et malgré tout déboucher sur un échec.

– Je ne parle pas de quelque chose d'aussi radical et définitif qu'une solution, ou même d'aussi riche d'espoir qu'un début de solution. Vous n'avez cessé de souligner qu'une psychohistoire opérationnelle était possible mais inapplicable. Je vous demande seulement s'il vous semble à présent qu'il y ait le moindre espoir de la rendre applicable.

– Franchement, non.
– Excusez-moi, intervint Dors. Je ne suis pas mathématicienne, et j'espère ne pas poser une question stupide. Comment pouvez-vous savoir qu'une chose est à la fois possible et inapplicable? Je vous ai entendu dire qu'en théorie vous pourriez rencontrer en personne tous les habitants de l'Empire mais que c'était irréalisable, faute de vivre assez longtemps pour venir à bout de cette tâche. Mais comment pouvez-vous affirmer que la psychohistoire pose le même type de problème? »
Seldon la considéra avec une certaine incrédulité. « Vous voulez vraiment que je vous explique *ça*?
– Oui, dit-elle en hochant vigoureusement la tête au point d'en faire vibrer sa chevelure bouclée.
« Le fait est, ajouta Hummin, que je le voudrais aussi.
– Sans recourir aux mathématiques? demanda Seldon avec l'ombre d'un sourire.
– Je vous en prie, insista Hummin.
– Eh bien... » Il réfléchit quelques instants pour choisir une méthode de présentation. Puis il reprit : « Si vous voulez comprendre un aspect quelconque de l'univers, il peut être utile de le simplifier le plus possible en ne tenant compte que des seules propriétés et caractéristiques essentielles à sa compréhension. Si vous voulez déterminer comment tombe un objet, vous ne vous préoccupez pas de savoir s'il est vieux ou neuf, rouge ou vert, s'il a une odeur ou pas. Vous éliminez ces détails et évitez par là même de compliquer inutilement le problème. Cette simplification, vous pouvez l'appeler modèle ou simulation et la présenter sous forme graphique – sur un écran d'ordinateur – ou sous forme de relation mathématique. Si vous considérez la théorie primitive de la gravitation non-relativiste... »
Dors l'interrompit aussitôt : « Vous avez promis qu'il n'y aurait pas de mathématiques. N'essayez pas de glisser une théorie sous prétexte qu'elle est “ primitive ”...
– Non, non. Je veux dire “ primitive ” simplement pour indiquer qu'elle est connue depuis que nous avons des archives, que sa découverte se noie dans les brumes de l'antiquité au même titre que celle du feu ou de la roue. Quoi qu'il en soit, les équations de cette théorie de la gravitation contiennent une description des mouvements d'un système planétaire, d'une étoile double, des marées, et de bien d'autres phénomènes. En appliquant ces équations, on peut même élaborer une simulation graphique et avoir une planète en orbite autour d'une étoile, ou bien deux étoiles en orbite réciproque sur un écran bidimensionnel, voire élaborer des systèmes encore plus compliqués dans un hologramme à trois dimensions. De telles simulations simplifiées rendent la compréhension d'un phénomène bien plus facile que s'il fallait l'étudier directement. En fait, sans les équations gravitationnelles, notre connaissance des mouvements planétaires et de la mécanique céleste en général serait réduite à la portion congrue.
« Maintenant, quand on veut en savoir plus sur un phénomène (ou

quand il se complexifie), on a besoin d'équations de plus en plus élaborées, d'une programmation de plus en plus détaillée, et l'on se retrouve avec une simulation sur ordinateur de plus en plus compliquée.

– Ne peut-on fabriquer une simulation de la simulation? demanda Hummin. Ça permettrait de descendre d'un degré.

– Dans ce cas, vous seriez contraint d'éliminer certaines caractéristiques que vous tenez à inclure, si bien que votre simulation deviendrait sans intérêt. La PPSP – entendez la Plus Petite Simulation Possible – se complexifie plus vite que l'objet qu'elle simule et, au bout du compte, elle finit par rattraper le phénomène. Ainsi a-t-on établi depuis des millénaires que l'univers pris dans son entier, dans toute sa complexité, ne pouvait être représenté par une simulation plus petite que lui-même.

« En d'autres termes, vous ne pouvez pas obtenir une image de l'univers dans son ensemble à moins de l'étudier entièrement. On a également démontré que, si l'on tente d'y substituer des simulations d'une partie de l'univers, puis d'une autre partie, d'une autre encore, et ainsi de suite, avec l'intention de les réunir ensuite pour en composer une image globale, on s'apercevra qu'il existe un nombre infini de ces simulations partielles. Il faudrait en conséquence un temps infini pour comprendre l'univers dans son ensemble, ce qui n'est qu'une autre façon de dire qu'il est impossible d'appréhender toute la connaissance qui existe.

– Jusque-là, je vous suis, fit Dors, non sans surprise.

– Alors, nous savons que certaines choses comparativement plus simples sont faciles à simuler, et qu'à mesure qu'elles gagnent en complexité, la tâche gagne en difficulté jusqu'au moment où toute simulation devient impossible. Mais à quel niveau de complexité la simulation cesse-t-elle d'être possible? Eh bien, ce que j'ai démontré, à l'aide d'une technique mathématique inventée au siècle dernier et à peine utilisable, même avec un ordinateur énorme et ultra-rapide, c'est que notre société galactique se situe juste à cette limite. Elle peut effectivement être représentée par une simulation plus simple qu'elle-même. Et j'ai poursuivi en montrant que cela déboucherait sur la capacité de prédire les événements futurs de manière statistique – c'est-à-dire en établissant la probalité de plusieurs ensembles d'événements plutôt que de prédire carrément que tel événement précis aura bien lieu.

– En ce cas, dit Hummin, puisque vous pouvez simuler efficacement la société galactique, il suffit de s'y mettre. Pourquoi est-ce irréalisable?

– Tout ce que j'ai prouvé pour l'instant, c'est qu'on n'a pas besoin d'un temps infini pour comprendre la société galactique, mais s'il y faut un milliard d'années, cela reste inapplicable. Pour nous, ce sera rigoureusement la même chose qu'un temps infini.

– Il faudrait tout ce temps-là? Un milliard d'années?

– Je n'ai pas été en mesure de calculer le temps exact, mais je soupçonne fort que cela prendra au moins un milliard d'années, c'est pourquoi j'ai suggéré cet ordre de grandeur.

– Mais vous ne savez pas vraiment?

– J'ai essayé de le calculer.
– Sans succès?
– Sans succès.
– La bibliothèque universitaire ne peut pas vous aider? demanda Hummin en jetant un regard à Dors.
Seldon hocha lentement la tête. « Absolument pas.
– Dors ne peut pas vous aider? »
L'intéressée soupira. « Je ne connais rien à la question, Chetter. Je ne puis que suggérer des méthodes de recherche. Si Hari cherche et ne trouve pas, je suis impuissante. »
Hummin se leva. « En ce cas, il ne sert pas à grand-chose de rester ici à l'Université et je dois absolument trouver un autre endroit où vous cacher. »
Seldon se pencha pour lui toucher le bras : « Malgré tout, j'ai une idée. »
Seldon le fixa avec un discret plissement de paupières qui pouvait trahir la surprise – ou le soupçon. « Quand l'avez-vous eue? A l'instant?
– Non. Elle me trottait dans la tête depuis plusieurs jours déjà avant même que je monte sur la Couverture. Cette petite expérience l'a momentanément éclipsée, mais votre question sur la bibliothèque me l'a remise en mémoire. »
Hummin se rassit. « Dites-moi votre idée – si elle n'est pas totalement imprégnée de mathématiques.
– Pas la moindre trace de mathématiques. Tout simplement, les articles d'histoire de la bibliothèque m'ont rappelé que la société galactique était moins compliquée autrefois. Il y a douze mille ans, quand l'Empire était en voie d'instauration, la Galaxie ne comprenait qu'environ dix millions de mondes habités. Il y a vingt mille ans, les royaumes pré-impériaux ne comprenaient en tout et pour tout qu'une dizaine de milliers de planètes. Encore plus loin dans le passé, qui sait à quoi la société a pu se réduire? Peut-être à une planète unique, comme dans les légendes que vous avez vous-même mentionnées, Hummin.
– Et vous pensez que vous pourriez être en mesure de bâtir la psychohistoire à partir d'une société galactique plus simple?
– Oui, il me semble que je pourrais être en mesure de le faire.
– Mais alors, intervint Dors avec un soudain enthousiasme, si vous mettiez au point la psychohistoire pour une société du passé de taille plus réduite, et si vous pouviez, à partir d'une étude de la situation pré-impériale, prédire les événements situés mille ans après la formation de l'Empire, vous pourriez alors comparer vos résultats avec la réalité de cette époque et en vérifier l'exactitude.
– Considérant que vous connaissez à l'avance la situation en l'an 1000 de l'Ère galactique, remarqua Hummin, froidement, le test ne serait guère valable. Vous seriez inconsciemment influencé par vos connaissances et auriez tendance à choisir pour vos équations des valeurs propices à vous fournir ce que vous sauriez être la solution.
– Je ne le pense pas, dit Dors. Nous ne connaissons pas très bien l'an

1000 E.G.; il faudrait faire des recherches. Après tout, cela remonte à onze mille ans. »

Le visage de Seldon était l'image du désarroi : « Que voulez-vous dire, nous ne connaissons pas très bien la situation en l'an 1000 E.G.? Il y avait déjà des ordinateurs, à l'époque, non?

– Bien sûr.

– Et des unités de mémoire de masse, des enregistrements audio et vidéo? Nous devrions posséder toutes les archives de 1000 E.G., comme nous possédons celles de cette année 12020 E.G.

– En théorie, oui, mais en pratique... Eh bien, vous savez, Hari, c'est précisément ce que vous ne cessez de répéter : il est possible d'avoir toutes les archives de l'an 1000 E.G., mais il est irréalisable d'espérer les consulter toutes.

– Oui, mais ce que je ne cesse de répéter, Dors, s'applique aux démonstrations mathématiques. Je n'en vois pas l'application aux archives historiques.

– Les archives n'ont pas une longévité illimitée, expliqua Dors sur la défensive. Les banques de mémoire peuvent être détruites ou effacées à la suite d'un conflit ou simplement se détériorer avec le temps. Tout bit de mémoire, tout élément d'archive qui n'est pas rafraîchi de temps en temps finit par se noyer dans un bruit de fond croissant. On dit qu'un bon tiers des enregistrements de la Bibliothèque impériale sont devenus illisibles, mais la tradition empêche de les retirer. D'autres bibliothèques sont moins liées par la coutume. A celle de l'Université de Streeling, nous faisons le ménage dans les archives tous les dix ans.

« Naturellement, les archives souvent citées et fréquemment dupliquées sur divers mondes et dans diverses bibliothèques – gouvernementales ou privées – restent exploitables durant des millénaires, si bien qu'une bonne partie des points essentiels de l'histoire galactique restent connus, même s'ils ont eu lieu à l'époque pré-impériale. Toutefois, plus vous remontez dans le temps, moins on en a conservé.

– Je n'arrive pas à le croire, dit Seldon. J'aurais imaginé qu'on effectuait de nouvelles copies de chaque enregistrement en danger d'altération. Comment pouvez-vous laisser disparaître ainsi le savoir?

– Tout savoir non désiré est un savoir inutile. Est-ce que vous imaginez le temps, les efforts, l'énergie dépensés à rafraîchir en permanence des données inutilisées? Et ce gâchis ne ferait que s'amplifier en proportion du temps écoulé.

– Vous devez quand même bien envisager que quelqu'un, à un moment quelconque, puisse avoir besoin des données dont on se sera débarrassé à la légère?

– Un article particulier peut n'être demandé qu'une fois tous les mille ans. Le sauver uniquement dans cette éventualité n'est pas rentable. Même dans le domaine de la science. Vous avez parlé des équations gravitationnelles primitives et précisé qu'elles étaient primitives parce que leur découverte se perdait dans les brumes de l'antiquité. Et pourquoi donc? Est-ce que, par hasard, vous autres, mathématiciens et scientifiques, ne sauvegarderiez pas toutes les données, toutes les informations, depuis les brumes des temps immémoriaux où ces équations furent découvertes? »

Seldon grommela, sans chercher à répondre. « Eh bien, fit-il, se tournant vers Hummin, autant pour moi et mon idée. A mesure que l'on se penche plus loin dans le passé et que la société se réduit en taille, la probabilité d'existence d'une psychohistoire opérationnelle s'accroît. Mais, dans le même temps, la quantité de connaissances disponibles se réduit proportionnellement plus vite, de sorte que cette même probabilité de psychohistoire diminue. Et le moins l'emportant sur le plus...

– Certes, il reste le secteur de Mycogène... » fit Dors, songeuse.

Hummin leva brusquement la tête : « Mais oui, et ce serait la cachette idéale pour Seldon. J'aurais dû y penser moi-même.

– Le secteur de Mycogène », répéta Hari, le regard allant de l'un à l'autre. « Qu'est-ce que le secteur de Mycogène? Et où se trouve-t-il?

– Hari, je vous en prie, je vous le dirai plus tard. Pour l'heure, j'ai des préparatifs à faire. Vous partez ce soir. »

33

Dors l'avait exhorté à dormir un peu. Ils devaient partir entre l'extinction et l'allumage des lumières, sous couvert de la " nuit ", pendant que le reste de l'Université était assoupi. Elle tenait à ce qu'il prenne un peu de repos.

« Allez-vous encore dormir par terre? » demanda Seldon.

Elle haussa les épaules. « Le lit n'est que pour une personne et si on essayait de s'y entasser, aucun des deux ne pourrait dormir. »

Il la lorgna avidement quelques instants puis dit : « Alors, cette fois-ci, c'est moi qui dormirai par terre.

– Non, certainement pas. Ce n'est pas moi qui étais évanoui dans la neige. »

Le fait est qu'aucun des deux ne dormit. Bien qu'ils eussent éteint dans la chambre et que le bourdonnement perpétuel de Trantor ne fût qu'un bruit de fond soporifique dans le site relativement calme du campus, Seldon fut pris d'un besoin de se confier.

« Je vous ai causé bien du souci, Dors, ici à l'Université. Je n'ai cessé de vous distraire de votre travail. Malgré tout, je suis désolé de devoir vous quitter.

– Vous n'allez pas me quitter. Je viens avec vous. Hummin est en train de s'arranger pour m'obtenir un congé sans solde. »

Seldon protesta, désemparé : « Je ne peux pas vous demander ça.

– Vous ne me le demandez pas. C'est Hummin qui le demande. Je dois vous protéger. Après tout, j'ai échoué dans l'affaire de la Couverture et je dois me racheter.

– Je vous l'ai dit : ne vous sentez surtout pas coupable. Je dois pourtant reconnaître que je me sentirais plus à l'aise avec vous à mes côtés. Si seulement je pouvais être certain de ne pas vous déranger...

– Vous ne me dérangez pas du tout, Hari, dit-elle doucement. Et maintenant, dormez, je vous en prie. »

Seldon resta allongé en silence quelque temps, puis murmura : « Êtes-vous sûre que Hummin peut vraiment tout arranger, Dors?

– C'est un homme remarquable. Il a de l'influence ici comme partout ailleurs, je suppose. S'il dit qu'il peut m'obtenir un congé indéfini, je suis sûre qu'il y parviendra. C'est un homme extrêmement persuasif.

– Oh, je sais, admit Seldon. Parfois, je me demande ce qu'il attend réellement de moi.

– Ce qu'il vous a dit. C'est un idéaliste qui sait s'accrocher fermement à ses rêves.

– A vous entendre, on dirait que vous le connaissez bien, Dors.

– Oh que oui, je le connais bien.

– Intimement? »

Dors émit un drôle de bruit. « Je ne suis pas sûre de comprendre vos sous-entendus, Hari, mais en prenant l'interprétation la plus insolente – non, je ne le connais pas intimement. Et d'abord, est-ce que ça vous regarde?

– Je suis désolé. Loin de moi l'idée de vouloir toucher à la propriété d'autrui...

– La propriété? Voilà qui est encore plus insultant. Je crois que vous feriez mieux de dormir.

– Je suis encore désolé, Dors, mais je n'arrive tout bonnement pas à dormir. Laissez-moi au moins changer de sujet. Vous n'avez pas expliqué ce qu'était le secteur de Mycogène. Pourquoi aurais-je intérêt à m'y rendre? A quoi ressemble-t-il?

– C'est un petit secteur avec une population d'environ deux millions d'habitants – si mes souvenirs sont exacts. L'important est que les Mycogéniens s'accrochent fermement à un ensemble de traditions remontant à l'antiquité et passent pour détenir des archives très anciennes que plus personne ne possède. Il est possible qu'ils vous soient plus utiles dans votre tentative d'examen de la période pré-impériale que nous, les historiens orthodoxes. C'est notre discussion sur l'antiquité qui m'a donné cette idée.

– Avez-vous déjà vu leurs archives?

– Non, je ne connais personne qui les ait vues.

– Pouvez-vous, dans ce cas, être certaine que ces archives existent réellement?

– A vrai dire, je n'en sais rien. Partout ailleurs, on considère les Mycogéniens comme une joyeuse bande de farfelus, mais c'est peut-être parfaitement injuste. Ils ne se privent pas de clamer qu'ils détiennent ces archives et il se peut qu'ils les aient. Toujours est-il que nous serions bien cachés là-bas. Les Mycogéniens vivent très repliés sur eux-mêmes. Et maintenant, s'il vous plaît, dormez. »

Et, sans trop savoir comment, c'est ce que fit Seldon en fin de compte.

34

Hari Seldon et Dors Venabili quittèrent le campus universitaire à trois heures. Seldon s'avisa que Dors allait être leur guide : elle connaissait Trantor mieux que lui – avec l'avantage de deux années de séjour. Elle était manifestement une amie proche de Hummin (proche à quel point? La question continuait de le harceler) et elle comprenait ses instructions.

Tous deux étaient drapés dans des capes ondulantes et légères, munies d'un capuchon serré. Ce type de vêtement avait connu une vogue passagère sur le campus (et parmi les jeunes intellectuels en général) quelques années plus tôt, et même si, le temps passant, il risquait de provoquer le rire, il avait l'intérêt de les masquer suffisamment pour les rendre méconnaissables – au moins au premier coup d'œil.

Hummin avait prévenu : « Il est toujours possible que cet épisode sur la Couverture soit parfaitement anodin et que vous n'ayez pas d'agents aux trousses, Seldon, mais préparons-nous tout de même au pire.

– Vous n'allez pas nous accompagner? s'était enquis Seldon, anxieux.

– J'aimerais bien, mais je dois limiter mes absences au travail si je ne veux pas me faire repérer. Vous comprenez? »

Seldon soupira. Il comprenait.

Ils entrèrent dans une voiture du Réseau express et trouvèrent deux places le plus loin possible des quelques sièges déjà occupés. (Seldon se demanda quelle raison on pouvait bien avoir de prendre l'Express à trois heures du matin – puis il se dit que c'était finalement une chance qu'il y ait d'autres usagers, sinon Dors et lui auraient risqué de se faire remarquer.)

Seldon se mit à contempler l'interminable panorama qui défilait tandis que la tout aussi interminable file de cabines progressait sur l'interminable monorail, propulsée par un interminable champ magnétique.

L'Express passa devant des rangées successives d'unités d'habitation, certaines s'élevant très haut au-dessus du sol, et d'autres, pour ce qu'il en voyait, s'enfonçant très loin dans les profondeurs. Pourtant, si des dizaines de millions de kilomètres carrés formaient une unique cité, il n'était pas nécessaire, même pour loger quarante milliards de personnes, d'avoir des structures très hautes ou très entassées. Ils passèrent effectivement devant des zones vides, apparemment cultivées pour la plupart, mais bon nombre ressemblaient à des parcs. Il y avait aussi quantité d'édifices dont il ne pouvait deviner la nature. Usines? Immeubles de bureaux? Qui pouvait le dire? Un vaste cylindre lisse lui évoqua un château d'eau. Après tout, Trantor devait avoir besoin d'approvisionnement en eau potable. Récupéraient-ils les eaux de pluie sur la Couverture pour les stocker après les avoir filtrées et traitées? La chose paraissait inévitable.

Toutefois, Seldon n'eut pas à étudier longtemps le paysage. Dors murmura : « On ne devrait pas tarder à descendre. » Elle se leva et ses doigts le prirent fermement par le bras.

Ils quittèrent le Réseau express et se retrouvèrent sur la terre ferme tandis que Dors étudiait les panneaux indicateurs.

Ceux-ci étaient discrets et fort nombreux. Seldon sentit le découragement le gagner. La plupart affichaient des pictogrammes et des initiales, sans doute compréhensibles aux Trantoriens de souche mais totalement mystérieux pour lui.

« Par ici, fit Dors.

– Par où? Comment le savez-vous?

– Vous voyez, là? Les deux ailes avec une flèche?

– Deux ailes? Oh. » Il avait pensé à un " w " renversé, large et aplati, mais il voyait à présent que cela pouvait en effet évoquer des ailes d'oiseaux stylisées.

« Pourquoi ne pas utiliser des mots? remarqua-t-il, revêche.

– Parce que les mots changent d'un monde à l'autre. Ce qui est ici un " aérojet " sera une " flèche " sur Cinna ou un " piqueur " sur d'autres mondes. Les deux ailes et la flèche sont le symbole galactique du vaisseau aérien et ce symbole est compris partout. Vous ne les utilisez pas sur Hélicon?

– Guère. Hélicon est une planète assez homogène, culturellement parlant, et nous avons tendance à nous raccrocher avec force à nos usages parce que nous vivons dans l'ombre dominatrice de nos voisins.

– Vous voyez? fit Dors. Voilà où pourraient intervenir votre psychohistoire. Vous pourriez montrer que, malgré les différents dialectes, l'usage, dans toute la Galaxie, d'un ensemble déterminé de symboles constitue une force unificatrice.

– Ça n'aidera pas. » Il la suivait le long d'allées vides plongées dans la pénombre, et une partie de son esprit se demandait quel pouvait être le taux moyen de criminalité sur Trantor et s'ils se trouvaient dans un secteur à criminalité élevée. « Vous pouvez avoir un milliard de règles, chacune recouvrant un unique phénomène, sans être capable d'en déduire la moindre généralisation. C'est ce qu'on veut dire quand on affirme qu'un système ne pourrait être interprété que par un modèle aussi complexe que lui... Dors, allons-nous prendre un aérojet? »

Elle s'arrêta pour le considérer avec une moue amusée. « Si nous suivons les symboles indiquant les aérojets, est-ce que vous supposez que nous nous dirigeons vers un terrain de golf? – Auriez-vous peur des aérojets, comme tant de Trantoriens?

– Non, non. Nous volons sans problèmes sur Hélicon et, moi-même, j'emprunte fréquemment les aérojets. C'est simplement que, lorsque Hummin m'a conduit à l'Université, il a pris soin d'éviter les lignes aériennes commerciales parce qu'il craignait de laisser une piste trop évidente.

– C'est parce qu'ils savaient d'où vous partiez, Hari, et qu'ils étaient déjà à vos trousses. Pour l'instant, il se peut qu'ils ne sachent pas où vous êtes, et d'autre part nous allons décoller d'un jet-port obscur et utiliser un appareil privé.

– Qui le pilotera?

– Un ami de Hummin, je présume.

– Selon vous, peut-on lui faire confiance?

– Si c'est un ami de Hummin, sans aucun doute.

– Assurément, vous tenez ce garçon en haute estime », remarqua Seldon avec une pointe de mécontentement.

– Avec raison, répondit Dors sans feindre la timidité. Il est le meilleur. » Le mécontentement de Seldon ne diminua pas.

« Voici notre aérojet. »

C'était un petit appareil aux ailes bizarres. Près de la carlingue, il y avait un homme de taille modeste, vêtu de couleurs bariolées à la trantorienne.

« Nous, c'est psycho, lança Dors.

– Et moi, c'est histoire », répondit le pilote.

Ils le suivirent à l'intérieur de l'appareil et Seldon demanda : « Qui a eu l'idée des mots de passe?

– Hummin. »

Seldon ricana. « Je ne savais pas qu'il avait un tel sens de l'humour. Il est d'un solennel... »

Dors sourit.

Maître-du-Soleil

MAÎTRE-DU-SOLEIL QUATORZE. – ... L'un des chefs du Secteur de Mycogène de l'antique Trantor... Comme pour tous les autres dirigeants de ce secteur vivant en autarcie, on sait peu de choses sur lui. S'il a joué le moindre rôle dans l'histoire, c'est essentiellement à cause de ses relations avec Hari Seldon lors de la Fuite...

ENCYCLOPAEDIA GALACTICA

35

Il n'y avait que deux sièges derrière la minuscule cabine de pilotage et, lorsque Seldon s'assit sur le coussin qui céda légèrement sous son poids, un filet s'avança automatiquement pour lui encercler les jambes, la taille et la poitrine, tandis qu'un casque lui descendait sur le front et les oreilles. Il se sentait emprisonné et, quand il se tourna sur la gauche (non sans mal, et sans grand succès), il vit que Dors était emmaillotée de manière identique.

Le pilote s'installa à son tour et vérifia ses cadrans. Puis il se présenta : « Endor Levanian, pour vous servir. Vous êtes sous filet parce que nous allons subir une accélération considérable au décollage. Une fois que nous serons en phase de vol, vous serez libérés. Inutile de me dire vos noms. Ça ne me regarde pas. »

Il se retourna et son visage de gnome tout ridé se fendit en un large sourire. « Des difficultés psychologiques, jeunes gens?

– Je suis une Exo et je suis habituée à voler, affirma Dors d'un ton léger.

– C'est également mon cas, ajouta Seldon, non sans quelque dédain.

– Excellent, jeunes gens. Bien entendu, z'êtes pas dans l'aérojet banal et c'est peut-être votre premier vol de nuit, mais je compte sur vous pour être à la hauteur. »

Lui aussi était pris dans un filet, mais Seldon remarqua qu'il avait les bras entièrement dégagés.

Un bourdonnement sourd résonna dans la carlingue, gagnant en intensité et montant vers les aigus. Sans devenir désagréable, il menaçait de l'être, et Seldon esquissa un mouvement de tête comme pour évacuer le bruit de ses oreilles, mais la tentative ne fit que renforcer l'emprise du filet sur son crâne.

Le jet bondit (c'est le premier terme qui lui vint pour décrire la chose) dans les airs et Seldon se retrouva violemment plaqué contre l'assise et le dossier de son siège.

Par le pare-brise devant le pilote, Seldon vit, avec un frémissement d'horreur, la façade lisse d'un mur s'élever droit devant eux – puis une ouverture ronde apparut dans cette muraille, identique à la bouche où avait plongé leur aérotaxi le jour où Hummin et lui avaient quitté le Secteur impérial. Mais, bien que celle-ci fût assez large pour admettre la carlingue du jet, elle n'était pas suffisante pour son envergure.

Seldon tourna la tête sur la droite autant qu'il put, juste à temps pour voir l'aile de son côté se rétracter et disparaître.

L'appareil plongea dans l'ouverture, fut saisi par le champ électromagnétique et aussitôt propulsé le long d'un tunnel illuminé. L'accélération était constante et l'on entendait à intervalles réguliers des cliquetis que Seldon supposa correspondre au passage devant chaque aimant.

En moins de dix minutes, l'engin fut recraché dans l'atmosphère, filant dans la soudaine obscurité des ténèbres environnantes.

Le jet décéléra en s'éloignant du champ électromagnétique et Seldon se sentit projeté contre le filet où il resta collé quelques instants, le souffle coupé.

Puis la pression cessa et le filet disparut.

« Comment va, jeunes gens? » lança le pilote d'une voix joviale.

« Je ne sais trop », répondit Seldon. Il se tourna vers Dors. « Vous vous sentez bien?

– Certainement, répondit-elle. Je crois que M. Levanian nous a fait une démonstration de ses talents, pour voir si nous étions de vrais Exos. Pas vrai, M. Levanian?

– Certaines personnes aiment bien les sensations, dit le pilote. Pas vous?

– Jusqu'à un certain point. »

A quoi Seldon ajouta, approbateur : « Autant que l'admettrait tout individu raisonnable. »

Puis il poursuivit : « Cela vous aurait peut-être paru moins drôle, mon ami, si vous aviez arraché les ailes de l'appareil.

– Impossible, monsieur. Je vous ai dit que ce n'était pas un aérojet banal. Les ailes sont intégralement gérées par ordinateur. Elles changent de longueur, de largeur, de courbure et de forme générale en concordance avec la vitesse de l'engin, la force et la direction du vent, la température, et une demi-douzaine d'autres paramètres. Ces ailes ne se briseraient pas à moins que l'ensemble de la cellule ne soit soumis à des contraintes susceptibles de la faire éclater. »

Un crépitement vint frapper la vitre de Seldon. « Il pleut, remarqua-t-il.

– C'est assez fréquent », dit le pilote.

Seldon regarda dehors. Sur Hélicon ou n'importe quel autre monde, on aurait vu des lumières – les œuvres flamboyantes de l'homme. Sur la seule Trantor régnait une telle obscurité – enfin presque : une fois, il entrevit l'éclair d'une balise lumineuse. Peut-être les points les plus élevés de la Couverture en étaient-ils équipés.

Comme toujours, Dors remarqua le malaise de Seldon. Elle lui tapota la main. « Je suis sûre que le pilote sait ce qu'il fait, Hari.

– J'aimerais en être aussi sûr que vous, Dors, mais j'aimerais surtout qu'il partage une partie de ce savoir avec nous, dit Seldon, assez haut pour être entendu.

– Pas de problème, dit le pilote. Pour commencer, nous sommes en train de grimper et nous serons au-dessus du plafond nuageux d'ici quelques minutes. Il n'y aura plus de pluie et nous pourrons même voir les étoiles. »

Il avait superbement calculé sa remarque, car quelques étoiles se mirent à scintiller à travers les ultimes nuées, puis toutes les autres brillèrent soudain dès qu'il eut éteint l'éclairage intérieur de l'habitacle. Seuls les pâles cadrans du tableau de bord restaient en compétition tandis que, derrière la vitre, le ciel jetait tous ses feux.

« C'est la première fois en plus de deux ans que je vois les étoiles, remarqua Dors. Ne sont-elles pas magnifiques? Elles sont si brillantes... et il y en a tant.

– Trantor est plus près du centre de la Galaxie que la majorité des Mondes extérieurs », nota le pilote.

Comme Hélicon se trouvait dans un coin retiré de la Galaxie et que son champ stellaire était réduit et peu impressionnant, Seldon en resta muet.

« Quel calme, soudain, remarqua Dors.

– Effectivement, dit Seldon. Quel est notre mode de propulsion, M. Lavanian?

– Un moteur à microfusion et un mince pinceau de gaz brûlants.

– Je ne savais pas que nous disposions de jets à microfusion opérationnels. On en parlait, mais...

– Il existe quelques petits appareils comme celui-ci. Jusqu'ici, il n'y en a que sur Trantor et ils sont utilisés exclusivement par de hauts fonctionnaires du gouvernement.

– Les tarifs de ce moyen de locomotion doivent être élevés.

– Très élevés, monsieur.

– Alors, combien a dû débourser M. Hummin?

– Rien du tout. M. Hummin est en excellents termes avec la compagnie propriétaire de ces appareils. »

Seldon grommela. Puis il demanda : « Pourquoi n'y a-t-il pas davantage d'aérojets à microfusion?

– Trop chers, monsieur. Ceux qui existent suffisent à couvrir la demande.

– Vous pourriez créer une demande supplémentaire avec des appareils plus grands.

– Peut-être, mais la compagnie n'est jamais parvenue à fabriquer des moteurs à microfusion assez puissants pour des aérojets de plus grande taille. »

Seldon songea à la remarque de Hummin, se plaignant du déclin de l'innovation technologique. « La décadence, murmura-t-il.

– Quoi? demanda Dors.

– Rien. Je pensais simplement à une remarque qu'avait faite Hummin, un jour. »

Il contempla les étoiles et dit : « Allons-nous vers l'ouest, M. Levanian?

– Oui, effectivement. Comment l'avez-vous deviné?

– Parce que je me disais que nous devrions voir apparaître l'aube, à présent, si nous nous étions dirigés vers l'est, à sa rencontre. »

Mais l'aube, poursuivant la planète, finit par les rattraper, et la lumière du soleil – du vrai soleil – illumina les parois de la cabine. Ce fut bref, car le jet plongea de nouveau dans les nuages. Le bleu et l'or firent place à un gris miteux; Seldon et Dors protestèrent, déçus d'être si vite privés de quelques rayons de vrai soleil.

Dès qu'ils eurent glissé sous le plafond nuageux, la Couverture apparut aussitôt en dessous d'eux et sa surface – à cet endroit du moins – était un moutonnement de grottes boisées et de prairies. C'était le genre de paysage dont Clowzia avait mentionné l'existence.

Là encore, toutefois, Seldon n'eut guère le temps de s'attarder en observations. Une ouverture apparut sous leur appareil, bordée de lettres annonçant : MYCOGÈNE.

Ils plongèrent.

36

Ils atterrirent sur un jet-port apparemment désert au grand étonnement de Seldon. Ayant accompli sa tâche, le pilote leur serra la main à tous deux puis s'envola sans tarder et engagea son appareil dans une ouverture apparue tout exprès pour lui.

Ils n'avaient, semblait-il, pas d'autre solution que d'attendre. Il y avait des bancs qui pouvaient accueillir une bonne centaine de personnes, mais Seldon et Dors Venabili étaient les seuls voyageurs présents. Le jet-port était rectangulaire, entouré de murs où de nombreux tunnels devaient s'ouvrir pour recevoir ou envoyer des jets, mais pour l'heure aucun n'était visible; aucun non plus ne se présenta pendant leur attente.

Personne en vue, pas la moindre trace d'habitation : le bruissement même de la vie de Trantor s'était tu.

Seldon trouvait cette solitude oppressante. Il se tourna vers Dors et demanda : « Que devons-nous faire, une fois ici? Vous avez une idée? »

Dors fit un signe de dénégation. « Hummin m'a dit que nous serions accueillis par Maître-du-Soleil Quatorze. A part ça, je ne sais rien d'autre.

– Maître-du-Soleil Quatorze? Qu'est-ce que ça peut être?

– Un humain, je présume. D'après le nom, je ne saurais dire si c'est un homme ou une femme.

– Bizarre, comme nom.

– La bizarrerie est dans l'esprit de l'auditeur. Il m'arrive parfois d'être prise pour un homme par ceux qui ne m'ont jamais rencontrée.

– Quels crétins, commenta Seldon.

– Absolument pas. Jugeant d'après mon seul prénom, ils sont parfaitement en droit de le penser : on m'a dit que, sur divers mondes, c'est un prénom masculin assez répandu.

– Je ne l'avais encore jamais remarqué.

– C'est parce que vous n'êtes pas un grand voyageur galactique. Le nom “ Hari ” est bien connu partout, et j'ai même connu une femme appelée “ Hare ”, prononcé comme votre nom mais écrit avec un “ e ”. A Mycogène, autant que je me souvienne, le même nom est attribué à l'ensemble d'une famille – assorti d'un numéro.

– Maître-du-Soleil, ça manque quand même de discrétion.

– Quel mal y a-t-il à être un peu fanfaron? Sur Cinna, “ Dors ” dérive bien d'une vieille expression locale signifiant “ esprit du printemps ”.

– Parce que vous êtes née en cette saison?

– Non. J'ai vu le jour en plein été mais le nom plaisait à ma famille, indépendamment de ses connotations traditionnelles, et d'ailleurs en grande partie oubliées.

– En ce cas, peut-être que Maître-du-Soleil... »

Une voix grave et sévère l'interrompit : « C'est mon nom, barbare. »

Stupéfait, Seldon regarda sur sa gauche. Un véhicule terrestre découvert s'était approché sans qu'ils le remarquent. Anguleux et archaïque, il ressemblait presque à un fourgon de livraison. A l'intérieur, aux commandes, se trouvait un grand vieillard, d'allure vigoureuse malgré son âge. Il descendit majestueusement du véhicule.

Il avait une longue robe blanche aux manches amples, pincées aux poignets. Sous la robe, il portait des sandales souples d'où dépassait le gros orteil. Le crâne, superbe, était entièrement chauve. Calmement, de ses yeux d'un bleu profond, l'homme les examina tous les deux puis il dit :

« Je vous salue, barbares. »

Avec une politesse machinale, Seldon répondit : « Enchanté, monsieur. » Puis, sincèrement intrigué, il demanda : « Comment êtes-vous entré?

– Par la porte, qui s'est refermée derrière moi. Vous n'êtes guère vigilant.

– Je suppose que non, en effet. Mais enfin, nous ne savions trop à quoi nous attendre. D'ailleurs nous n'en savons pas plus à présent...

– Le barbare Chetter Hummin a informé la Fraternité de l'arrivée imminente de deux membres des tribus. Il a demandé qu'on s'occupe de vous.

– Vous connaissez donc Hummin?

– Nous le connaissons. Il nous a rendu service. Et parce que, en barbare de valeur, il nous a rendu service, nous devons à présent lui rendre service à notre tour. Rares sont ceux qui viennent à Mycogène et rares sont ceux qui en repartent. J'ai mission de vous protéger, de vous offrir un toit, de veiller à ce qu'on ne vous dérange pas. Ici, vous serez en sécurité. »

Dors inclina la tête. « Nous vous en sommes reconnaissants, Maître-du-Soleil Quatorze. »

Maître-du-Soleil se tourna pour la considérer avec un froid mépris. « Je n'ignore pas les coutumes des tribus, dit-il. Je sais que, chez ces gens-là, une femme peut fort bien parler avant qu'on lui ait adressé la parole. Je n'en suis donc pas offensé. Je vous demanderai toutefois de prendre garde avec les autres membres de la Fraternité; ils risquent d'être moins informés en la matière.

– Oh, vraiment? » fit Dors, manifestement offensée même si Maître-du-Soleil ne l'était pas.

« Si fait, dit ce dernier. De même qu'il n'est pas utile d'utiliser mon ordinal quand je suis seul de ma cohorte avec vous. " Maître-du-Soleil " suffira. A présent, je m'en vais vous demander de venir avec moi, que nous puissions quitter cet endroit d'une nature trop tribale pour mon confort.

– La notion de confort est valable pour tout le monde », dit Seldon, peut-être un peu plus fort qu'il n'était nécessaire, « et nous ne bougerons pas d'ici tant que nous n'aurons pas reçu l'assurance que nous ne serons pas obligés de nous plier à vos désirs. Notre coutume veut qu'une femme puisse parler chaque fois qu'elle a quelque chose à dire. Si vous avez accepté de nous protéger, cette protection doit être psychologique aussi bien que physique ».

Maître-du-Soleil le lorgna sans se démonter et dit : « Vous êtes bien fier, jeune barbare. Votre nom?

– Je suis Hari Seldon, d'Hélicon. Ma compagne est Dors Venabili, de Cinna. »

Maître-du-Soleil s'inclina légèrement lorsque Seldon prononça son nom mais ne bougea pas d'un pouce à la mention de celui de Dors. Il reprit : « J'ai juré d'assurer votre protection au barbare Hummin, aussi ferai-je ce qui est en mon pouvoir pour protéger votre compagne. Si elle souhaite faire preuve d'impudence, je ferai de mon mieux pour qu'elle ne soit pas inquiétée. Toutefois, il est un point sur lequel vous devrez respecter l'usage.

Et il désigna, avec un infini mépris, le crâne de Seldon, puis celui de Dors.

« Que voulez-vous dire? demanda Seldon.

– Votre *toison céphalique.*

– Eh bien?

– Elle ne doit pas être visible.

– Vous voulez dire que nous devons nous raser le crâne, comme vous? Certainement pas.

– Mon crâne n'est pas rasé, barbare Seldon. On m'a épilé à ma puberté, comme tous les membres de la Fraternité et leurs femelles.

– Si nous parlons d'épilation, alors plus que jamais la réponse est non. Pas question.

– Barbare, nous ne demandons ni rasage, ni épilation. Nous demandons simplement que votre pilosité soit couverte quand vous êtes parmi nous.

– Comment?

– Je vous ai apporté des bonnets de peau qui mouleront votre crâne, ainsi que des bandeaux pour cacher les taches surorbitales – les sourcils. Vous les porterez quand vous serez avec nous. Et bien sûr, barbare Seldon, vous vous raserez quotidiennement – ou plus souvent si nécessaire.

– Mais pourquoi faut-il faire tout cela?

– Parce que, pour nous, le poil sur la tête est répugnant et obscène.

– Sans nul doute, vous et les vôtres devez savoir qu'il est d'usage, dans tous les autres mondes de la Galaxie, de conserver sa toison céphalique.

– Nous le savons. Et ceux d'entre nous qui, comme moi, doivent de temps en temps fréquenter des barbares, sont obligés d'endurer le spectacle de cette pilosité. On le supporte, mais il serait injuste de l'exiger du reste de la Fraternité.

– Très bien, Maître-du-Soleil... mais, dites-moi : puisque vous êtes né doté d'une « toison céphalique », comme nous tous, et puisque vous la conservez, visible, jusqu'à la puberté, pourquoi est-il nécessaire de vous la retirer? Est-ce un simple usage ou y a-t-il quelque motif rationnel? »

Alors, le vieux Mycogénien expliqua fièrement : « Par la dépilation, nous montrons au jeune qu'il est devenu un adulte, et, grâce à la dépilation, les adultes gardent en permanence le souvenir de ce qu'ils sont et ainsi n'oublient jamais que tous les autres ne sont que des barbares. »

Sans attendre de réponse (et, à vrai dire, Seldon ne pouvait en imaginer une), il sortit d'un repli de sa toge une poignée de minces bandes de plastique de couleurs diverses, scruta attentivement ses deux interlocuteurs, en tenant d'abord une bande, puis une autre, devant le visage de chacun.

« Les couleurs doivent à peu près correspondre. Ça ne trompera personne; tout le monde verra bien que vous portez une coiffe, mais au moins ce ne sera pas trivialement visible. »

Finalement, Maître-du-Soleil donna à Seldon une des bandes de plastique et lui montra comment l'étirer en forme de bonnet.

« Mettez-la, je vous prie, barbare Seldon. Cela vous paraîtra désagréable au début mais vous vous y ferez. »

Seldon le passa, mais à deux reprises le bonnet glissa quand il voulut le ramener sur ses cheveux.

« Commencez juste au-dessus des sourcils », conseilla Maître-du-Soleil. Il semblait avoir des fourmis dans les doigts, comme s'il était pressé de l'aider.

Retenant un sourire, Seldon lui demanda : « Voulez-vous le faire à ma place? »

Et Maître-du-Soleil se recula, s'exclamant, presque en émoi : « Je ne pourrais pas. Je toucherais votre chevelure. »

Seldon réussit à maintenir la coiffe et, suivant le conseil de Maître-du-Soleil, la tira ensuite de part et d'autre jusqu'à ce que ses cheveux soient entièrement dissimulés. Les bandeaux pour les sourcils se collaient sans peine. Dors, qui l'avait observé attentivement, mit ces accessoires sans aucun problème.

« Comment l'enlève-t-on? demanda Seldon.

– Vous n'avez qu'à saisir une extrémité et le reste viendra sans problème. Vous verrez qu'il sera plus facile de le mettre ou de l'ôter si vous vous raccourcissez les cheveux.

– J'aime encore mieux que ce soit difficile. » Et, se tournant vers Dors, il dit à voix basse : « Vous restez mignonne, mais ça ôte à votre visage une partie de son caractère.

– Le véritable caractère est bien là, malgré tout, répondit-elle. Et j'aime à penser que vous vous habituerez à me voir chauve. »

Encore plus bas, Seldon rétorqua : « Je n'ai pas envie de rester ici assez longtemps pour m'y habituer. »

Maître-du-Soleil, qui ignorait, avec un dédain manifeste, ces messes basses entre barbares, annonça : « Si vous voulez bien monter dans mon véhicule, je vais à présent vous conduire à Mycogène. »

37

« Franchement, chuchota Dors, j'ai peine à croire que nous sommes sur Trantor.

– J'en déduis donc que vous n'avez jamais rien vu de semblable.

– Il n'y a que deux ans que je suis ici et j'ai passé le plus clair de mon temps à l'Université : c'est dire que je ne suis pas précisément ce qu'on pourrait appeler une grande voyageuse. Pourtant, je suis quand même allée de-ci, de-là, j'ai entendu pas mal de choses, mais je n'avais jamais rien vu ou entendu de tel. Cette *uniformité*! »

Maître-du-Soleil conduisait avec application et sans hâte. Il y avait d'autres véhicules analogues sur la route, tous avec des hommes chauves aux commandes, leur crâne nu luisant à la lumière.

De chaque côté de la route s'élevaient des édifices de trois étages, sans la moindre décoration, tout en angles droits, et uniformément gris.

« Lugubre, commenta Dors. Si lugubre.

– Égalitaire, murmura Seldon. Je soupçonne qu'aucun Frère ne peut se prévaloir d'une supériorité quelconque sur ses semblables. »

Ils remarquèrent de nombreux piétons sur le bord de la chaussée, mais il n'y avait pas trace de trottoirs roulants ni de grondement annonçant un quelconque Réseau express.

Dors remarqua : « Je parie que les grises sont des femmes.

– Difficile à dire : les robes cachent tout et tous ces crânes chauves se ressemblent.

– Les robes grises vont toujours par paires ou associées à une blanche. Les robes blanches peuvent marcher seules et Maître-du-Soleil est en blanc.

– Vous avez peut-être bien raison. » Seldon éleva la voix : « Maître-du-Soleil, je suis curieux...

– Si vous l'êtes, posez toujours votre question, mais rien ne m'oblige à répondre.

– Il me semble que nous traversons une zone résidentielle. Nous ne voyons aucune trace d'immeuble, de bureaux, de zone industrielle...

– Nous formons une communauté exclusivement agricole. D'où venez-vous pour ignorer cela?

– Vous savez bien que je suis un Exo, dit Seldon, sèchement. Je ne suis sur Trantor que depuis deux mois.

– Quand même.

– Mais si vous êtes une communauté agricole, Maître-du-Soleil, comment se fait-il que nous n'ayons pas non plus dépassé de fermes?

– Aux niveaux inférieurs, répondit brièvement Maître-du-Soleil.

– Ce niveau est-il donc entièrement résidentiel?

– Celui-ci et quelques autres. Nous sommes tels que vous le voyez. Tous les Frères et leur famille vivent dans des quartiers équivalents; toutes les cohortes dans des communautés équivalentes; tous ont les mêmes véhicules terrestres et chaque Frère conduit le sien. Il n'y a pas de domestiques et nul ne tire profit du travail des autres. Nul n'acquiert de gloire au détriment de son prochain. »

Seldon haussa ses sourcils masqués et poursuivit : « Je remarque que certains sont habillés de blanc et d'autres de gris.

– C'est parce que certains sont des Frères et d'autres des Sœurs.

– Et nous?

– Vous, vous êtes un barbare et un hôte. Vous et votre... » (il marqua un temps d'arrêt puis reprit :) « compagne ne serez pas tenus de vous conformer à toutes les coutumes de Mycogène. Toutefois, vous passerez une robe blanche et votre compagne une grise et vous vivrez dans des quartiers réservés aux invités, semblables aux nôtres.

– L'égalité pour tous semble être un idéal sympathique, mais qu'arrive-t-il à mesure que la population augmente? Ne faut-il pas alors couper le gâteau en parts plus petites?

– La population n'augmente pas. Cela exigerait une augmentation de la superficie, ce que les barbares alentour ne permettraient pas, ou bien une détérioration de notre mode de vie.

– Mais si... » commença Seldon.

Maître-du-Soleil le coupa : « Il suffit, barbare Seldon. Je vous ai prévenu : je ne suis pas forcé de vous répondre. Notre mission, telle que nous en avons fait la promesse à notre ami le barbare Hummin, est d'assurer votre sécurité pour autant que vous n'enfreindrez pas nos coutumes. Nous le ferons, mais ça s'arrête là. La curiosité est permise, mais elle use rapidement notre patience si l'on insiste. »

Quelque chose dans le ton de sa voix dissuada Seldon de poursuivre et il se le tint pour dit. Nonobstant son désir de lui venir en aide, Hummin avait manifestement sous-estimé la difficulté.

Ce n'était pas la sécurité que recherchait Seldon. Du moins, pas uniquement la sécurité. Il recherchait aussi de l'information et, faute d'en obtenir, il ne pouvait – et ne voulait – pas s'éterniser ici.

38

Seldon contempla leurs appartements avec un certain désarroi. Ils disposaient d'une cuisine, petite mais individuelle, et d'une salle de bains, tout aussi petite et individuelle. Pour mobilier, deux lits étroits, deux penderies, une table et deux chaises. En bref, il y avait tout le nécessaire pour deux individus désireux de vivre à l'étroit.

« Nous avions une cuisine et une salle de bains particulière sur Cinna, remarqua Dors, l'air résigné.

– Pas moi, dit Seldon. Hélicon est peut-être une petite planète mais je vivais dans une cité moderne : cuisines communes et bains communautaires... Franchement, quel gâchis! On pourrait s'attendre à trouver ça dans un hôtel, où l'on ne séjourne que temporairement, mais, si tout le secteur est bâti de la sorte, imaginez un peu le nombre incroyable de cuisines et de salles de bains indéfiniment répétées!

– C'est la rançon de l'égalitarisme, je suppose. Pas de bagarre pour avoir les meilleurs coins ou être le plus vite servi. Tout le monde est logé à la même enseigne.

– Pas d'intimité non plus. Non que ça me dérange, mais vous, Dors, vous êtes peut-être d'un avis différent, et je ne voudrais pas donner l'impression d'en profiter. Nous pourrions leur faire comprendre que nous devons avoir des chambres séparées – contiguës mais séparées.

– Je suis sûre que ça ne marchera pas, répondit Dors. L'espace est cher et je crois qu'eux-mêmes ont été surpris de leur propre générosité en nous en attribuant autant. On le fera aller, Hari. Nous sommes l'un et l'autre assez grands pour ça. Je ne suis pas un tendron rougissant et vous n'arriverez jamais à me convaincre que vous êtes un jeune fou.

– C'est quand même à cause de moi que vous êtes ici.
– Et après? C'est une aventure.
– Bon, très bien. Quel lit voulez-vous prendre? Pourquoi pas celui près de la salle de bains? » Il s'assit sur l'autre. « Il y a encore quelque chose qui me tracasse. Tant que nous sommes ici, nous sommes des barbares, vous et moi, et même Hummin. Nous appartenons aux *autres* tribus, pas à leurs cohortes, et beaucoup de choses ne nous regardent pas. Seulement, beaucoup d'autres me regardent, moi : je suis même venu ici pour ça. Je veux apprendre certaines des choses qu'ils savent.
– Ou croient savoir, rectifia Dors avec le scepticisme de l'historienne. J'ai cru comprendre qu'ils ont des légendes qui passent pour remonter à des temps immémoriaux, mais je n'arrive pas à croire qu'on puisse les prendre au sérieux.
– On ne pourra le dire qu'après avoir trouvé en quoi elles consistent. Ne sont-elles pas consignées ailleurs?
– Pas à ma connaissance. Ces gens vivent terriblement repliés sur eux-mêmes. Ça confine à la psychose. Hummin est dans une certaine mesure parvenu à briser leurs barrières et à nous faire admettre chez eux : cette performance est déjà remarquable – tout bonnement remarquable. »
Seldon réfléchissait : « Il doit bien y avoir une ouverture quelque part. Maître-du-Soleil était surpris – fâché, même – que je puisse ignorer que Mycogène est une communauté agraire. Voilà un point dont ils ne semblent pas vouloir faire mystère.
– Le problème est que ce n'en est absolument pas un. Le nom " Mycogène " est censé provenir de racines archaïques signifiant " producteur de levure ". Du moins, c'est ce qu'on m'a dit, je ne suis pas paléolinguiste. En tout cas, ils cultivent toutes sortes de micro-aliments – de la levure, bien sûr, mais aussi des algues, des bactéries, des moisissures pluricellulaires et ainsi de suite...
– Ça n'a rien d'exceptionnel. La plupart des mondes pratiquent ce genre de culture. Même nous, sur Hélicon.
– Oui, mais pas comme ici : c'est leur spécialité. Ils emploient des méthodes aussi archaïques que le nom de leur secteur : formules secrètes de fertilisation, influences secrètes de l'environnement. Qui sait quoi? Tout est secret.
– Caché.
– Et pour de bon. Le résultat, c'est qu'ils produisent des protéines et des arômes subtils; leurs micro-aliments sont uniques au monde. Ils maintiennent une production relativement basse et les prix atteignent des sommets. Je n'en ai jamais goûté et vous non plus, j'en suis sûre, mais il s'en vend de grandes quantités à la bureaucratie impériale et à l'aristocratie des autres mondes. La santé économique de Mycogène dépend de ces ventes et ils tiennent à ce que tout le monde sache qu'ils sont à l'origine de cette nourriture de prix. Ça, au moins, ce n'est pas un secret.
– Mycogène doit donc être riche.

– Ils ne sont pas pauvres, mais je les soupçonne de ne pas courir après la richesse. Ce qu'ils recherchent, c'est la protection. Le gouvernement impérial les protège parce que, sans eux, il n'y aurait pas ces additifs qui procurent un arôme délicat au moindre plat. Pour les habitants de Mycogène, c'est la meilleure chance de préserver leur bizarre mode de vie et de marquer leur dédain à l'égard de leurs voisins qui doivent les trouver sans doute proprement insupportables. »

Dors parcourut leur chambre du regard. « Ils vivent une existence austère : je ne vois pas d'holovision, ni de vidéo-livres.

– J'en ai remarqué un dans la penderie, sur l'étagère. »

Seldon s'en empara, regarda l'étiquette et annonça, avec un dégoût évident : « Peuh, un livre de cuisine. »

Dors tendit la main pour le prendre et pianota sur les touches. Il lui fallut un moment car la disposition n'était pas tout à fait orthodoxe, mais elle parvint à allumer l'écran et à inspecter les pages. « Il y a quelques recettes mais, pour l'essentiel, ça a l'air d'un essai philosophique sur la gastronomie. »

Elle l'éteignit et le retourna. « On dirait une unité monobloc. Je ne vois pas de fente pour éjecter la microcarte et en insérer une autre. En fait, un livre à lecteur intégré. Quel gâchis!

– Ils doivent penser qu'un seul vidéo-livre suffit. » Seldon se pencha vers la table de nuit disposée entre les deux lits et saisit un autre objet. « On dirait un parleur, mais il n'y a pas d'écran.

– Peut-être estiment-ils qu'avec la voix, c'est bien assez.

– Comment ça marche, je me demande. » Seldon souleva l'appareil et l'examina sous toutes les coutures. « Avez-vous déjà vu un truc pareil?

– Un jour, dans un musée... si c'est bien la même chose. Mycogène semble cultiver délibérément l'archaïsme. Je suppose qu'ils considèrent cela comme une autre manière de se distinguer des prétendus barbares qui les cernent en masses innombrables. Leur archaïsme et leurs coutumes bizarres les rendent à proprement parler indigestes. Il y a là-dedans une espèce de logique perverse. »

Seldon, qui tripotait toujours l'appareil, s'exclama : « Aïe! Il s'est mis en marche. Ou quelque chose s'est déclenché. Mais je n'entends rien. »

Dors fronça les sourcils et saisit un petit cylindre garni de feutre qui était resté posé sur la table de chevet. Elle le porta à son oreille. « Il y a une voix qui sort de ce truc. Tenez, essayez. » Elle le lui tendit.

Seldon l'essaya et s'écria : « Ouille! Il s'est accroché. » Puis il écouta et dit : « Oui, ça m'a fait mal à l'oreille. Vous pouvez m'entendre, donc... Oui, c'est notre chambre... Non, je ne connais pas son numéro. Dors, avez-vous une idée du numéro?

– Il y a un numéro inscrit sur le parleur, répondit Dors. Peut-être que ça fera l'affaire.

– Peut-être », fit Seldon, dubitatif. Puis il annonça à son interlocuteur : « Le numéro inscrit sur cet appareil est 6LT-3648A. Ça ira?... Bien, et comment suis-je censé savoir utiliser correctement cet appareil et, tant qu'on y est, me servir de la cuisine?... Comment ça, " ça fonctionne de la manière habituelle "?... Ça me fait une belle jambe... Bon, écoutez, je suis un barbare, un invité d'honneur. Je ne connais pas la manière habituelle... Oui, je suis désolé pour mon accent et je suis ravi que vous sachiez reconnaître un barbare quand vous en entendez un... Je m'appelle Hari Seldon. »

Il y eut un silence et Seldon leva les yeux vers Dors, l'air douloureux. « Il faut qu'il me recherche. Et je suppose qu'il va me dire qu'il n'arrive pas à me trouver... Oh, vous m'avez? Bien! Dans ce cas, pouvez-vous me donner cette information?... Oui... oui... oui... Et comment puis-je appeler quelqu'un à l'extérieur de Mycogène?... Oh... Alors, si je veux contacter Maître-du-Soleil Quatorze, par exemple?... Eh bien, dans ce cas, son assistant, son aide... je ne sais pas, moi... Hmm-hmm... Merci. »

Il reposa le parleur, décrocha l'écouteur de son oreille, non sans quelque difficulté, éteignit l'appareil et dit : « Ils vont s'arranger pour nous envoyer quelqu'un qui nous montrera tout ce que nous avons besoin de savoir, mais il ne peut pas fixer une date. On ne peut pas appeler à l'extérieur de Mycogène – pas sur cette ligne, en tout cas –, donc on ne peut pas joindre Hummin si jamais on a besoin de lui. Et si je veux parler à Maître-du-Soleil Quatorze, c'est tout un cirque. C'est peut-être une société égalitaire mais il semble y avoir des exceptions que personne n'admettra ouvertement, je parie. »

Il consulta sa montre. « En tout cas, Dors, je n'ai pas l'intention de visionner un livre de cuisine et encore moins un essai érudit sur la question. Mon bracelet-chrone est resté à l'heure du campus, je ne sais donc pas quelle est l'heure officielle du coucher, mais je vous avouerai que c'est le cadet de mes soucis : nous avons veillé une bonne partie de la nuit et j'aimerais bien dormir.

– Je n'y vois pas d'inconvénient, je suis fatiguée moi aussi.

– Merci. Et dès que nous aurons récupéré et qu'une nouvelle journée commencera, je vais demander à visiter leurs plantations de microaliments.

– Ça vous intéresse tant que ça? s'étonna Dors.

– Pas vraiment, mais si c'est la seule chose dont ils soient fiers, ils devraient être enclins à en parler, et, une fois que je les aurai lancés, en exerçant tout mon charme, je pourrai peut-être les amener à parler aussi de leurs légendes. Personnellement, j'estime que c'est une stratégie habile.

– Je l'espère, fit Dors, dubitative, mais je ne crois pas que les Mycogéniens se laissent aussi facilement duper.

– On verra bien, dit Seldon, résolu. J'ai bien l'intention d'obtenir ces légendes.

39

Le lendemain matin, Hari était de nouveau pendu à l'appareil de communication. Il était en colère, d'abord parce qu'il avait faim.

Sa tentative pour obtenir Maître-du-Soleil Quatorze avait été détournée par son correspondant qui soutenait que Maître-du-Soleil ne pouvait être dérangé.

– Et pourquoi cela? s'était enquis Seldon, venimeux.

– Je ne vois pas l'utilité de répondre à une telle question, avait rétorqué une voix glaciale.

Sur le même ton, Seldon répondit : « On ne nous a pas amenés ici pour être retenus prisonniers. Ni pour mourir de faim.

– Je suis certain que vous avez une cuisine et d'amples réserves de nourriture.

– Ah ça, oui. Et je ne sais pas comment on se sert des appareils ni comment on la prépare, cette nourriture. Vous la mangez crue, frite, rôtie, bouillie?

– Je n'arrive pas à croire que vous ignoriez ce genre de chose... »

Dors, qui avait fait les cent pas durant cet échange, voulut saisir l'appareil mais Seldon l'écarta, murmurant : « Il va couper la communication si une femme essaie de lui parler. »

Puis, dans le micro, il reprit, plus ferme que jamais : « Ce que vous croyez ou non est le cadet de mes soucis. Vous allez nous envoyer quelqu'un ici, quelqu'un qui puisse nous aider, ou sinon, dès que j'aurai touché Maître-du-Soleil Quatorze, ce qui finira bien par arriver, je vous jure que vous le paierez. »

Quoi qu'il en soit, il s'écoula bien deux heures avant que quelqu'un n'arrive. Seldon était alors dans un état de fureur sauvage et Dors avait quasiment renoncé à l'apaiser.

Le nouveau venu était un jeune homme au crâne légèrement moucheté de taches de rousseur – sans la tonsure, sans doute aurait-il été poil-de-carotte.

Il portait plusieurs récipients et semblait sur le point d'en expliquer le contenu quand il parut soudain gêné et tourna le dos à Seldon, plein d'émoi. « Barbare, commença-t-il, manifestement troublé, votre bonnet n'est pas bien ajusté. »

Seldon, dont l'impatience avait atteint le point de rupture, lança : « Ça ne me dérange pas. »

Dors s'empressa toutefois d'intervenir : « Laissez-moi le rajuster, Hari. Il est simplement un peu trop remonté du côté gauche.

– Vous pouvez vous retourner à présent, jeune homme, grommela Seldon. Comment vous appelez-vous?

– Je suis Grisnuage Cinq, dit le Mycogénien, hésitant, avant de se retourner pour examiner, méfiant, son interlocuteur. « Je suis un novice. Je vous ai apporté un repas. » Il hésita. « De ma propre cuisine, où la femme l'a préparé, barbare. »

Il déposa les récipients sur la table et Seldon souleva un des couvercles pour en renifler prudemment le contenu. Puis il regarda Dors, surpris : « Vous savez que ça ne sent pas mauvais du tout? »

Dors acquiesça. « Vous avez raison. Je peux le sentir, moi aussi.

– Ce n'est pas aussi chaud qu'il conviendrait, s'excusa Grisnuage. Ça a refroidi durant le transport. Vous trouverez vaisselle et couverts dans la cuisine. »

Dors alla chercher ce qu'il fallait et, une fois qu'ils eurent mangé – copieusement, et sans se faire prier –, Seldon se sentit de nouveau un homme civilisé.

Se rendant compte que le jeune homme allait se sentir gêné d'être seul avec une femme, et plus encore si elle lui parlait, Dors jugea qu'il lui incombait de débarrasser et de laver les assiettes – une fois qu'elle aurait déchiffré les commandes du lave-vaisselle.

Entre-temps, Seldon, qui avait demandé l'heure, s'exclama, quelque peu interdit : « Vous voulez dire que nous sommes au milieu de la nuit?

– Si fait, barbare, dit Grisnuage. C'est pourquoi il a fallu du temps pour satisfaire votre demande. »

Seldon comprit soudain pourquoi Maître-du-Soleil ne pouvait être dérangé; il songea à la femme de Grisnuage qu'il avait fallu réveiller pour lui faire la cuisine et se sentit soudain bourrelé de remords. « Je suis désolé. Nous ne sommes que des barbares des tribus extérieures, ne sachant pas nous servir de la cuisine ou préparer les plats. Demain matin, pourriez-vous nous faire envoyer quelqu'un pour nous mettre au courant?

– Le mieux que je puisse faire, barbare, répondit Grisnuage, apaisant, c'est de vous envoyer deux Sœurs. Je m'excuse à l'avance de vous incommoder par une présence féminine, mais ce sont elles qui connaissent ce genre de choses. »

Dors qui venait d'émerger de la cuisine remarqua (avant de se rappeler sa place dans cette société machiste) : « C'est très bien, Grisnuage. Nous serons ravis de faire leur connaissance. »

Grisnuage la regarda, mal à l'aise et indécis, mais ne dit rien.

Convaincu que le jeune Mycogénien avait refusé, par principe, d'entendre ce que pouvait lui dire une femme, Seldon répéta la remarque. « C'est très bien, Grisnuage. Nous serons ravis de faire leur connaissance. »

Son expression s'illumina aussitôt : « Je vais vous les envoyer dès l'aube. »

Dès qu'il fut parti, Seldon nota avec quelque satisfaction : « Les Sœurs ont des chances d'être exactement ce qu'il nous faut.

– Ah bon? Comment cela, Hari?

– Eh bien, si nous les traitons comme des êtres humains, nul doute qu'elles seront assez reconnaissantes pour nous parler de leurs légendes.

– Si elles les connaissent, remarqua Dors, sceptique. Je n'ai aucune certitude, mais je doute que les Mycogéniens se préoccupent d'éduquer leurs femmes. »

40

Les Sœurs arrivèrent quelque six heures plus tard, après que Dors et Seldon eurent dormi encore un peu, dans l'espoir de recaler leur horloge biologique.

Elles pénétrèrent dans l'appartement timidement, presque sur la pointe des pieds. Leurs robes (le terme mycogénien était " tunique ") étaient d'un gris doux et velouté, subtilement décorées chacune d'un motif spécifique au gris légèrement plus sombre. Les tuniques ne manquaient pas de séduction mais elles semblaient surtout destinées à dissimuler entièrement la silhouette.

Comme de juste, les deux femmes étaient chauves et leur visage dépourvu de tout maquillage. Elles jetèrent un regard intrigué vers la touche de bleu au pli des paupières de Dors et vers la légère trace de rouge sur ses lèvres.

L'espace d'un instant, Seldon se demanda comment on pouvait être certain que ces Sœurs-là étaient bien des *Sœurs*.

La réponse lui vint aussitôt lorsqu'elles lui adressèrent le salut traditionnel : toutes deux pépiaient et gazouillaient. Se souvenant de la voix de basse de Maître-du-Soleil et du baryton nerveux de Grisnuage, Seldon soupçonna les femmes, à défaut d'autre signe de différenciation sexuelle, d'être tenues de cultiver une voix de tête et des manières affectées.

« Je suis Goutte-de-Pluie Quarante-trois, pépia la première, et voici ma jeune sœur.

– Goutte-de-Pluie Quarante-cinq, gazouilla l'autre. On est très portés sur les " Gouttes de pluie " dans notre cohorte. » Elle gloussa.

« Je suis ravie de faire votre connaissance, dit Dors gravement, mais maintenant j'aimerais savoir comment m'adresser à vous. Je ne peux pas dire simplement " Goutte-de-Pluie ", n'est-ce pas?

– Non, dit Goutte-de-Pluie Quarante-trois. Vous devez utiliser le nom complet quand nous sommes toutes les deux présentes.

– Que diriez-vous simplement de Quarante-trois et Quarante-cinq, mesdames? » suggéra Seldon.

Toutes deux lui jetèrent un regard à la dérobée mais sans piper mot.

Dors intervint : « Je vais m'en occuper, Hari », lui dit-elle à voix basse.

Seldon s'effaça. Sans doute étaient-elles célibataires et condamnées à ne pas parler aux hommes. L'aînée semblait la plus sérieuse des deux et peut-être la plus puritaine. Difficile à dire à partir de quelques phrases et d'un bref examen, mais il avait cette impression et comptait s'y fier.

« Le problème, reprit Dors, c'est que nous autres barbares ne savons pas comment nous servir de la cuisine.

– Vous voulez dire que vous ne savez pas cuisiner? » Goutte-de-Pluie Quarante-trois parut outrée et scandalisée. Goutte-de-Pluie Quarante-cinq étouffa un rire. (Seldon jugea que son impression première était la bonne.)

« J'ai bien eu une cuisine autrefois, expliqua Dors, mais elle n'était pas du tout faite comme ça, et je ne sais pas comment reconnaître les aliments ou simplement les préparer.

– C'est vraiment enfantin, dit Goutte-de-Pluie Quarante-cinq. Nous pouvons vous montrer.

– Nous allons vous préparer un bon repas bien nourrissant », dit Goutte-de-Pluie Quarante-trois. « Nous allons le préparer pour... vous deux. » Elle avait hésité avant de terminer sa phrase. C'était manifestement pour elle un effort de reconnaître l'existence d'un homme.

« Si vous n'y voyez pas d'inconvénient, dit Dors, j'aimerais venir avec vous dans la cuisine pour que vous m'expliquiez tout en détail. Après tout, Sœurs, je ne peux quand même pas vous demander de venir ici trois fois par jour nous préparer à manger.

– Nous allons tout vous montrer, dit Goutte-de-Pluie Quarante-trois en hochant la tête avec raideur. Il se peut toutefois qu'une barbare éprouve quelque difficulté. Vous n'aurez pas le... coup de main.

– J'essaierai », fit Dors avec un sourire aimable.

Elles disparurent dans la cuisine. Seldon les regarda quitter la pièce, puis il essaya d'élaborer la stratégie qu'il comptait mettre en œuvre.

Microferme

MYCOGÈNE. – ... Les microfermes de Mycogène sont légendaires, bien qu'elles ne survivent de nos jours que dans des expressions courantes telles que « riche comme les microfermes de Mycogène » ou bien « savoureux comme la levure mycogénienne ». Ces formules laudatives tendent à proliférer avec le temps, c'est sûr, mais Hari Seldon a visité ces microfermes durant la Fuite et l'on trouve dans ses mémoires des références qui tendraient à conforter l'opinion populaire...

ENCYCLOPAEDIA GALACTICA

41

« C'était rudement bon! s'enthousiasma Seldon. Nettement meilleur que les plats apportés par Grisnuage... »

Dors tempéra son enthousiasme : « N'oubliez pas que sa femme avait dû les préparer à toute vitesse au beau milieu de la nuit. » Elle marqua un temps d'arrêt puis reprit : « A propos, j'aimerais bien qu'au lieu de dire " la " femme, ils disent " ma " femme. Dans leur bouche, on croirait qu'ils parlent d'un accessoire, comme ils diraient " le lit " ou " la table ". C'est parfaitement avilissant.

– Je sais. Ça me met en rogne. Mais ils pourraient dire " ma femme " d'une manière tout aussi possessive. C'est leur mode de vie et les Sœurs n'ont pas l'air de s'en formaliser. Vous et moi n'allons rien y changer par nos sermons. – Au fait, vous avez vu comment elles ont procédé?

– Oui, et à les voir, tout semblait parfaitement simple. Je doute d'être capable de me souvenir de tout, mais elles ont soutenu que je n'en aurais pas besoin. Je n'aurai qu'à faire réchauffer les ingrédients. J'ai cru comprendre qu'on ajoutait au pain, durant la cuisson, une espèce de dérivé de micro-organisme qui lui permettait de lever et lui donner ce croustillant et ce parfum. Avec un soupçon de poivre, vous ne croyez pas?

– Je ne saurais dire mais, en tout cas, j'en aurais bien repris. Et la soupe, vous avez reconnu les légumes?

– Non.

– Et la viande en tranches, c'était quoi?

– A vrai dire, je ne crois pas que ce soit de la viande en tranches. Ça me rappelait un peu un plat à base d'agneau qu'on mangeait sur Cinna.

– Ce n'était certainement pas de l'agneau.

– J'ai bien dit que je ne croyais pas que ce soit de la viande. – Et je crois que personne ne mange ainsi ailleurs. Pas même l'Empereur, j'en suis sûre. Je suis prête à parier qu'ils exportent leurs fonds de tiroir. Ils se gardent le dessus du panier. On a intérêt à ne pas rester ici trop longtemps, Hari. Si on s'habitue à manger comme ça, on ne pourra plus jamais s'acclimater aux trucs répugnants qu'on sert ailleurs. » Elle rit.

Seldon rit aussi. Il but une nouvelle gorgée de jus de fruits, qui lui sembla bien plus délicieux que tout ce qu'il avait pu boire jusqu'ici, puis il remarqua : « Dites donc, quand Hummin m'a conduit à l'Université, on s'est arrêté dans un restoroute et tout ce qu'on a mangé sentait uniformément la levure. On aurait dit... – bon, peu importe, en tout cas, j'étais loin d'imaginer à ce moment-là qu'on pouvait donner si bon goût à des micro-nutriments. J'aurais bien aimé que les Sœurs soient encore là. Il aurait été courtois de les remercier.

– Je crois qu'elles ont parfaitement saisi nos sentiments. Je m'étais déjà extasiée sur l'odeur merveilleuse de tous ces plats qui mitonnaient et elles m'avaient répondu, avec une certaine suffisance, qu'au goût ce serait encore meilleur.

– C'est la plus grande qui vous a dit ça, j'imagine.

– Oui, la cadette a pouffé de rire. – Et elles vont revenir. Elles doivent m'apporter une tunique, pour que je puisse sortir avec elles faire les magasins. Et elles m'ont bien fait comprendre qu'il faudrait que je me lave le visage si je devais me faire voir en public. Elles me montreront où acheter moi-même des tuniques de bonne qualité et où me procurer toutes sortes de plats tout préparés. Je n'aurai plus qu'à les réchauffer. Elles ont expliqué qu'une Sœur qui se respecte ne procéderait jamais ainsi mais ferait tout elle-même. En fait, certains des plats qu'elles nous ont servis étaient simplement réchauffés et elles s'en sont excusées. En réussissant quand même à sous-entendre qu'on ne pouvait pas attendre que des barbares sachent pleinement apprécier l'art culinaire, et que nous pouvions bien nous contenter des plats précuits simplement réchauffés. A propos, elles ont l'air de considérer comme évident que je fasse toutes les courses et la cuisine.

– Comme on dit chez nous : “ A Trantor, fais comme les Trantoriens. ”

– Évidemment, j'étais sûre que vous auriez cette attitude.

– Je suis seulement humain, dit Seldon.

– L'excuse habituelle », remarqua Dors avec un petit sourire.

Seldon se carra dans sa chaise avec l'agréable sensation d'être rassasié et reprit : « Vous êtes sur Trantor depuis deux ans, Dors, vous devez donc saisir un certain nombre de choses qui m'échappent. Selon vous, l'étrange système social des Mycogéniens serait-il lié à leurs conceptions surnaturalistes?

– Surnaturaliste?

– Oui. Avez-vous entendu évoquer ce genre d'hypothèse?

– Qu'entendez-vous par " surnaturaliste "?

– L'évidence : la croyance à des entités indépendantes des lois naturelles, non soumises à la conservation de l'énergie, par exemple, ou à l'existence d'une constance d'action.

– Je vois. Vous me demandez si Mycogène est une communauté religieuse? »

C'était au tour de Seldon : « Religieuse?

– Oui. C'est un terme archaïque, mais les historiens l'utilisent – notre domaine est truffé de termes archaïques. " Religieux " n'est pas exactement l'équivalent de " surnaturaliste ", même si la religion contient d'évidents éléments de surnaturalisme. Je ne puis répondre de manière précise à votre question, car je n'ai jamais étudié Mycogène de manière spécifique. Malgré tout, partant du peu que j'en ai vu, et de ce que je sais des religions dans l'histoire, je ne serais pas surprise que Mycogène soit une société à caractère religieux.

– En ce cas, seriez-vous surprise si les légendes mycogéniennes étaient également à caractère religieux?

– Certainement pas.

– Et par conséquent, non fondées sur des bases historiques?

– Ce n'est pas un corollaire obligé. Le noyau de ces légendes pourrait avoir un fondement authentiquement historique, mêlé de distorsions et de surnaturalisme.

– Ah », fit Seldon qui parut s'absorber dans ses pensées.

Finalement, Dors rompit le silence pour ajouter : « Ce n'est pas si rare, vous savez. Il subsiste encore un fort élément religieux sur bien des planètes. Qui s'est d'ailleurs renforcé au cours des derniers siècles, à mesure que l'agitation gagnait l'Empire. Sur mon monde de Cinna, un quart au moins de la population est trithéiste. »

Une fois de plus, Seldon mesura, avec un regret douloureux, l'étendue de son ignorance en histoire. « Y a-t-il eu des époques, dans le passé, où la religion avait plus d'importance qu'aujourd'hui?

– Certainement. De surcroît, de nouvelles variétés apparaissent constamment. La religion mycogénienne, quoi qu'elle soit, pourrait être relativement récente et se limiter à Mycogène même. Impossible d'être sûr sans une étude approfondie.

– Voilà donc où je voulais en venir : D'après vous, Dors, les femmes seraient-elles plus enclines à la religion que les hommes? »

Dors Venabili haussa les sourcils. « Je ne suis pas sûre qu'on puisse avancer une hypothèse aussi simpliste. » Elle réfléchit un instant. « Je suppose que les éléments de la population qui ont le moins de prise sur le monde naturel, matériel, sont les plus aptes à trouver le réconfort dans ce que vous appelez le surnaturalisme : les pauvres, les déshérités, les opprimés. Et dans la mesure où le surnaturel englobe la religion, ils peuvent être également plus religieux. Il existe évidemment quantité d'exceptions. Bon nombre d'opprimés peuvent être dépourvus de religion; bon nombre de gens riches, puissants et comblés peuvent en avoir une.

– Mais, reprit Seldon, à Mycogène, où l'on semble traiter les femmes comme une sous-humanité... aurais-je tort de présumer qu'elles doivent être plus enclines à la religion que les hommes, plus portées à croire les légendes qu'a entretenues la société?

– Je n'y mettrais pas ma main à couper, Hari, mais je serais prête à parier une semaine de traitement...

– Bien », dit Seldon, pensif.

Dors lui sourit. « Voilà un élément pour votre psychohistoire, Hari. Règle numéro 47854 : les opprimés sont plus religieux que les satisfaits. »

Seldon hocha la tête. « Ne plaisantez pas avec la psychohistoire, Dors. Vous savez que je ne suis pas à la recherche de petits bouts d'axiomes mais de vastes généralisations et de règles opératoires. Je ne cherche pas à déduire une étude comparative de la religiosité d'une centaine de règles spécifiques. Ce que je cherche, c'est un ensemble d'éléments qui me permette, après une manipulation par quelque système logique à fondement mathématique, d'affirmer : “ Ah, ah, ce groupe-là va tendre à être plus religieux que ce groupe-ci, à condition que les critères suivants soient remplis, et par conséquent, lorsque l'humanité rencontrera ces mêmes stimuli, elle réagira de manière identique. ”

– Mais c'est horrible! Vous décrivez les êtres humains comme s'ils étaient de vulgaires mécaniques. Pressez ce bouton et vous obtenez cette réaction.

– Non, parce qu'il y aura quantité de boutons pressés en même temps et plus ou moins fortement, ce qui engendrera tant de réponses différentes qu'une prédiction globale de l'avenir ne pourra être que de nature statistique, de sorte que l'individu gardera son libre-arbitre.

– Comment pouvez-vous le savoir?

– Je ne peux pas, dit Seldon. Du moins, je ne le *sais* pas. Je le *sens*. C'est ainsi que j'estime que les choses *devraient* être. Si je puis trouver les axiomes, les Lois fondamentales de l'Humanique si l'on peut dire, et le traitement mathématique idoine, alors, je tiendrai ma psychohistoire. J'ai prouvé qu'en théorie du moins, c'était possible.

– Mais inapplicable, c'est cela?

– Je n'arrête pas de le répéter. »

L'esquisse d'un sourire incurva les lèvres de Dors. « Est-ce ce que vous êtes en train de faire, Hari, chercher une sorte de solution à ce problème?

– Je n'en sais rien. Je vous jure que je n'en sais rien. Mais Chetter

Hummin voudrait tellement trouver une solution et, sans trop savoir pourquoi, j'aimerais tant lui faire plaisir. C'est un homme si persuasif...

– Ça, je le sais. »

Seldon ne releva pas, mais une ride fugace lui plissa le front.

Il poursuivit : « Hummin soutient que l'Empire est en pleine décadence, qu'il va s'effondrer, que la psychohistoire est le seul espoir de le sauver – ou au moins, d'amortir la chute ou d'en améliorer les conditions – et que, sans elle, l'humanité sera détruite, ou en tout cas qu'elle traversera une longue période de souffrances. Il semble faire reposer sur moi la responsabilité d'éviter ce malheur. Bon, l'Empire me survivra, sans aucun doute, mais si je veux vivre sans remords, je dois ôter de mes épaules le poids de cette responsabilité. Je dois me convaincre – et convaincre Hummin – que la psychohistoire n'est pas une solution pratique; que, malgré la théorie, elle ne peut pas être mise en application. Aussi dois-je suivre le plus de pistes possibles pour démontrer que chacune est nécessairement une impasse.

– Des pistes? Par exemple, remonter dans l'histoire jusqu'à une époque où la société humaine était plus petite qu'aujourd'hui?

– Bien plus petite. Et considérablement moins complexe.

– Et démontrer qu'une solution demeure quand même inapplicable?

– Oui.

– Mais qui va vous décrire ce monde primitif? Si les Mycogéniens détiennent une description cohérente de la Galaxie primordiale, nul doute que Maître-du-Soleil se gardera bien de la révéler à un barbare. Aucun Mycogénien ne le fera. Cette société vit repliée sur elle-même – combien de fois vous l'ai-je répété? – et la méfiance de ses membres à l'égard des barbares confine à la paranoïa. Ils ne nous diront rien.

– Il va falloir que je trouve le moyen de persuader certains Mycogéniens de parler. Ces Sœurs, par exemple.

– Elles ne voudront même pas vous *entendre,* mâle que vous êtes, pas plus que Maître-du-Soleil ne veut m'entendre. Et même si elles vous parlaient, que sauraient-elles, hormis quelques formules indéfiniment répétées?

– Il faut bien que je trouve un point de départ.

– Bon, laissez-moi réfléchir. Hummin dit que je dois vous protéger et cela implique, semble-t-il, que je dois vous aider quand je le peux. Qu'est-ce que je peux bien vous dire sur la religion? C'est à cent lieues de ma spécialité, vous savez. Je me suis toujours intéressée aux courants économiques plutôt qu'aux courants philosophiques, mais enfin, on ne peut pas non plus diviser l'histoire en une série de petits compartiments indépendants. Par exemple, les religions ont tendance à s'enrichir quand elles ont du succès, et cela finit par modifier le développement économique d'une société. – Incidemment, voilà encore une des nombreuses règles de l'histoire humaine qu'il vous faudra dériver de vos – comment dites-vous, déjà? – Lois fondamentales de l'Humanique. Mais... »

Et là, la voix de Dors s'éteignit tandis qu'elle s'absorbait dans ses pensées. Seldon l'observa, circonspect : Dors avait les yeux dans le vague, comme si elle regardait au tréfonds d'elle-même.

Finalement, elle reprit : « Ce n'est pas une règle immuable, mais il me semble que, dans bien des cas, les religions ont un livre, ou plusieurs livres, à qui elles attribuent un maximum de sens; des livres qui présentent leur rituel, leur vision de l'histoire, leur poésie sacrée, que sais-je encore? D'ordinaire, ces livres sont accessibles à tous et sont à la base du prosélytisme. Parfois, ils sont secrets.

– Croyez-vous que Mycogène possède ce genre de livres?

– Pour dire la vérité, répondit Dors, songeuse, je n'en ai jamais entendu parler. Ç'aurait été le cas s'ils avaient existé au grand jour – ce qui signifie qu'ils n'existent pas ou qu'ils sont tenus secrets. Dans l'un et l'autre cas, il me semble que vous n'êtes pas près de les voir.

– Au moins, voilà un point de départ », dit Seldon, d'un air sinistre.

42

Les Sœurs revinrent environ deux heures après que Hari et Dors eurent fini de déjeuner. Toutes deux souriaient et Goutte-de-Pluie Quarante-trois, la plus sérieuse soumit à Dors une tunique grise.

« Elle est très seyante », dit cette dernière, souriant largement et hochant la tête avec une certaine sincérité. « J'aime bien la jolie broderie, là...

– Oh, ce n'est rien, gazouilla Goutte-de-Pluie Quarante-cinq. C'est un de mes vieux vêtements et il ne vous ira pas très bien car vous êtes plus grande que moi. Mais ça fera l'affaire en attendant qu'on vous emmène chez le meilleur *tuniqueur*; il pourra vous en tailler quelques-unes parfaitement adaptées à votre taille et à vos goûts. Vous verrez... »

Goutte-de-Pluie Quarante-trois, souriant avec un brin de nervosité, mais sans mot dire et les yeux baissés, tendit à Dors une tunique blanche, pliée avec soin. Dors se garda de la déplier et la passa directement à Seldon. « A la couleur, je dirais qu'elle est pour vous, Hari.

– Je présume, dit ce dernier. Mais rendez-la-lui. Elle ne me l'a pas donnée.

– Oh, Hari, murmura Dors en hochant légèrement la tête.

– Non, insista Seldon. Elle ne me l'a pas donnée. Rendez-la-lui et j'attendrai qu'elle me la donne en mains propres. »

Dors hésita puis tenta, sans conviction, de restituer la tunique à Goutte-de-Pluie Quarante-trois.

La Sœur mit les mains dans son dos et s'écarta, le visage soudain livide. Goutte-de-Pluie Quarante-cinq jeta à Seldon un regard à la dérobée, très vite, puis s'avança vers Goutte-de-Pluie Quarante-trois pour l'entourer de ses bras.

« Allons, Hari, reprit Dors. Je suis sûre que les Sœurs n'ont pas le droit de parler à des hommes en dehors de leur famille. Pourquoi la gêner? Elle n'y peut rien.

– Je n'en crois rien, fit rudement Seldon. S'il existe une telle règle, elle ne s'applique qu'aux Frères. Je doute fort qu'elle ait déjà rencontré un barbare. »

D'une voix douce, Dors s'adressa à Goutte-de-Pluie Quarante-trois : « Avez-vous déjà rencontré un ou une barbare, Sœur? »

Longue hésitation, puis lent signe de dénégation.

Seldon ouvrit les bras : « Eh bien, nous y voilà. S'il y une règle de silence, elle ne s'applique qu'aux Frères. Nous auraient-ils envoyé ces jeunes femmes – ces Sœurs – s'il existait une règle quelconque leur interdisant de parler aux barbares?

– Il se pourrait, Hari, qu'elles soient censées s'adresser uniquement à moi, et moi ensuite à vous.

– Balivernes! Je n'en crois rien et vous ne me ferez pas changer d'avis. Je ne suis pas un vulgaire barbare, je suis un invité d'honneur de Mycogène, à la demande expresse de Chetter Hummin, et introduit ici par Maître-du-Soleil Quatorze en personne. Je refuse d'être traité comme si je n'existais pas. Je m'en vais contacter Maître-du-Soleil Quatorze et me plaindre amèrement. »

Goutte-de-Pluie Quarante-cinq se mit à sangloter et Goutte-de-Pluie Quarante-trois, tout en gardant son calme, n'en rougit pas moins légèrement.

Dors fit mine de vouloir encore une fois apaiser Seldon mais celui-ci la fit taire d'une bourrade tout en toisant Goutte-de-Pluie Quarante-trois de toute sa hauteur.

Finalement, cette dernière se mit à parler. Elle ne gazouillait plus : sa voix était plutôt rauque et tremblante, comme si elle devait la forcer pour s'exprimer devant un représentant du sexe masculin, à l'encontre de tous ses instincts, de tous ses désirs.

« Vous ne devez pas vous plaindre de nous, barbare. Ce serait injuste. Vous me forcez à enfreindre la coutume de notre peuple. Que voulez-vous de moi? »

Seldon eut aussitôt un sourire désarmant et lui tendit la main : « Le vêtement que vous m'avez apporté. La tunique. »

Sans un mot, elle tendit le bras et déposa dans sa main la tunique.

Il s'inclina légèrement et dit d'une voix douce et chaleureuse : « Merci, Sœur. » Puis il lorgna Dors du coin de l'œil, comme pour dire : vous voyez? Mais cette dernière détourna le regard, fâchée.

La tunique était absolument unie, remarqua Seldon en la dépliant (broderies et décorations étant apparemment réservées aux femmes), mais elle était accompagnée d'une ceinture à glands qu'on devait certainement porter d'une manière précise. Nul doute qu'il saurait se débrouiller.

« Je vais passer dans la salle de bains mettre ceci. Ça ne prendra qu'une minute, je suppose. »

Il pénétra dans le réduit et s'aperçut qu'il n'arrivait pas à fermer la porte dans son dos : Dors lui avait emboîté le pas. C'est seulement quand ils furent tous deux entrés dans la salle de bains qu'ils purent s'y isoler.

« Qu'est-ce qui vous a pris? siffla Dors en colère. Vous vous êtes comporté en vraie brute, Hari. Pourquoi traiter ainsi cette pauvre femme?

– Il fallait que je la force à me parler, expliqua Seldon avec impatience. Je compte sur elle pour obtenir des informations, vous le savez bien. Je suis désolé d'avoir dû me montrer cruel, mais sinon, comment aurais-je pu briser ses inhibitions? » Et il lui fit signe de sortir.

Quand il émergea, il découvrit que Dors avait également passé sa tunique.

Malgré la calvitie que lui donnait le bonnet et le manque d'élégance manifeste du vêtement, elle parvenait à être tout à fait séduisante. La coupe réussissait à suggérer une silhouette sans la révéler le moins du monde. La ceinture, plus large que celle de Seldon, était d'un gris légèrement différent de celui du vêtement et maintenue sur le devant par deux broches scintillantes de pierre bleue. (Les femmes réussissent toujours à s'embellir, même dans les pires conditions, songea Seldon.)

Examinant Hari, Dors remarqua : « Vous avez l'air du parfait Mycogénien. Nous voilà prêts à faire les boutiques avec les Sœurs.

– Oui, mais ensuite je veux que Goutte-de-Pluie Quarante-trois me fasse visiter les microfermes. »

Les yeux de l'intéressée s'agrandirent tandis qu'elle reculait vivement d'un pas.

« J'aimerais les voir », dit calmement Seldon.

Goutte-de-Pluie Quarante-trois jeta un bref regard à Dors. « Femme barbare...

– Peut-être que vous ne connaissez rien aux fermes, Sœur », insinua Seldon.

Cela parut toucher une corde sensible. Elle leva le menton, l'air indigné, tout en prenant soin de s'adresser exclusivement à Dors : « J'ai travaillé dans les microfermes. Tous les Frères et Sœurs le font à un moment ou à un autre de leur existence.

– Eh bien, dans ce cas, servez-moi de guide, dit Seldon, et ne recommençons pas à discuter : je ne suis pas un de ces Frères auxquels il vous est interdit de parler et avec qui vous n'avez rien à faire. Je suis un barbare et un invité d'honneur. Je porte ce bonnet et cette tunique pour ne pas trop attirer l'attention, mais je suis un chercheur et, tant que je serai ici, je dois apprendre. Je ne peux pas rester planté dans cette pièce à fixer le mur. Je veux voir la seule chose que vous ayez et que le reste de la Galaxie ne possède pas, vos microfermes. J'aurais cru que vous seriez fières de les montrer...

– Eh bien, nous en sommes fières », dit Goutte-de-Pluie Quarante-trois, se décidant enfin à lui parler en face, « et je vais vous les montrer. Mais n'allez pas imaginer que vous apprendrez le moindre de nos secrets, si c'est cela que vous cherchez. Je vous montrerai les microfermes demain matin. Il me faut du temps pour arranger la visite.

– Je veux bien attendre jusqu'à demain matin. Mais ai-je votre promesse? Votre parole d'honneur? »

Avec un mépris manifeste, Goutte-de-Pluie Quarante-trois répondit : « Je suis une Sœur, et je ferai ce que j'ai dit. Je tiendrai parole, même envers un barbare. »

Elle avait prononcé ces derniers mots d'une voix glacée tandis que ses yeux agrandis paraissaient étinceler. Seldon se demanda ce qu'elle avait en tête et il se sentit soudain mal à l'aise.

43

Seldon passa une nuit agitée. Pour commencer, Dors avait annoncé qu'elle devait l'accompagner dans sa visite et il avait protesté avec vigueur.

« Tout l'intérêt, avait-il expliqué, c'est de l'amener à parler librement, à la confronter à un environnement inhabituel – seule avec un homme, un barbare qui plus est. Maintenant que la tradition est déjà bien ébréchée, il sera facile de l'enfreindre plus avant. Si vous êtes là, c'est à vous qu'elle se confiera et je n'aurai que les restes.

– Et s'il vous arrive quelque chose en mon absence, comme l'autre fois sur la Couverture?

– Rien n'arrivera. Je vous en prie! Si vous voulez m'aider, restez en dehors de tout ça. Sinon, je ne veux plus avoir affaire à vous. Je suis sérieux, Dors. C'est important pour moi. Malgré toute l'estime que je vous porte, je n'en démordrai pas. »

Elle accepta, non sans réticence, et l'avertit simplement : « Alors, promettez-moi au moins d'être gentil avec elle.

– Est-ce elle ou moi que vous avez mission de protéger? Je vous assure que je ne l'ai pas rudoyée par plaisir et que je ne recommencerai plus. »

Le souvenir de cette dispute avec Dors – la première – avait contribué à le maintenir éveillé une bonne partie de la nuit; il ne pouvait chasser non plus l'idée lancinante que les deux Sœurs pourraient ne pas se présenter au matin, malgré la promesse de Goutte-de-Pluie Quarante-trois.

Elles arrivèrent cependant, peu après que Seldon eut achevé un petit déjeuner frugal (il avait décidé de ne pas se laisser grossir par excès de gourmandise) et passé une tunique qui lui allait à la perfection. Il en avait soigneusement disposé la ceinture pour qu'elle tombe comme il faut.

Toujours avec une lueur glaciale dans le regard, Goutte-de-Pluie Quarante-trois annonça : « Si vous êtes prêt, barbare Seldon, ma Sœur restera avec la barbaresque Venabili. » Sa voix n'était plus ni rauque ni haut perchée, comme si elle s'était calmée durant la nuit, s'entraînant mentalement à parler à quelqu'un qui était un mâle mais non un Frère.

Seldon se demanda si elle aussi avait souffert de l'insomnie, puis répondit : « Je suis tout à fait prêt. »

Ensemble, une demi-heure plus tard, Goutte-de-Pluie Quarante-trois et Hari Seldon descendaient les niveaux les uns après les autres. Bien que, d'après l'heure, on fût en plein jour, il faisait plus sombre ici que partout ailleurs sur Trantor.

Sans raison apparente. Nul doute que l'éclairage artificiel qui progressait lentement autour du globe de Trantor pouvait inclure le secteur de Mycogène. C'est donc, jugea Seldon, que les Mycogéniens devaient en avoir décidé ainsi, s'accrochant à quelque habitude primitive. Ses yeux s'accoutumèrent à la pénombre environnante.

Il essaya de croiser calmement le regard des passants, qu'ils fussent Frères ou Sœurs. Il estima qu'on devrait les prendre, Goutte-de-Pluie Quarante-trois et lui, pour un Frère et sa femme, et qu'on ne les remarquerait pas tant qu'ils s'abstiendraient d'attirer l'attention.

Malheureusement, il semblait bien que Goutte-de-Pluie Quarante-trois fît tout pour se faire remarquer. Elle lui parlait par monosyllabes, à voix basse, lèvres serrées. Il était manifeste que la compagnie d'un mâle non autorisé, même si elle était au courant, la déstabilisait. Seldon était à peu près certain que, s'il lui enjoignait de se détendre, il ne ferait qu'accroître sa gêne. (Il se demanda ce qu'elle ferait si jamais elle croisait une connaissance et ne commença à se sentir un peu moins nerveux qu'en arrivant aux niveaux inférieurs, nettement plus déserts.)

La descente ne se faisait pas par ascenseur mais par des rampes d'escaliers mobiles disposées par paires : une pour monter, une pour descendre. Goutte-de-Pluie Quarante-trois les appelait des “ escalators ”. Seldon n'était pas sûr d'avoir saisi correctement le terme, ne l'ayant encore jamais entendu.

A mesure qu'ils s'enfonçaient de niveau en niveau, Seldon sentait croître son appréhension. La plupart des mondes possédaient des microfermes qui produisaient leurs propres variétés de micro-nutriments. Chez lui, sur Hélicon, Seldon avait à l'occasion acheté des condiments dans les microfermes et il avait toujours remarqué l'odeur désagréablement écœurante qui les entourait.

Les gens qui y travaillaient ne semblaient pas y prendre garde. Alors même que les visiteurs occasionnels fronçaient le nez, ils semblaient s'en accommoder parfaitement. Seldon, toutefois, avait toujours été particulièrement sensible à l'odeur. Il en souffrait et s'attendait à présent à en souffrir. Il eut beau se calmer en se disant qu'il sacrifiait noblement son confort à la recherche de l'information, cela n'empêchait pas l'appréhension de lui nouer l'estomac.

Après qu'il eut perdu le compte du nombre des niveaux descendus, comme l'atmosphère demeurait raisonnablement respirable, il demanda : « Quand atteindrons-nous les niveaux de la ferme?

– Nous y sommes déjà. »

Seldon inspira un grand coup. « A l'odeur, on ne dirait pas.

– L'odeur? Que voulez-vous dire? » Goutte-de-Pluie Quarante-trois était suffisamment outrée pour parler à voix haute.

« D'après mon expérience, il règne toujours une odeur putride autour des microfermes. Vous savez, à cause des engrais que les bactéries, levures, moisissures et autres saprophytes exigent en général.

– Votre expérience? » Elle avait de nouveau baissé la voix. « Et où cela ?

– Sur mon monde natal. »

La Sœur fit une grimace écœurée. « Et vos concitoyens pataugent dans le *lisier*? »

Seldon entendait le mot pour la première fois mais, d'après le regard et l'intonation, il crut en deviner le sens.

« Ça ne sent plus comme ça, vous savez, une fois le produit traité pour la consommation, dit-il.

– Nos produits ne sentent jamais comme ça à aucun stade. Nos biotechniciens ont mis au point des conditions parfaites. Les algues poussent sous la lumière la plus pure et dans des solutions électrolytiques équilibrées avec le plus grand soin. Les saprophytes sont alimentés par un savant mélange de matières organiques. Jamais aucun barbare ne saura jamais nos formules et nos recettes. Allez, venez, nous y sommes. Reniflez tout votre saoul. Vous ne trouverez rien de nauséabond. C'est l'une des raisons qui font que nos produits sont demandés dans toute la Galaxie et que l'Empereur, nous a-t-on dit, ne mange rien d'autre, mais si vous voulez mon avis, c'est bien trop bon pour un barbare, même s'il se baptise Empereur. »

Elle avait parlé avec une colère qui semblait viser directement Seldon. Puis, comme elle craignait que l'allusion lui ait échappé, elle ajouta : « Ou même s'il se baptise invité d'honneur. »

Ils débouchèrent dans un étroit corridor, bordé de part et d'autre des vastes cuves de verre épais dans lesquelles roulait une eau verte et trouble, pleine d'algues, tourbillonnant sous la pression des bulles de gaz qui la traversaient. Elles devaient être riches en gaz carbonique, estima Seldon.

Une puissante lumière rosée illuminait les cuves, considérablement plus intense que l'éclairage des corridors. Il s'en ouvrit, songeur, auprès de sa conductrice.

« Évidemment, répondit celle-ci. Les algues ont leur meilleur rendement à l'extrémité rouge du spectre.

– Je présume, nota Seldon, que tout est automatisé. »

Elle haussa les épaules sans répondre.

« Je ne vois pas beaucoup de Frères et de Sœurs au travail, insista Seldon.

– Il y a du travail à faire et ils le font, même si vous ne les voyez pas à l'œuvre. Les détails ne sont pas pour vous. Alors ne perdez pas votre temps à en demander.

– Attendez. Ne soyez pas fâchée contre moi. Je ne compte pas découvrir des secrets d'État. Allons, mon petit... » (Le mot lui avait échappé.)

Il la prit par le bras alors qu'elle semblait sur le point de détaler. Elle resta immobile mais il la sentit frémir légèrement et il la relâcha, gêné.

Il reprit : « C'est simplement que tout me paraît automatisé.

– Faites toutes les suppositions que vous voudrez. Toujours est-il qu'il reste de la place ici pour le cerveau et le jugement humains. Chaque Frère et chaque Sœur ont l'occasion de travailler ici à un moment ou à un autre. Certains en font profession. »

Elle parlait plus librement à présent mais, à sa grande gêne, Seldon nota que sa main gauche remontait furtivement vers son bras droit pour y frotter doucement l'endroit qu'il avait touché, comme si elle avait été piquée.

« Cela s'étend sur des kilomètres et des kilomètres, lui dit-elle, mais si nous tournons ici, vous pourrez voir une partie de la section des moisissures. »

Ils poursuivirent la visite. Seldon nota la propreté des lieux. Le verre étincelait. Le sol carrelé semblait humide mais lorsqu'il se pencha pour le caresser, il constata que ce n'était pas le cas. Il n'était pas non plus glissant – à moins que ses sandales (avec le gros orteil qui dépassait, à la mode mycogénienne) fussent équipées de semelles antidérapantes.

Goutte-de-Pluie Quarante-trois avait raison sur un point : çà et là, on voyait un Frère ou une Sœur travailler en silence, examinant un cadran, ajustant un contrôle, parfois occupé à quelque activité subalterne – comme de briquer le matériel – mais toujours totalement absorbé par sa tâche.

Seldon se garda bien de demander ce qu'ils faisaient pour éviter à la Sœur l'humiliation d'avouer son ignorance ou sa colère en lui rappelant que ça ne le regardait pas.

Ils venaient de passer une porte battante et Seldon décela soudain une vague trace de l'odeur qu'il connaissait bien. Il regarda Goutte-de-Pluie Quarante-trois mais celle-ci n'en paraissait pas consciente, et lui aussi s'y accoutuma vite.

La nature de l'éclairage changea brusquement. Terminé, le rose vif. Tout semblait baigner dans la pénombre hormis quelques appareils éclairés – et, chaque fois qu'un projecteur était allumé, il semblait y avoir un Frère ou une Sœur au travail. Certains portaient des bandeaux lumineux qui diffusaient une lueur nacrée et, à mi-distance, Seldon aperçut, çà et là, de petites étincelles de lumière qui évoluaient de manière erratique.

Tandis qu'ils avançaient, Seldon lorgna, à la dérobée, le profil de la jeune femme. C'était son seul critère de jugement : à tout autre instant, son attention restait accaparée par ce crâne chauve et saillant, ces yeux nus, ce visage sans couleur qui noyaient son individualité et semblaient la rendre invisible. De profil, toutefois, il pouvait distinguer quelque chose : un nez, un menton, des lèvres pleines, des traits réguliers, de la beauté. La pénombre lissait en quelque sorte le tout, en adoucissant le grand désert de son front.

Il songea avec surprise : elle pourrait être très belle si elle se laissait pousser les cheveux et s'arrangeait convenablement.

Et puis, il songea qu'elle ne *pouvait* pas se laisser pousser les cheveux. Elle était condamnée à rester chauve toute sa vie.

Pourquoi? Pourquoi avait-elle dû subir cela? Maître-du-Soleil disait que c'était pour qu'un Mycogénien se reconnaisse comme tel toute sa vie durant. Pourquoi était-il si important que cette maudite calvitie soit acceptée comme preuve d'identité?

Et puis, comme il avait l'habitude de débattre mentalement selon des points de vue opposés, il songea : l'habitude est une seconde nature. Habituez-vous assez longtemps à un crâne chauve, et toute pilosité vous paraîtra monstrueuse et vous donnera la nausée. Lui-même se rasait bien le visage tous les matins, de près, chassant le moindre poil rebelle, et pourtant il n'avait pas l'impression d'avoir les joues dénudées et ne trouvait à ses traits rien d'anormal. Certes, il pouvait à tout moment se laisser pousser la barbe si l'envie l'en prenait – mais il n'en avait pas envie.

Il savait qu'il y avait des mondes où les hommes ne se rasaient pas; parfois d'autres où ils ne taillaient même pas leur pilosité faciale mais la laissaient en bataille. Que diraient-ils en voyant son visage imberbe, son menton, ses joues, ses lèvres sans un poil?

En attendant, il marchait toujours – interminablement, lui semblait-il – à côté de Goutte-de-Pluie Quarante-trois qui, de temps en temps, le prenait par le coude pour le guider; il avait l'impression qu'elle avait fini par s'y habituer car elle ne retirait plus sa main en hâte. Parfois même elle s'attardait.

« Tenez! Venez donc par ici! s'écria-t-elle.

– Qu'y a-t-il? »

Ils se trouvaient devant un petit plateau empli de sphérules d'environ deux centimètres de diamètre. Le Frère chargé du secteur et qui venait à l'instant de déposer le plateau leva les yeux, vaguement intrigué.

A voix basse, Goutte-de-Pluie Quarante-trois dit à Seldon d'en demander quelques-unes.

Seldon s'avisa qu'elle ne pouvait pas parler à un Frère tant qu'il ne se serait pas adressé à elle le premier et demanda, la voix chevrotante : « Pourrais-je en goûter quelques-unes, F-Frère?

– Prends-en une poignée, Frère », répondit l'autre chaleureusement.

Seldon cueillit l'une des sphères et il s'apprêtait à la tendre à Goutte-de-Pluie Quarante-trois quand il s'aperçut qu'elle avait pris l'invitation à son compte et plongeait dans le plateau à pleines mains.

La sphère était luisante, lisse. Tandis qu'ils s'éloignaient de la cuve et du Frère qui s'en occupait, Seldon interrogea sa conductrice : « C'est censé être comestible! » Il porta précautionneusement l'objet à son nez.

« Elles ne sentent pas, remarqua-t-elle sèchement.

– Qu'est-ce que c'est?

– Des bouchées. Non traitées. Pour le marché extérieur, on les aromatise avec différents parfums mais ici, à Mycogène, on les mange telles quelles – la seule vraie façon de les déguster. »

Elle en mit une dans sa bouche et ajouta : « Je n'en ai *jamais* assez. »

Seldon mit une sphère dans sa bouche et la sentit fondre rapidement. Un instant après, elle s'était liquéfiée et glissait, presque toute seule, dans sa gorge.

Il resta figé un moment, stupéfait. C'était légèrement sucré, laissant même un vague arrière-goût doux-amer, mais l'impression dominante lui échappait.

« Puis-je en avoir une autre?

– Une demi-douzaine », dit Goutte-de-Pluie Quarante-trois en lui présentant sa main ouverte. « Il n'y en a jamais deux qui aient exactement le même goût et elles ne contiennent quasiment aucune calorie. Servez-vous. »

Elle avait raison. Il essaya de la laisser doucement fondre dans la bouche; de la lécher délicatement; d'y mordre d'un seul coup. Le plus infime contact, néanmoins, la détruisait : dès qu'on en avait croqué un fragment, le reste disparaissait aussitôt. Et chaque bouchée laissait un goût indéfinissable et pas tout à fait semblable à celui de la précédente.

« Le seul problème, dit gaiement la Sœur, c'est que, de temps à autre, on tombe sur une bouchée tout à fait inhabituelle, qu'on n'oubliera jamais mais qu'on ne retrouvera jamais non plus. J'en ai mangé une quand j'avais neuf ans... » Son expression devint soudain grave : « Utile expérience qui vous enseigne l'évanescence des choses de ce monde. »

C'était un signal, se dit Seldon. Ils avaient assez longtemps déambulé sans but. Elle s'était habituée à lui au point de lui parler. Et de lui confier quelque chose d'intéressant. Enfin!

44

« Je viens d'un monde situé à l'air libre, Sœur, comme tous les mondes sauf Trantor, lui avoua Seldon. La pluie vient ou ne vient pas, les rivières ne donnent qu'un filet d'eau ou bien débordent, la température monte et descend. Cela signifie que les récoltes sont plus ou moins bonnes. Ici, en revanche, l'environnement est parfaitement maîtrisé. Les récoltes n'ont pas d'autre choix que d'être bonnes. Que Mycogène a de la chance! »

Il attendit. Plusieurs réponses étaient possibles et il agirait en fonction de ce qu'il allait entendre.

Elle parlait désormais en toute liberté, apparemment sans la moindre inhibition concernant son sexe : cette longue visite guidée avait donc rempli son rôle. « L'environnement n'est pas si facile à maîtriser. Il y a parfois des infections virales et l'on note également d'indésirables mutations-surprise. Il arrive parfois que des planches entières de culture dépérissent ou deviennent inutilisables.

– Vous me surprenez. Et qu'arrive-t-il, alors?

– Il n'y a généralement pas d'autre recours que de détruire les lots contaminés, même si la contamination n'est pas certaine. Plateaux et cuves doivent alors être totalement stérilisés, voire détruits.

– Cela relèverait donc de la chirurgie, nota Seldon. On excise les tissus malades.

– Exactement.
– Et que faites-vous pour prévenir ce genre d'accident?
– Que pouvons-nous faire? Nous effectuons constamment des tests pour déceler l'apparition d'éventuelles mutations, de nouveaux virus, de contaminations accidentelles ou d'altérations de l'environnement. Il est rare qu'on découvre un problème, mais lorsque c'est le cas, les mesures sont draconiennes. Résultat, les mauvaises années sont très rares et n'affectent que d'infimes fractions de la production, çà et là. La plus mauvaise année que nous ayons subie a entraîné une baisse de douze pour cent seulement par rapport à la moyenne – et cela a suffi à créer des difficultés. L'ennui, c'est que même les plus extrêmes précautions, les programmes d'ordinateur les plus soigneusement conçus ne peuvent pas toujours prédire ce qui est par essence imprévisible. »

(Seldon se sentit pris d'un frisson involontaire. C'était comme si elle lui parlait de la psychohistoire – et elle ne parlait que de la production microbiologique d'une infime fraction de l'humanité, quand pour sa part il embrassait l'ensemble du puissant Empire galactique dans la totalité de ses activités.)

Inévitablement découragé, il remarqua : « Tout n'est quand même pas totalement imprévisible. Il existe des forces qui nous guident et nous protègent. »

La Sœur se raidit. Elle se tourna vers lui, parut le scruter d'un regard pénétrant.

Mais tout ce qu'elle dit fut : « Hein? »

Seldon se sentit mal à l'aise. « Il me semble que, lorsqu'on parle de virus et de mutations, on parle de la nature, de phénomènes soumis aux lois naturelles. Cela laisse de côté tout ce qui est surnaturel, non? Cela laisse de côté tout ce qui n'est pas soumis aux lois naturelles et peut, par conséquent, contrôler celles-ci. »

Elle continua de le fixer, comme s'il s'était mis soudain à lui parler en quelque lointain dialecte dérivé du galactique classique. A nouveau, elle répéta, dans un quasi-chuchotement cette fois : « Hein? »

Il poursuivit, trébuchant sur des mots peu familiers qui l'embarrassaient à moitié : « Vous devez recourir à quelque essence, quelque... quelque esprit supérieur, quelque... je ne sais comment dire. »

Goutte-de-Pluie Quarante-trois répondit d'une voix qui montait vers l'aigu tout en restant chuchotée : « C'est bien ce que je pensais. Je *soupçonnais* ce que vous vouliez dire mais sans pouvoir y *croire*. Vous nous accusez d'avoir une *religion*. Pourquoi ne pas le dire? Pourquoi ne pas prononcer le mot? »

Elle attendit une réponse et Seldon, quelque peu désarçonné par cette attaque, répondit : « Parce que ce n'est pas le mot que nous employons. Nous appelons ça “ surnaturalisme ”.

– Appelez ça comme ça vous chante. C'est de la religion et nous n'en avons pas. La religion, c'est pour les barbares, pour la lie grouillante de l'humanité... »

La Sœur s'interrompit pour déglutir, comme si elle était à deux doigts de s'étrangler.

Puis elle se domina. Parlant à nouveau avec lenteur et d'une voix plus grave que son soprano habituel, elle reprit : « Nous ne sommes pas un peuple religieux. Notre royaume est de cette Galaxie et l'a toujours été. Si vous avez une religion...

Seldon se sentit pris au piège. A vrai dire, il n'avait pas prévu cela. Il éleva la main, sur la défensive : « Pas vraiment. Je suis un mathématicien et mon royaume est également de cette Galaxie. C'est simplement que j'avais pensé, à voir la rigidité de vos coutumes, que votre royaume, en revanche...

– N'allez pas penser ça, barbare. Si nos coutumes sont rigides, c'est parce que nous ne sommes que quelques précieux millions de Mycogéniens cernés par des milliards de non-Mycogéniens. D'une manière ou d'une autre, nous devons nous distinguer pour ne pas être noyés sous vos essaims et vos hordes. Nous devons nous distinguer par notre absence de pilosité, nos vêtements, notre comportement, notre mode de vie. Nous devons savoir qui nous sommes et nous assurer que vous autres barbares le savez aussi. Nous travaillons dans nos fermes pour nous rendre estimables à vos yeux et ainsi nous assurer que vous nous laisserez tranquilles. C'est tout ce que nous vous demandons... de nous laisser tranquilles.

– Je n'ai aucune intention de vous nuire, ni à vous ni à aucun des vôtres. Je ne cherche que la connaissance, ici comme partout ailleurs.

– C'est pour ça que vous nous insultez en nous demandant notre religion, comme si nous avions jamais invoqué quelque esprit mystérieux et insubstantiel pour accomplir à notre place ce que nous serions incapables de faire?

– Il y a bien des gens, bien des mondes qui croient au surnaturel sous quelque forme que ce soit... à la religion, si vous préférez. Nous sommes peut-être en désaccord avec eux sur tel ou tel point, mais nous avons autant de chances d'avoir tort dans notre incrédulité qu'eux dans leur croyance. En tout cas, il n'y a rien de déshonorant à croire et mes questions ne cherchaient pas à être insultantes. »

Mais elle refusait de s'apaiser. « La religion! fit-elle avec colère. On n'en a pas besoin. »

Le moral de Seldon, qui n'avait cessé de dégringoler durant tout cet échange, atteignit les tréfonds. Toute cette affaire, cette expédition en compagnie de Goutte-de-Pluie Quarante-trois, pour rien.

Mais elle poursuivit en disant : « Non, nous avons bien mieux. Nous avons *l'histoire.* »

Aussitôt le moral de Seldon remonta en flèche et il se mit à sourire.

Livre

« HISTOIRE DE LA MAIN SUR LA CUISSE » – Une anedocte citée par Hari Seldon comme le premier tournant dans sa recherche d'une méthode pour mettre au point la psycho-histoire. Malheureusement, ses écrits publiés ne fournissent aucune indication quant à la teneur de cette « histoire » et les (nombreuses) spéculations concernant celle-ci restent vaines. C'est l'un des nombreux et irritants mystères qui entourent la carrière de Seldon.

ENCYCLOPAEDIA GALACTICA

45

Goutte-de-Pluie Quarante-trois fixa Seldon, les yeux agrandis, le souffle court.

« Je ne peux pas rester ici », lui dit-elle.

Seldon regarda alentour : « Personne ne nous dérange. Même le Frère qui nous a donné les bouchées n'a fait aucune remarque. Il a paru nous prendre pour un couple parfaitement ordinaire.

– C'est parce que nous n'avons rien de spécial – du moins quand nous sommes dans la pénombre, que vous parlez à voix basse, qu'on entend moins votre accent barbare, et que j'ai l'air calme. Mais à présent... » Sa voix devenait rauque.

« Quoi, à présent?

– Je suis nerveuse et tendue. Je suis... en sueur.

– Qui va le remarquer? Relaxez-vous. Calmez-vous.

– Je ne peux pas me relaxer. Je ne peux pas me calmer quand on pourrait me remarquer.

– Où pouvons-nous aller, alors?

– Il y a de petites cabines pour se reposer. J'ai travaillé ici. Je les connais. »

Elle se mit à marcher d'un bon pas et Seldon la suivit. Au sommet d'une légère rampe, qu'il n'aurait pas remarquée sans elle dans la pénombre, s'alignait une rangée de portes, très écartées.

« Celle du bout, murmura-t-elle. Elle est libre. »

La cabine était effectivement inoccupée. Un petit rectangle lumineux l'indiquait et la porte était entrouverte.

Goutte-de-pluie Quarante-trois regarda rapidement alentour, fit signe à Seldon d'entrer puis le suivit. Elle referma le battant et, aussitôt, un petit plafonnier illumina l'intérieur.

« Le signal sur la porte indique-t-il que la cabine est occupée? demanda Seldon.

– Cela s'est produit automatiquement dès que la porte s'est refermée et que la lumière s'est allumée. »

Seldon décela le doux soupir de la ventilation mais où, sur Trantor, ce bruit et cette sensation n'étaient-ils pas omniprésents?

La cabine n'était pas vaste mais elle était dotée d'une couchette avec un matelas ferme et confortable, et des draps manifestement propres. Il y avait une chaise, une table, un petit réfrigérateur, et un appareil qui ressemblait à une espèce de chauffe-plat, sans doute un four miniaturisé.

Goutte-de-pluie Quarante-trois s'assit, très raide, faisant de visibles efforts pour se décrisper.

Incertain sur la conduite à tenir, Seldon resta planté là jusqu'à ce qu'elle lui fasse signe, avec un rien d'impatience, de s'asseoir sur la couchette. Ce qu'il fit.

Goutte-de-pluie Quarante-trois dit doucement, comme si elle parlait pour elle : « Si jamais on apprend que je suis entrée ici avec un homme – même si ce n'est qu'un barbare –, je serai bel et bien proscrite. »

Seldon se releva aussitôt. « Alors, ne restons pas ici.

– Asseyez-vous. Je ne peux pas sortir quand je suis dans cet état. Vous m'avez interrogée sur la religion. Que cherchez-vous au juste? »

Il lui sembla qu'elle avait changé du tout au tout. Envolées, la passivité, la servilité. Disparues, cette timidité, cette réserve en présence d'un mâle. Les paupières plissées, elle le fixait d'un regard perçant.

– « Je vous l'ai dit : la connaissance. Je suis un chercheur. C'est ma profession et mon désir de *savoir*. Et je veux surtout comprendre les gens, c'est pour cela que je cherche à connaître l'histoire. Sur bien des planètes, les antiques archives historiques – les archives *authentiques* – se sont décomposées en mythes et en légendes, pour devenir souvent des éléments d'un ensemble de croyances religieuses ou de superstitions. Mais si Mycogène n'a effectivement pas de religion, alors...

– J'ai dit que nous avions l'*histoire*.

– Vous l'avez même dit deux fois. Elle remonte à quand?

– A vingt mille ans.

– Vraiment? Soyons clairs : est-ce réellement de l'histoire ou quelque chose qui a dégénéré en légende?

– C'est de l'histoire authentique, bien sûr. »

Seldon était sur le point de lui demander comment elle pouvait le savoir mais il se ravisa. Y avait-il la moindre chance que l'histoire pût remonter à vingt mille ans et demeurer authentique? Il n'était pas lui-même historien et devrait s'en ouvrir auprès de Dors.

Mais il lui semblait tellement probable que, sur chaque monde, les histoires antiques fussent des pots-pourris d'aventures héroïques et de minidrames conçus comme des fables édifiantes à ne pas prendre au pied de la lettre. C'était certainement le cas sur Hélicon, et pourtant il aurait eu du mal à trouver un Héliconien qui ne jurât de leur authenticité et ne soutînt qu'il s'agissait bien d'histoires vraies. Ainsi allaient-ils jusqu'à défendre cette fable ridicule de la première exploration d'Hélicon et de la rencontre des colons avec d'énormes et dangereux reptiles volants – alors qu'on n'avait jamais découvert le moindre reptile volant sur aucun des mondes explorés et colonisés par l'homme.

Néanmoins il demanda : « Comment cette histoire commence-t-elle? »

La Sœur eut un regard égaré, perdu bien plus loin que Seldon ou quoi que ce soit dans la pièce. Elle récita : « Elle commence avec un monde – *notre* monde. Un seul monde.

– Un *seul* monde? » (Seldon se souvint que Hummin avait parlé de légendes évoquant un monde originel unique, berceau de l'humanité.)

« Un seul monde. Il y en eut d'autres plus tard mais le nôtre était le premier. Un monde avec de l'espace, de l'air libre, de la place pour tous, un monde aux champs fertiles, aux maisons accueillantes, aux gens chaleureux. Durant des millénaires, nous y avons vécu et puis nous avons dû le quitter pour errer d'une endroit à l'autre, jusqu'à ce que certains d'entre nous finissent par découvrir un coin de Trantor où nous avons appris à cultiver une nourriture qui devait nous apporter un minimum de liberté. Et ici, à Mycogène, nous entretenons aujourd'hui nos propres traditions – et nos propres rêves.

– Et vos récits historiques fournissent tous les détails concernant ce monde originel? Ce monde unique?

– Oh oui, tout est consigné dans un livre que nous possédons tous. Chacun d'entre nous le garde en permanence sur lui pour pouvoir le lire à tout moment, se rappeler qui nous sommes, qui nous étions, et décider qu'un jour notre monde nous sera restitué.

– Savez-vous où se trouve ce monde et qui l'habite aujourd'hui? »

Goutte-de-Pluie Quarante-trois hésita puis hocha la tête, farouche. « Nous l'ignorons mais nous le trouverons bien un jour.

– Et avez-vous ce livre actuellement en votre possession?

– Bien sûr.

– Puis-je le voir? »

C'est alors qu'un lent sourire se dessina sur le visage de la Sœur. « C'est donc cela... Je me doutais que vous vouliez quelque chose quand vous avez demandé à visiter les microfermes en ma seule compagnie. » Elle semblait un peu gênée. « Je ne pensais pas que c'était le *Livre*.

– C'est tout ce que je désire, avoua ouvertement Seldon. Je n'ai réellement rien d'autre en tête. Si vous m'avez amené ici parce que vous pensiez... »

Elle ne le laissa pas finir. « Mais nous y sommes. Alors, vous voulez le voir, oui ou non?

– C'est une offre?

– A une condition. »

Seldon s'interrompit, soupesant le risque d'ennuis sérieux si jamais il avait vaincu les inhibitions de la Sœur plus qu'il n'en avait l'intention. « Quelles conditions? »

La langue de Goutte-de-Pluie Quarante-trois jaillit furtivement pour humecter ses lèvres. Puis la jeune femme lui dit, avec un tremblement audible dans la voix : « Que vous ôtiez votre bonnet de peau. »

46

Hari Seldon la fixa, interdit. Il y eut un intervalle perceptible durant lequel il ne sut pas de quoi elle voulait parler. Il avait complètement oublié qu'il portait un bonnet de peau.

Puis il porta la main à sa tête et, pour la première fois, tâta consciemment la coiffe qu'il portait. Elle était souple mais il sentit l'infime résistance de la chevelure en-dessous. A peine. Ses cheveux, après tout, étaient fins et sans beaucoup de corps.

Tâtant toujours, il demanda : « Mais pourquoi?

– Parce que j'en ai envie. Parce que c'est la condition si vous voulez voir le Livre.

– Enfin, si ça vous fait tant plaisir... » Il porta la main au coin du bonnet, afin de le retirer. Mais elle l'interrompit : « Non, non. Laissez-moi le faire. Je vais l'ôter moi-même. » Elle le regardait avec avidité.

Seldon laissa retomber ses mains. « Allez-y, alors. »

La Sœur se leva aussitôt pour venir s'installer à côté de lui sur la couchette. Lentement, délicatement, elle détacha de son crâne le bonnet de peau, juste devant l'oreille. A nouveau, elle s'humecta les lèvres et c'est en haletant qu'elle releva la coiffe jusqu'à son front et la retourna. Celle-ci vint alors sans peine et les cheveux de Seldon, libérés, parurent frémir, comme heureux de leur liberté retrouvée.

Troublé, il avoua : « A force de rester coiffé de la sorte, j'ai sans doute le crâne en sueur. Si c'est le cas, mes cheveux doivent être trempés. »

Il leva la main, comme pour vérifier la chose, mais elle l'intercepta et la retint. « Je veux le faire, lui dit-elle. Ça fait partie de la condition. »

Alors ses doigts, avec lenteur, hésitation, touchèrent sa chevelure et se retirèrent. Puis ils revinrent l'effleurer et, très doucement, se mirent à la caresser.

« C'est sec... dit-elle. C'est... bon.

– Avez-vous déjà tâté des cheveux?

– Seulement sur des enfants... quelquefois. Ici, c'est... différent. »
Elle le caressait de nouveau.

« Comment, différent? » Malgré son embarras, Seldon ne pouvait s'empêcher d'être curieux.

« Je ne peux pas dire. C'est simplement... différent. »

Au bout d'un moment, il demanda : « Ça vous suffit?

– Non. Ne me pressez pas. Pouvez-vous les faire aller dans le sens où vous voulez?

– Pas vraiment. Ils retombent de manière naturelle, mais j'ai besoin d'un peigne pour faire ça et je n'en ai pas sur moi.

– Un peigne?

– Un objet avec des dents... euh, comme une fourchette... Mais les dents sont plus nombreuses et, disons, plus souples.

– Vous pouvez vous servir de vos doigts? » Les siens couraient en ce moment dans ses cheveux.

« Plus ou moins. Ça ne marche pas très bien.

– C'est tout hérissé derrière...

– Ils sont taillés plus court. »

Goutte-de-Pluie Quarante-trois parut se souvenir de quelque chose. « Les sourcils, lui dit-elle. C'est bien comme ça qu'on dit? » Elle retira les masques puis fit courir ses doigts sur le doux arc pileux, à contre-poil.

« C'est agréable », remarqua-t-elle, puis elle partit d'un rire haut perché, presque identique au gloussement de sa sœur cadette. « Ils sont chou. »

Non sans quelque impatience, Seldon demanda : « Y a-t-il autre chose qui fasse partie du marché? »

Dans la pénombre, Goutte-de-Pluie Quarante-trois parut hésiter à répondre par l'affirmative, mais finalement elle ne dit rien. En revanche, elle retira ses mains et les porta à son nez. Seldon se demanda ce qu'elle pouvait bien humer.

« Comme c'est bizarre, dit-elle. Puis-je... puis-je le faire encore une fois?

– Si vous me confiez le Livre assez longtemps pour que je puisse l'étudier, dit Seldon, mal à l'aise, alors, peut-être. »

Goutte-de-Pluie Quarante-trois glissa la main sous sa tunique, par une fente que Seldon n'avait pas remarquée, et, d'une poche dissimulée, en sortit un livre à la reliure solide et flexible. Il le prit, tâchant de maîtriser son excitation.

Tandis que Seldon rajustait le bonnet de peau pour se couvrir les cheveux, Goutte-de-Pluie Quarante-trois porta de nouveau les mains à son nez et puis, doucement, furtivement, lécha un doigt.

47

« Tâter vos cheveux? » s'étonna Dors Venabili. Elle lorgna sa chevelure comme si elle s'apprêtait à faire de même.

Seldon eut un léger mouvement de recul. « Non, s'il vous plaît... Avec cette femme, ce geste avait l'air pervers.

– Je suppose qu'il l'était... de son point de vue. N'en avez-vous tiré vous-même aucun plaisir?

– Du plaisir? Ça m'a flanqué la chair de poule, oui! Quand elle a cessé, j'ai enfin pu respirer de nouveau. Je n'arrêtais pas de me répéter : quelle autre condition va-t-elle encore inventer? »

Rire de Dors. « Vous aviez peur qu'elle vous viole? Ou alors vous l'espériez?

– Je vous assure que je n'ai pas osé y songer. Je voulais juste avoir le Livre. »

Ils étaient à présent dans leur chambre et Dors enclencha le distorseur de champ pour les protéger des oreilles indiscrètes.

La nuit de Mycogène approchait. Seldon avait retiré bonnet, tunique et s'était baigné, s'attardant particulièrement aux cheveux qu'il avait savonnés et rincés à deux reprises. Il était maintenant assis sur sa couchette, vêtu d'une chemise de nuit légère qu'il avait trouvée accrochée dans la penderie.

Les yeux pétillants, Dors demanda : « Savait-elle que vous aviez du poil sur la poitrine?

– J'espérais de tout cœur que l'idée ne l'effleurerait pas.

– Mon pauvre Hari. Tout cela était parfaitement naturel, vous savez. J'aurais connu sans doute un trouble identique si je m'étais retrouvée seule avec un Frère. Pire encore, j'en suis sûre, car il m'aurait cru, en tant que femme – société mycogénienne oblige –, destinée à me plier à ses ordres sans délai ni discussion.

– Non, Dors. Vous pouvez penser que c'était parfaitement naturel mais vous n'en avez pas fait l'expérience. La pauvre femme était dans un état d'extrême excitation sexuelle. Tous ses sens étaient mobilisés... elle se humait les doigts, les léchait. Si elle avait pu entendre pousser mes cheveux, elle aurait prêté l'oreille avec avidité.

– Mais c'est bien ce que je voulais dire par “ naturel ”. Tout ce qu'on interdit acquiert un attrait sexuel. Seriez-vous particulièrement attiré par les seins des femmes si vous viviez dans une société où ils sont tout le temps exhibés?

– Je pense que oui.

– Ne seriez-vous pas encore plus attiré s'ils étaient constamment dissimulés, comme c'est le cas dans la plupart des sociétés? – Écoutez, je vais vous conter une anecdote personnelle. J'étais dans une station balnéaire, au bord du lac, chez moi, sur Cinna... Je présume que vous avez sur Hélicon des stations balnéaires, des plages, ce genre de choses?

– Évidemment, dit Seldon, légèrement irrité. Qu'est-ce que vous imaginez? Qu'Hélicon n'est qu'un monde de rocs et de montagnes, avec juste quelques puits d'eau douce?

– Ne vous vexez pas, Hari. Je voulais simplement m'assurer que vous saisiriez tout le sel de l'histoire. Sur nos plages de Cinna, on est assez libéral quant à ce qu'on porte... ou ne porte pas.

– Des plages nudistes?

– Pas vraiment, mais je suppose que, si un baigneur ou une baigneuse ôtait tous ses vêtements, personne ne le remarquerait spécialement. La coutume est de porter un pudique minimum mais je dois reconnaître que notre notion de la pudeur laisse bien peu de place à l'imagination.

– Nous avons des critères un peu plus stricts sur Hélicon, remarqua Seldon.

– Oui, j'ai pu le remarquer à votre discrétion à mon égard, mais enfin, chacun fait comme il l'entend. Toujours est-il que j'étais donc installée sur une petite plage près du lac quand approcha un jeune homme avec qui j'avais parlé un peu plus tôt dans la journée. C'était un gentil garçon, pas spécialement déplaisant. Il s'assit sur le bras de mon fauteuil et posa la main droite sur ma cuisse gauche, qui était nue, bien sûr, pour se maintenir en équilibre.

« Nous avions discuté depuis une minute et demie peut-être quand il remarqua, malicieux : “ Et voilà. Vous me connaissez à peine et pourtant, il me semble parfaitement naturel de poser la main sur votre cuisse. Qui plus est, cela *vous* semble parfaitement naturel puisque vous n'avez pas l'air de vous en formaliser. ”

« Ce n'est qu'à cet instant que j'ai remarqué sa main posée sur ma cuisse. En public, la peau nue perd en quelque sorte une partie de son attrait sexuel. Comme je l'ai dit, c'est la dissimulation qui est cruciale.

« Et le jeune homme l'avait senti lui aussi, car il poursuivit : “Pourtant, si je devais vous rencontrer dans des circonstances plus officielles et que vous portiez une robe, jamais l'idée ne vous viendrait de me la laisser soulever pour que je pose la main sur votre cuisse à l'endroit précis où elle est maintenant. ”

« Je ris et nous avons continué de deviser de choses et d'autres. Bien sûr, maintenant qu'il avait attiré l'attention sur la position de sa main, le jeune homme ne trouvait plus approprié de la laisser là et l'avait retirée.

« Ce soir-là, je m'habillai pour le dîner avec plus de soin qu'à l'accoutumée et gagnai la salle à manger dans une tenue de soirée infiniment plus cérémonielle que ne l'exigeaient les circonstances, et bien plus recherchée que celle des autres femmes présentes. J'avisai le jeune homme en question. Il était installé à l'une des tables. J'approchai, le saluai et lui dis : “Me voici en robe, mais en dessous ma cuisse gauche est nue. Je vous donne la permission de soulever ma robe et de poser la main sur ma cuisse à l'endroit où vous l'avez mise cet après-midi.”

« Il essaya, je dois le reconnaître, mais tout le monde avait les yeux fixés sur nous. Je ne l'aurais pas arrêté et je suis sûre que personne ne l'aurait arrêté non plus, mais il ne put se résoudre à le faire. Nous n'étions pas plus en public qu'auparavant dans la journée et les personnes présentes étaient les mêmes. Il était clair que c'était moi qui avais pris l'initiative et que je n'y voyais pas d'inconvénient, mais il ne pouvait se résoudre à enfreindre le tabou. Les conditions, propices à poser la main sur la cuisse dans l'après-midi, ne l'étaient plus ce soir-là et c'est plus important que tout ce que pourra dire la logique.

– Moi, j'aurais posé la main sur votre cuisse, dit Seldon.

– En êtes-vous sûr?

– Absolument.

– Même si vos critères de pudeur sur la plage sont plus stricts que les nôtres?

– Oui. »

Dors s'assit sur sa propre couchette puis elle s'allongea, les mains croisées derrière la nuque. « Alors, vous n'êtes pas spécialement troublé de me voir porter une simple chemise de nuit sans grand-chose en dessous...

– Je ne suis pas spécialement *choqué*. Quant à mon trouble éventuel, tout dépend de la définition du terme. J'ai sans aucun doute remarqué votre tenue.

– Enfin, si nous devons vivre confinés ici quelque temps encore, il nous faudra bien apprendre à ignorer ce genre de choses.

– Ou à en tirer parti, dit Seldon avec le sourire. Et puis, j'aime bien votre chevelure. Après vous avoir vue chauve toute la journée, j'apprécie vos cheveux.

– Eh bien, ne les touchez pas. Je ne les ai pas encore lavés. » Puis, les yeux mi-clos, elle remarqua : « C'est intéressant. Vous avez détaché les niveaux de respectabilité intime et publique. Ce que vous êtes en train de dire, c'est qu'Hélicon est plus convenable en privé que Cinna mais l'est moins en public. Est-ce bien cela?

– Pour tout dire, je compare simplement le cas du jeune homme qui a posé la main sur votre cuisse et le mien. Dans quelle mesure sommes-nous représentatifs du Cinnien ou de l'Héliconien moyen? Je ne saurais le dire. J'imagine sans peine qu'il y ait des individus parfaitement intégrés dans l'un et l'autre monde – tout comme de parfaits excentriques.

– Nous sommes en train de parler de pression sociale. Je ne suis pas précisément une grande voyageuse galactique, mais j'ai dû, par obligation professionnelle, me pencher souvent sur l'histoire des sociétés. Sur la planète Derowd, par exemple, il fut un temps où les relations sexuelles prémaritales étaient absolument libres. Les rapports sexuels multiples étaient permis aux célibataires et l'on ne désapprouvait leur pratique publique que lorsque cela risquait de bloquer la circulation. Et pourtant, après le mariage, la monogamie était stricte et scrupuleusement respectée. Leur théorie était qu'en évacuant d'abord tous ses fantasmes, on pouvait par la suite s'installer sérieusement dans la vie.

– Et ça marchait?

– Ils ont cessé depuis peut-être trois siècles, mais certains de mes collègues l'attribuent à des pressions des planètes voisines. Leur tourisme en pâtissait. C'est qu'il existe également une pression sociale à l'échelle galactique.

– Ou peut-être bien une pression économique, en l'occurrence.

– Peut-être. A propos, ma vie à l'Université me donne l'occasion d'étudier les pressions sociales sans même avoir besoin de parcourir la Galaxie. Je rencontre des gens provenant de douzaines d'endroits à Trantor ou ailleurs, et l'un de nos dadas, dans le département de sociologie, est la comparaison des pressions sociales.

« Ici, à Mycogène, par exemple, j'ai l'impression que la sexualité est étroitement contrôlée et permise exclusivement selon les règles les plus contraignantes, d'autant plus strictement observées qu'elles ne sont jamais discutées. Dans le secteur de Streeling, on ne parle jamais du sexe mais on ne le condamne pas. Dans le secteur de Jennat, où j'ai eu l'occasion de passer une semaine pour des recherches, on en discute à l'infini mais uniquement pour mieux le condamner. Je n'ai pas l'impression qu'il y ait deux secteurs sur Trantor – ou sur n'importe quel monde extérieur – qui aient des attitudes semblables à l'égard du sexe.

– Vous savez à quoi ça me fait penser? On pourrait en conclure... »

Dors l'interrompit. « Je vais vous la dire, moi, ma conclusion : toutes ces discussions sur le sexe m'ont révélé une évidence. C'est qu'il n'est plus question pour moi de vous quitter des yeux un seul instant.

– Quoi?

– Deux fois, je vous ai laissé partir, la première par erreur de jugement de ma part, la seconde parce que vous m'y avez forcée. Les deux fois, ce fut manifestement une erreur. Vous savez ce qui est arrivé la première. »

Seldon s'indigna : « Peut-être, mais il ne m'est rien arrivé la seconde.

– Vous avez bien failli vous attirer de sérieux ennuis. Supposez qu'on vous ait surpris dans vos coupables ébats avec une Sœur?

– Ce n'étaient pas de coupables éb...

– Vous avez dit vous-même qu'elle était dans un état d'intense excitation sexuelle.

– Mais...

– C'était mal. Je vous en prie, mettez-vous bien ça dans la tête, Hari. Dorénavant, vous n'allez nulle part sans moi.

– Écoutez, dit Seldon, glacé, mon but était d'obtenir des informations sur l'histoire de Mycogène et, résultat de mes prétendus coupables ébats avec une Sœur, je vous ai ramené un livre... Le Livre.

– Le Livre! C'est vrai, il y a le Livre. Jetons-y un coup d'œil. »

Seldon le sortit et Dors le soupesa, pensive.

« Ça risque de ne pas nous avancer beaucoup, Hari. A première vue, il a l'air de ne s'adapter à aucun de nos projecteurs. Ça veut dire qu'il va vous falloir chercher un projecteur mycogénien et l'on ne manquera pas de vous demander ce que vous voulez en faire. On découvrira que vous avez ce Livre et l'on viendra vous le reprendre. »

Seldon sourit. « Si vos suppositions étaient justes, Dors, vos conclusions seraient indiscutables mais il se trouve que ce n'est pas le genre de livre auquel vous pensez. Il n'est pas destiné à être projeté. Les données sont inscrites sur des pages successives et ces pages peuvent être tournées. Goutte-de-Pluie Quarante-trois m'a au moins expliqué ça.

– Un livre *imprimé*! » Il était difficile de dire si elle était outrée ou amusée. « Mais ça remonte à l'Age de pierre!

– C'est certainement pré-impérial, mais quand même pas aussi ancien. Avez-vous déjà vu un ouvrage imprimé?

– Vous oubliez que je suis historienne? Bien sûr, Hari.

– Ah. Mais comme celui-ci? »

Il retourna le Livre et Dors, souriante, l'ouvrit – puis elle tourna une page, une autre, se mit à le feuilleter. « Mais il est vierge.

– *Apparemment.* Les Mycogéniens font preuve d'un primitivisme obstiné mais pas intégral : ils s'attachent à l'essence du primitivisme mais ne voient aucune objection à utiliser les techniques modernes pour l'adapter de manière pratique. Qui sait?

– Peut-être, Hari, mais je ne comprends rien à ce que vous racontez.

– Les pages ne sont pas blanches, elles sont couvertes de textes microfilmés. Si je presse le petit bouton sur le bord intérieur de la couverture... là... regardez! »

La page à laquelle était ouvert le Livre se couvrit soudain de lignes de texte imprimé qui défilaient lentement vers le haut.

« Vous pouvez régler la vitesse selon votre rythme de lecture en tournant légèrement le bouton dans un sens ou dans l'autre. Quand les lignes imprimées arrivent tout en haut – c'est-à-dire, quand vous êtes parvenu à la dernière ligne –, elles redescendent en bloc et s'éteignent. Vous tournez la page et vous continuez.

– D'où vient l'énergie?

– Il y a une petite pile à microfusion intégrée qui dure toute la vie du livre.

– Alors, quand la pile est vide...

– Vous jetez le livre, ou même avant s'il est usé, et vous le remplacez par un neuf. On ne change jamais la pile. »

Dors reprit le Livre et l'examina sous toutes les coutures. « Je dois admettre que je n'avais jamais entendu parler de ce genre d'objet.

– Moi non plus. La Galaxie, d'une manière générale, a évolué si rapidement vers les technologies visuelles qu'elle a sauté par-dessus cette possibilité.

– Mais c'est quand même visuel...

– Certes, mais pas très orthodoxe. Ce genre de livre a ses avantages. Il a une capacité bien plus grande que les vidéo-livres ordinaires.

– Où est l'interrupteur?... Ah, laissez-moi voir si je saurais m'en servir. » Elle l'avait ouvert à une page au hasard et mit en marche le défilement des lignes. Puis elle remarqua : « J'ai bien peur que ça ne vous soit pas d'une grande utilité, Hari. C'est du pré-galactique. Je ne parle pas du contenu du livre. Mais du texte... imprimé.

– Mais vous, vous devez savoir le lire, Dors? En tant qu'historienne...
– En tant qu'historienne, j'ai l'habitude de manier les langues archaïques mais dans certaines limites. Ce texte est trop ancien pour moi. Je reconnais bien quelques mots ici ou là, mais pas suffisamment pour le décrypter.
– Parfait, dit Seldon. S'il est vraiment ancien, il sera utile.
– Pas si vous ne pouvez pas le lire.
– Mais je peux le lire. C'est une édition bilingue. Vous n'imaginez quand même pas que Goutte-de-Pluie Quarante-trois connaît l'écriture ancienne, non?
– Si elle a été convenablement instruite, pourquoi pas?
– Parce que je soupçonne les Mycogéniens de cantonner l'instruction des femmes à l'apprentissage des tâches domestiques. Quelques hommes parmi les plus instruits sont en mesure de lire ceci mais la majorité doit avoir besoin d'une traduction en galactique. » Il pressa un autre bouton. « Et voilà qui est fait. »
Le texte passa aussitôt au galactique classique.
– Fabuleux, s'extasia Dors.
– Ces Mycogéniens pourraient nous en apprendre mais nous n'en profitons pas.
– Nous n'étions pas au courant.
– Je n'arrive pas à le croire. Je suis au courant, à présent. Et vous aussi. Il doit bien y avoir de temps en temps des étrangers qui visitent Mycogène pour des raisons politiques ou commerciales – sinon, ces bonnets de peau ne seraient pas si répandus. Alors, quelqu'un a bien dû avoir l'occasion de remarquer ce genre de livre imprimé et de voir comment il fonctionne, mais il l'aura sans doute négligé, le considérant comme une curiosité de peu d'intérêt parce que mycogénienne.
– Cela vaut-il la peine d'être étudié?
– Bien entendu. Tout est digne d'étude. Ou devrait l'être. Hummin verrait certainement dans ce manque de curiosité un nouveau signe de dégénérescence de l'Empire. »
Il leva le Livre et dit, dans un élan d'enthousiasme : « Mais moi, je suis curieux, et je vais le lire, et qui sait s'il ne me fera pas progresser sur la voie de la psychohistoire?
– Je l'espère, mais si vous voulez mon avis, vous allez d'abord dormir pour l'examiner d'un œil plus frais demain matin. Vous n'apprendrez pas grand-chose si vous piquez du nez sur les pages. »
Seldon hésita puis remarqua : « Comme vous pouvez être maternelle!
– Je prends soin de vous.
– J'ai déjà une mère sur Hélicon. J'aimerais mieux que vous soyez mon amie.
– Je suis votre amie depuis le premier instant de notre rencontre. »
Elle lui sourit et Seldon hésita comme s'il n'était pas certain de la repartie adéquate. Finalement, il répondit : « Alors, je vais suivre votre conseil – d'amie – et dormir avant de lire. »
Il allait déposer le Livre sur la petite table de chevet entre les deux couchettes puis hésita, se retourna et le glissa sous son oreiller.

Dors Venabili étouffa un petit rire. « J'ai l'impression que vous avez peur que je me réveille cette nuit pour en lire des passages avant que vous ayez eu l'occasion de le faire. N'est-ce pas?

– Eh bien... fit Seldon, essayant de cacher sa gêne, ça se pourrait. Même l'amitié a ses limites et après tout, c'est *mon* livre et *ma* psychohistoire.

– Je suis bien d'accord, répondit Dors, et je vous promets de ne pas vous en disputer la primeur. A propos, vous alliez me dire quelque chose et je vous ai interrompu. Vous vous souvenez? »

Seldon réfléchit rapidement. « Non. »

Dans le noir, il ne songeait qu'au Livre. Il ne pensait plus à l'anecdote de la main sur la cuisse. En fait, il l'avait déjà quasiment oubliée, au moins consciemment.

48

Venabili s'éveilla et son bracelet-chrone lui indiqua que la période nocturne était à moitié écoulée. N'entendant pas le ronflement de Hari, elle en déduisit que sa couchette était vide. S'il n'avait pas quitté l'appartement, il devait être dans la salle de bains.

Elle frappa doucement à la porte et chuchota : « Hari?

– Entrez », lui répondit-il, l'air absorbé.

Le couvercle des toilettes était abaissé et Seldon, assis dessus, tenait le Livre ouvert sur ses genoux. Bien inutilement, il précisa : « Je lis.

– Oui, j'ai remarqué. Mais pourquoi?

– Je n'arrivais pas à dormir. Je suis désolé.

– Mais pourquoi lire ici?

– Si j'avais allumé dans la chambre, je vous aurais réveillée.

– Vous êtes sûr que le Livre n'a pas d'éclairage incorporé?

– Absolument. Quand Goutte-de-Pluie Quarante-trois m'en a décrit le fonctionnement, à aucun moment elle n'a parlé d'éclairage intégré. D'ailleurs, je suppose que ça dépenserait tant d'énergie que la pile ne tiendrait pas toute la vie du Livre. » Il avait l'air mécontent.

« Eh bien, vous pouvez sortir, à présent. J'aimerais utiliser les lieux, maintenant que j'y suis. »

Quand elle émergea des toilettes, ce fut pour le trouver assis en tailleur sur son lit, toujours plongé dans sa lecture, cette fois dans la pièce illuminée a giorno.

« Vous n'avez pas l'air heureux, remarqua-t-elle. C'est le Livre qui vous déçoit? »

Il leva la tête, plissa les yeux. « Effectivement. Je n'ai fait que le parcourir. C'est une véritable encyclopédie et l'index n'est qu'une liste de personnages et de lieux sans grand intérêt pour mes recherches. Et cela n'a rien à voir non plus avec l'Empire galactique ou les Royaumes pré-impériaux. On y parle presque exclusivement d'un monde unique et, à ce que j'ai pu en lire jusqu'ici, il s'agit d'une interminable dissertation de politique intérieure.

– Peut-être sous-estimez-vous son âge. Il traite peut-être d'une période où n'existait effectivement qu'un seul monde... un seul monde habité.

– Oui, je sais, fit Seldon avec quelque impatience. C'est précisément ce que je recherche – à condition d'être sûr qu'il s'agisse d'histoire, pas de légende. Je me demande... Je n'ai pas envie d'y croire simplement parce que je *voudrais* y croire.

– Cette question de monde originel unique est très débattue ces temps-ci. L'homme est une espèce unique répandue dans toute la Galaxie. Il a bien fallu qu'elle trouve son origine quelque part. Du moins, telle est la thèse en vogue aujourd'hui. On ne peut pas avoir des origines indépendantes engendrant la même espèce sur des mondes différents.

– Je n'ai jamais vu en quoi cet argument était irréfutable, protesta Seldon. Si des êtres humains sont nés sur quantité de mondes différents sous la forme d'une quantité d'espèces différentes, pourquoi n'auraient-ils pu se croiser et donner une espèce intermédiaire unique?

– Parce que les espèces ne peuvent se croiser. C'est le critère même de définition des espèces. »

Seldon réfléchit un moment à la question puis l'évacua d'un haussement d'épaules. « Bon, je laisse ça aux biologistes.

– Ce sont précisément les plus acharnés à défendre l'hypothèse de Terra.

– Terra? Est-ce ainsi qu'ils baptisent ce prétendu monde des origines?

– C'est le terme *populaire.* En fait il est impossible de savoir quel était le nom véritable de ce monde, à supposer qu'il en ait eu un. Et personne n'a le moindre indice sur son éventuelle localisation.

– Terra! répéta Seldon, les lèvres retroussées. On dirait une éructation! En tout cas, si le Livre parle du monde des origines, je ne suis pas tombé dessus. Comment l'épelez-vous?

– T-E-R-R-A, ou encore la Terre. »

Seldon feuilleta rapidement le Livre. « Et voilà : le nom n'est cité nulle part dans l'index, ni sous cette orthographe ni sous une variante plausible.

– Vraiment?

– Et on y mentionne d'autres mondes au passage. Mais sans donner de nom. Apparemment, les textes ne s'intéressent pas à ces autres planètes tant qu'elles n'interfèrent pas directement avec le monde initial évoqué... du moins, à ce que j'ai pu en lire jusqu'ici. A un moment, on parle des “ Cinquante ”. J'ignore à quoi il est fait allusion. Cinquante chefs? Cinquante cités? J'ai cru deviner qu'il s'agissait de cinquante mondes.

– Ont-ils donné un nom à leur propre monde, ce monde qui semble tant les obnubiler? demanda Dors. S'ils ne l'appellent pas Terre, comment donc l'appellent-ils?

– Comme on pourrait s'y attendre, ils l'appellent " le monde " ou bien " la planète ". Parfois aussi, " l'Ancienne ", voire " le Monde de l'Aube ", ce qui a sans doute une signification poétique qui ne me paraît pas évidente. Je suppose qu'il faudrait lire le Livre intégralement pour que certains de ses éléments prennent un peu plus de sens. » Il lorgna l'ouvrage entre ses mains avec un certain dégoût. « Ça risque toutefois de prendre un bon moment et je ne suis pas certain d'en ressortir beaucoup plus éclairé. »

Dors soupira. « Je suis désolée, Hari. Vous avez l'air tellement déçu.

– Je le suis vraiment. C'est ma faute, pourtant. Je n'aurais pas dû me laisser emporter par mes espérances. – Maintenant que j'y pense, ils évoquent également leur monde sous le nom d' " Aurora ".

– Aurora? » Dors haussa les sourcils.

« Ça vous dit quelque chose, Dors?

– Aurora... » Elle réfléchit, légèrement soucieuse. « Je ne peux pas affirmer que j'ai déjà entendu parler d'une planète de ce nom dans l'histoire de l'Empire galactique ou même durant sa période de croissance, mais je ne prétends pas connaître par leur nom chacun des vingt-cinq millions de mondes. On pourrait vérifier dans l'index de la bibliothèque universitaire – si nous revenons jamais à Streeling. Inutile d'essayer de chercher une bibliothèque ici, à Mycogène. J'ai l'impression que l'ensemble de leur savoir est consigné ici, dans ce Livre. Si quelque chose ne s'y trouve pas, c'est que ça ne les intéresse pas. »

Seldon bâilla : « Je crois bien que vous avez raison. En tout cas, il est inutile de l'étudier plus avant et je ne crois pas que je pourrais garder encore longtemps les yeux ouverts. Ça ne vous dérange pas si j'éteins?

– Au contraire, Hari. Et demain, on essaiera de faire la grasse matinée. »

Puis, dans le noir, Seldon remarqua, doucement : « Évidemment, il y a là-dedans des trucs ridicules. Par exemple, ils évoquent sur leur monde des durées de vie de trois à quatre siècles.

– Des siècles?

– Oui. Ils décomptent l'âge par décennies plutôt que par années. C'est drôle, parce qu'ils racontent tellement de choses parfaitement banales que, lorsqu'on tombe sur ce genre d'étrangetés, on se surprend presque à le croire.

– Si vous commencez à vous sentir enclin à croire ça, alors souvenez-vous que quantité de mythes fondateurs attribuent aux premiers chefs des longévités incroyables. S'ils sont décrits comme incroyablement héroïques, il semble naturel que leur durée de vie soit en rapport, voyez-vous.

– Pas possible? bâilla Seldon.

– Absolument. Et le remède à la crédulité avancée, c'est une bonne nuit de sommeil suivie d'une mûre réflexion le lendemain. »

Et, comme l'idée l'effleurait qu'une pareille longévité était peut-être la condition *sine qua non* pour parvenir à appréhender une Galaxie entière d'êtres humains, Seldon s'endormit.

49

Le lendemain, se sentant détendu, frais et dispos, prêt à se relancer dans l'étude du Livre, Hari demanda à Dors quel âge elle donnait aux deux sœurs Goutte-de-Pluie.

« Je ne sais pas, répondit celle-ci. Vingt ans... Vingt-deux?

– Eh bien, supposons qu'en fait elles vivent trois ou quatre siècles...

– *Hari.* C'est ridicule.

– J'ai dit : *supposons.* En mathématiques, on dit tout le temps " supposons " pour voir si l'on débouche sur une conclusion manifestement erronée ou bien auto-contradictoire. Une longévité étendue serait presque certainement synonyme d'une période de croissance prolongée. Elles pourraient sembler avoir dans les vingt ans mais être en réalité sexagénaires.

– On peut toujours leur demander leur âge.

– On peut imaginer qu'elles mentiront.

– Vérifions leur acte de naissance. »

Seldon eut un sourire désabusé : « Je vous parie tout ce que vous voudrez – des galipettes dans les foins, si ça vous chante – qu'elles prétendront qu'il n'y a pas d'archives ou, s'il y en a, qu'elles ne sont pas accessibles aux barbares.

– Pas besoin de parier. Si c'est bien le cas, alors, il est inutile de faire la moindre supposition sur leur âge.

– Voyez plutôt les choses ainsi : si les Mycogéniens ont une durée de vie quatre à cinq fois supérieure à celle d'un être humain normal, ils ne peuvent donner naissance à de nombreux enfants sans voir leur population croître dans des proportions alarmantes. Vous vous souvenez de la remarque que Maître-du-Soleil a laissé échapper sur une limitation de la population, avant de se reprendre?

– Où voulez-vous en venir?

– Eh bien, tant que j'ai été avec Goutte-de-Pluie Quarante-trois, je n'ai pas vu d'enfants.

– Dans les microfermes?

– Oui.

– Vous vous attendiez à en voir là-bas? J'étais avec Goutte-de-Pluie Quarante-cinq dans les boutiques et dans les niveaux résidentiels et je puis vous garantir que j'ai vu quantité d'enfants de tous âges, y compris des nourrissons.

– Ah. » Seldon avait l'air chagriné. « Ça voudrait dire qu'ils ne peuvent jouir d'une durée de vie prolongée.

– En suivant votre raisonnement, je dirais franchement non. Vous l'imaginiez vraiment?

– Non, pas vraiment. Mais enfin, on ne peut pas non plus se fermer l'esprit et faire des suppositions sans les mettre à l'épreuve.

– On peut également perdre beaucoup de temps de cette façon, si l'on se met à triturer des hypothèses manifestement ridicules.

– Certaines hypothèses qui *paraissent* manifestement ridicules ne le sont pas en définitive. C'est tout. Ce qui me fait penser... C'est vous l'historienne. Dans vos travaux, êtes-vous déjà tombée sur des objets ou des phénomènes appelés " robots "?

– Ah! Voilà que vous passez à une autre légende – et fort populaire, qui plus est. Sur un nombre incalculable de mondes, on imagine qu'aux temps préhistoriques existaient des machines à forme humaine qu'on appelait des " robots ". »

« Tous les récits de robots trouvent sans doute leur origine dans un mythe fondateur unique car le thème général est le même : les robots ont été conçus puis ont grandi en nombre et en capacités au point de devenir presque surhumains. Ils menaçaient l'humanité et furent détruits. Dans chaque cas, cette destruction est intervenue avant que n'existent les archives historiques fiables dont nous disposons de nos jours. Le sentiment général est que ce conte est une image symbolique des risques et des dangers inhérents à l'exploration de la Galaxie, quand l'humanité s'est répandue loin du ou des mondes qui constituaient son habitat d'origine. De tout temps a dû exister cette peur de rencontrer des intelligences différentes – et supérieures.

– Peut-être le cas s'est-il produit une fois au moins, donnant naissance à la légende.

– Mais sur aucune des planètes colonisées par l'homme on n'a trouvé la moindre trace d'intelligence pré-humaine ou non-humaine.

– Alors, pourquoi des " robots "? Ce mot a-t-il un sens?

– Pas que je sache, mais c'est l'équivalent du terme usuel " automates ".

– Des automates! Eh bien, pourquoi ne pas le dire clairement?

– Parce que les gens aiment bien user de termes archaïques pour faire couleur locale, dès qu'ils content une légende ancienne. Pourquoi toutes ces questions, au fait?

– Parce que dans cet antique livre mycogénien, on parle de robots. Et l'on en dit le plus grand bien, d'ailleurs. – Écoutez, Dors, vous ne devez pas ressortir avec Goutte-de-Pluie Quarante-cinq, cet après-midi?

– Théoriquement... si elle vient me chercher.

– Ça vous dérangerait de lui poser quelques questions et d'essayer de lui soutirer des réponses?

– Je peux toujours essayer. Quelles questions?

– J'aimerais bien découvrir, avec tout le tact possible, s'il existe à Mycogène une sorte d'édifice particulièrement significatif, lié au passé, chargé d'une sorte de valeur mythique, qui puisse... »

Dors l'interrompit en essayant de ne pas sourire : « Je crois que ce que vous essayez de me demander, c'est si Mycogène possède un temple. »

Et, forcément, Seldon la fixa, ahuri, en demandant : « Qu'est-ce que c'est, un temple?

– Encore un terme archaïque d'origine incertaine. Il recouvre toutes les notions que vous venez d'évoquer : contenu significatif, passé, mythe. Très bien, je vais demander. Mais c'est le genre de choses qu'ils risquent de ne pas aimer dire. A des barbares, en tout cas.
– Quoi qu'il en soit, essayez quand même.

Sacratorium

AURORA. ... Monde mythique, passant pour avoir été habité aux temps primitifs, à l'aube du voyage interstellaire. D'aucuns pensent qu'il pourrait s'agir également de ce mythique « monde des origines » de l'humanité et donc d'un autre nom pour « Terra ». On rapporte que les occupants du secteur de Mycogène (voir ce mot) de l'antique Trantor se seraient considérés comme les descendants des habitants d'Aurora et auraient fait de ce principe le fondement de leur système de croyances dont par ailleurs on ne sait pratiquement rien...

ENCYCLOPAEDIA GALACTICA

50

Les deux sœurs Goutte-de-Pluie arrivèrent au milieu de la matinée. Goutte-de-Pluie Quarante-cinq semblait toujours aussi chaleureuse, mais Goutte-de-Pluie Quarante-trois resta sur le pas de la porte, l'air crispé et circonspect. Elle garda les yeux baissés et ne jeta même pas un regard à Seldon.

Ce dernier, hésitant, fit un signe à Dors qui lança, d'un ton joyeux et affairé : « Un petit instant, Sœurs. Que je donne des instructions à mon homme, sinon il ne va pas savoir quoi faire de sa journée. »

Tous deux gagnèrent la salle de bains et Dors murmura : « Il y a quelque chose qui ne va pas?

– Oui. Goutte-de-Pluie Quarante-trois est visiblement perturbée. S'il vous plaît, dites-lui que je lui restituerai le Livre aussitôt que possible. »

Dors gratifia Seldon d'un long regard surpris : « Hari, vous êtes un garçon délicat et prévenant mais vous n'avez pas plus de jugeote qu'une amibe. Si j'ai le malheur d'évoquer seulement le Livre devant cette pauvre femme, elle sera persuadée que vous m'avez raconté par le menu tout ce qui s'est passé hier et c'est pour le coup qu'elle sera réellement perturbée. Non, le seul espoir est de la traiter exactement comme si de rien n'était. »

Seldon hocha la tête et reconnut, désabusé : « Je suppose que vous avez raison. »

Dors revint à temps pour le dîner et trouva Seldon sur sa couchette, encore en train de feuilleter le Livre, mais avec une impatience accrue.

Il leva les yeux, fit une grimace et dit : « Si nous devons rester ici encore un certain temps, il va absolument falloir que nous disposions d'un moyen de communication quelconque. Je n'avais aucune idée du moment où vous rentreriez et je commençais à m'inquiéter.

– Eh bien, me voici », fit-elle en retirant délicatement sa coiffe avant de la lorgner, non sans un certain dégoût. « Je suis vraiment ravie de votre sollicitude. Je m'étais dit que vous seriez tellement absorbé par votre Livre que vous n'auriez même pas remarqué mon absence. »

Seldon ronchonna.

« Quant aux moyens de communication, je doute qu'ils soient faciles à trouver à Mycogène. Ils risqueraient de faciliter les contacts avec les tribus barbares et je soupçonne les dirigeants de Mycogène d'être fermement résolus à limiter toute possibilité d'interaction avec le Grand Inconnu au-delà de leurs frontières.

– Effectivement, dit Seldon en déposant le Livre à côté de lui, je m'y attendrais un peu après ce que j'ai lu. Avez-vous trouvé quelque chose au sujet de ce – comment dites-vous, déjà... ce temple?

– Oui, dit-elle en retirant ses couvre-sourcils. Il existe. Il y en a même un certain nombre sur toute l'étendue du secteur, mais il y a un édifice central qui semble être le plus important – vous ne me croirez jamais, mais une femme a remarqué mes cils et m'a dit que je ne devrais pas me montrer ainsi en public! J'ai eu l'impression qu'elle était prête à me dénoncer pour exhibitionnisme!

– Ne vous tracassez pas pour ça, fit Seldon avec impatience. Savez-vous où est situé le temple central?

– J'ai des indications, mais Goutte-de-Pluie Quarante-cinq m'a bien avertie que les femmes n'ont pas le droit d'y entrer, sauf à des occasions spéciales, dont aucune n'est prévue dans un avenir proche. L'édifice s'appelle le Sacratorium.

– Le *quoi*?

– Le Sacratorium.

– Quel vilain mot. Que signifie-t-il? »

Dors hocha la tête. « Je ne le connaissais pas. Et aucune Goutte-de-Pluie n'a su me dire ce qu'il signifiait. Pour elles, Sacratorium ne se rapporte pas au nom de l'édifice, mais à ce qu'il *est*. Leur demander pourquoi elles l'appellent ainsi doit leur faire le même effet que leur demander pourquoi on appelle mur un mur.

– Est-ce qu'elles savent au moins quelque chose à son sujet?

– Mais bien sûr, Hari. Elles savent à quoi il sert. C'est un lieu consacré à autre chose que la vie ici à Mycogène. Il est consacré à un autre monde, un monde antérieur, et meilleur.

– Le monde où ils vivaient jadis, vous voulez dire?
– Tout juste. Goutte-de-pluie Quarante-cinq a bien failli l'admettre mais sans pouvoir se résoudre à prononcer le mot.
– Aurora?
– C'est bien ça, mais je parie que si vous étiez amené à le prononcer à haute voix devant un groupe de Mycogéniens, ils seraient horrifiés et scandalisés. Goutte-de-Pluie Quarante-cinq, lorsqu'elle m'a dit : " Le Sacratorium est consacré à... ", s'est arrêtée à ce point précis pour dessiner soigneusement les lettres une à une du bout du doigt sur la paume de sa main. Et elle a rougi, comme si elle faisait quelque chose d'obscène.
– Etrange, dit Seldon. Si le Livre est un guide exact, Aurora est leur plus cher souvenir, le principe qui les unit, le centre autour duquel tout tourne à Mycogène. Pourquoi le fait de la mentionner serait-il considéré comme obscène? – Etes-vous sûre de ne pas avoir mal interprété ce qu'elle voulait dire?
– Absolument sûre. Et peut-être n'y a-t-il là rien de mystérieux. En parler trop risquerait d'alerter les barbares. La meilleure façon de garder le secret est de rendre tabou le seul fait d'en parler.
– Tabou?
– Un terme spécialisé d'anthropologie. Qui fait référence à une pression sociale puissante, assez efficace pour interdire une quelconque forme d'action. Le fait que les femmes n'aient pas le droit d'entrer dans le Sacratorium a sans doute la force d'un tabou. Je suis sûre qu'une Sœur serait horrifiée si on lui suggérait d'en franchir l'enceinte.
– Les indications qu'on vous a fournies sont-elles suffisantes pour me permettre de m'y rendre par mes propres moyens?
– Primo, Hari, vous n'irez pas tout seul. Je vous accompagne. Je croyais que nous en avions discuté et qu'il était bien entendu que je ne pouvais pas vous protéger à distance – pas plus des tempêtes de neige que des femelles excitées. Secundo, il n'est pas question de songer à s'y rendre à pied. Mycogène est peut-être un petit secteur, à côté des autres, mais il n'est quand même pas petit à ce point.
– Par le Réseau express, dans ce cas.
– Aucune ligne ne traverse le territoire de Mycogène. Ça faciliterait trop les contacts entre Mycogéniens et barbares. Il existe toutefois des moyens de transport public du genre de ceux qu'on trouve sur les planètes les moins développées. En fait, c'est exactement ce qu'est Mycogène : un fragment de planète sous-développé, enfoncé comme une écharde dans le corps de Trantor, par ailleurs composé d'un patchwork de sociétés évoluées. Au fait, Hari, finissez d'étudier ce Livre le plus vite possible. Il est manifeste que Goutte-de-Pluie Quarante-trois risque des ennuis aussi longtemps que vous le garderez, et c'est aussi ce qui nous pend au nez si jamais on le découvre.
– Vous voulez dire que sa lecture par un barbare est tabou?
– J'en suis certaine.
– Eh bien, ce ne sera pas une grosse perte que de le restituer. Je

dirais que quatre-vingt-quinze pour cent de son contenu est incroyablement ennuyeux : interminables luttes intestines entre factions politiques, interminables justifications de stratégies politiques dont je serais bien en peine de juger la sagesse, interminables homélies sur des points d'éthique qui, même explicités (ce qui n'est généralement pas le cas), sont formulés avec un pharisaïsme si crispant qu'ils pousseraient presque à les violer.

– A vous entendre, on dirait que je vous rendrais un fier service en vous confisquant cet objet.

– Sauf qu'il y a les cinq pour cent restants où l'on discute de cette Aurora qu'on ne doit jamais mentionner. Je reste convaincu qu'il y a là quelque chose qui pourrait m'être utile.C'est pour ça que je voulais en savoir plus sur le Sacratorium.

– Espérez-vous y trouver une confirmation de l'hypothèse Aurora exprimée dans le Livre?

– D'une certaine manière. Je suis terriblement fasciné aussi par tout ce que le Livre dit sur les automates, ou les robots, pour reprendre leur terme. Je me sens attiré par le concept.

– Vous ne le prenez quand même pas au sérieux?

– Presque. Si l'on prend certains passages du Livre au pied de la lettre, on doit admettre que certains robots avaient forme humaine.

– Naturellement. Si vous devez construire un simulacre d'être humain, vous serez bien obligé de lui donner l'aspect de son modèle.

– Certes, simulacre veut dire “ ressemblance ”, mais une ressemblance peut être grossière. Un artiste peut dessiner une silhouette rudimentaire, moyennant quoi vous saurez qu'elle représente un être humain et n'aurez aucun mal à le reconnaître : un rond pour la tête, une tige pour le corps, quatre traits incurvés pour les bras et les jambes, et voilà. Moi, je parle de robots qui ressemblent vraiment à un être humain, dans le moindre détail.

– Ridicule, Hari. Imaginez le temps qu'il faudrait pour travailler le métal afin de reproduire les proportions exactes du corps, avec la courbe adoucie des muscles sous-jacents.

– Qui a parlé de métal, Dors? Mon impression est que ces robots étaient organiques ou pseudo-organiques, qu'ils étaient couverts de peau, et que vous auriez été bien en peine de les distinguer en quoi que ce soit de leur modèle.

– Le Livre dit *ça?*

– Pas de manière aussi explicite. La déduction, toutefois...

– C'est *votre* déduction, Hari. Vous ne pouvez pas y songer sérieusement.

– Laissez-moi. Je vois quatre éléments que je peux déduire des indications du Livre à propos des robots – et j'ai collationné toutes les références données par l'index. D'abord, comme je l'ai dit, ils ressemblaient – au moins pour la plupart – à des hommes; ensuite, ils avaient une durée de vie extrêmement longue – si l'on peut leur appliquer ce terme.

– Disons plutôt “ période d'activité ” ou vous allez définitivement les considérer comme humains.

– Troisièmement, poursuivit Seldon sans tenir compte de l'interruption, j'ai découvert que certains d'entre eux – un en tout cas – continuent à vivre aujourd'hui.

– Hari, il s'agit là d'une des légendes les plus répandues. Le héros antique ne meurt jamais mais reste prêt à revenir pour sauver le peuple en période de crise grave. Franchement, Hari...

– Quatrièmement, dit Seldon, toujours sans relever le défi, certaines phrases semblent suggérer que le temple central – ou Sacratorium, si tel est le terme, bien que je ne l'aie vu nulle part dans le Livre – contiendrait un robot. » Il marqua un temps d'arrêt puis dit : « Vous voyez?

– Non. Qu'est-ce que je devrais voir?

– Si nous combinons les quatre points, il y a peut-être un robot, ressemblant parfaitement à un être humain, toujours vivant depuis, disons, vingt millénaires, qui se trouve dans le Sacratorium.

– Allons, Hari, vous ne pouvez quand même pas croire ça!

– Je n'y crois pas réellement mais je ne peux pas non plus négliger ce point. Et si c'était vrai, même s'il n'y a qu'une chance sur un million? Ne voyez-vous pas l'intérêt qu'il pourrait avoir pour moi? Il pourrait se rappeler la Galaxie telle qu'elle était bien avant qu'on dispose d'archives historiques fiables. Il pourrait contribuer à rendre la psychohistoire possible.

– Même si c'était vrai, croyez-vous que les Mycogéniens vous laisseraient le voir et l'interviewer?

– Je n'ai pas l'intention de leur en demander la permission. Je peux au moins me rendre au Sacratorium, voir déjà s'il y a quelque chose à interviewer.

– Pas maintenant. Demain au plus tôt. Et si la nuit ne vous porte pas conseil, nous irons. Ensemble.

– Vous m'avez dit vous-même qu'ils ne laissent pas les femmes...

– Ils laissent les femmes regarder du dehors, j'en suis sûre, et j'ai bien peur que nous n'ayons pas d'autre choix. »

Et sur ce point, elle resta inflexible.

51

Hari Seldon ne voyait aucun inconvénient à se laisser guider par Dors. Elle avait déjà emprunté le réseau de voies de communication de Mycogène et s'y trouverait plus à l'aise que lui.

Les sourcils froncés, Dors Venabili était moins ravie par la perspective. Elle remarqua : « On peut facilement se perdre, vous savez.

– Pas avec ce plan-guide », observa Seldon.

Elle leva les yeux, impatientée : « Réfléchissez un peu, Hari. Ce qu'il me faudrait, c'est un plan électronique, que je puisse interroger. Cette version mycogénienne n'est qu'un bout de plastique plié. Je ne peux pas informer cet objet de l'endroit où je me trouve. Je ne peux pas le lui dire à haute voix et je ne peux même pas le faire en pressant des boutons. Et lui non plus ne peut pas me répondre. C'est un *imprimé*.

– Eh bien, lisez donc ce qu'il dit.

– C'est bien ce que je m'évertue à faire, mais il s'adresse à des gens déjà familiarisés avec le système. Nous serons obligés de demander notre chemin.

– Non, Dors. Ce sera en dernier ressort. Je n'ai pas envie d'attirer l'attention. J'aimerais mieux qu'on tente notre chance en essayant de nous débrouiller seuls, même si ça entraîne quelques détours. »

Dors parcourut le plan-guide avec attention puis elle bougonna : « Eh bien, il consacre une place importante au Sacratorium. C'est tout naturel, je suppose. Je présume que tout le monde ici désire s'y rendre à un moment ou à un autre. » Puis, après nouvelle réflexion, elle ajouta : « Vous savez quoi? Il n'y a aucun moyen de transport direct pour s'y rendre.

– Quoi?

– On se calme! Apparemment, il y a moyen de rejoindre, d'ici, une autre ligne qui, elle, nous y conduira. Il faudra changer. »

Seldon se détendit. « Bon sang, c'est vrai. La moitié des destinations sur Trantor ne sont pas accessibles directement sans correspondance. »

Regard impatienté de Dors : « Je sais ça aussi. Simplement, j'ai l'habitude que la machine me le dise. Quand on doit se débrouiller seul, les choses les plus évidentes peuvent momentanément vous échapper.

– Pas de problème, ma chère. Ne vous emportez pas. Si vous connaissez l'itinéraire, eh bien, guidez-nous. Je suivrai docilement. »

Il la suivit donc jusqu'à ce qu'ils parviennent à une intersection où ils s'arrêtèrent.

Trois hommes en tunique blanche et un couple de femmes en gris s'y trouvaient déjà. Seldon risqua un sourire passe-partout dans leur direction mais ils réagirent par un regard ahuri avant de détourner la tête.

Puis leur moyen de transport arriva. C'était une version démodée de ce que, sur Hélicon, Seldon aurait appelé un gravibus. Il était équipé d'une vingtaine de banquettes capitonnées, pouvant chacune accueillir quatre voyageurs. Chaque rangée avait sa porte, de chaque côté de la voiture. Quand le bus s'arrêtait, les passagers descendaient des deux côtés. (Un instant, Seldon s'inquiéta pour ceux qui descendaient sur la chaussée mais il remarqua que la circulation s'arrêtait, dans les deux sens, en arrivant à proximité du bus. Aucun véhicule ne le dépassa durant son arrêt.)

Dors poussa Seldon avec impatience et il s'installa sur une banquette avec deux places libres. Elle le suivit. (Les hommes montaient et descendaient toujours les premiers, remarqua-t-il.)

Dors marmonna : « Et cessez de faire l'anthropologue. Regardez plutôt autour de vous.

– Je vais essayer.

– Par exemple », dit-elle – et elle lui indiqua une plaque lisse découpée dans le dossier du siège juste devant eux. Dès que le véhicule se fut ébranlé, cet écran s'illumina pour indiquer le prochain arrêt, les carrefours et bâtiments remarquables à proximité.

« Bon, voilà qui nous dira sans doute quand nous approcherons de notre correspondance. Enfin, ce secteur n'est pas complètement barbare.

– Bien », dit Seldon. Puis, après quelques secondes, se penchant vers Dors, il murmura : « Personne ne nous regarde. Il semblerait que des frontières artificielles s'érigent pour protéger l'intimité des gens sitôt qu'il y a foule. Aviez-vous remarqué?

– Ça m'a toujours paru l'évidence même. Si ce doit être une des règles de votre psychohistoire, elle n'impressionnera pas grand-monde. »

Comme elle l'avait pressenti, la plaque indicatrice devant eux finit par annoncer l'approche de la correspondance avec la ligne directe pour le Sacratorium.

Ils descendirent et durent à nouveau attendre. Plusieurs véhicules venaient de quitter l'intersection mais déjà un autre gravibus approchait. Ils étaient sur un itinéraire fréquenté, ce qui n'avait rien de surprenant; le Sacratorium devait être le centre et le pôle d'attraction du secteur.

Ils montèrent dans le gravibus et Seldon murmura : « On ne paie pas?

– D'après le plan-guide, les transports publics sont gratuits. »

Seldon fit la moue. « Quelle marque de civilisation! Je suppose que rien n'est jamais tout d'un bloc, ni le sous-développement, ni la barbarie, rien... »

Mais Dors lui enfonça le coude dans les côtes en chuchotant : « Votre règle tombe à l'eau. Nous sommes observés. L'homme, sur votre droite. »

52

Seldon jeta un bref coup d'œil de côté. L'homme à sa droite était plutôt mince et paraissait âgé. Il avait les yeux sombres et le teint basané, et Seldon était persuadé qu'il aurait été très brun s'il n'avait pas été épilé.

Il regarda de nouveau droit devant lui, songeur. Ce Frère était plutôt atypique. Les quelques individus auxquels il avait jusque-là prêté attention étaient en général de grande taille, avec la peau claire et des yeux bleus ou gris. Bien entendu, il n'en avait pas vu assez pour en déduire une règle générale.

Puis il sentit un léger contact sur la manche droite de sa tunique. Il se tourna, hésitant, et se retrouva le nez devant une carte sur laquelle était crayonné : ATTENTION, BARBARE!

Seldon sursauta et porta machinalement la main à sa coiffe. Son voisin épela en silence : « Vos cheveux ».

La main de Seldon sentit quelques poils visibles à la tempe. Il avait dû déplacer son bonnet à un moment ou à un autre. Rapidement, et avec la maximum de discrétion, il tira dessus, puis, faisant mine de se caresser la tête, s'assura qu'il était bien fixé.

Il se tourna vers son voisin, hocha imperceptiblement la tête en épelant : « Mer-ci. »

Son voisin sourit et répondit, sur le ton de la conversation : « Vous vous rendez au Sacratorium? »

Seldon acquiesça. « Effectivement.

– Je n'ai pas de mérite à deviner. Moi aussi. Descendrons-nous ensemble? » Son sourire était amical.

– « Je suis avec mon... ma...

– Avec la femme. Bien sûr. Eh bien, tous les trois, alors? »

Seldon ne savait trop comment réagir. Un bref coup d'œil à gauche lui révéla que Dors regardait droit devant elle. Elle ne trahissait aucun intérêt pour la conversation des hommes – une attitude digne d'une Sœur. Cependant Seldon sentit une petite tape sur le genou gauche qu'il prit (un peu hâtivement, peut-être) pour une approbation.

Toujours est-il que son sens inné de la courtoisie le poussa à répondre : « Mais oui, certainement. »

Il n'y eut pas d'autre conversation avant que la plaque indicatrice leur annonce qu'ils arrivaient au Sacratorium; l'ami mycogénien de Seldon se leva alors pour sortir.

Le gravibus décrivit un large virage pour contourner le vaste périmètre du Sacratorium et, dès qu'il se fut immobilisé, ce fut l'exode général, les hommes descendant, comme toujours, les premiers. Les femmes suivirent.

Le Mycogénien avait la voix légèrement chevrotante mais il était chaleureux. Il leur dit : « Il est un petit peu tôt pour déjeuner, mes... amis, mais croyez-m'en, ce sera la cohue dans un rien de temps. Voulez-vous que nous achetions tout de suite quelque chose de simple et que nous mangions dehors? Je suis un habitué des lieux et je connais un endroit agréable. »

Seldon se demanda si c'était une astuce pour attirer d'innocents étrangers dans quelque lieu discutable ou coûteux mais décida de courir le risque.

« Vous êtes fort aimable, lui dit-il. N'étant pas des habitués, nous serons ravis que vous nous guidiez. »

Ils s'achetèrent à manger – des sandwiches et un breuvage qui ressemblait à du lait – dans une petite échoppe à ciel ouvert. Comme la journée était magnifique et que les visiteurs s'annonçaient nombreux, le vieux Mycogénien suggéra qu'ils se rendent aux abords du Sacratorium et mangent dehors, ce qui leur permettrait de reconnaître les lieux.

Pendant qu'ils déambulaient, leur repas à la main, Seldon nota que le temple ressemblait, à échelle très réduite, au Palais impérial et que le terrain alentour ressemblait aussi, en plus petit, aux jardins impériaux. Il avait du mal à imaginer les Mycogéniens admirant les institutions de l'Empire ou nourrissant autre chose que haine et mépris à leur endroit; malgré tout, l'attraction culturelle ne devait apparemment pas être négligée.

« Superbe, non? observa le Mycogénien avec un orgueil évident.

– Tout à fait, reconnut Seldon... Resplendissant, il n'y a pas d'autre mot.

– Tout le terrain alentour est aménagé à l'imitation du domaine gouvernemental sur notre Monde de l'Aube... en réduction, bien sûr.

– Avez-vous déjà vu le domaine du Palais impérial? hasarda prudemment Seldon.

Le Mycogénien saisit l'allusion et ne parut pas le moins du monde pris de court : « Ce sont eux qui ont copié le Monde de l'Aube, du mieux qu'ils ont pu. »

Seldon en doutait fort mais ne dit rien.

Il parvinrent à un banc semi-circulaire en pierrite blanche, aussi étincelant sous la lumière que le temple.

« Bien, dit le Mycogénien, ses yeux noirs pétillant de plaisir. Personne n'a pris ma place. Je l'appelle ainsi parce que c'est ma préférée : d'ici, on a une vue superbe sur le mur latéral du Sacratorium, derrière les arbres. Asseyez-vous, je vous en prie. La pierre n'est pas froide, je vous assure. Et votre compagne peut s'asseoir également. Je sais bien que c'est une Barbare, que ses coutumes diffèrent des nôtres. Elle... elle peut parler, si elle le désire. »

Dors lui lança un regard noir et s'assit.

Ayant admis qu'ils risquaient de rester quelque temps en compagnie de ce vieux Mycogénien, Seldon lui tendit la main et se présenta : « Je m'appelle Hari et ma compagne s'appelle Dors. Nous n'utilisons pas de numéros, pardonnez-nous...

– A chacun... ou chacune... ses traditions, dit l'autre avec effusion. Je suis Mycélium Soixante-douze. Nous formons une vaste cohorte.

– Mycélium? répéta Seldon, d'une voix hésitante.

– Vous avez l'air surpris. J'en déduis que vous n'avez rencontré jusqu'à présent que des membres de nos familles les plus anciennes. Des noms comme Nuage, Ensoleillement, Lumière-stellaire – d'origine astronomique ou météorologique.

– Je dois admettre... commença Seldon.

– Eh bien, vous avez devant vous un représentant des classes inférieures. Nos noms proviennent du sol et des micro-organismes que nous cultivons. C'est parfaitement respectable.

– Je n'en doute pas, dit Seldon, et merci encore de m'avoir rendu ce... service dans le gravibus.

– Ecoutez, dit Mycélium Soixante-douze, je vous ai épargné de gros ennuis. Si jamais une Sœur vous avait remarqué avant moi, elle aurait sûrement poussé les hauts cris et les Frères présents vous auraient jeté dehors – peut-être même sans attendre l'arrêt de la voiture. »

Dors se pencha pour regarder l'interlocuteur de Seldon. « Comment se fait-il que vous n'ayez pas agi de même?

– Moi? Je n'ai aucune animosité envers les barbares. Je suis un érudit.

– Un érudit?

– Le premier de ma cohorte. J'ai suivi, ma foi, de brillantes études à l'École du Sacratorium. J'ai des lumières sur tous les arts antiques et possède une autorisation d'entrée à la bibliothèque tribale où sont conservés tous les imprimés et vidéo-livres des tribus barbares. Je peux lire ou consulter tous les ouvrages de mon choix. Nous avons même une bibliothèque de référence informatisée à laquelle j'ai également accès. Ce genre de choses vous élargit l'esprit. Je ne me formalise pas pour quelques poils. J'ai vu bien des fois des photos d'hommes *à poil*. Et de femmes également. » Il jeta un bref regard à Dors.

Il mangèrent en silence puis Seldon reprit : « Je remarque que chaque Frère qui entre ou sort du Sacratorium porte une écharpe rouge.

– Oh oui, en travers, de gauche à droite – et souvent très richement brodée.

– Pourquoi cela?

– On l'appelle une " obi ". Elle symbolise la joie ressentie en entrant au Sacratorium et le sang qu'on serait prêt à verser pour le préserver.

– Le sang? » Dors plissa le front.

« Ce n'est qu'un symbole. En fait, à ma connaissance, personne n'a jamais répandu son sang pour le Sacratorium. Et à vrai dire, ce n'est pas non plus la joie débordante. Mais plutôt les gémissements, les lamentations et la prostration devant le Monde perdu. » Sa voix tomba, devint un murmure : « Parfaitement crétin.

– Vous n'êtes pas... croyant? s'étonna Dors.

– Je suis un érudit », répondit Mycélium avec une évidente fierté. Son visage se plissa en un sourire, accentuant encore la marque des ans. Seldon se surprit à se demander quel pouvait être son âge. Plusieurs siècles? – Non, ils avaient réglé cette question-là. C'était impossible et pourtant...

« Quel âge avez-vous? » laissa-t-il soudain échapper.

Mycélium Soixante-douze ne parut pas se formaliser de la question et répondit sans hésiter : « Soixante-sept ans. »

Seldon insista. Il fallait qu'il sache. « On m'a dit que vos concitoyens croient qu'en des temps très anciens tout le monde vivait plusieurs siècles. »

Mycélium Soixante-douze le regarda, perplexe : « Allons bon, comment avez-vous fait pour découvrir ça? Quelqu'un aura commis une indiscrétion... mais c'est vrai. Cette croyance existe. Seuls les moins cultivés y adhèrent, mais les Anciens l'encouragent parce qu'elle montre leur supériorité. En fait, notre espérance de vie est plus élevée qu'ailleurs parce que nous avons une nourriture plus saine, mais vivre simplement un siècle est rare.

– J'en déduis que vous ne considérez pas les Mycogéniens comme supérieurs.

– Les Mycogéniens n'ont rien d'anormal. Ils ne sont certainement pas inférieurs. Et je persiste à croire que tous les hommes sont égaux... et même les femmes », ajouta-t-il avec un regard pour Dors.

« Je n'ai pas l'impression, remarqua Seldon, que beaucoup de vos concitoyens partagent cette opinion.

– Ou beaucoup des vôtres, rétorqua Mycélium Soixante-douze avec une trace de ressentiment. J'y crois, pourtant. Un savant doit y croire. J'ai visionné, j'ai même lu toute la grande littérature des tribus barbares. Je comprends votre culture. J'ai écrit des articles à ce sujet. Je suis capable d'être là, assis avec vous, aussi confortablement que si vous étiez... des nôtres.

– Vous avez l'air très fier de comprendre les us et coutumes barbares, intervint Dors avec une certaine vigueur. Avez-vous déjà voyagé en dehors de Mycogène? »

Mycélium Soixante-douze parut se rétracter légèrement. « Non...

– Pourquoi pas? Ça vous aiderait à mieux nous connaître.

– Je ne me sentirais pas à l'aise. Il faudrait que je porte une perruque. J'aurais honte.

– Pourquoi une perruque? s'étonna Dors. Vous pourriez rester chauve.

– Non. Je ne serais pas bête à ce point. Pour me faire maltraiter par tous les chevelus...

– Maltraiter? Mais pourquoi? Nous avons une grande quantité d'hommes naturellement chauves sur Trantor comme sur toutes les autres planètes.

– Mon père est bien chauve, soupira Seldon. Et je suppose que d'ici quelques années, je le serai aussi. Je n'ai déjà plus trop de cheveux.

– Ce n'est pas être chauve. Il vous en reste toujours un peu et vous gardez vos... sourcils. Je veux dire vraiment chauve, totalement imberbe.

– Sur tout le corps? » s'enquit Dors, intéressée.

Cette fois, Mycélium Soixante-douze parut choqué et ne répondit pas.

Anxieux de redresser le cours de la conversation, Seldon intervint : « Dites-moi, Mycélium Soixante-douze, un barbare peut-il entrer au Sacratorium en spectateur? »

Vigoureux signe de dénégation. « En aucun cas. L'édifice est exclusivement réservé aux Fils de l'Aube.

– Seulement les Fils? » demanda Dors.

Mycélium parut un instant choqué puis, avec indulgence, il expliqua : « Enfin, vous êtes des barbares. Les Filles de l'Aube n'y pénètrent que certains jours à des moments bien précis. C'est ainsi. Je ne dis pas que j'approuve. Si ça ne tenait qu'à moi, je dirais : « Entrez, amusez-vous si ça vous chante. » Mais sans moi, en fait.

– Vous n'y allez jamais?

– Quand j'étais jeune, mes parents m'y ont emmené mais – il hocha la tête – il n'y avait que des gens en train de contempler le Livre, ou de le lire en poussant des soupirs et en se lamentant sur le bon vieux temps.

Très déprimant. On n'a pas le droit de se parler. Pas le droit de rire. Même pas de se regarder. L'esprit doit être totalement accaparé par le Monde perdu. Totalement. » Il eut un signe de dégoût. « Très peu pour moi. Je suis un érudit et j'ai envie que le monde entier s'ouvre devant moi.

– Bien, dit Seldon, discernant une ouverture. Nous avons le même sentiment. Nous sommes chercheurs nous aussi, Dors et moi.

– Je sais.

– Vous savez? Comment ça, vous savez?

– C'était obligé. Les seuls barbares autorisés à Mycogène sont des diplomates et des fonctionnaires à l'Empire, de gros commerçants, et des chercheurs – et à vous voir, vous aviez la tête de l'emploi. C'est ce qui m'a intéressé en vous. Une rencontre d'érudits. » Il eut un sourire ravi.

« Vous avez raison. Je suis mathématicien, Dors, historienne. Et vous?

– Je suis spécialisé en... culture. J'ai lu toutes les grandes œuvres littéraires des barbares : Lissauer, Mentone, Novigor...

– Comme nous avons lu les œuvres de votre peuple. Tenez, par exemple, j'ai lu le Livre... Sur le Monde perdu. »

Mycélium Soixante-douze écarquilla les yeux de surprise. « Vous l'avez lu? Comment? Où ça?

– A notre Université, nous en avons quelques exemplaires que nous pouvons consulter avec une autorisation.

– Des exemplaire *du Livre*?

– Oui.

– Je me demande si les Anciens sont au courant.

– Et j'ai lu ce qui a trait aux robots.

– Les robots?

– Oui. C'est pourquoi j'aimerais bien pouvoir entrer au Sacratorium. J'aimerais voir le robot. » (Dors lui donna un léger coup de pied dans la cheville mais il l'ignora.)

Gêné, Mycélium Soixante-douze répondit : « Je ne crois pas à ce genre de choses. Les gens érudits n'y croient pas. » Mais il donnait l'impression de craindre qu'on l'entende.

Seldon reprit : « J'ai lu qu'un robot se trouvait encore au Sacratorium.

– Je refuse de discuter de pareilles sornettes. »

Mais Seldon persista : « Où serait-il s'il s'y trouvait effectivement?

– Même si c'était le cas, je ne pourrais pas vous le dire. Je n'y suis pas retourné depuis mon enfance.

– Le sauriez-vous s'il existait un endroit particulier, une cachette?

– Il y a l'aire des Anciens. Eux seuls ont le droit d'y pénétrer, mais il n'y a rien là dedans.

– Y êtes-vous déjà entré?

– Non, bien sûr que non.

– Alors, qu'en savez-vous?

– Je ne sais pas non plus s'il n'y pousse pas un grenadier. Je ne sais pas non plus s'il n'y a pas un orgue-laser. Il y un million de choses diverses dont je suis incapable de vous dire si elles s'y trouvent ou pas. Le fait que j'ignore leur absence prouve-t-il qu'elles s'y trouvent toutes? »

Durant un instant, Seldon ne trouva rien à répondre.

Puis l'ombre d'un sourire perça sous l'air préoccupé de Mycélium Soixante-douze. « C'est un raisonnement d'érudit. Je ne suis pas facile à piéger, voyez-vous. Cela dit, je ne vous conseillerais pas d'essayer de monter dans l'aire des Anciens. Je ne crois pas que vous goûteriez ce qui risque d'arriver s'ils y découvraient un barbare... Enfin, que l'Aube vous soit profitable. » Et sur ces mots, il se leva sans crier gare et s'éloigna en toute hâte.

Seldon le suivit des yeux surpris : « Qu'est-ce qui l'a fait détaler comme ça?

Je crois, dit Dors, que c'est parce que quelqu'un approche. »

Effectivement. Un homme de haute taille, vêtu d'une tunique blanche raffinée, ceint d'une écharpe rouge encore plus recherchée, glissait vers eux d'un pas solennel. Il avait l'allure caractéristique d'un homme de pouvoir, et l'air plus caractéristique encore d'un homme pas content du tout.

53

Seldon se leva devant ce nouvel arrivant. Il ignorait si c'était là l'attitude adéquate dictée par la politesse, mais il avait la nette impression que ça ne pouvait pas faire de mal. Dors Venabili l'imita en prenant soin de garder les yeux baissés.

L'autre s'arrêta devant eux. Lui aussi âgé, mais la marque des ans était plus subtile que chez Mycélium Soixante-douze. L'âge semblait donner de la distinction à ses traits encore élégants. Son crâne chauve avait une courbe parfaite, et ses yeux étonnamment bleus contrastaient avec le rouge vif de son écharpe.

Le nouveau venu dit : « Je vois que vous êtes des barbares. » Sa voix était plus aiguë que ne l'avait escompté Seldon, mais il parlait avec lenteur, comme conscient de l'autorité de chaque mot qu'il prononçait.

« Eh bien, oui », répondit Seldon, avec politesse et fermeté. Il ne voyait aucune raison de ne pas respecter la position de son interlocuteur mais n'avait pas l'intention pour autant de renoncer à la sienne.

« Votre nom?

– Je suis Hari Seldon, d'Hélicon. Ma compagne est Dors Venabili, de Cinna. Et vous, homme de Mycogène? »

L'homme plissa les paupières, mécontent, mais lui aussi savait reconnaître l'accent de l'autorité quand il le rencontrait.

« Je suis Bande-céleste Deux, dit-il en relevant la tête, Ancien du Sacratorium. Et votre position, Barbare?

– Nous (Seldon insista sur le pronom), nous sommes des chercheurs de l'Université de Streeling. Je suis mathématicien, ma compagne est historienne, et nous sommes ici pour étudier les us et coutumes de Mycogène.

– Par autorisation de qui?

– Par autorisation de Maître-du-Soleil Quatorze qui nous a accueillis en personne à notre arrivée. »

Bande-céleste Deux resta quelques instants silencieux puis un mince sourire apparut sur ses traits tandis qu'il prenait un air presque affable. « Le Grand Ancien. Je le connais bien.

– Je n'en doute pas, dit aimablement Seldon. Y a-t-il autre chose, vénérable Ancien?

– Oui. » L'homme essaya de reprendre le dessus. « Qui était l'individu avec vous, qui s'est empressé de disparaître à mon approche? »

Seldon hocha la tête. « C'est la première fois que nous le voyions, vénérable Ancien, et nous ne savons rien de lui. Nous nous sommes rencontrés tout à fait par hasard et lui avons posé des questions sur le Sacratorium.

– Que lui avez-vous demandé?

– Deux choses, vénérable Ancien. Nous lui avons demandé si cet édifice était bien le Sacratorium et si les barbares avaient le droit d'y pénétrer. Il a répondu par l'affirmative à la première question et par la négative à la seconde.

– Fort bien. Et pourquoi cet intérêt pour le Sacratorium?

– Monsieur, nous sommes ici pour étudier les coutumes de Mycogène et le Sacratorium n'en est-il pas le cœur et le cerveau?

– Il nous est entièrement et exclusivement réservé.

– Même si un Ancien – le Grand Ancien – pouvait nous obtenir une dispense au vu de nos fonctions de chercheurs?

– Avez vous déjà la permission du Grand Ancien? »

Seldon hésita imperceptiblement tandis que Dors levait les yeux pour lui jeter un bref regard à la dérobée. Il décida de ne pas se lancer dans un mensonge de cette ampleur. « Non », reconnut-il. Pas encore.

– Et sans doute, dit l'Ancien. Vous êtes ici, à Mycogène, par autorisation spéciale, mais même le plus haute autorité ne peut totalement contrôler la foule. Nous tenons à notre Sacratorium et les gens peuvent aisément s'énerver devant la présence d'un barbare à Mycogène, et tout particulièrement dans les parages du Sacratorium. Il suffirait qu'un individu un peu nerveux lance le cri « Invasion! » pour qu'une foule paisible comme celle-ci soit prête à vous mettre en pièces. Au sens propre du terme. Pour votre bien, même si le Grand Ancien vous a accordé quelque faveur, partez. Tout de suite!

– Mais le Sacratorium... » s'entêta Seldon, comme Dors le tirait doucement par la tunique.

« Qu'y a-t-il dans le Sacratorium qui puisse donc vous intéresser? Vous l'avez sous les yeux. Il n'y a rien pour vous de remarquable à l'intérieur.

– Il y a le robot », dit Seldon.

L'Ancien le fixa, abasourdi par la surprise, puis, se penchant pour coller les lèvres à son oreille, il lui chuchota, d'un ton sec : « Partez immédiatement ou c'est moi qui vais lancer le cri d'" invasion! " Et si ce n'avait pas été pour le Grand Ancien, je ne vous accorderais même pas ce sursis. »

Et Dors, avec une force surprenante, le souleva presque de terre et s'éloigna en hâte, le traînant derrière elle jusqu'à ce qu'il ait retrouvé son équilibre et s'empresse de lui emboîter le pas.

54

Ce fut après le petit déjeuner du lendemain, pas avant, que Dors aborda le sujet – d'une manière que Seldon trouva particulièrement blessante.

Elle remarqua : « Eh bien, on peut dire que ç'a été un joli fiasco, hier. »

Seldon, qui avait honnêtement cru en avoir fini avec l'incident sans commentaire, prit un air renfrogné : « Comment ça, un fiasco?

– On s'est fait proprement jeter, il n'y a pas d'autre mot. Et pourquoi? Qu'y a-t-on gagné?

– Simplement de savoir qu'il y a bien là-bas un robot.

– Mycélium Soixante-douze a prétendu le contraire.

– Évidemment. C'est un érudit – ou il croit l'être –, et l'étendue de son ignorance sur le Sacratorium remplirait sans doute la bibliothèque qu'il fréquente. Vous avez vu la réaction de l'Ancien?

– Ça, oui.

– Il n'aurait pas réagi de la sorte s'il n'y avait pas de robot à l'intérieur. Il était horrifié qu'on soit au courant.

– Simple supposition de votre part, Hari. Et même si c'était le cas, nous ne pourrions y pénétrer.

– On pourrait toujours essayer. Après le petit déjeuner, nous sortons m'acheter une écharpe, une de ces obis. Je la mets, je garde les yeux dévotement baissés, et j'entre directement.

– Avec votre bonnet de peau et tout le tremblement. Vous serez repéré à la microseconde.

– Absolument pas. Nous nous rendrons à la bibliothèque où sont conservées toutes les donnés concernant les barbares. De toute façon, j'aimerais y jeter un coup d'œil. De cet établissement, qui est, si j'ai bien compris, une annexe du Sacratorium, nous pourrons sans doute accéder directement à celui-ci.

– Pour nous y faire cueillir aussitôt.

– Pas du tout. Vous avez entendu Mycélium Soixante-douze : tout le monde garde les yeux baissés et médite sur le grand Monde perdu,

Aurora. Personne ne regarde son voisin. Ce serait sans doute un sérieux manquement à la discipline. Nous trouvons donc l'aire des Anciens...

– Simplement, comme ça?

– A un moment donné, Mycélium Soixante-douze a dit qu'il ne me conseillait pas d'essayer d'y monter. D'y *monter*. Ce doit être quelque par dans cette tour, la tour centrale. »

Dors hocha la tête. « Je ne me souviens pas de ses paroles exactes et je ne pense pas que vous vous en souveniez non plus. C'est une base bien faible pour... attendez. » Elle se tut brusquement et fronça les sourcils.

« Eh bien?

– Il y a terme archaïque, « aire », qui signifie un « nid situé dans un endroit élevé ».

– Ah, vous voyez bien! Mine de rien, nous avons appris pas mal de détails vitaux à l'issue de ce que vous appelez un fiasco. Et si je peux trouver un robot vivant de plus de vingt mille ans et qu'il puisse me dire...

– Supposez qu'une telle chose existe, ce qui dépasse l'entendement, et que vous la trouviez, ce qui n'est guère probable, combien de temps, à votre avis, pourrez-vous lui parler avant que votre présence soit découverte?

– Je l'ignore mais si je peux prouver qu'il existe et que je parvienne à le débusquer, alors je trouverai bien le moyen de lui parler. Il est trop tard désormais pour que je recule, sous quelque prétexte que ce soit. Hummin aurait mieux fait de me laisser tranquille quand j'estimais la psychohistoire impossible à mettre en pratique. Maintenant qu'une possibilité semble se faire jour, plus rien ne pourra m'arrêter – sauf la mort.

– Les Mycogéniens peuvent vous rendre ce service, Hari, mais vous ne pouvez pas courir un tel risque.

– Si, je peux. Et je vais essayer.

– Non, Hari. Je dois veiller sur vous et je ne peux pas vous laisser faire.

– Il le faut. Trouver le moyen de rendre la psychohistoire opérationnelle est plus important que ma sécurité. Ma sécurité n'a d'importance que dans la mesure où je puis mettre au point la psychohistoire. Empêchez-moi de le faire et votre tâche perd tout son sens – réfléchissez-y. »

Hari se sentait envahi d'une résolution renouvelée. La psychohistoire – cette théorie nébuleuse qu'il avait, si peu de temps auparavant, désespéré de jamais prouver – apparaissait soudain plus riche, plus réelle. Il se sentait forcé de la croire possible – viscéralement! Les morceaux du puzzle semblaient s'ordonner et, même s'il ne pouvait encore discerner le motif global, il était certain que le Sacratorium allait lui en fournir une nouvelle pièce.

« Alors, j'irai avec vous, idiot, le moment venu.

– Les femmes n'ont pas le droit d'entrer.

– Qu'est-ce qui fait de moi une femme? Une simple tunique grise. Mes seins sont invisibles dessous. Je n'ai pas une coiffure de femme, une fois mis le bonnet de peau. J'ai le même visage lisse et imberbe qu'un homme. Ici, les hommes n'ont pas de poils rebelles. Tout ce qu'il me faut, c'est une tunique blanche, une écharpe, et je pourrai entrer. N'importe quelle Sœur pourrait faire de même si elle n'était pas retenue par un tabou. Je ne le suis pas.

– Vous l'êtes, par moi. Je ne vous laisserai pas faire. C'est trop dangereux.

– Pas plus pour moi que pour vous.

– Mais moi, il faut que je prenne ce risque.

– Alors, je le prends aussi. Pourquoi votre impératif serait-il supérieur au mien?

– Parce que... » Seldon se tut, réfléchit.

La voix de Dors était dure comme le roc : « Mettez-vous bien ça dans la tête, je ne vous laisserai pas y aller sans moi. Si vous essayez de me fausser compagnie, je vous assomme et je vous ligote. Si ça ne vous plaît pas, alors renoncez à l'idée d'y aller seul. »

Seldon hésita, grommela sombrement, et renonça à discuter – au moins dans l'immédiat.

55

Le ciel était quasiment sans nuages, mais il était bleu pâle, comme nimbé de brume. A la bonne heure, songea Seldon, mais soudain il se prit à regretter l'absence de soleil. Personne sur Trantor ne voyait jamais le soleil de la planète à moins de monter sur la Couverture, et même alors uniquement lorsque la couche nuageuse se dissipait.

Le soleil manquait-il aux Trantoriens? Y songeaient-ils jamais? Quand l'un d'entre eux visitait un autre monde où brillait un soleil naturel, le contemplait-il, à moitié aveuglé, avec une crainte respectueuse?

– Pourquoi, se demanda-t-il, tant de gens passent-ils leur vie à éviter de trouver les réponses aux questions – et en premier lieu à éviter les questions? N'y avait-il pourtant rien de plus excitant que de chercher des réponses?

Son regard redescendit vers le sol. La route était bordée de bâtiments bas, des boutiques pour la plupart. De nombreux véhicules individuels glissaient dans les deux sens, frileusement serrés sur leur droite. On aurait dit une collection de pièces de musée mais ils étaient à propulsion électrique et parfaitement silencieux. Seldon se demanda si le concept d'« antiquité » devait toujours êre accueilli par un ricanement. Ce silence ne comprenait-il pas la lenteur? Y avait-il d'ailleurs une raison quelconque de se presser dans la vie?

On voyait sur les trottoirs de nombreux enfants et Seldon pinça les lèvres, ennuyé. D'évidence, il était impossible que les Mycogéniens eussent une longévité extrême à moins de se laisser aller à l'infanticide.

Les enfants des deux sexes (bien qu'il fût difficile de distinguer les filles des garçons) portaient des tuniques qui s'arrêtaient à quelques centimètres seulement au-dessous du genou, pour faciliter l'activité débordante de l'enfance.

Tous avaient encore leurs cheveux, longs d'un ou deux centimètres au plus, mais même ainsi, les plus grands avaient une capuche à leurs tuniques qui dissimulait entièrement le sommet du crâne – comme s'ils étaient assez âgés pour rendre leur chevelure un tantinet obscène, ou pour avoir le désir de la cacher en attendant le jour de l'épilation rituelle.

Une question lui vint soudain à l'esprit : « Dors, quand vous êtes sortie faire des courses, qui a payé, vous ou les Sœurs Goutte-de-Pluie?

– Moi, bien sûr. Les Goutte-de-Pluie n'ont jamais sorti une plaque de crédit. Pourquoi faire d'ailleurs? Ce qu'on achetait était pour nous, pas pour elles.

– Mais vous avez une plaque de crédit trantorienne – une plaque de crédit de barbare.

– Bien sûr, Hari, mais il n'y avait pas de problème. Libre aux citoyens de Mycogène de conserver leur culture, leur mode de pensée et de vie si ça leur chante. Libre à eux de s'épiler et de porter des tuniques. Malgré tout, ils sont bien obligés d'utiliser les mêmes crédits que tout le monde. Sinon, ils asphyxieraient leur commerce, ce dont ne voudrait aucun individu sensé. Le nerf du crédit, Hari. » Elle leva la main, comme si elle tenait une plaque de paiement invisible.

« Et ils ont accepté la vôtre?

– Sans piper. Et sans la moindre remarque au sujet de ma coiffe. Les crédits blanchissent tout.

– Eh bien, c'est parfait. Je peux donc acheter...

– Non. C'est moi qui vais le faire. Les crédits blanchissent peut-être tout, mais ils blanchissent plus facilement une barbare. Les commerçants sont tellement accoutumés à ne prêter quasiment aucune attention aux femmes qu'ils ne me remarquent pas. – Et; tenez, voici le magasin de confection où je suis allée.

– J'attendrai dehors. Prenez-moi une belle écharpe rouge – une qui en jette.

– Ne faites pas semblant d'avoir oublié notre décision. Je vais en prendre deux. Ainsi qu'une autre tunique blanche... mais à ma taille.

– Ne vont-ils pas trouver bizarre qu'une femme achète une tunique blanche?

– Bien sûr que non. Ils supposeront que je l'achète pour un compagnon masculin qui se trouve avoir la même taille que moi. En fait, je ne crois pas qu'ils se poseront la moindre question pourvu que ma plaque soit valide. »

Seldon resta devant le magasin s'attendant plus ou moins à voir quelqu'un l'interpeller pour saluer (ou, plus probablement, dénoncer) le barbare qu'il était, mais personne ne le remarqua. Les passants le croisaient sans un regard et même ceux qui lui jetaient un coup d'œil poursuivaient leur chemin, apparemment indifférents. Les tuniques grises – les femmes – le rendaient tout particulièrement nerveux, quand elles marchaient à deux ou, pis encore, accompagnées d'un homme. Opprimées, dédaignées, transparentes, quel meilleur moyen pour elles d'acquérir une brève notoriété que de se mettre à piailler à la vue d'un barbare? Mais même les femmes poursuivaient leur chemin.

Elles ne s'attendent pas à voir un barbare, songea Seldon, donc elles ne voient pas quand il y en a un.

Cela, jugea-t-il, augurait bien de leur prochaine invasion du Sacratorium. Escomptant encore moins y rencontrer un barbare, les Mycogéniens manqueraient encore plus sûrement de les voir!

Seldon était donc de fort bonne humeur quand Dors ressortit.

« Vous avez tout?

– Absolument.

– Dans ce cas, retournons dans la chambre, que vous puissiez vous changer. »

La tunique blanche ne lui allait pas aussi bien que la grise. Évidemment, Dors n'avait pu l'essayer – au risque de se faire remarquer même par le plus obtus des commerçants.

« De quoi ai-je l'air, Hari?

– D'un vrai garçon. Maintenant, essayons l'écharpe... ou l'obi. Autant que je m'habitue à l'appeler ainsi. »

Le bonnet ôté, Dors fit virevolter ses cheveux. « Ne la passez pas tout de suite. Pas question d'aller se pavaner dans Mycogène avec l'écharpe en bandoulière. La dernière chose à faire serait d'attirer l'attention.

– Non, non. Je voulais juste voir comment elle vous allait.

– Eh bien, pas celle-là. Celle-ci est de meilleure qualité et plus travaillée.

– Vous avez raison, Dors. Autant que ce soit moi qui attire éventuellement l'attention. Je n'ai pas envie qu'on vous repère.

– Je ne pensais pas à ça, Hari. J'avais juste envie que vous ayez l'air élégant.

– Mille mercis, mais c'est une tâche impossible, je le crains. Bien, voyons, comment procède-t-on? »

Ensemble, ils s'entraînèrent à mettre et à ôter leur obi, jusqu'à ce qu'ils y parviennent d'un seul geste. Seldon suivit les instructions de Dors qui avait observé la méthode employée par un fidèle au Sacratorium la veille même.

Quand Hari la félicita pour ses dons d'observation, elle rougit et remarqua : « Ce n'est rien, Hari, juste un truc que j'ai repéré en passant.

– Alors, disons que vous êtes un génie de repérage. »

Finalement satisfaits, ils s'écartèrent pour se jauger réciproquement. L'obi d'Hari flamboyait, avec son motif à dragon rouge sur champ assorti plus pâle. Celle de Dors était un peu moins voyante, avec un simple trait mince au milieu, et d'une teinte très claire. « Là, dit-elle, de quoi révéler notre bon goût. » Elle la retira.

« Bon, dit Seldon, maintenant on replie tout ça et on le glisse dans un l'une des poches intérieures. J'ai ma plaque de crédit – celle de Hummin, en fait – et la clé d'ici dans cette poche, et là, de l'autre côté, le Livre.

– Le Livre? Vous croyez utile de le prendre?

– Absolument. J'ai l'impression que tous ceux qui pénètrent dans le Sacratorium doivent en avoir un exemplaire sur eux. Pour en psalmodier des passages, ou suivre les lectures. S'il le faut, nous le partagerons et peut-être que personne ne vous remarquera. Prête?

– Je ne serai jamais prête mais je vous accompagne.

– Le trajet va être pénible. Vous voudrez bien surveiller ma coiffe, pour vérifier qu'aucun cheveu ne dépasse, cette fois-ci? Et vous, ne vous grattez pas la tête.

– J'essaierai. Vous m'avez l'air parfait.

– Vous aussi.

– Vous m'avez l'air nerveux, également.

– Devinez pourquoi? »

Sur une impulsion, Dors tendit le bras pour lui étreindre la main, puis se rétracta, comme surprise de son geste. Les yeux baissés, elle lissa sa tunique blanche. Hari, lui aussi un peu surpris mais surtout bizarrement ravi, se racla la gorge et lança : « Parfait. Allons-y. »

Aire

ROBOT. – ... Terme employé dans les légendes antiques de plusieurs mondes pour qualifier ce qu'on appelle plus communément des « automates ». Les robots sont généralement décrits comme faits de métal et d'apparence humaine, mais l'on suppose que certains auraient été de nature pseudo-organique. La croyance populaire veut qu'au cours de la Fuite, Hari Seldon ait aperçu un véritable robot, mais la véracité de cette anecdote reste douteuse. Nulle part, dans les volumineux écrits laissés par Seldon, il n'est fait mention du moindre robot, quoique...

ENCYCLOPAEDIA GALACTICA

56

Ils passèrent inaperçus.

Hari Seldon et Dors Venabili répétèrent le trajet de la veille et cette fois, personne ne les lorgna à deux fois. On ne leur accorda pas même un regard. A plusieurs reprises, ils durent se tasser pour laisser sortir un passager assis plus au centre. Ils eurent tôt fait de réaliser qu'à la montée d'un nouveau voyageur, ils devaient se décaler vers l'intérieur s'il y avait une place libre.

Cette fois, n'étant pas aussi facilement distraits par le spectacle du dehors, ils furent vite incommodés par l'odeur de tuniques d'une propreté douteuse.

Enfin ils parvinrent à destination.

« Et voilà la bibliothèque, dit Seldon à mi-voix.

– Je suppose, répondit Dors. Du moins est-ce l'édifice indiqué hier par Mycélium Soixante-douze. »

Ils s'y dirigèrent d'un pas tranquille.

« Respirez un bon coup, annonça Seldon. Voici le premier obstacle. »

La porte devant eux était ouverte, à l'intérieur régnait la pénombre. Cinq larges marches de pierre y montaient. Ils posèrent le pied sur la première et attendirent plusieurs secondes avant de s'aviser que leur poids n'enclenchait pas l'escalier roulant. Dors esquissa une légère grimace et fit signe à Seldon de grimper.

Ensemble, ils gravirent l'escalier, gênés pour Mycogène et son archaïsme. Puis ils franchirent une porte et découvrirent, installé à un bureau juste à l'entrée, une homme penché sur l'ordinateur le plus primitif que Seldon ait jamais vu.

L'homme ne leva pas la tête pour les regarder. Pas besoin, se dit Seldon : tunique blanche, crâne chauve... tous les Mycogéniens se ressemblaient à tel point que l'œil glissait sur eux sans les remarquer – ce qui pour l'heure était à l'avantage des barbares.

L'homme, qui semblait étudier quelque chose sur son bureau, demanda : « Chercheurs?

– Chercheurs », confirma Seldon.

D'un signe de tête, il indiqua la porte. « Entrez. Amusez-vous. »

Ils entrèrent et, à première vue, ils étaient les seuls dans cette section de la bibliothèque. Ou l'établissement n'était pas un endroit fréquenté, ou les chercheurs étaient rares, ou plus probablement les deux.

Seldon murmura : « Je m'étais attendu à ce qu'on nous réclame une carte ou une autorisation quelconque, et je me voyais déjà plaider l'oubli...

– Il est sans doute ravi d'avoir de la compagnie. Avez-vous déjà vu un endroit pareil? Si un lieu pouvait être aussi mort qu'un individu, nous serions à l'intérieur d'un cadavre. »

La plupart des ouvrages de cette section étaient des imprimés analogues au Livre que Seldon avait dans sa poche intérieure. Dors parcourut les rayonnages, étudiant leur contenu. « Des livres anciens, pour la plupart. Moitié classiques. Moitié sans intérêt.

– Des livres étrangers? Je veux dire, non mycogéniens?

– Oh, oui. S'ils ont leur propre littérature, ils doivent l'entreposer dans une autre section. Celle-ci est destinée aux recherches des pauvres petits érudits ou prétendus tels du genre de celui d'hier... Voici la section bibliographique... et là une Encyclopédie impériale... elle doit bien avoir cinquante ans, au bas mot... et un ordinateur. »

Elle allait effleurer les touches quand Seldon l'interrompit. « Attendez. Quelque chose pourrait se bloquer et nous retarder. »

Ce disant, il lui indiqua, surmontant une rangée de rayonnages, un discret bandeau lumineux annonçant :

VERS LE SACR TORIUM

Le second A de SACRATORIUM était éteint, panne récente ou négligence généralisée. (L'Empire, songea Seldon, était effectivement en plein déclin. Partout. A Mycogène aussi.)

Il regarda alentour. Cette pauvre bibliothèque, si nécessaire à l'orgueil mycogénien, si utile peut-être aux Anciens pour y glaner quelques miettes servant à étayer leurs croyances et à les présenter comme étant celles de barbares évolués, cette bibliothèque semblait complètement vide. Personne n'était entré derrière eux.

« Passons ici, hors de vue du gardien à l'entrée, et mettons nos écharpes », dit Seldon.

Puis, à la porte, conscient soudain qu'il n'était plus question de faire marche arrière une fois le second obstacle franchi, il s'écria : « Dors, ne venez pas avec moi. »

Elle fronça les sourcils. « Pourquoi pas?

– C'est risqué et je ne veux pas vous exposer.

– Je suis ici pour vous protéger », répondit-elle avec douceur et fermeté.

« Quel genre de protection pouvez-vous m'apporter? Je suis capable de me protéger tout seul, même si vous pensez le contraire. Et l'obligation de vous protéger risque de m'entraver. Vous en rendez-vous compte?

– Il ne faut pas vous faire de souci pour moi, Hari. Les soucis, c'est mon rayon. » Elle toucha son écharpe, à l'endroit où celle-ci passait entre ses seins invisibles.

« Parce que Hummin vous l'a demandé?

– Parce que ce sont mes ordres. »

Elle le saisit par le bras juste au-dessus du coude et, comme toujours, il fut surpris de la fermeté de sa poigne. « J'étais opposée à cette idée, Hari, mais si vous vous sentez obligé d'entrer, alors je dois entrer avec vous.

– Bon, très bien. Mais si jamais il arrive quelque chose et que vous puissiez vous éclipser, filez vite. Ne vous occupez pas de moi.

– Vous usez votre salive pour rien, Hari. Et vous m'insultez. »

Seldon effleura le panneau d'accès et la porte s'ouvrit en coulissant. Ensemble, presque à l'unisson, ils franchirent le seuil.

57

Une vaste salle, d'autant plus vaste qu'elle était dépourvue de tout ce qui pouvait ressembler à du mobilier. Ni chaise, ni banc, ni siège d'aucune sorte. Ni estrade, ni draperies, ni décorations.

Pas de lampes non plus, un simple éclairage tamisé, uniforme et diffus. Les murs n'étaient pas entièrement nus. Par intervalles, disposés à diverses hauteurs et répartis selon un ordre peu évident, étaient encastrés de primitifs écrans de télévision bi-dimensionnelle, tous allumés. Là où se trouvaient Hari et Dors, l'image ne donnait même pas l'illusion de la profondeur, rien de commun avec la véritable holovision.

Il y avait des gens dans la salle. Peu nombreux, et jamais ensemble. Isolés et, comme les moniteurs de télévision, placés selon un ordre peu évident. Tous portaient la tunique blanche et l'écharpe rouge.

Le silence était à peu près total. Personne ne parlait au sens habituel du terme, mais certains bougeaient les lèvres, murmurant doucement. Ceux qui marchaient le faisaient à pas furtifs, les yeux baissés.

L'atmosphère était absolument funèbre.

Seldon se pencha vers Dors qui porta aussitôt le doigt à ses lèvres puis lui indiqua l'un des moniteurs. L'écran montrait un jardin idyllique et couvert de fleurs, décrit par la caméra en un long panoramique.

Ils s'approchèrent du moniteur en calquant leur démarche sur celle des autres : à pas lents, en posant doucement un pied devant l'autre.

Quand ils furent à moins de cinquante centimètres de l'écran, une douce voix insinuante s'éleva : « Le jardin d'Antennin, reproduit à partir d'antiques guides et photographies, situé aux confins d'Eos. Notez-le... »

Dors chuchota, dans un murmure que Seldon eut du mal à saisir avec le son du haut-parleur : « Le volume monte dès que quelqu'un approche et s'éteindra si nous nous éloignons. Si nous sommes assez près, nous pouvons parler discrètement mais ne me regardez pas et taisez-vous si quelqu'un arrive. »

La tête baissée, les mains croisées devant lui (il avait noté que c'était l'attitude la plus répandue), Seldon remarqua : « A chaque instant, je m'attends à voir quelqu'un se mettre à gémir.

– C'est tout à fait possible : ils pleurent leur Monde perdu.

– J'espère qu'ils changent quand même les films de temps en temps. Ce doit être mortel de voir toujours les mêmes.

– Ils sont tous différents », remarqua Dors, en jetant des regards furtifs de part et d'autre. « Ils changent peut-être périodiquement. Je ne sais pas.

– Attendez! » s'exclama Seldon, un peu trop fort. Il baissa la voix : « Venez donc par ici. »

Dors fronça les sourcils, ayant mal entendu, mais Seldon l'appela d'un léger signe de tête. Ils s'ébranlèrent, toujours sur la pointe des pieds, mais cette fois Seldon allongea le pas comme il éprouvait le besoin d'accélérer, et Dors, le rattrapant, tira d'un petit coup sec sur sa tunique. Il ralentit.

« Des robots », annonça-t-il, protégé par le son d'un haut-parleur qui venait de s'allumer.

L'image montrait l'angle d'une demeure, dominant une pente gazonnée, avec une rangée d'arbustes au premier plan et trois exemplaires de ce qui ne pouvait être que des robots. Ils étaient apparemment métalliques et d'aspect vaguement humain.

L'enregistrement expliquait : « Voici une vue, récemment reconstituée, du fameux domaine Wendome à sa création, au troisième siècle. Le robot qu'on aperçoit près du centre s'appelait, selon la tradition, Bendar et servit, d'après les archives antiques, vingt-deux années avant d'être remplacé. »

« “ Récemment reconstituée ”, nota Dors. Donc, ils doivent les changer.

– A moins qu'ils répètent “ récemment reconstituée ” depuis mille ans. »

Un autre Mycogénien s'approcha et dit, à voix basse, mais moins basse que les murmures de Dors et de Seldon : « Salutations, Frères. »

Il leur avait parlé sans lever les yeux et, après un regard surpris et involontaire, Seldon s'empressa de détourner la tête. Dors avait totalement ignoré l'incident.

Seldon hésita. Mycélium Soixante-douze avait dit qu'on ne se parlait pas au Sacratorium. Peut-être avait-il exagéré. Et puis, il n'y était pas retourné depuis qu'il était enfant.

En désespoir de cause, Seldon estima qu'il devait parler. Dans un souffle, il répondit : « Et à vous de même, Frère, salutations. »

Il ne savait pas du tout si c'était la formule correcte ou même s'il y avait une formule, mais le Mycogénien parut ne rien trouver à y redire.

« A vous sur Aurora », lui dit-il.

– Et à vous de même », répondit Seldon et, comme l'autre semblait attendre autre chose, il ajouta : « sur Aurora », et aussitôt il y eut comme un imperceptible relâchement de tension. Seldon sentit des gouttes de sueur lui perler au front.

« Magnifique! s'extasia le Mycogénien. Je n'avais pas encore vu celui-ci.

– Habilement réalisé », commenta Seldon. Puis, pris d'un sursaut d'audace, il ajouta : « Une perte à jamais inoubliable. »

L'autre parut désarçonné, répondit : « Certes, certes », et s'éloigna.

« Ne prenez aucun risque, siffla Dors. Ne dites que le strict minimum.

– Ça m'a paru tout naturel. En tout cas, ce film est bien récent. Mais comme des robots sont décevants! Rien de plus que de banals automates. Moi, je veux voir les robots organiques – les humanoïdes.

– S'ils ont existé, observa Dors avec quelque hésitation, il me semble qu'on ne les aurait pas employés à des travaux de jardinage.

– Exact, reconnut Seldon. Raison de plus pour trouver l'aire des Anciens.

– Si elle existe. J'ai l'impression qu'il n'y a rien d'autre dans cette coque vide.

– Vérifions tout de même. »

Ils longèrent le mur, passant d'écran en écran, marquant chaque fois un temps d'arrêt plus ou moins long, jusqu'au moment où Dors agrippa Seldon par le bras. Entre deux écrans, des traits sur le mur délimitaient un imperceptible rectangle.

« Une porte. » Puis elle modéra cette assertion en ajoutant : « Vous ne croyez pas? »

Seldon jeta un regard circulaire, à la dérobée. Comme par un fait exprès, en accord avec le climat de deuil ambiant, chacun fixait un écran ou gardait les yeux baissés, l'air triste et compassé.

« A votre avis, comment s'ouvre-t-elle?

– Avec une plaque-verrou.

– Je n'en vois aucune.

– Elle n'est tout simplement pas délimitée mais j'aperçois une certaine décoloration, là. Vous la voyez? Combien de paumes? Combien de fois?

– Je vais essayer. Ouvrez l'œil et faites-moi un appel du pied si quelqu'un regarde dans notre direction. »

Mine de rien, il retint son souffle, effleura la tache décolorée sans résultat, puis finalement y posa toute la paume et pressa.

La porte s'ouvrit en silence – pas un craquement, pas un grincement. Seldon la franchit aussi vite qu'il put, suivi par Dors. Le battant se referma derrière eux.

« Question : est-ce que quelqu'un nous a vus?

– Les Anciens doivent souvent emprunter ce passage, observa Seldon.

– Oui, mais nous prendra-t-on pour des Anciens? »

Seldon attendit puis remarqua : « Si nous avions été aperçus et si quelqu'un s'était douté de quelque chose, cette porte se serait rouverte à la volée dans les quinze secondes suivant notre entrée.

« C'est possible, répondit sèchement Dors, comme il est possible qu'il n'y ait rien à voir ou à faire de ce côté-ci et que tout le monde se fiche qu'on y entre ou pas.

– Ça reste à prouver. »

La pièce, assez exiguë, où ils venaient de pénétrer était plutôt sombre, mais dès qu'ils avancèrent, elle s'illumina.

Ils découvrirent des fauteuils, larges et confortables, de petites tables, plusieurs canapés, un immense réfrigérateur, des étagères.

« Si c'est l'aire des Anciens, remarqua Seldon, ils m'ont l'air d'apprécier leur petit confort, en dépit de l'austérité du Sacratorium proprement dit.

– C'était prévisible. L'ascétisme chez les classes dirigeantes – hormis dans les manifestations publiques – est très rare. Vous pouvez consigner ça dans votre recueil d'aphorismes psychohistoriques. » Elle parcourut la pièce du regard. « Et je ne vois pas de robot.

– Une aire est une position élevée, rappelez-vous, et ce plafond est relativement bas. Il doit y avoir des étages au-dessus et l'on y accède par ici. » Il lui désignait un escalier recouvert d'une épaisse moquette.

Il se garda toutefois de l'emprunter, préférant regarder vaguement autour de lui.

Dors lui demanda ce qu'il cherchait. « Si c'est un ascenseur, vous risquez d'être déçu. A Mycogène, on cultive le primitivisme. L'auriez-vous oublié? Et si vous posez le pied sur la première marche, je suis tout à fait certaine que l'escalier ne s'ébranlera pas automatiquement. Il va falloir le gravir à pied. Plusieurs volées de marches, peut-être.

– A pied?

– Il doit bien, par la force des choses, mener à l'aire – s'il mène quelque part. Vous avez envie de la visiter, oui ou non? »

Ensemble, ils se dirigèrent vers l'escalier et entamèrent l'ascension.

Ils gravirent trois volées de marches; l'intensité de l'éclairage diminuait régulièrement. Seldon reprit bruyamment son souffle et chuchota : « Je me crois en assez bonne forme mais j'ai horreur de ça.

– Vous n'êtes pas habitué à ce type d'exercice physique. » Pour sa part, elle ne trahissait aucun signe d'épuisement.

Au troisième palier, l'escalier s'interrompit : devant eux se trouvait une autre porte.

« Et si elle est bouclée? dit Seldon, plus pour lui-même que pour Dors. On essaie de la défoncer?

– Pourquoi serait-elle bouclée quand celle du bas ne l'était pas? S'il s'agit de l'aire des Anciens, j'imagine qu'un tabou doit empêcher quiconque sauf eux de monter ici et un tabou est plus fort que n'importe quelle serrure.

– Pour autant qu'il n'y ait devant la porte que ceux qui acceptent le tabou », remarqua Seldon mais il ne fit pas un mouvement vers la porte.

– Il est encore temps de faire demi-tour, puisque vous hésitez. En fait, je vous le conseillerais.

– Je n'hésite que parce que j'ignore ce que nous allons trouver à l'intérieur. Si la pièce est vide... »

Alors il ajouta d'une voix un peu plus forte : « Eh bien, elle sera vide », et, avançant d'un pas, il poussa résolument le battant.

La porte s'effaça rapidement sans un bruit et Seldon recula, surpris par le brusque éclat de lumière venu de l'intérieur.

Car là, lui faisant face, l'œil vif et brillant, les bras à demi levés, un pied légèrement en avant de l'autre, scintillant d'un vague reflet métallique doré, se dressait une silhouette humaine. Durant quelques instants, Seldon crut qu'elle portait une tunique ajustée, mais un examen plus approfondi lui révéla que la tunique faisait partie intégrante de la structure de l'objet.

« C'est le robot, dit Seldon, impressionné, mais il est métallique.

– Pis que ça », observa Dors qui s'était rapidement écartée d'un côté, puis de l'autre : « Ses yeux ne me suivent pas. Ses bras n'ont pas un frémissement. Il n'est pas vivant – si tant est qu'on puisse dire qu'un robot est en vie. »

Alors un homme – tout à fait humain, sans risque d'erreur –, apparut derrière le robot et leur dit : « Peut-être pas. Mais moi, je suis bien vivant. »

Et presque automatiquement, Dors fit un pas pour s'interposer entre Seldon et l'homme qui venait soudain d'apparaître.

58

Seldon repoussa Dors sur le côté, peut-être un peu plus vivement qu'il l'aurait désiré. « Je n'ai pas besoin de protection. C'est notre vieil ami Maître-du-Soleil Quatorze. »

L'homme qui leur faisait face, porteur d'une double écharpe qui était peut-être l'apanage du Grand Ancien, répondit : « Et vous, vous êtes le barbare Seldon.

– Évidemment, répondit l'intéressé.
– Et ça, malgré le costume masculin, c'est la barbare Venabili. »
Dors ne dit rien.
Maître-du-Soleil Quatorze poursuivit : « Vous avez raison, barbare. Vous n'avez rien à craindre de ma part. Asseyez-vous, je vous en prie. Tous les deux. N'étant pas une Sœur, barbare, vous n'avez pas besoin de vous retirer. Voici un siège : si vous appréciez un tel égard, vous serez la première femme à l'utiliser.
– Je n'apprécie pas particulièrement un tel égard », répondit Dors en détachant les mots.
Maître-du-Soleil Quatorze hocha la tête. « A votre guise. Je vais m'asseoir également, car je dois vous poser des questions et j'aime mieux ne pas le faire debout. »
Ils s'installèrent donc dans un coin de la pièce. Le regard de Seldon dériva vers le robot de métal.
Maître-du-Soleil Quatorze confirma : « C'est bien un robot.
– Je sais.
– Je sais que vous savez, rétorqua Maître-du-Soleil, du tac au tac. Mais maintenant que nous avons établi ce point, pourquoi êtes-vous ici? »
– Pour voir le robot, répondit Seldon sans broncher.
– Savez-vous que personne, sauf les Anciens, n'est admis dans l'aire?
– Je l'ignorais mais je m'en doutais.
– Savez-vous que nul barbare n'est admis dans le Sacratorium?
– Je me le suis laissé dire.
– Et vous avez passé outre, n'est-ce pas?
– Je voulais voir le robot; nous voulions voir le robot.
– Savez-vous que nulle femme, même une Sœur, n'est admise dans le Sacratorium, excepté dans certaines circonstances précises, et rarissimes?
– On me l'a dit.
– Et savez-vous que nulle femme, à nul moment, et pour quelque motif que ce soit, n'a le droit d'endosser des habits masculins? Cela est valable, au sein des frontières de Mycogène, pour les Sœurs comme pour les barbares.
– On ne me l'avait pas dit mais ça ne me surprend pas.
– Bien. J'aimerais que vous teniez compte de tout cela. Et à présent, pourquoi désiriez-vous voir le robot? »
Seldon haussa les épaules. « La curiosité. Je n'en avais jamais vu, j'ignorais même qu'il pût en exister.
– Et comment se fait-il que vous ayez appris, d'abord son existence, et ensuite sa présence ici? »
Après un temps de silence, Seldon reprit : « Je ne désire pas répondre à cette question.
– Est-ce la raison pour laquelle le barbare Hummin vous a fait venir à Mycogène? Pour étudier les robots?
– Non, le barbare Hummin nous a fait venir ici pour assurer notre

protection. Toutefois, nous sommes des scientifiques, le Dr Venabili et moi. Le savoir est notre domaine et l'acquisition du savoir notre objectif. Mycogène est mal comprise en dehors de ses frontières, et nous souhaitons mieux connaître vos coutumes et vos modes de pensée. C'est un désir naturel et, nous semble-t-il, innocent, voire digne d'éloge.

– Ah, mais nous, nous n'avons pas du tout envie que les tribus et planètes extérieures nous connaissent mieux. C'est *notre* désir naturel et *nous* sommes seuls juges de ce qui est pour nous innocent ou nuisible. Aussi vous reposé-je la question, barbare : comment saviez-vous qu'un robot existait à Mycogène, et qu'il se trouvait dans cette pièce?

– La rumeur générale, avoua enfin Seldon.

– Vous soutenez cela?

– La rumeur générale, je le soutiens. »

Le regard perçant des yeux bleus de Maître-du-Soleil Quatorze parut s'aiguiser encore lorsqu'il répondit, sans hausser le ton : « Barbare Seldon, nous coopérons depuis longtemps avec le barbare Hummin. Il nous a toujours paru un individu honnête et digne de confiance, pour un barbare. Pour un *barbare*! Quand il vous a amenés tous les deux ici en vous confiant à nous, nous vous avons accordé notre protection. Mais le barbare Hummin, quelles que soient ses vertus, demeure un barbare, et nous avions des doutes. Nous n'étions pas du tout certains de votre – ou de son – objectif réel.

– Notre objectif est la connaissance. La connaissance scientifique. La barbare Venabili est historienne, et moi-même je m'intéresse également à l'histoire. Pourquoi n'aurions-nous pas le droit de nous intéresser à l'histoire de Mycogène?

– D'abord, parce que nous ne le désirons pas... Reste que l'on vous a dépêché deux de nos Sœurs particulièrement dignes de confiance. Elles devaient coopérer avec vous, tâcher de découvrir ce que vous désiriez, en bref – quelle est votre expression, déjà, chez les barbares? – jouer votre jeu. Pas au point toutefois que vous vous doutiez de ce qui se passait. » Maître-du-Soleil Quatorze sourit, mais ce sourire n'avait rien d'aimable.

Il poursuivit : « Goutte-de-Pluie Quarante-cinq est allée faire les magasins avec la barbare Venabili, mais il ne s'est rien passé d'anormal durant ces sorties. Naturellement, nous avons reçu un rapport complet. Quant à vous, barbare Seldon, Goutte-de-Pluie Quarante-trois vous a montré nos microfermes. Cela aurait pu éveiller vos soupçons de la voir ainsi prête à vous accompagner seule, chose pour nous absolument impensable, mais vous avez supposé que ce qui était valable pour les Frères ne l'était pas pour les barbares et vous vous êtes flatté de l'avoir convaincue par ce raisonnement boiteux. Elle a donc accédé à votre désir, même s'il lui en a coûté. Et finalement, vous avez demandé à voir le Livre. Vous le transmettre trop aisément risquant d'éveiller vos soupçons, elle a donc fait semblant de manifester un désir pervers que vous seul pouviez satisfaire. Son sacrifice ne sera pas oublié. Je suppose, Barbare, que le Livre est toujours en votre possession et je vous soupçonne de l'avoir ici, sur vous. Puis-je le récupérer? »

Seldon ne broncha pas et resta muet.

La main ridée de Maître-du-Soleil Quatorze demeura obstinément tendue tandis qu'il menaçait : « Comme il vaudrait mieux pour vous de m'épargner de vous le reprendre de force. »

Cette fois, Seldon le lui rendit. Maître-du-Soleil Quatorze le parcourut rapidement, comme pour s'assurer qu'il n'avait pas été abîmé. Puis, avec un petit soupir, il ajouta : « Il faudra soigneusement le détruire, selon le rite. Quelle tristesse! – Mais, une fois le Livre entre vos mains, nous n'avons pas du tout été surpris de vous voir vous diriger vers le Sacratorium. Vous étiez surveillés en permanence, car n'allez pas imaginer qu'un Frère ou une Sœur, à moins d'être totalement distrait, ne reconnaisse pas un barbare au premier coup d'œil. On sait reconnaître un bonnet de peau lorsqu'on en voit un et il en existe moins de soixante-dix au total à Mycogène... presque tous appartenant à des membres des tribus barbares en mission officielle; et ces gens restent en permanence confinés dans les édifices séculiers du gouvernement, tout au long de leur séjour. De sorte que vous n'étiez pas seulement remarqués mais aussi parfaitement identifiés, en permanence.

« Le Frère âgé qui vous a rencontrés a bien pris soin de vous parler de la bibliothèque en même temps que du Sacratorium, mais il a également pris soin de vous préciser ce qui vous était interdit car nous ne voulions pas vous prendre au piège. Bande-céleste Deux vous a également prévenus... et avec une certaine insistance. Malgré tout, vous n'avez pas renoncé.

« La boutique où vous avez acheté la tunique blanche et les deux écharpes nous a aussitôt prévenus : dès lors, nous n'avions plus de doute sur vos intentions. La bibliothèque était presque vide, le bibliothécaire avait reçu ordre de regarder ailleurs, on avait limité l'accès au Sacratorium. Le seul Frère qui par inadvertance vous a adressé la parole a failli nous trahir mais il s'est hâté de battre en retraite dès qu'il eut découvert à qui il avait affaire. Et finalement, vous êtes montés ici.

« Vous constatez donc que c'était bien votre intention première et que nous ne vous avons en aucun cas attirés ici. Votre venue est le résultat de votre action personnelle, de vos désirs personnels, et la question que je veux vous poser – encore une fois – c'est : pourquoi? »

Cette fois, ce fut Dors qui répondit, la voix ferme, le regard dur : « Nous vous le répétons, Mycogénien : Nous sommes des scientifiques pour qui la connaissance est quelque chose de sacré et c'est la connaissance que nous recherchons, et elle seule. Vous ne nous avez peut-être pas attirés ici, mais vous ne nous avez pas retenus non plus, comme vous auriez pu le faire avant notre entrée dans cet édifice. Au contraire, vous nous avez ouvert la voie et facilité la tâche, ce qui pourrait à la limite être considéré comme un piège pour nous y attirer. Et puis, quel mal avons-nous fait? Nous n'avons en rien troublé ce bâtiment, cette pièce, nous ne vous avons en rien troublé, ni vous, ni *ça*... »

Du doigt, elle désigna le robot. « C'est un vulgaire tas de métal inerte que vous cachez ici; nous savons désormais qu'il est inerte et c'est tout ce que nous cherchions à savoir. Nous avions espéré une découverte plus intéressante et nous sommes déçus mais maintenant que nous savons à quoi nous en tenir, il ne nous reste plus qu'à repartir et – si telle est votre volonté – à quitter Mycogène. »

Maître-du-Soleil Quatorze l'avait écoutée sans broncher, mais dès qu'elle eut fini il se tourna vers Seldon : « Tel que vous le voyez, ce robot est le symbole de ce que nous avons perdu et n'aurons plus jamais, de tout ce que, depuis des millénaires, nous n'avons jamais oublié et que nous avons bien l'intention de retrouver un jour. Parce qu'il est tout ce qui nous reste à la fois de matériel et d'authentique, il nous est cher – pourtant, pour cette femelle, ce n'est qu'un " vulgaire tas de métal inerte ". Vous associez-vous à ce jugement, barbare Seldon?

– Nous faisons partie de sociétés qui ne s'attachent pas à un passé vieux de plusieurs millénaires, qui ne font aucun lien avec ce qui a existé entre ce passé et l'époque actuelle. Nous vivons dans le présent, que nous reconnaissons comme le produit de l'ensemble du passé et non pas d'une période précise depuis longtemps enfuie et restée chère à notre cœur. Nous comprenons, sur un plan intellectuel, ce que ce robot signifie pour vous et nous ne trouvons rien à y redire. Mais nous, nous ne pouvons le voir qu'avec nos propres yeux, comme vous ne pouvez le voir qu'avec les vôtres. Alors pour nous, je dis bien pour nous, ce n'est qu'un tas de métal inerte.

– Et à présent, intervint Dors, nous allons prendre congé.

– Certainement pas, la coupa Maître-du-Soleil Quatorze. En pénétrant ici, vous avez commis un crime. C'est un crime seulement à nos yeux, vous hâterez-vous sans doute de souligner » – ses lèvres se plissèrent en un sourire glacial – « mais nous sommes ici sur notre territoire, et, à l'intérieur de celui-ci, c'est nous qui faisons les définitions. Et ce crime, tel qu'il est défini par nous, est passible de la peine de mort.

– Et vous allez nous abattre? » demanda Dors, hautaine.

Maître-du-Soleil Quatorze prit un air méprisant et continua de s'adresser exclusivement à Seldon. « Pour qui nous prenez-vous, barbare Seldon? Notre culture est aussi ancienne que la vôtre, tout aussi complexe, civilisée, humaine. Je ne suis pas armé. Vous serez jugés et, puisque vous êtes manifestement coupables, exécutés conformément à la loi, de manière rapide et indolore.

« A supposer que vous tentiez de partir maintenant, je ne vous arrêterais pas mais de nombreux Frères se trouvent en bas, bien plus que tout à l'heure quand vous êtes entrés au Sacratorium, et dans leur rage devant vos actes, ils risquent de vous malmener brutalement... Il est même arrivé déjà, au cours de notre histoire, que des barbares en meurent; ce n'est pas une mort agréable – et certainement pas indolore...

– Bande-céleste Deux nous avait mis en garde, remarqua Dors. Elle est jolie, votre culture humaine, complexe et si civilisée.

– Les gens peuvent être conduits à la violence dans des moments d'émotion, Barbare Seldon, observa tranquillement Maître-du-Soleil

Quatorze, quelle que soit leur humanité dans les moments de calme. C'est vrai dans toutes les cultures, comme votre femelle, paraît-il historienne, doit sans nul doute le savoir.

– Restons raisonnables, Maître-du-Soleil Quatorze, intervint Seldon. Vous faites peut-être la loi pour les affaires locales de Mycogène mais certainement pas pour nous et vous le savez bien. Nous sommes l'un et l'autre des citoyens non mycogéniens de l'Empire et c'est l'Empereur et ses représentants légaux qui sont concernés par tout crime capital.

– Il en est peut-être ainsi dans le texte, dans les journaux et sur les écrans d'holovision, mais nous ne parlons pas théorie en ce moment. Le Grand Ancien a depuis longtemps pouvoir pour châtier les crimes de sacrilège sans interférence du trône impérial.

– Si les criminels sont de votre peuple, dit Seldon. Il en va tout autrement s'il s'agit de ressortissants étrangers.

– Dans le cas présent, j'en doute. Le barbare Hummin vous a introduits ici à titre de réfugiés, et nous n'avons pas, à Mycogène, la tête assez pleine de levure pour ne pas soupçonner fortement que ce que vous fuyez en réalité, c'est la justice de l'Empereur. Pourquoi verrait-il une objection à ce que nous lui mâchions le travail?

– Parce qu'il la verrait. Même si nous fuyions les autorités impériales, même si l'Empereur voulait effectivement nous retrouver pour nous châtier, il voudrait d'abord mettre la main sur nous. Vous laisser tuer, par quelque moyen et pour quelque raison que ce soit, des non-Mycogéniens en dehors de la procédure légale de l'Empire serait défier l'autorité impériale et aucun Empereur ne permettra un tel précédent. Quel que soit son intérêt à ne pas voir s'interrompre le commerce de micro-nutriments, il jugerait nécessaire de rétablir les prérogatives impériales. Souhaitez-vous, dans votre ardeur à nous tuer, voir une division de la soldatesque impériale piller vos fermes et vos habitations, profaner votre Sacratorium et en prendre à son aise avec les Sœurs? Réfléchissez. »

Maître-du-Soleil Quatorze sourit à nouveau, mais sans se radoucir. « A vrai dire, j'ai déjà réfléchi et il existe bien une autre solution. Après que nous vous aurons condamnés, nous pouvons retarder votre exécution pour vous permettre de faire appel du verdict auprès de l'Empereur. Celui-ci pourrait accueillir favorablement cette preuve de notre soumission à son autorité parce qu'il serait trop heureux de mettre la main sur vous – quelles que soient ses raisons –, et ce serait tout bénéfice pour Mycogène. Est-ce là ce que vous voulez? Faire appel à l'Empereur en temps voulu afin d'être livrés à lui? »

Seldon et Dors s'entre-regardèrent brièvement sans mot dire.

Maître-du-Soleil poursuivit : « Je sens que vous aimeriez mieux être livrés à l'Empereur qu'au bourreau mais d'où me vient cette impression que la marge de choix est bien minime?

– En fait, intervint alors une nouvelle voix, je crois qu'aucun des deux termes de l'alternative n'est acceptable et qu'il nous faut en trouver un troisième. »

59

Dors fut la première à identifier le nouveau venu, peut-être parce que c'était elle qui l'attendait.

« Hummin, fit-elle, Dieu merci, vous nous avez trouvés. J'ai pris contact avec vous dès que j'ai compris que je ne pourrais pas dissuader Hari... » (elle embrassa la scène d'un large geste de la main) « de ce projet ».

Hummin avait un sourire discret qui n'altérait pas la gravité naturelle de ses traits. Il montrait une certaine lassitude.

« Ma chère, répondit-il, j'étais accaparé par d'autres tâches. Je ne peux pas toujours me libérer sur l'heure. Et une fois arrivé ici, j'ai dû, tout comme vous, me procurer une tunique et une écharpe, sans parler du bonnet de peau, et me frayer un chemin jusqu'ici. Si j'étais arrivé plus tôt, j'aurais peut-être pu éviter tout cela, mais je crois qu'il n'est pas trop tard. »

Maître-du-Soleil Quatorze avait compensé ce qui apparemment avait été un choc douloureux. D'une voix dépourvue de sa profondeur sévère et coutumière, il demanda : « Comment avez-vous fait pour pénétrer ici, barbare Hummin?

– Ce ne fut pas tâche facile, Grand Ancien, mais comme aime à le dire la barbare Venabili, je suis un individu très persuasif. Certains de vos concitoyens se rappelaient qui j'étais et ce que j'ai accompli pour Mycogène par le passé. Ils se souvenaient même que j'étais Frère honoraire. L'auriez-vous oublié, Maître-du-Soleil Quatorze?

– Je n'ai pas oublié, rétorqua l'Ancien, mais même le souvenir le plus opportun ne peut survivre à certains actes. Un barbare, ici! et une *femme* barbare! Il n'est pas de plus grand crime. Tout ce que vous avez accompli est de peu de poids en comparaison. Mon peuple n'est pas oublieux. Nous réglerons notre dette à votre égard d'une autre manière. Mais ces deux-là doivent mourir ou être livrés à l'Empereur.

– Moi aussi, je suis ici, remarqua tranquillement Hummin. N'est-ce pas également un crime?

– Pour vous, dit Maître-du-Soleil, pour vous *personnellement*, à titre de Frère honoraire, je peux... passer l'éponge... pour une fois. Pas pour ces deux-là.

– Parce que vous escomptez une récompense de l'Empereur? Quelque faveur? Quelque concession? Avez-vous déjà été en contact avec lui ou, plus vraisemblablement, avec son Chef d'Etat-major, Eto Demerzel?

– Ce n'est pas le sujet de la discussion.

– Ce qui est en soi un aveu. Allons, je ne vous demande pas ce que l'Empereur a promis, mais ce ne peut pas être beaucoup. Il n'a pas grand-chose à offrir en ces temps de décadence. Laissez-moi en revanche vous faire une proposition. Ces deux-là vous ont-ils dit qu'ils étaient des scientifiques?

– Oui.

– Et c'est vrai. Ils ne mentent pas. La femme est historienne, et son compagnon mathématicien. Tous deux essaient de combiner leurs talents pour élaborer une mathématique de l'histoire et ils ont baptisé " psychohistoire " le fruit de cette union.

– J'ignore tout de cette psychohistoire, rétorqua Maître-du-Soleil, et peu m'importe d'ailleurs. Comme m'importent peu les autres facettes de votre érudition tribale.

– Quoi qu'il en soit, poursuivit Hummin, je vous suggère de m'écouter. »

Il lui fallut un bon quart d'heure, en s'exprimant avec concision, pour décrire la possibilité d'ordonner les lois naturelles de la société (expression qui dans sa bouche était toujours assortie de guillemets audibles) de manière à permettre l'anticipation de l'avenir avec un bon degré de probabilité.

Lorsqu'il eut terminé, Maître-du-Soleil Quatorze, qui avait écouté sans broncher, remarqua : « Voilà un ensemble de spéculations hautement improbables, me semble-t-il. »

L'air lugubre, Seldon était sur le point d'intervenir, sans doute pour l'approuver, mais la main de Dors discrètement posée sur son genou, se crispa de manière éloquente. Hummin poursuivit :

« Peut-être, Grand Ancien, mais l'Empereur ne pense pas ainsi. Et quand je dis l'Empereur, qui est plutôt un aimable personnage, je veux parler en réalité de Demerzel, dont il est inutile de vous rappeler les ambitions. Ils aimeraient beaucoup mettre la main sur ces deux chercheurs, ce qui m'a amené à les conduire ici pour les protéger. Je ne m'attendais guère à vous voir mâcher le travail de Demerzel en lui livrant ces deux scientifiques.

– Ils ont commis un crime qui...

– Oui, je sais. Grand Ancien, mais ce n'est un crime que parce que vous avez décidé de le nommer ainsi. Aucun tort n'a été fait.

– On en a fait à notre foi, à nos plus profondes...

– Mais imaginez le tort accompli si jamais la psychohistoire tombait aux mains de Demerzel. Certes, je vous accorde qu'il pourrait ne rien en sortir, mais supposez un instant qu'il en sorte quelque chose et que le gouvernement impérial en ait l'usage – qu'il puisse prévoir l'avenir et prendre des mesures en fonction de ces éléments qu'eux seuls détiendraient – des mesures, en fait, destinées à concrétiser un futur plus conforme aux goûts de l'Empire...

– Eh bien?

– Y a-t-il le moindre doute, Grand Ancien, que ce futur conforme aux goûts de l'Empire verrait le renforcement du centralisme? Depuis maintenant des siècles, comme vous le savez parfaitement, l'Empire s'est progressivement décentralisé. Nombre de planètes n'obéissent à l'Empereur que du bout des lèvres et sont devenues quasiment autonomes. Même ici, sur Trantor, on constate les effets de la décentralisation. Mycogène, pour prendre ce seul exemple, s'est en grande partie libérée de la tutelle impériale. Vous la dirigez à titre de Grand Ancien et aucun fonctionnaire gouvernemental n'est là pour contrôler vos actes et vos décisions. A votre avis, combien de temps cette situation durerait-elle quand des hommes comme Demerzel pourraient ajuster l'avenir à leur guise?

– Encore une fois, c'est une spéculation des plus vagues, mais néanmoins préoccupante, je l'admets.

– D'un autre côté, si ces chercheurs parviennent à concrétiser leurs travaux – supposition bien improbable, me direz-vous, mais supposition quand même –, alors ils se souviendront assurément que vous les avez épargnés quand vous auriez pu choisir de ne pas le faire. Et l'on pourrait concevoir qu'ils s'appliquent à arranger l'avenir, par exemple, pour permettre à Mycogène d'avoir un monde à elle, un monde susceptible d'être terraformé, en réplique du Monde perdu. Et même si l'un et l'autre manquaient de gratitude, je serais là pour leur rafraîchir la mémoire.

– Eh bien... commença Maître-du-Soleil Quatorze.

– Allons, poursuivit Hummin, il n'est pas sorcier de deviner ce qui doit vous trotter dans la tête. De tous les barbares, c'est à Demerzel que vous devez le moins vous fier. Même si les chances que la psychohistoire se concrétise sont réduites (et je ne serais pas honnête avec vous si je refusais de l'admettre), elles ne sont pas nulles pour autant; et si elle doit amener la restauration du Monde perdu, que pouvez-vous désirer de plus? Que ne risqueriez-vous pas pour courir cette chance, si infime soit-elle? Allons, je vous le promets et je ne promets jamais rien à la légère : libérez ces deux-là et choisissez l'espoir, même infime, en accord avec vos désirs profonds, de préférence à pas d'espoir du tout. »

Silence, puis Maître-du-Soleil Quatroze soupira. « Je ne sais pas comment vous faites, barbare Hummin, mais chaque fois que nous nous voyons, vous arrivez à me persuader d'accomplir ce que je n'ai pas vraiment envie de faire.

– Vous ai-je déjà induit en erreur, Grand Ancien?

– Vous ne m'avez jamais laissé de marge aussi réduite.

– Et d'espérance aussi vaste. Ceci compense cela. »

Et Maître-du-Soleil acquiesça. « Vous avez raison. Emmenez ces deux-là, faites-les sortir de Mycogène et que je ne les revoie plus, à moins que vienne un temps où... mais ce ne sera certainement pas de mon vivant.

– Peut-être pas, Grand Ancien. Mais votre peuple attend avec patience depuis près de vingt mille ans. Verriez-vous une objection à en patienter encore – mettons – deux cents?

– Personnellement, j'aurais du mal à patienter une seule seconde mais mon peuple attendra le temps qu'il faudra. »

Et, se levant, il ajouta : « Je vais vous ouvrir la route. Emmenez-les et partez! »

60

Ils se retrouvèrent finalement dans un tunnel. Hummin et Seldon en avaient emprunté un pour se rendre du secteur impérial à l'Université de Streeling en aérotaxi. Ils en empruntaient un nouveau, cette fois pour se rendre de Mycogène à... Seldon ignorait où. Il hésita à demander. Le visage de Hummin donnait l'impression d'être sculpté dans le granit et n'incitait pas à la conversation.

Hummin s'était installé à l'avant, seul. Seldon et Dors partageaient la banquette arrière.

Seldon hasarda un sourire en direction de Dors qui semblait maussade. « Agréable de retrouver de vrais vêtements, non?

– Jamais plus, répondit Dors avec une profonde conviction, jamais plus je ne porterai ou même ne regarderai quoi que ce soit qui ressemble de près ou de loin à une tunique. Et plus jamais, en aucune circonstance, je ne porterai de bonnet de peau. Je crois même que ça va me faire un drôle d'effet si jamais je croise un homme naturellement chauve. »

Ce fut Dors qui posa finalement la question que Seldon avait hésité à formuler. « Chetter, fit-elle avec une certaine humeur, pourquoi ne voulez-vous pas nous dire où nous allons? »

Hummin se mit de biais pour fixer Dors et Seldon, l'air grave. « A un endroit, répondit-il, où vous aurez peut-être du mal à vous créer des ennuis – bien que je ne sois pas certain que ça existe. »

Dors prit l'air penaud. « En vérité, Chetter, tout est de ma faute. A Streeling, j'ai laissé Hari gagner la Couverture sans l'accompagner. A Mycogène, je l'ai certes accompagné, mais je suppose que je n'aurais pas dû le laisser pénétrer dans le Sacratorium.

– De toute façon, j'étais décidé, intervint Seldon, avec vigueur. Dors n'y est absolument pour rien. »

Hummin ne fit aucun effort pour répartir les torts. Il se contenta d'observer : « J'ai cru comprendre que vous vouliez voir le robot. Y avait-il une raison à cela? Pouvez-vous me le dire? »

Seldon se sentit rougir. « De ce côté-là, j'avais tort, Hummin. Je n'ai pas vu du tout ce que j'escomptais ou souhaitais découvrir. Si j'avais su ce qu'il y a dans l'aire, je n'aurais jamais pris la peine d'y pénétrer. Vous pouvez appeler ça un fiasco complet.

– Mais, Seldon, qu'espériez-vous y trouver? Dites-le-moi, je vous prie. Prenez tout votre temps s'il le faut. Le trajet est long et je suis tout ouïe.

– Le fait est, Hummin, que je m'étais imaginé qu'il a existé des robots humanoïdes, qu'ils vivaient très longtemps, que l'un d'eux au moins pourrait être encore en vie, et qu'il pourrait se trouver dans l'aire. Il y avait bel et bien un robot mais il était métallique, il était mort, et ce n'était qu'un symbole. Si j'avais su...

– Oui. Si on savait tout, on n'aurait pas besoin de se poser des questions ou d'entreprendre des recherches. Où avez-vous déniché cette information sur des robots humanoïdes? Puisque aucun Mycogénien n'en aurait discuté avec vous, je ne vois qu'une seule source. Le Livre de Mycogène – un ouvrage imprimé auto-alimenté, en auroran antique et galactique moderne. Est-ce que je me trompe?

– Non.

– Et comment avez-vous fait pour en obtenir un exemplaire? »

Seldon garda le silence puis il marmonna : « C'est assez gênant...

– Il n'est pas facile de me gêner, Seldon. »

Seldon passa aux aveux et Hummin s'autorisa l'esquisse d'un imperceptible sourire.

« Ne vous est-il pas venu à l'esprit qu'il pouvait s'agir d'un coup monté? Aucune Sœur ne ferait une chose pareille – Sinon sur ordre et après un gros travail de persuasion. »

Seldon fronça les sourcils et remarqua, non sans une certaine aigreur : « Ce n'était pas du tout évident. Il y a de temps en temps des pervers. Et il est trop facile d'en sourire. Je n'avais pas les renseignements dont vous disposez, Dors non plus. Si vous ne vouliez pas me voir tomber dans des pièges, vous auriez pu me prévenir.

– Je suis d'accord. Je retire ma remarque. En tous cas, vous n'avez plus le Livre, j'en suis sûr.

– En effet. Maître-du-Soleil Quatorze me l'a repris.

– Qu'en avez-vous lu?

– Oh, fort peu de chose : je n'ai pas eu assez de temps. C'est un gros ouvrage et je dois vous avouer, Hummin, qu'il est terriblement ennuyeux.

– Oui, je le sais, car je crois en avoir lu plus que vous. Il n'est pas seulement ennuyeux mais aussi totalement douteux. C'est essentiellement une présentation partiale de la vision mycogénienne officielle de l'histoire, destinée à présenter cette vision plus qu'à rechercher une raisonnable objectivité. Il reste délibérément brumeux sur certains points afin que des étrangers – même s'ils venaient à le lire – ne puissent savoir exactement de quoi il retourne. Par exemple, qu'avez-vous cru lire d'intéressant à propos des robots?

– Je vous l'ai déjà dit : on y parle de robots humanoïdes, de robots impossibles à distinguer extérieurement des êtres humains.

– Et combien en existerait-il?

– On ne le dit pas – du moins, je ne suis pas tombé sur un passage où soient fournis les chiffres. Ils n'étaient peut-être qu'une poignée, mais l'un d'eux en tout cas est cité par le Livre sous le nom de “ Renégat ”. Le terme semble avoir un sens infamant mais je n'ai pu deviner lequel.

– Vous ne m'aviez pas parlé de ça, intervint Dors. Sinon, je vous aurais dit que ce n'est pas un nom propre. Il s'agit d'un vocable archaïque, en gros synonyme du galactique “ traître ”, mais avec une aura terrifiante. Un traître, en quelque sorte, trahit furtivement, tandis qu'un renégat en fait étalage.

– Je vous laisse ces finesses linguistiques, reprit Hummin, mais en tout cas, si le Renégat a bel et bien existé et s'il s'agissait d'un robot humanoïde, alors, à l'évidence, en tant que traître et ennemi, il n'aurait pas été préservé et vénéré dans l'aire des Anciens.

– J'ignorais le sens du mot " renégat ", dit Seldon, mais, comme je l'ai dit, je n'ai pas eu l'impression que c'était un ennemi. J'ai pensé qu'il pouvait avoir été vaincu et préservé en témoignage du triomphe de Mycogène.

– Y avait-il dans le Livre un indice portant à croire que le Renégat aurait été vaincu?

– Non, mais le passage peut m'avoir échappé...

– Peu probable. Toute victoire mycogénienne y serait clairement annoncée et rappelée à maintes reprises.

– Le Livre révélait autre chose encore au sujet du Renégat, ajouta Seldon, hésitant, mais je ne suis pas sûr de l'avoir parfaitement saisi...

– Je vous l'ai dit, ils sont parfois délibérément obscurs.

– Toujours est-il qu'on semblait dire que le Renégat pouvait en quelque sorte exploiter les émotions humaines... les influencer...

– N'importe quel politicien sait le faire. » Hummin haussa les épaules. « On appelle ça le charisme. Quand ça marche. »

Soupir de Seldon. « Enfin, j'avais envie d'y croire. Voilà. J'aurais donné beaucoup pour découvrir un antique robot humanoïde qui soit encore en vie et que je puisse interroger.

– Dans quel but? demanda Hummin.

– Pour apprendre des détails sur la société galactique primordiale, au temps où elle ne consistait qu'en une poignée de mondes. Les règles de la psychohistoire pourraient se déduire plus aisément d'une Galaxie réduite.

– Êtes-vous sûr que vous auriez pu vous fier à ce que vous auriez entendu? Après tant de millénaires, seriez-vous prêt à faire fond sur les premiers souvenirs d'un robot? Dans quelle proportion auraient-ils été déformés?

– Mais c'est vrai, intervint soudain Dors. Ce serait comme les archives informatisées dont je vous ai parlé, Hari. Lentement, les souvenirs de ce robot auraient fini par s'user, se perdre, s'effacer, se déformer. On ne peut pas remonter dans le temps à l'infini et, plus on recule, moins les informations deviennent fiables – et l'on ne peut rien y faire. »

Hummin acquiesça. « J'ai entendu évoquer ce problème comme une sorte de principe d'incertitude de l'information.

– Ne serait-il pas possible, rétorqua Seldon, songeur, qu'*une certaine* information, pour des raisons particulières, ait été préservée? Des fragments du Livre de Mycogène peuvent fort bien se rapporter à des événements vieux de vingt mille ans et être demeurés en gros tels qu'à l'origine. Plus une information particulière est estimée et préservée avec soin, plus elle sera précise et durable.

– Le mot clé est " particulière ". Ce que le Livre tient à préserver n'est peut-être pas ce que vous auriez souhaité trouver, et ce qu'un robot peut se rappeler ne correspond peut-être pas à ce que vous auriez désiré qu'il oublie en dernier. »

Désarroi de Seldon : « Dans quelque direction que je me tourne pour trouver le moyen de faire fonctionner la psychohistoire, les choses s'arrangent pour me rendre la tâche impossible. A quoi bon essayer?

– Cela peut sembler sans espoir aujourd'hui, observa Hummin sans se démonter, mais pourvu qu'on dispose du génie nécessaire, il pourrait se dessiner une ouverture vers la psychohistoire qu'aucun de nous n'est capable d'imaginer à l'heure actuelle. Donnez-vous un peu plus de temps – Mais nous arrivons à une aire de repos. Si nous faisions halte pour dîner... »

Après les petits pâtés d'agneau servis sur des tranches de pain remarquablement insipides (et bien durs à avaler après l'ordinaire de Mycogène), Seldon reprit : « Vous avez l'air de supposer, Hummin, que je suis en possession du " génie nécessaire ". Ce n'est peut-être pas le cas, vous savez.

– Vous avez raison, reconnut Hummin. Ce n'est peut-être pas le cas. Mais voilà, je n'ai pas sous la main d'autre candidat pour le poste, alors je suis bien obligé de m'en tenir à vous. »

Et Seldon soupira et répondit : « Bon, je veux bien essayer mais je suis dépourvu de la moindre étincelle d'espoir. La chose est possible mais inapplicable, ai-je dit dès le début, et j'en suis encore plus convaincu aujourd'hui. »

Puits thermique

AMARYL YUGO... Mathématicien que l'on peut considérer, juste après Hari Seldon lui-même, comme le principal responsable de l'élaboration des détails de la psychohistoire. Ce fut lui qui...

... Pourtant, les conditions de son entrée dans la vie sont presque plus impressionnantes que ses prouesses mathématiques. Né dans la pauvreté sans espoir du prolétariat de Dahl, un secteur de l'antique Trantor, il aurait pu vivre dans une obscurité totale si Seldon, tout à fait par accident, ne l'avait rencontré au cours de...

ENCYCLOPAEDIA GALACTICA

61

L'Empereur de toute la Galaxie se sentait las – physiquement las. Il avait mal aux lèvres à force d'arborer un sourire obligatoirement gracieux et prudent; le cou raidi à force d'incliner la tête ici ou là pour feindre l'intérêt; les oreilles douloureuses à force d'écouter; tout le corps endolori à force de se lever et de s'asseoir, de se tourner pour tendre la main et saluer.

Ce n'était qu'une cérémonie officielle où il s'agissait de rencontrer maires, vice-rois et ministres avec leurs épouses ou époux, venus de telle ou telle région de Trantor ou (pire) de la Galaxie. Il y avait près de mille participants, tous en costumes tantôt fleuris, tantôt franchement exotiques, et il avait fallu prêter l'oreille à un concert d'accents variés et encore aggravés par l'effort de parler le galactique de l'Empereur tel qu'on le parle à l'université galactique. Pis que tout, l'Empereur avait dû se garder d'annoncer des engagements concrets, tout en tartinant à l'envi une épaisse pommade de mots creux. Tout cela avait été enregistré fort discrètement – image et son – et Eto Demerzel se le repasserait pour s'assurer que Cléon, premier du nom, s'était bien comporté. Cela, évidemment, c'était la façon dont l'Empereur voyait les choses. Demerzel dirait sans aucun doute qu'il essayait simplement de surprendre d'éventuelles révélations involontairement lâchées par ses hôtes. Et peut-être était-ce le cas. Heureux Demerzel!

L'Empereur ne pouvait quitter le Palais et son vaste domaine, tandis que Demerzel pouvait courir la Galaxie à sa guise. L'Empereur était toujours en représentation, toujours disponible, toujours forcé d'accueillir les visiteurs, du personnage important au simple importun. Demerzel demeurait anonyme et ne se montrait jamais dans l'enceinte du Palais impérial, satisfait de rester un nom redouté et une présence invisible – et par là même d'autant plus terrifiante.

L'Empereur était l'homme de l'intérieur, avec tous les signes extérieurs, toutes les prérogatives du pouvoir. Demerzel était l'homme de l'extérieur, sans rien d'évident, pas même un titre officiel, mais avec un esprit et des doigts qui sondaient partout, et il n'exigeait qu'une seule récompense pour son infatigable labeur : la réalité du pouvoir.

Cela amusait toujours l'Empereur – d'une manière assez macabre – de penser qu'à tout moment, sans prévenir, sous un prétexte fabriqué, voire sans prétexte du tout, il aurait pu le faire arrêter et emprisonner, l'exiler, le faire torturer ou exécuter. Après tout, pendant ces siècles contrariants de malaise perpétuel, les Empereurs avaient peut-être eu du mal à faire régner leur volonté sur les diverses planètes de l'Empire, voire sur les divers secteurs de Trantor – avec la cohue des pouvoirs exécutifs et législatifs locaux dont il fallait tenir compte au milieu d'un dédale touffu de décrets, protocoles, engagements, traités et autres embrouilles juridiques interstellaires –, mais du moins leurs pouvoirs étaient restés absolus sur le Palais et ses annexes.

Pourtant, Cléon savait que ses rêves de puissance étaient vains. Demerzel servait déjà son père et Cléon n'avait pas souvenir d'un temps où il ne s'en remettait pas à lui pour toutes choses. Demerzel savait tout, concevait tout, réglait tout. Mieux, il endossait au besoin les échecs. L'Empereur lui-même restait au-dessus des critiques et n'avait rien à craindre – sauf, bien sûr, une révolution de palais ou l'assassinat par un intime. C'était d'ailleurs surtout pour éviter cela qu'il se reposait entièrement sur Demerzel.

Cléon eut un petit frisson à l'idée de se passer de Demerzel, ou d'essayer. Certains Empereurs avaient gouverné personnellement, dotés d'une suite de Chefs d'État-major sans talent, servis par des incapables qu'ils avaient maintenus dans leurs fonctions; et malgré tout, ils avaient fait leur chemin tant bien que mal pendant quelque temps.

Mais Cléon en était incapable. Il avait besoin de Demerzel. En fait, maintenant que l'idée de l'assassinat lui était venue – et, au vu de l'histoire récente de l'Empire, il ne pouvait pas la laisser échapper –, il voyait sans peine qu'il était tout à fait impossible de se passer de cet homme. C'était infaisable. Si habilement qu'il s'y prenne, Cléon était sûr que Demerzel, d'une manière ou d'un autre, prévoirait l'opération, devinerait qu'elle était en route et saurait, avec une habilité très supérieure, déclencher une révolution de palais. Cléon serait mort avant même que Demerzel puisse être jeté aux fers; il y aurait juste un autre Empereur que Demerzel servirait – et dominerait.

Ou bien se lasserait-il de ce jeu et se couronnerait-il lui-même Empereur?

Jamais! L'habitude de l'anonymat était trop forte en lui. Si Demerzel se montrait à visage découvert, alors ses pouvoirs, sa sagacité ou sa chance – au choix – l'abandonneraient certainement. Cléon en était convaincu. Ça ne se discutait même pas.

Ainsi, tant qu'il savait se tenir, Cléon était-il en sûreté. Tant qu'il serait dénué d'ambitions propres, Demerzel le servirait fidèlement.

Et voici que l'homme se tenait devant lui, avec sa mise si simple et si sévère qu'elle rappelait douloureusement à Cléon les inutiles falbalas de sa tenue d'apparat – qu'il venait de retirer, Dieu merci, avec l'aide de deux domestiques. Bien sûr, c'était immanquablement quand il se retrouvait seul et en chemise que Demerzel choisissait de faire son apparition.

« Demerzel, dit l'Empereur de toute la Galaxie, je suis las!

– Certaine fonctions sont lassantes, Sire, murmura Demerzel.

– Alors, faut-il que je les endure tous les soirs?

– Pas *tous* les soirs, mais elles sont essentielles. Les gens aiment vous voir et attirer votre attention. Cela contribue au bon fonctionnement de l'Empire.

– Jadis, le bon fonctionnement de l'Empire était assuré par le pouvoir, remarqua sombrement l'Empereur. Maintenant, il est assuré par un sourire, un signe de la main, une confidence, une médaille ou une plaque.

– Si tout cela contribue à maintenir la paix, Sire, c'est loin d'être négligeable. Et votre règne se déroule sans heurts.

– Vous savez pourquoi : parce que vous êtes à mes côtés. Mon seul vrai talent est d'être conscient de votre importance. » Il lorgna Demerzel sournoisement. « Mon fils n'a pas besoin d'être mon héritier. C'est un garçon sans talent. Que diriez-vous si je faisais de vous mon successeur?

– Sire, c'est impensable, répondit Demerzel, glacial. Il est hors de question que j'usurpe le trône. Que je le subtilise à son héritier légal. Par ailleurs, si jamais je vous ai déplu, châtiez-moi comme il convient. Mais sûrement, rien de ce que j'ai fait ou pu faire mérite que je sois condamné à être couronné Empereur. »

Cléon se mit à rire. « Pour cette juste appréciation sur la valeur du trône impérial, Demerzel, je renonce à l'idée de vous châtier. Allons, discutons plutôt tous les deux. Je dormirais volontiers mais je ne me sens pas encore prêt à subir le cérémonial qui entoure mon coucher. Parlons.

– De quoi, Sire?

– De tout et de n'importe quoi... Tenez, de ce mathématicien et de sa psychohistoire. Je songe à lui de temps en temps, vous savez. Au cours du dîner de ce soir, je me disais : et si l'analyse psychohistorique prédisait une méthode pour me permettre d'être Empereur sans ce cérémonial sans fin...

– J'ai l'impression, Sire, que même le psychohistorien le plus habile en serait incapable.

– Eh bien, parlez-moi déjà de celui qu'on a sous la main. Se cache-t-il toujours chez ces curieux chauves de Mycogène? Vous m'aviez promis de l'en extirper.

– Effectivement, Sire, si j'avais agi en ce sens, mais à mon grand regret, je dois vous avouer que j'ai échoué.

– Échoué? » L'Empereur fronça les sourcils. « Je n'aime pas ça.

– Moi non plus, Sire. Je comptais l'encourager à commettre quelque acte blasphématoire – c'est facile à Mycogène, surtout pour un étranger – qui aurait entraîné un châtiment sévère. Le mathématicien aurait été contraint d'en appeler à l'Empereur et nous n'avions plus qu'à le cueillir. Tout ceci au prix de concessions insignifiantes de notre part – importantes pour Mycogène mais dérisoires pour nous –, et j'avais prévu de ne jouer aucun rôle direct dans la tractation. L'affaire devait être menée subtilement.

– J'entends bien, dit Cléon, mais elle a échoué. Est-ce que le maire de Mycogène...

– On l'appelle le Grand Ancien, Sire.

– Ne chicanez pas sur les titres. Le Grand Ancien a-t-il refusé?

– Au contraire, Sire, il était d'accord et Seldon, le mathématicien, est bien tombé dans le piège.

– Alors?

– Il a pu s'en sortir sans encombre.

– Pourquoi? » Cléon était indigné.

« Je n'en suis pas certain, Sire, mais je soupçonne qu'on nous a doublés.

– Qui? Le Maire de Kan?

– C'est possible, Sire, mais j'en doute. J'ai fait placer Kan sous surveillance. S'ils avaient récupéré le mathématicien, je le saurais à l'heure qu'il est. »

L'Empereur ne se contentait plus de froncer les sourcils. Il enrageait pour de bon. « Demerzel, ça ne va pas du tout. Je suis fort mécontent. Un échec de cet ordre m'amène à me demander si par hasard vous auriez cessé d'être l'homme que vous étiez naguère. Quelles mesures allons-nous prendre contre Mycogène après ce refus manifeste d'accéder aux désirs de l'Empereur? »

Demerzel courba l'échine, laissant passer l'orage, mais c'est d'un ton inflexible qu'il répondit : « Ce serait une erreur d'agir contre Mycogène pour l'instant, Sire. Nous causerions une rupture d'équilibre, qui jouerait en faveur de Kan.

– Mais nous devons faire quelque chose.

– Peut-être pas, Sire. La situation n'est pas aussi mauvaise qu'il n'y paraît.

– Comment cela?

– Vous vous en souvenez, Sire, ce mathématicien était convaincu que la psychohistoire est inapplicable?

– Bien sûr que je m'en souviens, mais cela n'avait aucune importance pour nos projets, non?

– Peut-être. Mais si elle devenait applicable, Sire, elle servirait considérablement nos projets. Et d'après ce que j'ai pu découvrir, le mathématicien est en train d'essayer de la rendre applicable. Sa tentative profanatoire à Mycogène devait, si j'ai bien compris, lui permettre de résoudre ce problème. Auquel cas, Sire, il pourrait s'avérer payant de lui laisser la bride sur le cou. Il nous sera plus utile de le cueillir une fois qu'il sera plus près du but ou qu'il l'aura atteint.

– Pas si Kan le récupère avant nous.

– Cela ne se produira pas, j'y veillerai.

– Avec le même succès que pour extirper le mathématicien de Mycogène?

– Je ne ferai pas d'erreur la prochaine fois, Sire.

– Demerzel, c'est votre intérêt. Je ne tolérerai pas une nouvelle erreur dans cette affaire. » Puis il ajouta, de mauvaise humeur : « Je crois bien que je ne vais pas dormir cette nuit, en fin de compte. »

62

Jirad Tisalver, du secteur de Dahl, était un petit homme : le sommet de son crâne arrivait tout juste à la hauteur du nez de Seldon. Ça ne semblait pas l'affecter, toutefois. Il avait des traits fins, réguliers, était enclin au sourire, et arborait une épaisse moustache noire et des cheveux bruns aux boucles serrées.

Il vivait, avec sa femme et une fille en bas âge, dans un appartement de sept petites pièces, d'une propreté méticuleuse et presque entièrement dépourvu de mobilier.

Tisalver était gêné : « Je m'excuse, Maître Seldon et Maîtresse Venabili, de ne pouvoir vous offrir le luxe auquel vous êtes habitués, mais Dahl est un secteur pauvre et je ne fais pas partie des classes aisées.

– Raison de plus pour nous excuser de vous imposer le fardeau de notre présence, répondit Seldon.

– Ce n'est pas un fardeau, Maître Seldon. Maître Hummin a fait en sorte de nous payer généreusement pour l'utilisation de notre humble demeure; ces crédits seraient les bienvenus même si vous ne l'étiez pas – et vous l'êtes.

Seldon se souvint des derniers mots de Hummin en le quittant après l'arrivée à Dahl :

« Seldon, avait-il dit, voici le troisième sanctuaire que je vous ai trouvé. Les deux premiers étaient notoirement hors d'atteinte des forces de l'Empire, ce qui a fort bien pu attirer leur attention; après tout, c'étaient des refuges logiques pour vous. Celui-ci est différent. C'est un secteur pauvre, quelconque, et à vrai dire peu sûr par certains côtés. C'est tout le contraire d'un refuge naturel, et l'Empereur et son Chef d'état-major n'auront peut-être pas l'idée de regarder par là. Alors, est-ce que ça vous dérangerait d'éviter les ennuis, cette fois-ci?

– Je vais essayer, Hummin, dit Seldon, un peu vexé. Soyez assuré que je ne cherche pas délibérément les ennuis. J'essaie d'apprendre ce qui me prendra peut-être trente existences si je veux avoir la moindre chance d'ordonner la psychohistoire.

– Je comprends, dit Hummin. Vos efforts d'apprentissage vous ont conduit sur la Couverture de Streeling et dans l'aire des Anciens de Mycogène, et Dieu sait où à Dahl. Quant à vous, docteur Venabili, je sais que vous avez essayé de protéger Seldon, mais vous devez redoubler d'efforts. Mettez-vous bien dans la tête qu'il est le personnage le plus important de Trantor – sinon de la Galaxie entière – et que sa sécurité doit être assurée à tout prix.

– Je continuerai à faire de mon mieux, répondit Dors, crispée.

– Quant à votre famille d'accueil, ils ont leurs particularités mais ce sont essentiellement de braves gens à qui j'ai déjà eu affaire. Essayez de ne pas leur attirer d'ennuis non plus. »

Tisalver, en tout cas, ne semblait pas s'attendre à des ennuis de la part de ses nouveaux locataires; et le plaisir qu'il manifestait en leur compagnie – indépendamment du loyer qu'il touchait – semblait parfaitement sincère.

Il n'était jamais sorti de Dahl et son appétit pour les récits sur les contrées lointaines était gigantesque. Sa femme aussi, toute en courbettes et en sourires, avait coutume de les écouter tandis que leur fille, un doigt sur la bouche, risquait un œil pour les regarder par la porte entrouverte.

C'était d'ordinaire après le dîner, quand toute la famille était assemblée, que l'on attendait de Dors et Seldon qu'ils parlent du reste du monde. La chère était plus qu'abondante mais fade et souvent coriace. Après les plats savoureux de Mycogène, elle était presque immangeable. La « table » était une longue étagère contre un mur et l'on mangeait debout.

Un discret interrogatoire révéla à Seldon que c'était là l'habitude chez les Dahlites et non une contrainte due à une pauvreté inhabituelle. Bien sûr, avait expliqué Maîtresse Tisalver, il y avait ces hauts fonctionnaires de Dahl qui étaient enclins à adopter toutes sortes de coutumes décadentes telles que les chaises – qu'elle appelait des « étagères corporelles » – mais enfin, c'était plutôt mal vu par le gros de la classe moyenne.

S'ils désapprouvaient tout luxe inutile, les Tisalver aimaient beaucoup en entendre parler, écoutant avec force claquements de langue quand on leur parlait de matelas sur pieds, d'armoires ou de penderies ouvragées et d'amoncellements de vaisselle superflue.

Ils écoutèrent aussi une description des mœurs mycogéniennes et Jirad Tisalver se caressa les cheveux avec suffisance, histoire de bien montrer que pour lui épilation était synonyme d'émasculation. Maîtresse Tisalver se mit en colère à toute les allusions à l'asservissement des femmes et refusa carrément de croire que les Sœurs l'acceptaient sans broncher.

Ce qui frappa le plus, néanmoins, ce fut l'allusion fortuite au domaine impérial, faite par Seldon. Quand, après quelques questions, il leur apparut que Seldon avait bel et bien rencontré l'Empereur en personne et lui avait même parlé, une chape de respect tomba sur la maisonnée. Il leur fallut un moment pour qu'ils osent poser à nouveau des questions et Seldon se révéla incapable d'y répondre. Après tout, il n'avait pas vu grand-chose du domaine et encore moins de l'intérieur du Palais.

Déception des Tisalver qui cherchaient inlassablement à en savoir plus. Et ayant pris connaissance des aventures impériales de Seldon, ils eurent du mal à croire Dors lorsqu'elle leur avoua que, pour sa part, elle n'avait jamais mis les pieds dans l'enceinte du palais. Mais surtout ils refusèrent de croire Seldon quand celui-ci remarqua négligemment que l'Empereur parlait et se comportait tout à fait comme le commun des mortels. Pour les Tisalver, la chose paraissait totalement impossible.

Après trois soirées de ce régime, Seldon commença à se lasser. Il avait, au début, goûté cette occasion de ne rien faire pour quelque temps (au moins durant la journée), sinon visionner quelques-uns des vidéo-livres d'histoire recommandés par Dors. Les Tisalver leur prêtaient de bonne grâce leur lecteur pendant la journée, au vif mécontentement de la petite qu'on envoyait faire ses devoirs chez une voisine.

« Ça ne sert à rien », répéta pour la énième fois Seldon, dès qu'ils eurent retrouvé la sécurité de leur chambre (et après avoir mis un fond sonore musical pour décourager les oreilles indiscrètes). « Je comprends votre fascination pour l'histoire, mais ce ne sont que des détails à l'infini. Je me retrouve avec une montagne – non, un amas galactique – de données dont je suis incapable de discerner l'organisation de base.

– Admettez qu'il a bien dû exister un temps où l'homme ne voyait aucune organisation dans les étoiles du ciel, et l'on a bien fini pourtant par découvrir la structure galactique.

– Et je peux vous dire que ça a pris des générations, et non quelques semaines. Il fut aussi un temps où la physique n'était qu'une masse d'observations sans relations entre elles avant que l'on découvre les lois fondamentales de la nature, et cela aussi, ça a pris des générations. Au fait, que pensez-vous des Tisalver?

– Ce que j'en pense? Qu'ils sont très gentils.

– Ils sont curieux.

– Évidemment. Vous ne le seriez pas, à leur place?

– Mais n'est-ce que de la curiosité? Ils me semblent férocement passionnés par ma rencontre avec l'Empereur. »

Dors marqua son impatience : « Encore une fois, ce n'est que naturel. Ne le seriez-vous pas... si la situation était inversée?

– Ça me rend nerveux.
– C'est Hummin qui nous a amenés ici.
– Certes, mais il n'est pas parfait. Il m'a amené à l'Université et l'on m'y a attiré sur la Couverture. Il nous a conduits auprès de Maître-du-Soleil Quatorze qui nous a pris au piège. Vous le savez aussi bien que moi. Chat échaudé... Je suis las des interrogatoires.
– Alors, renversez les rôles, Hari. Dahl ne pique-t-elle pas votre curiosité?
– Bien sûr que si. Qu'en savez-vous, d'ailleurs, pour commencer?
– Moi? Rien du tout. Ce n'est jamais qu'un secteur parmi plus de huit cents autres et je ne suis à Trantor que depuis deux ans.
– Tout juste. Et il y a vingt-cinq millions d'autres mondes et je me suis attaqué à ce problème il y a un peu plus de deux mois. Je vais vous dire une chose : je veux retourner à Hélicon, reprendre mes études sur les mathématiques de la turbulence – c'était mon sujet de thèse et oublier définitivement que j'ai vu (ou cru voir) un rapport entre l'analyse de la turbulence et la sociologie. »
Mais ce soir-là, il dit à leur hôte : « Au fait, Maître Tisalver, vous ne m'avez pas encore parlé de ce que vous faites, de la nature de votre travail.
– Moi? » Tisalver posa les doigts sur sa poitrine, simplement couverte d'un maillot blanc sans rien en dessous – ce qui semblait être à Dahl la tenue masculine standard. « Pas grand-chose. Je travaille à la programmation de la station locale d'holovision. Un travail sans intérêt, mais il faut bien vivre.
– Et un travail tout à fait respectable, s'empressa d'ajouter Maîtresse Tisalver. Ça veut dire qu'il n'a pas à travailler aux puits thermiques.
– Les puits thermiques? » Dors haussa ses fins sourcils et réussit à prendre un air fasciné.
« Oh, eh bien, expliqua Tasilver, c'est ce qu'on connaît surtout de Dahl. Ce n'est pas grand-chose, mais enfin les quarante milliards de Trantoriens ont besoin d'énergie et nous en fournissons une bonne partie. On n'y gagne pas beaucoup de réputation, mais j'aimerais bien voir ce que feraient certains secteurs sans nous. »
Seldon paraissait perplexe. « Mais Trantor ne tire-t-elle pas son énergie de centrales solaires en orbite?
– En partie, répondit Tisalver, et en partie de centrales nucléaires à fusion situées sur les îles, et des moteurs à microfusion et des éoliennes de la Couverture. Mais la moitié » – il avait levé le doigt pour souligner ses paroles, tandis que son visage avait pris un air inhabituellement grave – « je dis bien la moitié, provient des puits thermiques. Il y en a un peu partout mais aucun – *aucun* – n'est aussi riche que ceux de Dahl. Vous êtes sérieux quand vous dites que vous n'étiez pas au courant? Vous restez planté là, l'air ahuri... »
Dors s'empressa d'intervenir : « Nous sommes des Exos. » Elle avait failli dire des barbares mais s'était reprise à temps. « Et le Dr Seldon n'est sur Trantor que depuis deux mois.

– Vraiment? » dit Maîtresse Tisalver. Elle était un peu plus petite que son mari, dodue sans être tout à fait grasse, avec des cheveux bruns tirés en chignon et de superbes yeux noirs. Comme son époux, elle avait apparemment la trentaine.

(Après son séjour à Mycogène, assez court mais combien marquant, Dors était toute surprise de voir une femme intervenir dans la conversation. Comme on se fait vite aux mœurs locales, songea-t-elle, et elle se promit de le signaler à Seldon : encore un point pour sa psychohistoire).

« Eh oui, dit-elle. Le docteur Seldon vient d'Hélicon. »

Maîtresse Tisalver marqua son ignorance polie. « Et où cela se trouve-t-il?

– Eh bien, c'est... » Elle se tourna vers Seldon : « Où est-ce au juste, Hari? »

Seldon parut pris de court. « Pour vous dire la vérité, je ne crois pas que je serais capable de la localiser facilement sur un modèle galactique sans vérifier les coordonnées. Tout ce que je peux dire, c'est que, par rapport à Trantor, Hélicon est située de l'autre côté du trou noir central, et que le trajet en hypernef est interminable.

– Je n'ai pas l'impression que Jirad ou moi monterons jamais à bord d'une hypernef...

– Un jour, Casilia, dit son mari pour la réconforter. Mais parlez-nous donc d'Hélicon, Maître Seldon. »

Seldon hocha la tête. « Pour moi, c'est sans intérêt. Ce n'est jamais qu'une planète comme une autre. Trantor seule est singulière. Il n'y a pas de puits thermiques sur Hélicon – ni sans doute ailleurs. Il n'y en a qu'à Trantor. Parlez m'en. »

(« Trantor seule est singulière. » La phrase résonna dans son esprit et, durant quelques instants, il s'y raccrocha, tandis que l'anecdote de la main sur la cuisse lui revenait soudain, mais Tisalver avait pris la parole et le souvenir s'envola aussi vite qu'il était venu).

Tisalver était en train de dire : « Si vous voulez vraiment connaître les puits thermiques, je peux vous les montrer. » Il se tourna vers sa femme. « Casilia, ça ne te dérange pas si demain soir j'emmène Maître Seldon visiter les puits thermiques?

– Moi aussi, dit Dors très vite.

– Et Maîtresse Venabili? »

Maîtresse Tisalver fronça les sourcils et répondit sèchement : « Je ne crois pas que ce soit une bonne idée. Nos hôtes risquent de trouver ça ennuyeux.

– Pas du tout, pas du tout, Maîtresse Tisalver, fit Seldon, insinuant. Nous aimerions beaucoup visiter les puits thermiques. Et nous serions ravis si vous vouliez bien nous accompagner aussi... avec votre petite fille – si elle a envie de venir.

– Aux puits thermiques? dit Maîtresse Tisalver, en se raidissant. Ce n'est pas un endroit pour une honnête femme. »

Seldon se sentit gêné par sa gaffe. « C'était sans mauvaises intentions, Maîtresse Tisalver.

– Il n'y a pas de mal, intervint son mari. Casilia juge que nous sommes au-dessus de ça, ce qui est vrai, mais tant que je n'y travaille pas, rien ne nous interdit de visiter les installations et de les montrer à nos hôtes. Évidemment, c'est inconfortable et je n'arriverai jamais à convaincre ma femme de passer une tenue adéquate. »

Tous se levèrent. Les « chaises » dahlites étaient de simples points d'appui en plastique moulé montés sur roulettes, qui semblaient vaciller au moindre mouvement et donnaient à Seldon d'horribles crampes aux genoux. Les Tisalver, en revanche, avaient maîtrisé l'art de s'y asseoir et se levaient sans difficulté et sans avoir besoin de prendre appui sur les bras. Dors, elle aussi, se leva sans peine et Seldon ne put, une fois encore, qu'admirer sa grâce naturelle.

Avant de se séparer et de regagner leurs appartements pour la nuit, Seldon demanda à Dors : « Êtes-vous bien sûre de ne rien savoir sur les puits thermiques? A entendre Maîtresse Tisalver, la visite n'aurait rien de folichon.

– Ce n'est certainement pas désagréable à ce point, ou Tisalver ne nous l'aurait pas suggéré. Contentons-nous de nous laisser surprendre. »

63

« Il va vous falloir des vêtements adéquats », dit Tisalver. Derrière lui, sa femme ricana dédaigneusement.

Prudent, Seldon qui imaginait déjà une quelconque tunique, demanda : « Que voulez-vous dire par vêtements adéquats?

– Quelque chose de léger, comme ce que je porte. Un maillot à manches très courtes, un pantalon ample, un slip lâche, des socquettes, des sandales ouvertes. J'ai tout ce qu'il vous faut.

– Parfait. Ça me paraît très bien.

– Et pour Maîtresse Venabili; j'ai la même chose. J'espère que ça lui ira. »

Les habits que leur prêta Tisalver (et qui étaient les siens) leur allaient très bien, quoique un peu courts. Quand ils furent prêts, ils prirent congé de Maîtresse Tisalver et celle-ci, l'air résigné mais toujours désapprobateur, les regarda partir sur le seuil de sa porte.

On était en début de soirée et une jolie lueur crépusculaire illuminait encore le ciel. Les lumières de Dahl n'allaient pas tarder à s'allumer. La température était douce et l'on ne voyait quasiment aucun véhicule; tout le monde marchait. On entendait dans le lointain le grondement omniprésent du Réseau express et par moments on distinguait sans peine le scintillement de ses voitures.

Les Dahlites, remarqua Seldon, semblaient marcher sans but précis. On avait plutôt l'impression qu'ils flânaient pour le plaisir. Peut-être, si Dahl était aussi pauvre que l'avait laissé entendre Tisalver, les distractions peu coûteuses étaient-elles de mise, et quoi de plus agréable (et de plus économique) qu'une promenade vespérale?

Seldon se surprit à adopter machinalement la démarche tranquille du promeneur, soudain gagné par l'atmosphère d'amitié ambiante. En se croisant, les gens se saluaient et échangeaient quelques mots. Les moustaches noires de toutes tailles et de toutes épaisseurs fleurissaient à l'envi (c'était apparemment l'ornement de rigueur pour tout Dahlite mâle), aussi communes que les crânes lisses des Frères mycogéniens.

C'était un rite vespéral, une manière de s'assurer qu'une nouvelle journée s'était déroulée sans encombre et que vos amis étaient toujours heureux et bien portants. Il fut bientôt évident que Dors attirait tous les regards. Dans la lueur du crépuscule, l'acajou de sa chevelure s'était approfondi, mais il ressortait encore au milieu de cet océan de têtes brunes (sauf à l'occasion un crâne gris) comme une pièce d'or scintillant sur un tas de charbon.

« Ma foi, c'est bien agréable, observa Seldon.

– Effectivement, dit Tisalver. En temps normal, je me promène avec ma femme et elle est dans son élément : il n'y a personne à un kilomètre à la ronde dont elle ne connaisse le nom, le métier, les relations. Prouesse dont je serais bien incapable. Tenez, en ce moment même... la moitié des gens qui me saluent... je serais bien en peine de vous dire leur nom. Mais ne traînons pas trop car il faut nous rendre aux ascenseurs. Aux niveaux inférieurs, il y a de l'activité. »

Ils étaient dans la cabine descendante quand Dors demanda : « Je présume, Maître Tisalver, que les puits thermiques sont des endroits où la chaleur interne de Trantor est exploitée pour produire de la vapeur destinée à alimenter des turbines et à produire de l'électricité?

– Oh, non. Il y a des thermopiles géantes à haut rendement qui produisent directement de l'électricité. Mais je vous en prie, ne me demandez pas de détails. Je ne suis qu'un programmeur d'holovision. En fait, ne demandez de détails à personne, là-dessous. Tout le truc est une gigantesque boîte noire. Ça marche mais personne ne sait comment.

– Et si jamais il y a un pépin?

– En général, il n'y en a pas mais, si ça arrive, un expert débarque de je ne sais où. Quelqu'un qui s'y entend en ordinateurs. Tout est très informatisé, bien sûr. »

La cabine s'arrêta et ils en sortirent. Une bouffée de chaleur les assaillit.

« Il fait chaud », dit Seldon, remarque tout à fait inutile.

– Effectivement, dit Tisalver. C'est ce qui fait toute la valeur de Dahl comme source d'énergie. La couche de magma y est plus proche de la surface que partout ailleurs sur la planète. C'est pourquoi il faut travailler au chaud.

– Et la climatisation? demanda Dors.

– On l'utilise, mais c'est une question de coût. On ventile, on rafraîchit, on assèche, mais si on va trop loin on dépense trop d'énergie et le processus devient trop coûteux. »

Tisalver s'arrêta devant une porte où il s'annonça. Le battant s'ouvrit, livrant passage à un brusque courant d'air froid : « On devrait trouver ici quelqu'un pour nous guider – et surveiller les remarques dont Maîtresse Venabili risque d'être la cible... du moins de la part des hommes.

– Oh, les remarques ne me gêneront pas.

– Moi, si », fit Tisalver.

Un jeune homme sortit du bureau et se présenta sous le nom de Hano Lindor. Il ressemblait beaucoup à Tisalver mais Seldon estima que, tant qu'il ne se serait pas accoutumé à ces nuées de petits bruns basanés aux moustaches luxuriantes, il serait incapable de les distinguer les uns des autres.

« Je serai ravi de vous faire visiter tout ce qu'il y a à voir, leur dit Lindor. Ce n'est pas que ce soit particulièrement spectaculaire, vous savez. » Il s'adressait à eux trois mais ses yeux restaient fixés sur Dors. Il ajouta : « Ça risque d'être pénible. Je suggère que nous ôtions nos chemises.

– Il fait agréablement frais ici, observa Seldon.

– Bien sûr, mais c'est parce que nous sommes des cadres. Le privilège du rang... Hors du bureau, on ne peut pas maintenir la climatisation à ce niveau. Les gens qui travaillent là sont mieux payés que moi. En fait, ces boulots sont les mieux payés de Dahl, et c'est l'unique raison qui fait qu'on trouve du monde pour bosser ici. Mais il devient de plus en plus difficile de trouver des puisatiers. » Il inspira un bon coup. « Bon, on plonge dans la soupe. »

Il retira sa chemise et se l'attacha autour de la taille. Tisalver fit de même et Seldon les imita.

Lindor jeta un œil à Dors et dit : « C'est pour votre confort personnel, Maîtresse, mais ce n'est pas une obligation.

– Pas de problème, » et Dors retira son chemisier.

Son soutien-gorge était blanc, sans renforts et extrêmement décolleté.

« Maîtresse, dit Lindor, ce n'est pas... » Il réfléchit une seconde, puis haussa les épaules et conclut : « Bon, très bien. On fera avec. »

Au début, Seldon ne remarqua que des ordinateurs, des machines, d'énormes tuyauteries, des voyants qui clignotaient, des écrans qui scintillaient.

Il régnait une relative pénombre sauf autour de certaines machines. Seldon contempla l'obscurité presque totale au-dessus de lui. « Pourquoi n'est-ce pas mieux éclairé?

– Il y a assez de lumière... là où on en a besoin. » Lindor avait une voix agréablement posée et un débit rapide, un peu sec peut-être. « L'éclairage général reste bas pour des raisons psychologiques. Mentalement, on associe la lumière à la chaleur. Les plaintes grandissent quand on augmente la lumière, même si on s'arrange pour faire baisser la température.

– Tout cela paraît bien informatisé, remarqua Dors. Mais la totalité des opérations auraient pu être confiées aux ordinateurs. Ce genre d'environnement est fait pour l'intelligence artificielle.

– Votre idée est juste, dit Lindor, mais nous ne pouvons pas non plus courir le moindre risque de panne. Nous avons besoin de personnel sur place au cas où quelque chose tourne mal. La défaillance d'un ordinateur peut engendrer des problèmes jusqu'à deux mille kilomètres d'ici.

– De même pour l'erreur humaine, non? remarqua Seldon.

– Certes, mais quand des hommes et des ordinateurs travaillent en parallèle, toute erreur des machines peut être rapidement décelée et corrigée, et réciproquement toute erreur humaine est encore plus rapidement rectifiée. Rien de grave ne peut donc arriver, à moins qu'hommes et machines se trompent simultanément, une éventualité hautement improbable.

– Improbable, mais pas impossible, hein? dit Seldon.

– Presque impossible, mais pas totalement. Les ordinateurs ne sont plus ce qu'ils étaient; les gens non plus. »

Seldon eut un léger rire : « C'est ce qu'on dit toujours.

– Non, non. Je ne parle pas du passé. Je ne fais pas allusion au bon vieux temps. Je parle statistiques. »

A cette remarque, Seldon se souvint de Hummin parlant de la décadence.

« Vous voyez ce que je veux dire? reprit Lindor, baissant le ton. Tenez, ils sont tout un paquet, des C-3 à les voir, ils sont en train de boire. Pas un ou une qui soit à son poste.

– Qu'est-ce qu'ils boivent? demanda Dors.

– Des boissons spéciales pour compenser les pertes en électrolyte. Des jus de fruits.

– Vous ne pouvez quand même pas le leur reprocher! s'indigna Dors. Dans cette chaleur sèche, il faut bien se réhydrater.

– Savez-vous combien de temps un C-3 bien entraîné peut faire traîner sa pause-boisson? Et on ne peut rien y faire. Si on leur accorde une pause de cinq minutes et qu'on étale leurs horaires pour leur éviter de se réunir, c'est la révolte. »

Ils approchaient du petit groupe d'hommes et de femmes (l'égalité des sexes paraissait plus ou moins la règle dans la société dahlite) et les uns comme les autres étaient en chemise. Les femmes portaient des sous-vêtements apparentés à des soutiens-gorge mais conçus de manière strictement fonctionnelle : s'ils servaient à soulever et à séparer les seins pour améliorer la ventilation et limiter la transpiration, ils n'en masquaient rien.

En aparté, Dors confia à Seldon : « C'est logique, Hari. Je suis trempée, là-dedans.

– Eh bien, ôtez votre soutien-gorge. Ce n'est pas moi qui lèverai le petit doigt pour vous en empêcher.

– Je ne sais pas pourquoi mais je m'en doutais », répondit Dors qui laissa son soutien-gorge où il était.

Ils arrivèrent près du groupe qui comprenait une douzaine de personnes.

« Si l'un d'eux fait une remarque grossière, j'y survivrai, avertit Dors.

– Merci, dit Lindor. Je ne vous promets pas qu'ils s'en abstiendront... Mais il va falloir que je vous présente. S'ils se mettent dans la tête que j'accompagne deux inspecteurs, ils risquent de devenir nerveux. Les inspecteurs sont censés fouiner tout seuls, sans représentants de la direction pour les surveiller. »

Il leva les bras. « Puisatiers, j'ai deux personnes à vous présenter. Voici des visiteurs du dehors – des Exos, des chercheurs. Sur leur monde, ils ont une pénurie d'énergie et ils sont venus voir comment on se débrouille à Dahl. Ils pensent pouvoir apprendre quelque chose.

– Ils apprendront déjà à suer! » lança un puisatier, déclenchant une cascade de rires gras.

« Elle doit transpirer en ce moment, lança une femme, à voir comment elle les couvre! »

Du tac au tac, Dors répliqua : « Je les dévoilerais bien, mais ils auraient du mal à rivaliser avec les vôtres! » Le rire devint bon enfant.

C'est alors qu'un jeune homme se détacha du groupe, fixa Seldon d'un regard intense, le visage figé, sans une trace d'humour. « Je vous connais, lui dit-il. Vous êtes le mathématicien. »

Il se précipita sur Seldon et le dévisagea avec une insistance grave. Automatiquement, Dors s'interposa tandis que Lindor passait devant elle à son tour en s'écriant : « Arrière, puisatier! Surveille tes manières!

– Attendez! intervint Seldon. Laissez-le s'exprimer. Qu'avez-vous tous à faire écran devant moi?

– Si l'un d'eux approche un peu trop, murmura Lindor, vous allez vous apercevoir qu'ils ne sentent pas la rose.

– Je peux supporter ça, rétorqua Seldon sèchement. Jeune homme, qu'est-ce que vous voulez?

– Je m'appelle Amaryl. Yugo Amaryl. Je vous ai vu à l'holovision.

– Ça se peut, mais encore?

– Je ne me souviens pas de votre nom.

– Vous n'en avez pas besoin.

– Vous parliez d'un truc appelé psychohistoire.

– Vous ne savez pas à quel point je le regrette.

– Quoi?

– Rien. Que voulez-vous?

– Vous parler. Rien qu'un petit moment. Maintenant. »

Seldon lorgna Lindor, qui hocha négativement la tête. « Pas durant son temps de travail.

– A quelle heure prenez-vous votre poste, Monsieur Amaryl? demanda Seldon.

– Seize heures.

– Pouvez-vous me voir demain à quatorze heures?

– Bien sûr. Où ça? »

Seldon se tourna vers Tisalver. « M'autorisez-vous à le recevoir chez vous? »

L'intéressé n'avait pas l'air enchanté. « Je n'en vois pas l'utilité. Ce n'est qu'un puisatier.

– Il m'a reconnu. Il sait quelque chose à mon sujet. Ce n'est sûrement pas n'importe qui. Je le recevrai dans ma chambre. » Puis, voyant que Tisalver ne faisait pas mine de se radoucir, il ajouta : « Ma chambre personnelle, pour laquelle on vous verse un loyer. Et vous serez alors au travail, hors de l'appartement. »

A voix basse, Tisalver expliqua : « Ce n'est pas pour moi, Maître Seldon. C'est ma femme, Casilia. Elle ne le supportera pas.

– Je lui parlerai, dit Seldon, résolu. Il faudra bien qu'elle le supporte. »

64

Casilia Tisalver ouvrit tout grand les yeux : « Un puisatier thermique? Pas dans *mon* appartement.

– Pourquoi pas? D'ailleurs, c'est dans *ma* chambre qu'il va venir, précisa Seldon. A quatorze heures.

– Il n'en est pas question, dit Maîtresse Tisalver. Voilà ce qui arrive quand on descend dans les puits thermiques. Jirad était un idiot.

– Pas du tout, Maîtresse Tisalver. Nous sommes descendus sur ma demande et la visite m'a fasciné. Je dois absolument voir ce jeune homme, c'est nécessaire pour mes travaux de recherche.

– Je suis désolée mais il n'en est pas question. »

Dors Venabili leva la main. « Hari, laissez-moi m'en occuper. Maîtresse Tisalver, si le docteur Seldon doit recevoir quelqu'un dans sa chambre cet après-midi, cette personne supplémentaire signifie naturellement un complément de loyer. Nous le comprenons parfaitement. Nous dirons donc que pour aujourd'hui le loyer de la chambre du docteur Seldon sera doublé. »

Maîtresse Tisalver réfléchit à la question. « Eh bien, c'est aimable de votre part, mais tout ça, ce ne sont que des crédits. Il faut songer aux voisins. Un puisatier suant, puant...

– Je doute qu'il soit suant et puant à quatorze heures, Maîtresse Tisalver, mais laissez-moi poursuivre. Puisque le docteur Seldon doit absolument le voir et s'il ne peut le faire ici, alors il faudra qu'il le voie ailleurs, mais nous ne pouvons pas passer notre temps à courir partout. Ce serait trop malcommode. Par conséquent, nous allons être obligés de louer une chambre ailleurs. Ce ne sera pas facile, nous n'avons pas envie de le faire, mais nous n'avons pas le choix. Nous allons donc vous régler votre loyer jusqu'à aujourd'hui et partir, mais bien sûr il nous faudra expliquer à Maître Hummin pour quelles raisons nous avons dû modifier les dispositions qu'il avait si aimablement prises à notre égard.

– Attendez... » Le visage de Maîtresse Tisalver devint l'image même du calcul. « Nous ne voudrions pas désobliger Maître Hummin... ou vous désobliger tous les deux. Combien de temps cette créature doit-elle rester?

– Il arrive à quatorze heures. Il doit être au travail à seize. Il sera donc ici pendant deux heures au plus, peut-être moins. Nous l'accueillerons à l'extérieur, ensemble, et le conduirons à la chambre du docteur Seldon. Les éventuels voisins qui nous verront croiront qu'il s'agit d'un ami exo. »

Maîtresse Tisalver hocha la tête. « Eh bien, faisons comme vous l'entendez. Double loyer pour la chambre de Maître Seldon pour aujourd'hui et le puisatier ne viendra que cette seule fois.

– Que cette seule fois », confirma Dors.

Mais plus tard, quand tous deux se retrouvèrent dans la chambre de Seldon, Dors lui demanda : « Mais pourquoi diantre avez-vous besoin de le voir, Hari? Interroger un puisatier thermique est-il si fondamental pour l'avancement de la psychohistoire? »

Seldon décela dans sa voix une nuance de sarcasme et c'est avec aigreur qu'il remarqua : « Je ne suis pas obligé de tout faire tourner autour de ce vaste projet auquel je ne crois d'ailleurs plus beaucoup. Je suis aussi un être humain avec une curiosité d'être humain. Nous avons passé des heures dans ces puits et vous avez vu à quoi ressemblent les gens qui y travaillent : ils sont manifestement sous-éduqués. Ce sont des individus de niveau inférieur – sans vouloir faire de jeu de mots –, et en voilà un qui malgré tout me reconnaît. Il dit m'avoir vu à l'holovision à l'occasion du Congrès décennal et s'est souvenu du mot " psychohistoire ". Tout cela m'a paru inhabituel, littéralement déplacé, et j'aimerais lui parler.

– Parce que ça flatte votre vanité d'être devenu célèbre jusque chez les puisatiers de Dahl?

– Eh bien... peut-être. Mais ça pique également ma curiosité.

– Et comment savez-vous qu'il n'a pas reçu d'instructions et ne compte pas vous attirer dans un piège comme c'est déjà arrivé? »

Grimace de Seldon. « Je ne le laisserai pas me passer la main dans les cheveux. En tout cas, nous sommes mieux préparés désormais, non? Et je suis sûr que vous serez à mes côtés. Je veux dire, vous m'avez laissé monter sur la Couverture tout seul, vous m'avez laissé visiter les microfermes seul avec Goutte-de-Pluie Quarante-trois, et vous n'allez certainement pas recommencer, n'est-ce pas?

– Vous pouvez en être absolument certain.

– Eh bien, dans ce cas, je m'en vais parler à ce jeune homme et vous pourrez toujours guetter les pièges éventuels. J'ai toute confiance en vous.

65

Amaryl arriva peu avant quatorze heures, l'air méfiant. Il était bien coiffé et son épaisse moustache était peignée et légèrement retroussée aux extrémités. Son tee-shirt était d'un blanc éclatant. Il sentait, certes, mais c'était une odeur fruitée due à un léger excès d'enthousiasme dans l'usage du parfum. Il portait un paquet.

Seldon, qui l'avait attendu dehors, le prit doucement par un coude, Dors fit de même de l'autre côté, et tous trois gagnèrent rapidement l'ascenseur. Une fois arrivés à l'étage, ils gagnèrent l'appartement et le traversèrent pour se rendre dans la chambre de Seldon.

Amaryl nota aussitôt, d'une voix sourde de chien battu : « Personne à la maison, hein?

– Tout le monde est au boulot », répondit Seldon d'un ton neutre. Il lui indiqua l'unique siège de la chambre, un coussin posé à même le sol.

« Non, dit Amaryl. Je n'en ai pas besoin, prenez-le. » Et il s'accroupit souplement.

Dors l'imita pour s'asseoir au bord du matelas – simplement posé sur le sol – de Seldon, mais ce dernier se laissa tomber plutôt maladroitement, obligé de se servir de ses mains et totalement incapable de trouver pour ses jambes une position confortable.

« Eh bien, jeune homme, demanda-t-il, pourquoi voulez-vous me voir?

– Parce que vous êtes mathématicien. Vous êtes le premier que je voie d'assez près pour pouvoir le toucher, vous savez.

– Les mathématiciens sont des gens comme tout le monde.

– Pas pour moi, docteur... docteur... Seldon?

– C'est bien mon nom. »

Amaryl parut ravi. « Ça m'est finalement revenu. Vous voyez, je voudrais être mathématicien, moi aussi.

– A la bonne heure. Et qu'est-ce qui vous arrête? »

Amaryl fronça soudain les sourcils : « Vous êtes sérieux?

– Je présume qu'il y a bien quelque chose qui vous arrête. Oui, je suis sérieux.

– Ce qui m'arrête, c'est que je suis un Dahlite, *puisatier thermique* à Dahl. Je n'ai pas d'argent pour me payer une formation et je ne pourrai jamais en gagner assez. Pas pour une *véritable* formation. Tout ce qu'on m'a appris, c'est à lire, à compter et à me servir d'un ordinateur. Avec ça, j'en savais assez pour devenir puisatier. Mais je voulais en savoir plus. Alors, je me suis formé tout seul.

– Par certains côtés, c'est la meilleure méthode. Comment avez-vous procédé?

– Je connaissais une bibliothécaire. Elle avait envie de m'aider. C'était une femme très gentille et elle m'a montré comment me servir des ordinateurs pour apprendre les mathématiques. Et elle a mis au point un logiciel pour me permettre de me connecter à d'autres bibliothèques. J'y allais pendant les jours de repos, et le matin après mon travail. Parfois, elle me bouclait dans son bureau pour que je ne sois pas dérangé ou elle me laissait venir aux heures de fermeture. Elle ne connaissait rien aux mathématiques mais elle m'a aidé tant qu'elle a pu. Elle n'était plus toute jeune, et veuve. Peut-être qu'elle me considérait comme une espèce de fils. Elle n'avait pas d'enfant. »

(Peut-être, songea fugitivement Seldon, une autre émotion avait-elle également joué, mais il écarta cette idée. Ça ne le regardait pas.)

« J'aimais bien la théorie des nombres, poursuivit Amaryl. J'ai élaboré plusieurs choses à partir de ce que j'ai appris par l'ordinateur et les vidéo-livres qui servaient à m'enseigner les mathématiques. J'ai débouché sur quelques trucs nouveaux qui n'étaient pas dans les vidéos. »

Seldon haussa les sourcils. « C'est intéressant. Dans quel genre?

– Je vous en ai apporté quelques-uns. Je ne le ai encore montrés à personne. Les gens autour de moi... » (Il haussa les épaules.) « Ou ils rigolent, ou ça les ennuie. Une fois, j'ai même essayé d'en parler à une fille que je connaissais, mais elle a juste dit que j'étais bizarre et n'a plus voulu me revoir. Ça ne vous dérange pas que je vous les montre?

– Pas du tout, croyez-moi. »

Seldon tendit la main et, après une brève hésitation, Amaryl lui donna le sac qu'il portait.

Durant un long moment, Seldon examina les papiers qu'il contenait. Le travail était naïf à l'extrême, mais il ne se permit pas un sourire. Il suivit les démonstrations – dont aucune n'était nouvelle, bien sûr, ni même particulièrement récente, ou d'une quelconque importance.

Mais là n'était pas le problème.

Il leva la tête : « Vous avez fait tout cela tout seul? »

Passablement effrayé, Amaryl hocha la tête.

Seldon sélectionna deux ou trois feuillets. « Qu'est-ce qui vous a donné l'idée de ça? » Son doigt parcourut une suite de déductions mathématiques.

Amaryl examina la démonstration, fronça les sourcils, réfléchit. Puis il lui expliqua sa démarche.

Seldon l'écouta et lui demanda s'il avait lu un ouvrage d'Anat Bigell. « Sur la théorie des nombres?

– Le titre est en *Déduction mathématique*. Il ne traite pas spécialement de la théorie des nombres. »

Amaryl hocha la tête. « Je n'ai jamais entendu parler de lui. Je suis désolé.

– Il a découvert votre théorème il y a trois siècles. »

Amaryl eut l'air atterré. « Je ne savais pas.

– J'en suis persuadé. Vous l'avez fait toutefois d'une manière plus élégante. La démonstration n'est pas rigoureuse mais...

– Que voulez-vous dire, " rigoureuse "?

– C'est sans importance. » Seldon remit les papiers en liasse, replaça le tout dans le sac et dit : « Faites-en plusieurs copies. Prenez-en une, faites-la dater par un ordinateur officiel et placer sous scellé informatique. Mon amie, ici présente, Maîtresse Venabili, peut vous faire admettre à l'Université de Streeling sur dossier à titre de boursier. Vous serez bien sûr obligé de repartir à zéro et de prendre d'autres matières que les mathématiques mais... »

Dans l'intervalle, Amaryl avait eu le temps de reprendre son souffle. « A l'Université de Streeling? Ils ne me prendront jamais.

– Pourquoi pas? Dors, vous pouvez arranger ça, n'est-ce pas?
– J'en suis certaine.
– Non, vous ne pouvez pas, s'emporta Amaryl. Ils ne me prendront jamais. Je suis de Dahl.
– Eh bien?
– Ils ne prennent pas de gens de Dahl. »
Seldon regarda Dors. « Qu'est-ce qu'il raconte? »
Dors hocha la tête. « Je ne vois vraiment pas.
– Vous êtes une Exo, Maîtresse, expliqua Amaryl. Depuis combien de temps êtes-vous à Streeling?
– Un peu plus de deux ans, Monsieur Amaryl.
– Y avez-vous déjà vu des Dahlites – petits, cheveux bruns bouclés, grosse moustache?
– Il y a des étudiants d'aspects très variés.
– Mais pas de Dahlites. Vérifiez bien quand vous y retournerez.
– Pourquoi? demanda Seldon.
– Ils ne nous aiment pas. On a l'air différent. Ils n'aiment pas notre moustache.
– Vous pouvez toujours la ras... » mais le regard furieux de l'autre le fit taire.
« Jamais. Et pourquoi, d'abord? Ma moustache, c'est ma virilité.
– Vous rasez bien votre barbe. C'est également un signe de virilité.
– Pour mon peuple, c'est la moustache. »
Seldon consulta de nouveau Dors du regard et murmura : « Des chauves, des moustachus... ils sont fous, ces Trantoriens.
– Quoi? s'emporta Amaryl.
– Rien. Dites-moi encore ce qu'ils n'aiment pas chez les Dahlites.
– Ils inventent des prétextes. Ils disent qu'on pue. Qu'on est sales. Qu'on est voleurs. Violents. Ils disent qu'on est bêtes.
– Pourquoi racontent-ils tout ça?
– Parce que c'est facile à dire et que ça les rassure. Évidemment, quand on travaille aux puits thermiques, on se salit et on sent mauvais. Quand les gens sont pauvres et maintenus délibérément dans cet état, certains peuvent prendre l'habitude du vol et de la violence. Mais ce n'est pas une règle générale. Et tous ces grands blonds du secteur impérial qui s'imaginent posséder la Galaxie – non, qui possèdent réellement la Galaxie. Eux alors, ils ne sont jamais violents? Ils ne volent pas, des fois? S'ils faisaient mon boulot, ils sentiraient pareil. S'ils devaient vivre comme je vis, ils se saliraient aussi.
– Qui nie qu'il faille toutes sortes de gens pour faire un monde? dit Seldon.
– Personne n'en parle! Pour eux, ça va de soi. Maître Seldon, il faut que je quitte Trantor. Ici, je n'ai aucune chance, aucune possibilité de gagner de l'argent, d'acquérir une formation, de devenir mathématicien, aucune possibilité de devenir autre chose que ce qu'ils disent... un moins que rien. » Cette ultime tirade avait été lancée avec dépit – et désespoir.
Seldon essaya de se montrer rassurant : « La personne à qui je loue cette chambre est dahlite. Cet homme a un boulot décent. Il est instruit.

– Oh, ça, bien sûr, dit Amaryl avec emportement. Il y en a quelques-uns. On les laisse faire pour pouvoir dire que c'est possible. Et ceux-là peuvent vivre agréablement pourvu qu'ils restent à Dahl. Qu'ils sortent et ils verront comment on les traite. Et tant qu'ils sont ici, ils se rassurent en nous traitant, nous autres, comme de la merde. Ça leur donne l'impression d'être des grands blonds. Qu'a dit la charmante personne qui vous loue cette chambre quand vous lui avez annoncé que vous inviez un puisatier? Quel portrait de moi vous a-t-elle fait? Comme par hasard, ils sont tous partis, à cette heure-ci... ils ne courraient pas le risque de se trouver dans la même pièce que moi. »

Seldon s'humecta les lèvres. « Je ne vous oublierai pas. Je veillerai à ce que vous puissiez quitter Trantor et soyez admis dans mon Université, sur Hélicon – dès que je serai retourné là-bas.

– Vous me le promettez? J'ai votre parole d'honneur? Même si je ne suis qu'un Dahlite?

– Le fait que vous soyez un Dahlite n'a aucune importance à mes yeux. Le fait que vous soyez déjà un mathématicien, en revanche, en a une! Mais je n'arrive toujours pas à saisir ce que vous me racontez. Je n'arrive pas à croire qu'on puisse avoir des sentiments aussi déraisonnables envers des gens inoffensifs.

– C'est parce que vous n'avez jamais eu l'occasion de rencontrer ce genre de problème, dit Amaryl avec amertume. Ça vous passerait sous le nez sans que vous remarquiez rien parce que ça ne vous affecte pas personnellement. »

Dors intervint : « Monsieur Amaryl, le docteur Seldon est mathématicien, comme vous, et il a parfois la tête dans les nuages. Vous devez le comprendre. Moi, toutefois, je suis historienne. Je sais qu'il n'est pas rare de voir un groupe d'individus regarder de haut un autre groupe. Il existe des haines spécifiques, quasiment rituelles, sans la moindre justification rationnelle et qui peuvent avoir une sérieuse influence historique. C'est regrettable.

– C'est trop facile de dire qu'une chose est “ regrettable ”. Vous proclamez votre désaccord, ce qui est fort aimable de votre part, mais ensuite vous pouvez continuer de vaquer à vos affaires en vous désintéressant de la question. C'est pourtant plus que “ regrettable ”. C'est contre toute décence, c'est contre nature. Nous sommes tous les mêmes, bruns ou blonds, grands ou petits, Orientaux, Occidentaux, Méridionaux, Exos, Nous sommes tous, nous, vous et moi, et même l'Empereur, des descendants du peuple de la Terre, non?

– Descendants de *quoi*? s'écria Seldon en tournant vers Dors un regard ahuri.

– Du peuple de la Terre, cria Amaryl. La planète d'où est originaire l'espèce humaine.

– Une planète? Rien qu'*une* planète?

– Une seule et unique planète, bien sûr. La Terre.

– Quand vous dites la Terre, vous voulez parler d'Aurora, n'est-ce pas?

– Aurora? Qu'est-ce que c'est que ça? Je parle de la Terre. Vous n'en avez jamais entendu parler?
– Non. A vrai dire, non.
– C'est un monde mythique, commença Dors, qui...
– Pas mythique. C'était une vraie planète. »
Soupir de Seldon. « J'ai déjà entendu ça quelque part. Enfin, bon, on va reprendre depuis le début. Y a-t-il un livre dahlite qui parle de la Terre?
– Hein?
– Un logiciel informatique, alors?
– Je ne vois pas de quoi vous voulez parler.
– Jeune homme, vous avez bien obtenu cette information quelque part.
– Mon père m'en parlait. Tout le monde est au courant.
– Y a-t-il quelqu'un qui soit plus particulièrement au courant? Vous l'a-t-on enseigné à l'école?
– A l'école, ils n'en disaient pas un mot.
– Alors, comment les gens le savent-ils? »
Amaryl haussa les épaules, avec l'air d'être inutilement harcelé. « Tout le monde sait ça. Si vous voulez des histoires là-dessus, il y a toujours Mère Rittah. Elle n'est pas morte que je sache...
– Votre mère? Ne le sauriez-vous pas, si...
– Ce n'est pas ma mère à moi. C'est simplement ainsi qu'on l'appelle. Mère Rittah. C'est une vieille femme. Elle vit à Billibotton. Enfin, elle y vivait.
– C'est où, ça?
– Par là, indiqua Amaryl avec un geste vague.
– Comment s'y rend-on?
– S'y rendre? Vous ne voulez pas aller là-bas? Vous risquez de ne jamais en revenir.
– Pourquoi ça?
– Croyez-moi. Il ne faut pas aller là-bas.
– Mais j'aimerais bien voir la Mère Rittah. »
Amaryl hocha la tête. « Savez-vous manier le couteau?
– Pour quoi faire? Quel genre de couteau?
– Un poignard. Comme ceci. » Amaryl porta la main à la ceinture qui maintenait son pantalon serré à la taille et l'écarta, révélant l'éclair d'une lame mince, brillante, meurtrière.
La main de Dors s'abattit immédiatement sur celle du jeune homme.
Amaryl se mit à rire. « Je n'avais pas l'intention de m'en servir. C'était juste pour vous montrer. » Il remit le couteau à sa ceinture. « Il vous en faut un pour vous défendre, et si vous n'en avez pas ou si vous ne savez pas vous en servir, vous ne reviendrez jamais vivant de Billibotton. Cela dit (il était soudain redevenu grave et soucieux) êtes-vous réellement sérieux, Maître Seldon, quand vous dites vouloir m'aider à émigrer sur Hélicon?
– Parfaitement sérieux. C'est une promesse. Écrivez-moi votre nom

et l'adresse où l'on peut vous toucher par hyperréseau. Vous avez un code, je suppose.

– Mon équipe aux puits en a un. Ça ira?

– Oui.

– Eh bien, conclut Amaryl en contemplant avec ferveur Hari Seldon, ça veut dire que mon avenir est entre vos mains, Maître Seldon. Alors, *je vous en conjure*, ne vous rendez pas à Billibotton. Je ne peux plus me permettre de vous perdre. » Il tourna vers Dors un regard implorant et lui dit, à voix basse : « Maîtresse Venabili, s'il vous écoute, ne le laissez pas y aller. *S'il vous plaît.* »

Billibotton

DAHL. ... Assez curieusement, l'endroit le plus connu de ce secteur est Billibotton, lieu en partie mythique autour duquel sont nées d'innombrables légendes. En fait, toute une branche de la littérature s'est développée peu à peu, où héros et aventuriers (et victimes) doivent affronter les dangers de la traversée de Billibotton. Ces contes sont devenus tellement archétypiques que le seul récit parfaitement connu, et sans doute authentique, d'un tel passage, celui de Hari Seldon et Dors Venabili, a fini par paraître fantastique par simple association...

ENCYCLOPAEDIA GALACTICA

66

Quand Hari Seldon et Dors Venabili furent seuls, Dors lui demanda, pensive : « Vous comptez réellement voir cette “ Mère ”?

– J'y songe, Dors.

– Vous êtes un type bizarre, Hari. Vous donnez l'impression de vous acharner à faire empirer vos affaires. Vous êtes monté visiter la Couverture, ce qui semblait à peu près sans danger, pour une raison valable, quand vous étiez à Streeling. Puis, une fois à Mycogène, vous vous êtes introduit dans l'aire des Anciens, opération bien plus risquée, et sous un prétexte bien plus futile. Et maintenant que nous voici à Dahl, vous voulez entreprendre une expédition que ce jeune homme qualifie de pur suicide, et ceci pour une raison parfaitement absurde.

– Je me pose des questions sur cette référence à la Terre et je dois savoir ce qu'il y a de solide là-dessous.

– C'est une légende, et même pas intéressante en plus. C'est de la routine. Les noms changent d'une planète à l'autre, mais le contenu reste le même. On retrouve toujours le récit d'un monde originel et d'un âge d'or. Le regret d'un passé réputé simple et vertueux est presque universellement répandu chez les membres des sociétés en proie à la complexité et au vice. C'est pratiquement le cas de toutes les sociétés, puisque tout être humain s'imagine toujours que sa société, si simple soit-elle, est trop vicieuse et trop complexe. Ça aussi, mettez-le sur les tablettes de votre psychohistoire.

– Tout de même, dit Seldon, je dois envisager la possibilité qu'un monde unique ait existé jadis. Aurora... Terra... le nom importe peu. En fait... »

Il se tut et Dors le relança : « Eh bien? »

Seldon hocha la tête. « Vous rappelez-vous l'anecdote de la main sur la cuisse que vous m'avez contée à Mycogène? C'était juste après que Goutte-de-Pluie Quarante-trois m'a confié le Livre... Eh bien, elle m'est revenue récemment, un soir que nous discutions avec les Tisalver. J'ai dit quelque chose qui m'a rappelé, l'espace d'un instant...

– Qui vous a rappelé quoi?

– Je ne m'en souviens plus. Ça m'est venu et c'est reparti, mais, comment dire, chaque fois que je songe à cette notion de monde unique, j'ai l'impression d'effleurer quelque chose qui persiste à m'échapper. »

Dors le considéra, surprise. « Je ne vois pas ce que ça pourrait être. L'anecdote de la main sur la cuisse n'a rien à voir avec la Terre ou Aurora...

– Je sais mais... cette... chose... qui plane à la lisière de ma conscience me semble avoir un rapport avec ce monde unique et je sens que je dois à tout prix en savoir plus. Sur ça... et les robots.

– Les robots, aussi? Je croyais que la visite à l'aire des Anciens vous avait suffi.

– Pas du tout. J'y ai réfléchi depuis. » Il fixa Dors, l'air troublé, durant un long moment, puis avoua : « Mais je ne suis pas sûr.

– Sûr de quoi, Hari? »

Mais Seldon se contenta de hocher la tête sans mot dire.

Dors plissa le front : « Hari, laissez-moi vous dire une chose. Chez les historiens sensés – et croyez-moi, je sais de quoi je parle –, on ne voit mentionné nulle part un monde originel unique. C'est une croyance populaire, je l'admets. Je ne parle pas seulement des amateurs de folklore, comme les Mycogéniens ou les puisatiers dahlites, mais certains biologistes, pour des raisons qui dépassent ma compétence, soutiennent qu'il a dû exister un monde originel unique, sans oublier les historiens les plus mystiques, qui sont attirés par ce genre de spéculation. Et parmi les intellectuels oisifs, j'entends dire que c'est très à la mode. Toujours est-il que l'histoire universitaire, elle, n'en a jamais entendu parler.

– Raison de plus, observa Seldon, pour sortir de l'histoire savante. Tout ce que je veux, c'est un moyen de simplifier la psychohistoire – peu importe comment : astuce mathématique, astuce historique ou construction entièrement imaginaire. Si le jeune homme avec qui nous venons de discuter avait eu une meilleure formation, je l'aurais attelé à ce problème. Sa démarche intellectuelle est marquée par une originalité, une ingéniosité considérables et...

– Alors, vous allez réellement l'aider?
– Absolument. Dès que je serai en mesure de le faire.
– Étiez-vous obligé de faire des promesses que vous n'êtes pas sûr de pouvoir tenir?
– Mais je veux les tenir. Si vous voulez absolument critiquer les promesses impossibles, rappelez-vous que Hummin a dit à Maître-du-Soleil Quatorze que j'utiliserais la psychohistoire pour restituer aux Mycogéniens leur monde originel. Avec une probabilité quasiment nulle. Même si je parviens à mettre au point la psychohistoire, qui sait si on peut l'utiliser dans un but aussi spécifique? Voilà une promesse que je suis vraiment incapable de tenir. »
Mais Dors rétorqua avec une certaine vigueur : « Chetter Hummin essayait de nous sauver la vie, de nous tirer des pattes de Demerzel et de l'Empereur. Ne l'oubliez pas. Et je crois qu'il aimerait sincèrement aider les Mycogéniens.
– Moi, j'aimerais sincèrement aider Yugo Amaryl et je suis bien plus en mesure de le faire que d'aider les Mycogéniens, alors si vous justifiez la seconde hypothèse, je vous en prie, ne critiquez pas la première. Qui plus est, Dors » (et la colère brillait dans ses yeux), « j'aimerais beaucoup trouver cette Mère Rittah et je suis bien résolu à y aller seul.
– Jamais! aboya Dors. Si vous y allez, j'y vais. »

67

Maîtresse Tisalver revint chez elle, sa fille sur les talons, une heure après qu'Amaryl fut parti regagner son travail. Elle ne dit pas un mot à Dors ou à Seldon, mais répondit à leur salut par un bref signe de tête et inspecta la chambre, l'œil sévère, comme pour s'assurer que le puisatier n'y avait laissé aucune trace. Elle renifla bruyamment puis lorgna Seldon, l'air accusateur, avant de traverser le séjour d'un pas décidé pour regagner ses appartements.
Tisalver, quant à lui, rentra plus tard encore et, lorsque Seldon et Dors passèrent à table, il choisit un moment où son épouse était accaparée par des préparatifs de dernière minute pour le dîner et demanda à voix basse : « Cette personne est-elle venue ici?
– Et elle est repartie, dit Seldon, solennel. Votre femme était sortie. »
Tisalver hocha la tête. « Aurez-vous à recommencer?
– Je ne pense pas.
– Bien. »
Le dîner se passa quasiment en silence mais par la suite, quand la petite fille eut regagné sa chambre pour retrouver les plaisirs douteux de l'informatique, Seldon se carra sur son siège et dit : « Parlez-moi de Billibotton. »
Tisalver prit l'air ahuri et resta bouche bée. Son épouse, elle, ne se laissait pas si facilement déstabiliser.

« Est-ce donc là-bas que vit votre nouvel ami? lança-t-elle. Vous comptez lui rendre visite à votre tour?

– Jusqu'ici, remarqua tranquillement Seldon, je me renseigne simplement sur Billibotton.

– C'est un quartier de taudis, répondit sèchement Casilia. Où vivent les épaves. Personne n'y va, hormis les rebuts qui s'y sont installés.

– J'ai cru comprendre que Mère Rittah y habitait.

– Jamais entendu parler », dit Casilia avant de pincer les lèvres. Il était tout à fait évident qu'elle était décidée à ignorer même le nom d'un habitant de Billibotton.

Jetant un regard gêné à son épouse, Tisalver avoua : « J'ai déjà entendu parler d'elle. C'est une vieille folle qui passe pour dire la bonne aventure.

– Et elle vit à Billibotton?

– Je n'en sais rien, Maître Seldon. Je ne l'ai jamais vue. On en parle parfois, au journal holovisé, quand elle fait ses prédictions.

– Se réalisent-elles? »

Tisalver renifla. « Les prédictions se réalisent-elles jamais? Les siennes ne tiennent même pas debout.

– Lui arrive-t-il de parler de la Terre?

– Je n'en sais rien. Mais ça ne me surprendrait pas.

– La Terre ne semble pas vous intriguer. Vous savez quelque chose à ce sujet? »

Cette fois, ce fut au tour de Tisalver de paraître surpris. « Évidemment, Maître Seldon. C'est le monde dont nous sommes tous originaires... à ce qu'on dit.

– A ce qu'on dit? Vous n'y croyez pas?

– Moi? Je suis instruit. Mais beaucoup d'ignorants le croient.

– Y a-t-il des vidéo-livres à propos de la Terre?

– Les contes pour enfants l'évoquent parfois. Je me souviens, quand j'étais petit, mon histoire préférée commençait par : “ Il était une fois, sur Terre, quand la Terre était la seule planète... ” Tu t'en souviens, Casilia? Tu l'aimais bien, toi aussi. »

Casilia haussa les épaules, sans daigner l'admettre.

« J'aimerais bien y jeter un coup d'œil, à l'occasion, dit Seldon, mais je veux parler de *véritables* vidéo-livres... enfin, des sources savantes... des films... ou des imprimés...

– Je n'en ai jamais entendu parler, mais enfin, la bibliothèque...

– J'essaierai de ce côté... Y a-t-il un tabou quelconque concernant la Terre?

– C'est quoi, un tabou?

– Eh bien, existe-t-il une tradition bien ancrée exigeant que les gens ne parlent pas de la Terre ou que les étrangers ne posent pas de questions à son sujet? »

Tisalver eut l'air si sincèrement étonné qu'il parut inutile d'attendre une réponse.

Dors intervint : « Y a-t-il une règle qui interdise aux étrangers de se rendre à Billibotton? »

Cette fois Tisalver devint sérieux : « Il n'y a pas de règle mais ce n'est pas une bonne idée. En tout cas, je n'irai certainement pas.

– Pourquoi? insista Dors.

– Parce que c'est un endroit dangereux. Violent! Tout le monde est armé. – Je veux dire qu'à Dahl tout le monde porte une arme, mais qu'à Billibotton ils s'en servent. Restez plutôt dans le quartier, c'est plus sûr.

– Jusqu'à présent, intervint Casilia, sinistre. Il vaudrait encore mieux qu'on quitte définitivement cet endroit. On voit des puisatiers partout, ces temps-ci », ajouta-t-elle avec un nouveau regard dédaigneux en direction de Seldon.

« Vous venez de dire qu'à Dahl tout le monde est armé? Il y a pourtant des lois impériales strictes contre le port d'arme.

– Je le sais, répondit Tisalver, et vous ne trouverez pas ici de paralysants, de percuteurs, de sondes psychiques et autres armes de ce genre. Mais il y a des couteaux. » Il eut l'air gêné.

« En portez-vous un, Tisalver? s'enquit Dors.

– Moi? » Il parut sincèrement horrifié. « Je suis un homme paisible et nous sommes dans un quartier tranquille.

– Nous en avons deux à la maison, intervint Casilia. Nous ne sommes pas si sûrs que le quartier soit tranquille.

– Tout le monde porte un couteau? demanda Dors.

– Quasiment, Maîtresse Venabili, répondit Tisalver. C'est une tradition. Ça ne veut pas dire que tout le monde s'en serve.

– Mais on s'en sert à Billibotton, je suppose.

– Quelquefois. Quand ils sont excités, ils se bagarrent.

– Et le gouvernement laisse faire? Le gouvernement impérial, j'entends.

– Parfois, ils viennent nettoyer Billibotton, mais les couteaux sont faciles à dissimuler et la tradition pèse lourd. En outre, ce sont presque toujours des Dahlites qui se font tuer et je ne crois pas que le gouvernement impérial voie ça d'un si mauvais œil.

– Et si c'est un étranger qui se fait tuer?

– Si ça se savait, les Impériaux pourraient le prendre très mal. Mais voilà, en général, personne n'a rien vu et personne ne sait rien. Les Impériaux interpellent les gens, par principe, mais ils ne peuvent jamais rien prouver. Je suppose qu'ils concluent que c'est la faute de l'étranger s'il s'est trouvé là... Alors, n'allez pas à Billibotton, même si vous avez un couteau. »

Seldon hocha la tête, irrité. « Je ne me risquerais pas à porter un couteau. Je ne saurais pas m'en servir. Pas assez adroitement.

– Alors, c'est simple, Maître Seldon. Évitez cet endroit. » Tisalver hocha la tête avec emphase. « Évitez-le complètement.

– Ça risque de ne pas être possible », insista Seldon.

Dors le fusilla du regard, visiblement contrariée, puis se retourna vers Tisalver : « Où peut-on se procurer un couteau? Pouvez-vous nous en prêter un? »

Casilia intervint aussitôt : « Un couteau ne se prête pas. Vous devez acheter le vôtre.

– On trouve des marchands de couteaux à tous les coins de rue, précisa Tisalver. Normalement, il ne devrait pas y en avoir. Les armes blanches sont illégales, vous comprenez. Mais on en trouve chez n'importe quel marchand d'électro-ménager. Si vous voyez une machine à laver en vitrine, c'est un signe qui ne trompe pas.
– Comment va-t-on à Billibotton? demanda Seldon.
– Par le Réseau express. » Tisalver parut soudain dubitatif en remarquant l'expression soucieuse de Dors.
« Et une fois que nous sommes à la station?
– Prenez la direction de l'est et suivez les panneaux. Mais si vous devez absolument vous y rendre, Maître Seldon... » Tisalver hésita, puis se lança : « ... n'emmenez pas Maîtresse Venabili. Les femmes, parfois, subissent un sort... pire.
– Elle ne viendra pas, dit Seldon.
– J'ai bien peur que si », répondit Dors avec une tranquille assurance.

68

La moustache du marchand d'électro-ménager était aussi fournie qu'au temps de sa jeunesse, mais elle était devenue grise alors que ses cheveux étaient toujours noirs. Il l'effleura, par pure habitude, en lorgnant Dors, puis la lissa de chaque côté.
Il observa : « Vous n'êtes pas une Dahlite.
– Non, mais je veux quand même un couteau.
– Il est illégal de vendre des couteaux.
– Je ne suis ni agent de police ni fonctionnaire du gouvernement. Je dois me rendre à Billibotton. »
Il la dévisagea, pensif : « Seule?
– Avec mon ami. » Du pouce, elle indiqua Seldon qui attendait dehors, l'air mécontent.
« Vous l'achetez pour lui? » Il jeta un coup d'œil à l'intéressé et son opinion fut vite faite : « C'est un étranger. Il n'a qu'à rentrer et l'acheter lui-même.
– Ce n'est pas non plus un fonctionnaire gouvernemental. Et le couteau est pour moi. »
Le marchand hocha la tête. « Ils sont fous, ces étrangers. Mais enfin, si vous tenez à dépenser vos crédits, je veux bien vous en soulager. » Il passa la main sous le comptoir, en sortit un objet trapu, le manipula avec adresse, et la lame apparut.
« C'est le plus gros que vous ayez?
– Ce qu'il y a de meilleur comme couteau de dame.
– Montrez-moi un modèle pour homme.
– Ce ne serait pas pour vous. Trop lourd. Vous savez vous en servir?
– J'apprendrai et ce n'est pas le poids qui m'inquiète. Montrez-m'en un. »

Sourire du marchand. « Eh bien, si vous voulez en avoir un... » Il plongea plus bas sous le comptoir et émergea avec un manche bien plus épais. Il en fit tourner l'extrémité et, cette fois, ce fut une véritable lame de boucher qui apparut.

Il lui tendit le couteau, le manche le premier, sans se départir de son sourire.

« Montrez-moi votre tour de main. »

Il prit un second poignard, le tourna au ralenti pour faire sortir la lame, puis dans le sens opposé pour la replier. « Vous tournez en serrant.

– Encore une fois, s'il vous plaît. »

Le commerçant s'exécuta.

« Parfait, dit Dors. Fermez-le et lancez-le-moi par le manche. »

Ce qu'il fit, avec un mouvement lent.

Elle le saisit, le lui rendit : « Plus vite. »

Il haussa un sourcil et cette fois, sans prévenir, feinta par la gauche. Elle ne chercha pas à lever la main droite mais saisit le manche de l'autre main et la lame apparut aussitôt, tumescente, puis s'évanouit. Le marchand en resta bouche bée.

« C'est le plus grand que vous ayez?

– Oui. Et si vous essayez de vous en servir, vous vous épuiserez, c'est tout.

– Je reprendrai mon souffle. Et je vais vous en acheter un second.

– Pour votre ami?

– Non. Toujours pour moi.

– Vous comptez vous servir de *deux* couteaux?

– J'ai bien deux mains. »

Soupir du vendeur. « Maîtresse, je vous en conjure, évitez d'aller à Billibotton. Vous ne savez pas ce qu'on y fait subir aux femmes.

– Je peux deviner. Comment fais-je pour les passer à ma ceinture?

– Pas à celle que vous portez. Ce n'est pas une ceinture à couteau. Mais je peux vous en vendre une.

– Une pour deux couteaux?

– Je dois bien en avoir une double quelque part. Ce n'est pas un article très demandé.

– Je vous le demande.

– Je risque de ne pas avoir votre taille.

– Eh bien, on n'aura qu'à la retailler...

– Ça va vous coûter un paquet.

– Ma plaque couvrira la dépense. »

Quand enfin elle émergea de la boutique, Seldon remarqua avec aigreur : « Vous avez l'air ridicule avec cet énorme ceinturon.

– Vraiment, Hari? Trop ridicule pour vous accompagner à Billibotton? Alors, rentrons ensemble à l'appartement.

– Non. J'irai tout seul. Ce sera plus sûr.

– Inutile d'user votre salive, Hari. On y va ensemble, ou on rentre ensemble. On ne se sépare sous aucun prétexte. »

Quelque part, l'assurance dans ses yeux bleus, la détermination du pli de ses lèvres, sa façon de glisser les mains dans son ceinturon convainquirent Seldon qu'elle ne plaisantait pas.

« Très bien, lui dit-il. Mais si vous y survivez et si jamais je revois Hummin, mon prix pour poursuivre mes travaux sur la psychohistoire sera, malgré toute l'estime que j'ai pour vous, qu'il vous retire votre mission. Vous m'entendez? »

Soudain, Dors sourit : « Laissez tomber. Inutile de jouer au preux chevalier avec moi. *Rien* ne peut me retirer ma mission. Est-ce que *vous* comprenez? »

69

Ils descendirent de l'Express quand le tableau d'affichage lumineux annonça : BILLIBOTTON. Comme un présage de ce qui les attendait, le second I, maculé, n'était plus qu'une tache de lumière tamisée.

Ils descendirent de voiture pour gagner le quai. C'était le début de l'après-midi et, à première vue, Billibotton ressemblait beaucoup au quartier qu'ils venaient de quitter.

Une odeur tenace empuantissait toutefois l'atmosphère et le sol était jonché d'ordures. Manifestement, les balayeuses automatiques ne fréquentaient pas le secteur.

La galerie avait un aspect tout à fait ordinaire, mais l'ambiance y était lourde, aussi tendue qu'un ressort trop bandé.

Peut-être étaient-ce les gens. Il semblait y avoir autant de piétons que partout ailleurs, mais ils n'avaient pas la même allure. Les passants étaient ordinairement pressés, affairés, absorbés et, dans les innombrables foules des innombrables rues de Trantor, ils ne pouvaient survivre – psychologiquement – qu'en s'ignorant mutuellement. Regards fuyants. Cerveaux fermés. Il régnait une intimité artificielle, chaque individu tissant un cocon protecteur pour s'y enfermer. Parfois, à l'inverse, c'étaient les démonstrations d'amitié ritualisées de la promenade vespérale dans les quartiers où la chose avait cours.

Mais ici, à Billibotton, il n'y avait ni amitié, ni neutralité, ni distance. Du moins, à l'égard des étrangers. Tous les passants qu'ils doublaient ou croisaient se retournaient pour les fixer. Chaque paire d'yeux s'attachait aux deux intrus comme par un lien invisible et les suivait avec malveillance.

Les Billibottains étaient vêtus pour la plupart d'habits tachés, usés, déchirés. Ils étaient recouverts d'une patine de crasse et de pauvreté, au point que Seldon se sentait mal à l'aise dans ses habits nets et neufs.

« A votre avis, où peut bien habiter la Mère Rittah? demanda-t-il à Dors.

– Je n'en sais rien. C'est vous qui nous avez amenés ici, à vous de chercher. J'ai bien l'intention de me cantonner dans ma tâche de garde du corps, et j'ai dans l'idée que je n'aurai pas le temps de m'ennuyer.

– J'imaginais, dit Seldon, qu'il suffirait de demander à n'importe quel passant mais, je ne sais pourquoi, j'hésite à le faire...

– Je ne vous le reproche pas. Je ne crois pas que vous trouviez un seul volontaire pour voler à votre secours.

– Alors, il y a toujours les enfants. » Il lui en indiqua un, d'un rapide geste de la main. Un garçon d'une douzaine d'années peut-être – en tout cas, assez jeune pour ne pas arborer la moustache réglementaire de tous les adultes mâles – venait de s'immobiliser pour les dévisager tout à son aise.

« Vous espérez qu'un garçon de cet âge n'aura pas encore pleinement développé l'hostilité des autochtones envers les étrangers?

– J'espère au moins qu'il n'est pas encore assez grand pour avoir pleinement développé le penchant billibottain pour la violence. Si nous approchons, il risque de détaler et de nous injurier à distance respectable, mais je doute qu'il nous attaque. »

Puis il éleva la voix : « Petit... »

Le garçon recula d'un pas, sans cesser de les fixer.

« Allons, viens par ici, continua Seldon en joignant le geste à la parole.

– Pourquoi faire, mec? dit le garçon.

– Pour te demander un renseignement. Et approche donc, ça m'évitera de crier. »

Le garçon avança de deux pas. Il avait le visage crasseux mais ses yeux étaient vifs et brillants. Ses sandales étaient dépareillées et son pantalon portait une grosse pièce au genou. « Quel genre de renseignement?

– Nous essayons de trouver la Mère Rittah. »

Le garçon battit des paupières. « Pourquoi, mec?

– Je suis un chercheur. Sais-tu ce qu'est un chercheur?

– T'es allé à l'école?

– Oui. Pas toi? »

Le garçon cracha par terre, méprisant. « Nân.

– J'aimerais demander conseil à la Mère Rittah – si tu veux bien me conduire jusque chez elle.

– Tu veux savoir ton av'nir? Tu t' radines à Billibotton, mec, avec tes jolies fringues, et c'est moi qui vais t' le dire, ton av'nir. Ça s'ra pas terrible...

– Comment t'appelles-tu, petit?

– Ça t' regarde?

– C'est juste pour pouvoir parler de manière plus amicale. Et pour que tu puisses me conduire chez la Mère Rittah. Sais-tu où elle habite?

– P'têt' que oui, p'têt' que non. J' m'appelle Raych. Qu'est-ce tu m' donnes si j' t'y conduis?

– Qu'est-ce qui te ferait plaisir, Raych? »

Les yeux du garçon s'attardèrent à la ceinture de Dors. « Madame a deux surins. Tu m'en files un et j' t'amène chez la Mère Rittah.

– Ce sont des couteaux d'adulte, Raych. Tu es trop jeune.

– Alors, j' suppose que j' suis trop jeune pour savoir où crèche la Mère Rittah. » Et il lui lança un regard matois sous la frange crasseuse qui lui dissimulait les yeux.

Seldon commençait à se sentir mal à l'aise. Ils risquaient d'attirer l'attention. Plusieurs hommes déjà s'étaient attardés, mais ils avaient poursuivi leur route, rien d'intéressant ne semblant se passer. Mais si le garçon se mettait en colère et laissait échapper une parole ou un geste inconsidéré, les gens s'attrouperaient immanquablement.

Il sourit et demanda : « Est-ce que tu sais lire, Raych? »

L'intéressé cracha de nouveau. « Nân? Pour quoi faire?

– Sais-tu te servir d'un ordinateur?

– Parlant? Bien sûr. Tout l' monde sait.

– Bien, alors je vais te dire une chose. Tu me conduis à la première boutique d'informatique et je t'achète un micro-portable, pour toi tout seul, avec le programme pour t'apprendre à lire. Quelques semaines dessus, et tu sauras lire comme un chef. »

Seldon eut l'impression de voir pétiller ses yeux à cette idée mais – si ce fut le cas – le regard du garçon se durcit aussitôt. « Nân. Le surin ou rien.

– C'est ça, l'astuce, Raych : tu apprends à lire mais tu n'en dis rien à personne et tu peux ainsi surprendre les gens. Au bout d'un moment, tu peux leur parier que tu sais lire. Mettons cinq crédits. Tu pourras gagner pas mal d'argent comme ça et t'acheter le couteau que tu veux. »

Le garçon hésita. « Nân. Personne voudra parier avec moi. D'abord, personne a de fric.

– Si tu sais lire, tu pourras décrocher une place chez un marchand de couteaux, tu pourras économiser sur ton salaire et te payer un couteau avec une bonne remise. Qu'est-ce que t'en dis?

– Quand est-ce' tu m'achètes le portable qui parle?

– Tout de suite. Je te le donnerai dès que j'aurai vu la Mère Rittah.

– T'as des crédits?

– J'ai une plaque de crédit.

– Alors achète donc voir le portable. »

La transaction fut rondement menée. Cependant, quand le garçon voulut s'emparer de la machine, Seldon hocha la tête et la glissa dans son sac. « Il faut d'abord que tu me conduises chez la Mère Rittah, Raych. Es-tu sûr de savoir où la trouver? »

Raych se permit un rictus méprisant. « Un peu, tiens. J' t'y conduis, seulement t'as intérêt à me filer le portable dès qu'on y s'ra, sinon, toi et la p'tite dame, j' vous envoie quelques potes à moi... Alors z'avez intérêt à faire gaffe.

– Tu n'as pas besoin de nous menacer, dit Seldon. Nous remplirons notre part du contrat. »

Raych les guida d'un pas rapide, ignorant les regards curieux.

Seldon reste silencieux durant le trajet, tout comme Dors. Celle-ci, toutefois, n'était pas perdue dans ses pensées; elle restait en permanence sur ses gardes et soutenait sans ciller le regard des passants qui les dévisageaient et se retournaient sur eux. A l'occasion, quand elle entendait des pas derrière elle, elle se retournait, l'air mauvais.

Puis Raych s'immobilisa et leur annonça : « C'est là-d'dans. Elle est pas à la rue, v's savez. »

Ils le suivirent dans un groupe d'immeubles et Seldon, malgré ses efforts pour repérer le trajet afin de retrouver son chemin par la suite, eut tôt fait d'être complètement perdu.

« Comment fais-tu pour t'y retrouver dans tous ces passages, Raych? »

Le garçon haussa les épaules. « J' zone dans l' secteur depuis qu' j' suis tout môme. En plus, les appart's sont numérotés – quand les plaques sont nazes – et pis y' a des flèches et tout ça. On peut pas s'perdre quand on connaît son affaire. »

Raych connaissait son affaire, apparemment, et ils s'enfoncèrent plus avant dans le dédale. Partout régnait une atmosphère de totale décrépitude : débris à l'abandon, occupants furtifs, manifestement furieux de cette invasion par des étrangers. Des bandes de jeunes abandonnés à eux-mêmes couraient dans les passages, occupés à leurs jeux ou à autre chose. Certains leur crièrent : « Eh, barrez-vous! » quand leur ballon manqua Dors de peu.

Finalement, Raych s'immobilisa devant une porte au panneau sombre et fendillé, sur laquelle le chiffre 2782 luisait faiblement.

« C'est là », leur annonça-t-il et il tendit la main.

« D'abord, vérifions qui est à l'intérieur », dit doucement Seldon. Il pressa le bouton de la sonnette et rien ne se passa.

« A' marche pas. Faut qu' tu frappes. Fort. A l'est un peu sourde. »

Seldon martela du poing sur la porte et en fut récompensé par un bruit à l'intérieur. Une voix perçante s'écria : « Qui c'est qui cherche la Mère Rittah?

– Deux universitaires! » lança Seldon.

Il lança le micro portable avec son petit paquet de logiciels à Raych, qui intercepta le colis, sourit et détala au pas de course. Seldon se retourna juste à temps pour voir la porte s'ouvrir, révélant la Mère Rittah.

70

Mère Rittah avait peut-être soixante-dix ans bien sonnés, mais son visage, à première vue, semblait démentir cet âge : des joues bien remplies, la bouche petite, un léger double menton, rond et grassouillet. Elle était toute petite – moins d'un mètre cinquante – avec un corps épais.

Mais elle avait de minces rides au coin des yeux et quand elle souriait, comme elle le faisait en les voyant, d'autres rides plissaient tout son visage. Et elle se mouvait avec difficulté.

« Entrez, entrez », leur dit-elle d'une petite voix haut perchée, écarquillant les yeux comme si elle avait des problèmes de vue. « Des étrangers... des Exos même. Je me trompe? Vous m'avez pas l'air d'avoir l'odeur de Trantor. »

Seldon aurait préféré qu'elle s'abstienne de parler d'odeur. L'appartement, surchargé, encombré de babioles ternes et poussiéreuses, était imprégné de senteurs de nourriture à la limite du rance. L'air était si épais et poisseux que ses vêtements, c'était sûr, sentiraient encore après leur départ.

« Vous avez tout à fait raison, Mère Rittah. Je suis Hari Seldon, d'Hélicon. Et voici mon amie Dors Venabili, de Cinna.

– Eh bien », fit-elle, en cherchant un coin de sol dégagé pour les faire asseoir, mais en vain.

« Nous aimons autant rester debout, Mère, dit Dors.

– Quoi? » Elle releva la tête. « Il faut me parler plus fort, mon enfant. Mes oreilles ne sont plus ce qu'elles étaient quand j'avais votre âge.

– Pourquoi n'achetez-vous pas un appareil? demanda Seldon en élevant la voix.

– Ça ne servirait à rien, Maître Seldon. C'est le nerf qui ne va pas et je n'ai pas l'argent pour une greffe. – Vous êtes venu pour que Mère Rittah vous dise l'avenir?

– Pas tout à fait, dit Seldon. Je suis venu pour que vous me parliez du passé.

– A la bonne heure. C'est une telle corvée de deviner ce que les gens ont envie d'entendre.

– Ce doit être tout un art, remarqua Dors en souriant.

– Ça a l'air facile, mais il faut être convaincant juste comme il faut. Je ne vole pas mes honoraires.

– Si vous avez une prise de crédit, nous sommes prêts à vous verser une somme raisonnable à condition que vous nous parliez de la Terre – que vous évitiez d'arranger habilement votre histoire pour la faire correspondre à ce que nous voudrions entendre. Ce que nous voulons entendre, c'est la vérité. »

La vieille, qui tournait dans la pièce en traînant les pieds, déplaçant tel ou tel objet comme si elle avait voulu rendre les lieux plus présentables pour d'importants visiteurs, s'immobilisa soudain. « Qu'est-ce que vous voulez savoir sur la Terre?

– Qu'est-ce que c'est, pour commencer. »

La vieille femme se retourna, le regard apparemment perdu dans le vide. Quand elle parla, ce fut d'une voix grave et basse.

« C'est un monde, une très vieille planète. Oubliée et perdue. »

Dors intervint : « Qui ne fait pas partie de l'histoire, nous savons déjà cela.

– Elle vient d'avant l'histoire, mon enfant, dit Mère Rittah, solennelle. Elle existait à l'aube de la Galaxie, et avant son aube même. C'était le seul monde ayant une humanité. » Elle hocha vigoureusement la tête.

Seldon intervint : « Avait-elle pour autre nom... Aurora? »

Cette fois, un pli soucieux barra le visage de Mère Rittah. « Où avez-vous entendu cela?

– Durant mes pérégrinations. J'ai entendu parler d'un vieux monde oublié, du nom d'Aurora, où l'humanité vivait dans la paix primordiale.

– C'est un *mensonge.* » Elle s'essuya la bouche comme pour ôter le goût de ce qu'elle venait de dire. « Le nom que vous venez de mentionner ne doit *jamais* être prononcé sinon pour qualifier le lieu du Mal. Ce fut le commencement du Mal. La Terre était seule jusqu'à ce que vienne le Mal, accompagné de ses planètes sœurs. Le Mal a bien failli détruire la Terre mais la Terre s'est unie et l'a détruit – avec l'aide des héros.

– La Terre existait *avant* ce Mal? En êtes-vous sûre?

– Bien avant. La Terre a été seule dans la Galaxie durant des milliers d'années – des *millions* d'années.

– Des millions d'années? L'humanité aurait existé durant des millions d'années sans personne d'autre sur aucun autre monde?

– Absolument. C'est la vérité. La vérité. La vé-ri-té.

– Mais comment savez-vous tout cela? Est-ce sur un fichier d'ordinateur? Sur une sortie d'imprimante? Avez-vous un document à me donner à lire? »

La Mère Rittah hocha la tête. « J'ai entendu les vieilles histoires par ma mère, qui les tenait de la sienne, et ainsi de suite. Je n'ai pas d'enfants, alors je raconte les histoires aux autres, mais ça risque de s'arrêter là. Nous vivons une époque d'incrédulité.

– Pas vraiment, Mère, intervint Dors. Il y a des gens qui étudient les temps préhistoriques et qui analysent certains des récits sur les mondes perdus. »

Mère Rittah agita le bras comme pour effacer cette remarque. « Ils regardent ça d'un œil froid. Un œil de scientifique. Ils essaient de tout faire cadrer avec leurs théories. Je pourrais vous parler un an durant du grand héros Ba-Lee, mais vous n'auriez pas le temps d'écouter et je n'ai plus la force de vous raconter.

– Avez-vous déjà entendu parler des robots? » demanda Seldon.

La vieille tressaillit et c'est presque en criant qu'elle s'exclama : « *Mais pourquoi demandez-vous des choses pareilles?* C'étaient des êtres humains artificiels, mauvais par nature, l'œuvre des mondes du Mal. Ils ont été détruits et l'on ne devrait jamais les évoquer.

– Il y avait un robot bien particulier, n'est-ce pas, un robot qui était haï par les mondes du Mal? »

La Mère Rittah trottina vers Seldon pour venir le regarder sous le nez. Il sentit son haleine tiède sur son visage. « Êtes-vous venu pour vous moquer de moi? Vous savez toutes ces choses et vous posez quand même la question? Pourquoi?

– Parce que je veux savoir.

– Il y a un être humain artificiel qui a aidé la Terre. C'était Da-Nee, l'ami de Ba-Lee. Il n'est jamais mort et survit quelque part, attendant son heure. Nul ne sait quand cette heure arrivera, mais un jour, il reviendra pour restaurer l'ordre ancien, mettre fin à la cruauté, à l'injustice et à la misère. C'est la promesse. » Sur quoi elle ferma les yeux et sourit, comme si elle se souvenait...

Seldon attendit quelques instants en silence puis il soupira et dit : « Merci, Mère Rittah. Vous nous avez été d'un grand secours. Quel est votre tarif?

– C'est un tel plaisir de rencontrer des Exos, répondit la vieille. Dix crédits. Puis-je vous offrir un rafraîchissement?

– Non, merci, s'empressa de répondre Seldon. Mais acceptez ces vingt crédits. Dites-nous plutôt comment regagner l'Express en partant d'ici – et, Mère Rittah, si vous pouvez faire en sorte de reporter sur disquette d'ordinateur une partie de vos récits à propos de la Terre, je vous paierai une bonne somme.

– J'aurai besoin de toutes mes forces... De quel ordre, la somme?

– Tout dépend de la longueur du récit et de la qualité de la narration. Mais enfin, je pourrais aller jusqu'à mille crédits. »

La Mère Rittah s'humecta les lèvres. « Mille crédits? Mais comment ferai-je pour vous retrouver, une fois le récit terminé?

– Je vais vous donner le code télématique où l'on peut me joindre. »

Cela fait, Dors et Seldon quittèrent la Mère Rittah, accueillant avec soulagement l'odeur quasiment propre, en comparaison, qui régnait dans la galerie. Ils partirent sans traîner dans la direction que leur avait indiquée la vieille.

71

« L'entretien n'a pas été bien long, Hari, remarqua Dors.

– Je sais. Les lieux étaient loin d'être agréables et j'ai estimé que j'en avais appris assez. Étonnant, comme ces contes tendent à l'amplification.

– L'amplification? Que voulez-vous dire?

– Eh bien, les Mycogéniens remplissent leur Aurora d'humains qui vivaient des siècles et les Dahlites remplissent leur Terre d'une humanité qui aurait vécu des millions d'années. Les uns et les autres parlent d'un robot immortel. Malgré tout, ça donne à réfléchir.

– Avec tous ces millions d'années, il y a de quoi... A propos, où allons-nous?

– La Mère Rittah a dit d'aller dans cette direction jusqu'à une aire de repos, puis de suivre les panneaux indiquant ALLÉE CENTRALE sur notre gauche. Avions-nous passé une aire de repos, à l'aller?

– On suit peut-être un autre chemin. Je ne me souviens pas, mais je ne faisais pas attention à l'itinéraire. J'avais l'œil sur les gens qu'on croisait et... »

Sa voix s'éteignit. Devant eux, la galerie s'épanouissait de part et d'autre.

Seldon se souvint : ils étaient effectivement passés par là. Il y avait deux matelas crasseux posés au sol de chaque côté.

Mais cette fois, à la différence du trajet aller, Dors n'avait pas besoin de surveiller les passants : il n'y avait pas un chat. Mais un peu plus loin, sur l'aire de détente, ils avisèrent un groupe d'individus, plutôt grands pour des Dahlites, la moustache avantageuse, leurs biceps nus et musclés luisant sous l'éclairage jaunâtre de la galerie.

A l'évidence, ils attendaient les Exos et, presque machinalement, Dors et Seldon s'immobilisèrent. Une ou deux secondes, la scène demeura figée. Puis Seldon regarda hâtivement derrière lui. Deux ou trois individus supplémentaires venaient de faire leur apparition.

Seldon remarqua entre ses dents : « Nous sommes pris au piège. Je n'aurais pas dû vous laisser venir, Dors.

– Au contraire. C'est bien pour ça que je suis ici, mais était-il bien utile d'aller voir la Mère Rittah?

– Si on s'en sort, absolument. »

Puis, à voix haute et ferme, Seldon lança : « Pouvons-nous passer? »

L'un des hommes s'avança. Il faisait largement le mètre soixante-treize de Seldon mais était plus large d'épaules et bien plus musclé. Avec un soupçon d'embonpoint toutefois, nota Seldon.

« Je suis Marron », dit-il avec une certaine suffisance, comme si ce nom avait un sens évident, « et je suis venu pour vous dire que par ici, on aime pas beaucoup les Exos. Vous avez voulu venir, très bien... mais si vous voulez repartir, va falloir payer.

– Parfait. Combien?

– Tout ce que vous avez. Vous autres Exos, vous avez des plaques de crédit, non? Z'avez qu'à nous les refiler.

– Non.

– Pas besoin de dire non. On va les prendre, c'est tout.

– Pour les prendre, il faudra me tuer ou me blesser et elles ne fonctionneront qu'avec mon empreinte vocale. Mon empreinte vocale *normale*.

– Pas du tout, Maître – vous voyez, je suis poli –, on peut vous les prendre sans vous faire *trop* de bobo.

– Et pour ça, il en faudra combien, des malabars comme vous? Neuf? (Seldon compta rapidement.) Non, dix.

– Rien qu'un. Moi.

– Sans aide?

– Moi seul.

– Si vos amis veulent bien s'écarter et nous dégager la place, j'aimerais bien vous voir essayer, Marron.

– Vous n'avez pas de couteau, Maître. Vous en voulez un?

– Non. Servez-vous du vôtre pour que le combat soit égal. Je me battrai sans ça. »

Marron regarda les autres et remarqua : « Eh, y' s' pose là, c't avorton. Même pas l'air d'avoir la trouille. Sympa, le mec. Ça s'rait une honte de l'amocher... Savez quoi, Maître? Je vais m'occuper de la fille. Si vous voulez que j'arrête, passez-moi votre plaque de crédit et la sienne et donnez de la voix pour les activer. Sinon, quand j'en aurai fini avec la nana... et ça peut prendre du temps (il rit), il faudra que je m'occupe de vous.

– Non, dit Seldon. Laissez-la. Je vous ai défié en combat égal, d'homme à homme, vous avec un couteau, moi sans. Si vous voulez l'avantage, je veux bien me battre contre deux d'entre vous, mais laissez partir la femme.

– Arrêtez, Hari! intervint Dors. Si c'est moi qu'il veut, qu'il vienne me chercher. Vous, restez où vous êtes, sans bouger.

– Z'avez entendu? dit Marron, avec un grand sourire. " Vous restez où vous êtes, Hari, sans bouger. " Je crois que la p'tite dame a envie de moi. Vous deux, faites-le tenir tranquille. »

Seldon se retrouva les deux bras pris dans une poigne de fer tandis qu'il sentait dans son dos la pointe acérée d'un couteau.

« Bouge pas, lui cria à l'oreille une voix rauque, et tu peux toujours regarder. La fille va probablement aimer ça. Marron sait y faire.

– Ne bougez pas, Hari! » répéta Dors. Elle se tourna pour surveiller attentivement Marron, les deux mains à demi fermées tout près de sa ceinture.

Il approchait d'elle, l'air résolu, tandis qu'elle attendait qu'il fût à bonne portée. Soudain, un brusque mouvement des bras, et Marron se retrouva face à deux lames de bonne taille.

Il eut un bref mouvement de recul puis éclata de rire. « La p'tite dame a deux couteaux – des couteaux comme les grands garçons. Et moi, j'en ai qu'un. Mais c'est de bonne guerre. » Sa lame fut rapidement dégainée. « Ça m'embêterait de devoir la poinçonner, la p'tite dame, parce que ça risque d'être moins rigolo pour nous deux. Mais peut-être que je peux vous les confisquer?

– Je n'ai pas envie de vous tuer, lança Dors. Je vais faire tout mon possible pour l'éviter. Malgré tout, vos amis en sont témoins, si jamais je dois vous tuer, ce sera pour protéger mon ami, comme l'honneur m'y oblige. »

Marron fit semblant d'être terrifié. « Oh, je vous en supplie, me tuez pas, ma p'tite dame! » Puis il éclata de rire, suivi par les autres Dahlites présents.

Marron plongea, le couteau en avant, bien à côté de la cible. Il essaya une deuxième fois, une troisième, mais Dors resta immobile, ne cherchant pas à esquiver un coup qui n'était pas vraiment dirigé sur elle.

La mine de Marron s'assombrit. Il avait essayé de lui faire peur mais n'avait réussi qu'à paraître inefficace. Sa quatrième tentative la visa directement et, cette fois, la main gauche de Dors jaillit et le cueillit avec une force qui lui dévia le bras. Simultanément, la lame qu'elle tenait dans la main droite plongeait, entaillant en diagonale le T-shirt blanc de son adversaire. En dessous, un mince trait sanglant macula la peau hâlée.

Marron baissa les yeux, abasourdi, tandis que les témoins laissaient échapper un cri de surprise. Seldon sentit l'étreinte se desserrer légèrement; ses deux gardiens, pris au dépourvu, se laissaient distraire par un duel qui ne prenait pas la tournure escomptée. Il se raidit.

Mais voici que Marron plongeait à nouveau, cette fois en lançant la main gauche vers l'extérieur pour aggriper le poing droit de la jeune femme. A nouveau, celle-ci bloqua le coup de sa lame gauche, tandis que, d'un vif mouvement de la droite, elle esquivait la prise de Marron. La main de ce dernier se referma sur la lame et, lorsqu'il l'ouvrit, une ligne sanguinolente lui traversait la paume.

Dors recula d'un bond et Marron, soudain conscient du sang qui lui coulait sur la poitrine et dans la main, rugit d'une voix étranglée : « Qu'on me passe un autre couteau! »

Il y eut un moment d'hésitation puis l'un des spectateurs lui lança son poignard. Marron voulut le saisir mais Dors fut plus rapide. Sa lame de droite intercepta le couteau et l'envoya voltiger loin derrière.

Seldon sentit faiblir encore la prise sur ses bras. Il les leva soudain en poussant vers l'avant et se retrouva libre. Ses deux ravisseurs se tournèrent avec un cri mais il eut tôt fait d'expédier un genou dans le bas-ventre du premier et un coude dans le plexus du second : tous deux s'effondrèrent.

Il s'agenouilla pour récupérer leurs couteaux et se releva doublement armé, comme Dors. Contrairement à elle, il ne savait pas manier ces instruments mais il savait aussi que les Dahlites ne pouvaient guère s'en douter.

« Contentez-vous de les tenir en respect, Hari. N'attaquez pas encore... Marron, le prochain coup ne sera pas une estafilade. »

Écumant de rage, Marron chargea à l'aveuglette en poussant un rugissement incohérent, dans l'espoir de renverser son adversaire par la seule vertu de l'énergie cinétique. D'une esquive plongeante, Dors passa sous son bras droit et lui donna un coup de pied contre la cheville droite. L'homme s'effondra tandis que son couteau volait dans les airs.

Alors elle s'agenouilla, lui plaqua une lame derrière la nuque, une autre sur la gorge et dit : « Rends-toi! »

Avec un nouveau cri, Marron la frappa d'un bras, la repoussa et se releva tant bien que mal.

Il n'était pas encore debout qu'elle était sur lui et, abattant sa lame, lui sectionnait un bout de moustache. Cette fois, il poussa un glapissement de bête à l'agonie, la main plaquée sur le visage. Quand il la retira, le sang coulait.

Dors lui cria : « Elle ne repoussera plus, Marron. Un morceau de lèvre est parti avec. Tu m'attaques encore et je te transforme en viande froide. »

Elle attendit mais Marron avait eu son compte. Il recula, titubant et gémissant, laissant derrière lui un sillage sanguinolent.

Dors se tourna vers les autres. Les deux victimes de Seldon gisaient toujours à terre, désarmées, peu pressées de se relever. Elle se pencha, leur trancha la ceinture avec un de ses couteaux puis elle entailla le pantalon.

« Comme ça, il faudra que vous le teniez pour marcher. »

Elle fixa les sept autres, encore debout, qui la contemplaient avec une fascination empreinte de terreur. « Lequel d'entre vous a lancé le couteau ? »

Silence complet.

« Peu importe. Venez un par un ou tous ensemble, mais maintenant, à chaque coup que je porterai, quelqu'un mourra. »

Alors, comme un seul homme, les sept voyous firent demi-tour et détalèrent sans demander leur reste.

Dors haussa les sourcils et remarqua : « Cette fois, au moins, Hummin ne pourra pas me reprocher de n'avoir pas su vous protéger.

– Je n'arrive pas encore à y croire, répondit Seldon. Je ne vous savais pas capable de faire une chose pareille – ou de parler de la sorte. »

Dors se contenta de sourire. « Vous n'êtes pas non plus dénué de talents. On fait une bonne équipe, tous les deux. Tenez, repliez vos lames et mettez les couteaux dans votre sacoche. J'ai l'impression que la nouvelle va se répandre à toute vitesse et que nous allons pouvoir quitter Billibotton sans crainte d'être molestés. »

Elle n'avait pas tort.

Clandestins

DAVAN. – ... Dans les temps troublés qui marquèrent les derniers siècles du Premier Empire galactique, l'agitation provenait généralement des intrigues des chefs politiques et militaires pour obtenir le pouvoir « suprême » (suprématie de moins en moins significative à mesure que passaient les décennies). Il y a peu d'exemples de ce qu'on pourrait appeler un mouvement populaire avant l'avènement de la psychohistoire. A cet égard, un épisode fascinant met en scène Davan; on ne sait pas grand-chose de lui, à vrai dire, mais il semblerait qu'il ait rencontré Hari Seldon à l'époque où...

ENCYCLOPAEDIA GALACTICA

72

Hari Seldon et Dors Venabili avaient l'un et l'autre pris un long bain, profitant de l'installation pour le moins primitive mise à leur disposition dans l'appartement des Tisalver. Ils s'étaient changés et se trouvaient dans la chambre de Seldon quand le maître de maison rentra. Son signal à la porte fut (ou parut) bien timide. Le timbre ne retentit pas longtemps.

Seldon ouvrit la porte et lança plaisamment : « Bien le bonsoir, Maître Tisalver. Et Maîtresse. »

Celle-ci se tenait juste derrière son mari, le front plissé de rides perplexes.

Comme hésitant sur la conduite à tenir, Tisalver hasarda : « Vous allez bien, Maîtresse Venabili et vous? » Il hochait la tête, comme pour tenter de suggérer par la gestuelle une réponse affirmative.

« Tout à fait bien. Nous avons fait l'aller-retour à Billibotton sans aucun problème et nous nous sommes lavés et changés. Il ne reste aucune odeur. » Ce disant, Seldon haussa le menton, souriant, lançant cette dernière phrase par-dessus l'épaule de Tisalver, à l'adresse de son épouse.

Celle-ci renifla bruyamment, comme pour vérifier l'assertion.

Toujours aussi timide, Tisalver reprit : « J'ai cru comprendre qu'il y aurait eu une rixe? »

Seldon haussa les sourcils. « Pas possible?

– Oui. Vous et la Maîtresse, contre une centaine de voyous, nous a-t-on dit, et vous les auriez tous tués. C'est vrai? » Il y avait dans sa voix une note de respect voilé.

« Absolument pas, intervint Dors, soudain irritée. C'est ridicule. Pour qui nous prenez-vous? pour des professionnels du meurtre de masse? Et croyez-vous qu'une centaine de voyous resteraient gentiment plantés là, à patienter pendant le temps considérable qu'il me faudrait – qu'il nous faudrait – pour les tuer tous? Enfin, réfléchissez un peu...

– C'est ce qu'on dit, remarqua Casilia Tisalver, glaciale. Et nous ne voulons pas de ça sous notre toit.

– Primo, intervint Seldon, ça ne s'est pas passé sous votre toit. Secundo, il n'y avait pas cent hommes mais dix. Et tertio, personne n'a été tué. Il y a eu une légère altercation après laquelle ces gens sont partis, nous laissant la voie libre.

– Comme ça... Et vous espérez me faire croire une chose pareille, Exos? » s'indigna Maîtresse Tisalver d'un ton agressif.

Soupir de Seldon. A la moindre contrariété, les êtres humains semblaient se diviser en groupes antagonistes. « Bon, je vous concède que l'un d'eux s'est fait légèrement entailler. Rien de bien méchant.

– Et vous n'avez pas été blessé? » s'étonna Tisalver. Son admiration était encore plus perceptible.

« Pas la moindre égratignure. Maîtresse Venabili se débrouille à merveille avec deux couteaux.

– C'est ce que je constate, observa Maîtresse Tisalver, baissant les yeux vers le ceinturon de Dors, et je ne veux pas de ça chez moi.

– Pour autant que personne ne nous attaquera, vous n'aurez pas de ça chez vous, répondit Dors, très ferme.

– Oui mais, à cause de vous, nous avons toute une racaille à notre porte.

– Mon amour, intervint son mari, apaisant, ne fâchons pas nos...

– Et pourquoi? cracha-t-elle avec mépris. Ses couteaux te font peur? Il ferait beau voir qu'elle s'en serve.

– Je n'ai aucune intention de m'en servir ici, rétorqua Dors en reniflant aussi fort que son interlocutrice. De quelle racaille parlez-vous?

– Ce que veut dire mon épouse, c'est qu'un garnement de Billibotton – du moins, à en juger par son apparence – désire vous voir et que nous ne sommes pas accoutumés à ce genre de choses dans le quartier. Cela nuit à notre standing. » Cela dit sur un ton d'excuse.

« Eh bien, Maître Tisalver, dit Seldon, nous allons sortir, voir de quoi il retourne et renvoyer ce garçon à ses affaires dès que...

– Non, attendez, coupa Dors exaspérée. Nous sommes dans nos appartements. Nous avons payé pour cela. C'est à nous de décider qui nous rend ou non visite. S'il y a dehors un jeune homme de Billibotton, c'est tout de même un Dahlite. Plus important, c'est un Trantorien. Plus important encore, c'est un citoyen de l'Empire et un être humain. Et surtout, en demandant à nous voir, il devient notre hôte. Par conséquent, nous l'invitons à entrer. »

Maîtresse Tisalver ne bougea pas. Son mari lui-même parut hésiter.

Dors insista : « Puisque vous dites que nous avons tué une centaine de brigands à Billibotton, vous n'allez sûrement pas croire que c'est un garçon ou même deux qui me feraient peur. » Sa main droite tomba négligemment à sa ceinture.

Tisalver intervint avec une soudaine énergie : « Maîtresse Venabili, loin de nous l'intention de vous offenser. Bien entendu, ces chambres sont à vous et vous pouvez y recevoir qui bon vous semble. » Il battit en retraite, entraînant sa femme, après ce brusque éclat – une marque de résolution qu'il allait sans doute payer cher.

Dors les regarda sans ciller.

Seldon sourit sèchement. « Voilà qui ne vous ressemble guère, Dors. Moi qui me croyais un Don Quichotte prompt à foncer tête baissée dans les ennuis tandis que vous étiez la personne calme et posée dont le seul but était de m'éviter les problèmes! »

Dors hocha la tête. « Je ne peux pas supporter d'entendre parler avec mépris d'un être humain rien que pour son appartenance à tel ou tel groupe. Ce sont ces gens respectables qui ont créé les hooligans de Billibotton.

– Et d'autres gens respectables, nota Seldon, ont créé ces gens respectables-ci. Ces animosités mutuelles font partie intégrante de l'humanité...

– Alors, vous devrez en tenir compte dans votre psychohistoire, n'est-ce pas?

– Sans aucun doute – s'il y a jamais une psychohistoire pour prendre tout cela en compte. Ah, mais voici le fameux garnement. Et c'est Raych, ce qui en un sens ne me surprend pas. »

73

Raych entra, regardant autour de lui, manifestement intimidé. L'index de sa main droite vint effleurer sa lèvre supérieure, comme s'il se demandait quand il commencerait à y sentir le premier duvet.

Il se tourna vers Maîtresse Tisalver, manifestement outrée, et lui fit une révérence maladroite. « Merci bien, princesse. Z'avez une maison superbe. »

Puis, tandis que la porte claquait derrière lui, il se retourna vers Dors et Seldon, l'air connaisseur et lança : « Chouette piaule, les aminches.

– Ravi qu'elle te plaise, répondit Seldon, hiératique. Comment as-tu su que nous logions ici?

– J' vous ai suivi, c't' idée! Hé, princesse... (il se tourna vers Dors), vous vous battez comme pas une.

– Tu as déjà vu beaucoup de femmes se battre? demanda Dors, amusée.

Raych se frotta le nez. « Non, jamais. Elles portent pas de couteau, sauf des tout p'tits, pour faire peur aux mômes. Ça m'a jamais fait peur.

– J'en suis bien certaine. Qu'est-ce que tu fais pour les leur faire dégainer?

– Rien. Suffit de les chambrer un peu. On lance : " Hé, poulette, laisse-moi te... " »

Il s'interrompit, se ravisa et dit : « Rien.

– Eh bien, avertit Dors, n'essaie pas avec moi.

– Vous blaguez? Après c' que vous avez fait à Marron? Hé, princesse, où avez-vous appris à vous battre comme ça?

– Sur ma planète.

– Vous pourriez m'apprendre?

– Tu es venu me voir pour ça?

– A vrai dire, non. J' suis venu pour porter comme qui dirait un message.

– De quelqu'un qui veut se battre avec moi?

– Personne veut se battre avec vous, princesse. Écoutez, z' avez une réputation, à présent. Tout l' monde vous connaît. Z' avez qu'à vous balader dans c'te bon vieux Billibotton et tous les mecs s'écarteront pour vous laisser passer, avec un grand sourire et en faisant gaffe à pas vous loucher d'ssus. Ça, princesse, vous avez réussi votre coup. C'est bien pour ça qu'y veut vous voir.

– Qui donc, au juste, Raych? demanda Seldon.

– Un mec nommé Davan.

– Et qui est-ce?

– Un mec, c'est tout. Y vit à Billibotton et y porte pas de couteau.

– Et il reste en vie, Raych?

– Y lit vach'ment et il aide les mecs quand y z'ont des ennuis avec le gouvernement. Alors, on lui fiche plus ou moins la paix. Il a pas besoin de couteau.

– Alors, pourquoi n'est-il pas venu lui-même? remarqua Dors. Pourquoi t'avoir envoyé?

– L'aime pas c' coin. Y dit qu' ça l' fait gerber. Y dit qu' tous les gens d'ici s'aplatissent devant l' gouvernement, qu'ils lui lèchent le ... » Il s'interrompit, considéra les deux Exos et reprit : « Bref, il a pas voulu v'nir. Il a dit qu'on m' laisserait passer pasque j' suis qu'un mioche. » Il sourit. « Z' ont presque failli, non? J' veux dire, la dame, là, qui f'sait une tête comme si elle sentait quequ' chose. »

Il se tut soudain, confus, et se contempla. « D'où que j' viens, on a pas guère de chance de s' laver souvent.

– Ce n'est pas un problème, sourit Dors. Où sommes-nous censés nous rencontrer, alors, s'il ne veut pas venir ici? Après tout – sans vouloir te vexer –, nous n'avons pas très envie de retourner à Billibotton.

– J' vous l'ai dit, fit Raych, indigné. Pouvez vous balader sans problème à Billibotton. En plus, là où il habite, personne viendra vous embêter.

– Et où est-ce? demanda Seldon.

– J' peux vous y conduire. C'est pas loin.

– Et pourquoi désire-t-il nous voir? insista Dors.

– Ch' sais pas. Mais il a dit comme ça... » Raych ferma à demi les paupières, dans son effort pour se souvenir. « " ... Dis-leur que je veux voir l'homme qui a parlé à un puisatier dahlite comme si c'était un être humain, et aussi la femme qui a vaincu Marron au couteau et ne l'a pas tué quand elle aurait pu le faire. " J' crois qu' j' l'ai dit comme y faut. »

Seldon sourit. « Sûrement. Il est prêt à nous voir tout de suite?

– Il attend.

– Alors, nous allons te suivre. » Il jeta un coup d'œil à Dors, un vague doute dans le regard.

« Pas de problème, répondit-elle. Je veux bien venir. Peut-être parce que ce ne sera pas un nouveau piège. L'espoir fait vivre... »

74

Le crépuscule jetait une agréable lueur quand ils émergèrent – un violet discret avec une touche de rose pour simuler la fuite des nuages devant le soleil couchant. Les habitants de Dahl pouvaient se plaindre du traitement auquel les soumettaient les dirigeants impériaux de Trantor, mais sûrement pas du climat que leur concoctaient les ordinateurs de la météo.

Dors remarqua à voix basse : « Apparemment, nous sommes devenus des célébrités. Aucun doute là-dessus. »

Seldon abandonna sa contemplation du simili-ciel et aussitôt remarqua l'attroupement autour de la demeure des Tisalver.

Tout le monde avait les yeux braqués sur eux. Quand il fut manifeste que les deux Exos avaient remarqué l'attention dont ils étaient l'objet, un murmure parcourut la foule, comme si un tonnerre d'applaudissements allait éclater d'une seconde à l'autre.

« Maintenant, constata Dors, je vois ce que Maîtresse Tisalver trouvait gênant. J'aurais dû être plus compréhensive. »

La foule était en majorité composée de gens pauvrement vêtus, et il n'y avait pas besoin d'être grand clerc pour deviner que la plupart venaient de Billibotton.

Sur une impulsion, Seldon sourit et leva la main en un timide salut qui fut accueilli par des vivats. Une voix, perdue dans l'anonymat de la foule, lança : « Est-ce que la p'tite dame peut nous faire une démonstration au couteau? »

Quand Dors répondit du tac au tac : « Non, je ne dévoile mes armes secrètes que lorsqu'on m'excite », il y eut un éclat de rire général.

Un homme s'avança. Manifestement, il n'était pas de Billibotton et rien chez lui n'évoquait le Dahlite. Déjà, il n'arborait qu'une fine moustache, et celle-ci était châtain et non brune. Il se présenta : « Marlo Tanto, de la H.V. trantorienne. Pouvons-nous vous prendre pour notre journal du soir?

– Non, fit Dors, sèchement. Pas d'interviews. »

Le journaliste ne se démonta pas. « Je crois savoir que vous vous êtes battue contre un grand nombre d'individus à Billibotton – et que vous avez gagné... » Il sourit. « C'est une info, ça, non?

– Non. Nous avons rencontré un petit groupe d'hommes, nous leur avons parlé, puis nous avons poursuivi notre chemin. C'est tout ce qu'il y a à dire et tout ce que vous obtiendrez.

– Quel est votre nom? Vous n'avez pas l'air d'être de Trantor.

– Je n'ai pas de nom.

– Et votre ami?

– Il n'a pas de nom. »

Le journaliste eut l'air embêté. « Bon, écoutez, madame. Vous êtes un scoop et moi j'essaie simplement de faire mon boulot. »

Raych tira Dors par la manche. Elle se pencha pour écouter les quelques mots qu'il lui chuchota avec insistance.

Elle acquiesça, se redressa. « Je ne crois pas que vous soyez journalite, M. Tanto. Je crois plutôt que vous êtes un agent de l'Empire qui essaie de créer des ennuis à Dahl. Il n'y a jamais eu la moindre bagarre mais vous tentez de concocter de fausses nouvelles pour justifier une intervention de l'Empire en représailles contre Billibotton. A votre place, je ne m'attarderais pas ici. Je n'ai pas l'impression que ces gens vous apprécient beaucoup... »

Sur ces derniers mots, la foule s'était mise à gronder. Les murmures s'amplifièrent tandis que les gens commençaient lentement à se regrouper, l'air menaçant, autour de Tanto. Nerveux, il regarda autour de lui et battit en retraite.

Dors éleva le ton. « Laissez-le passer. Que personne ne le touche. Ne lui fournissez pas un prétexte à dénoncer la violence. »

Alors la foule s'ouvrit devant lui.

« Hé, princesse, intervint Raych, z' auriez dû les laisser lui donner une petite leçon.

– Petit monstre, répondit Dors, conduis-nous plutôt auprès de ton ami. »

75

Ils rencontrèrent l'homme qui se faisait appeler Davan dans une chambre derrière un restoroute abandonné. Loin derrière.

Raych les avait guidés, se montrant une fois encore aussi à l'aise dans les ruelles de Billibotton qu'une taupe dans ses galeries sous le sol d'Hélicon.

Ce fut Dors Venabili qui, la première, manifesta quelque méfiance. Elle s'arrêta et lança : « Attends, Raych. Où allons-nous, au juste?

– Voir Davan, répondit Raych, l'air exaspéré. J' vous l'ai d'jà dit.

– Mais c'est désert. Personne n'habite ici. » Dors contempla les alentours avec un dégoût manifeste. Les alentours étaient sans vie et les quelques panneaux lumineux subsistants étaient éteints – ou ne luisaient que faiblement.

« C'est comme ça qu'il aime vivre, expliqua Raych. Toujours à déménager, un jour ici, un jour là... Enfin, vous voyez, jamais au même endroit.

– Pourquoi?

– Pour se protéger, princesse.

– De quoi?

– Du gouvernement.

– Pourquoi le gouvernement en voudrait-il à Davan?

– Ch' sais pas, princesse. Savez quoi? J' vais vous dire où y vit et comment y aller, et vous y allez toute seule, si vous voulez pas que j'vous accompagne. »

Seldon s'interposa : « Non, non, Raych. Je suis sûr qu'on se perdra, sans toi. En fait, il vaudrait même mieux que tu attendes qu'on ait fini pour nous ramener. »

Aussitôt, Raych demanda : « Qu'est-ce vous m' donnez en échange? Z' espérez p't-être que j' vais traîner là à attraper la dalle?

– Tu traînes là à attraper la dalle, Raych, et je te paie à dîner. Ce que tu voudras.

– C'est c' que vous dites maintenant, m'sieur. Qu'est-ce qui me l' prouve? »

La main de Dors jaillit, révélant un couteau, lame sortie. « Tu ne nous traiterais pas de menteurs, par hasard, Raych? »

L'intéressé ouvrit tout grand les yeux. La menace n'avait pas l'air de l'effrayer. « Hé, fit-il. J' vous ai même pas vu faire. Vous pouvez recommencer?

– Plus tard – si tu es toujours là. Sinon... (Dors le fusilla du regard) on ira te chercher.

– Oh, princesse, allez! Vous irez pas me chercher. C'est pas vot' genre! Mais j' s'rai là. » Il prit une pause avantageuse. « Parole. »

Sur quoi, il reprit la tête du cortège en silence, tandis que le bruit de leurs semelles résonnait dans les coursives vides.

Davan leva les yeux quand ils entrèrent, et son regard mauvais s'adoucit quand il vit Raych. D'un geste bref, il indiqua les deux autres, l'air interrogateur.

« Ce sont eux », dit Raych. Et il ressortit.

Seldon se présenta : « Je suis Hari Seldon. La jeune femme est Dors Venabili. »

Il examina Davan avec curiosité. L'homme était trapu; il portait l'épaisse moustache du Dahlite mâle, mais avait en outre un peu de barbe. C'était le premier autochtone qu'il voyait à ne pas être méticuleusement rasé. Même les voyous de Billibotton avaient les joues et le menton parfaitement glabres.

« Quel est votre nom, mon ami? demanda Seldon.

– Davan. Raych a dû vous dire.

– Votre nom de famille?

– Davan tout court. Vous a-t-on suivi jusqu'ici, Maître Seldon?

– Non, je suis sûr que non. Dans le cas contraire, je pense que Raych s'en serait aperçu. Sinon, c'est Maîtresse Venabili qui s'en serait aperçue. »

Dors esquissa un sourire. « Vous avez bien confiance en moi, Hari.

– De plus en plus », observa-t-il, pensif.

Davan s'agita, mal à l'aise. « Et pourtant, vous avez déjà été repérés.

– Repérés?

– Oui. J'ai entendu parler de ce prétendu journaliste.

– Déjà? » Seldon parut légèrement surpris. « Mais j'ai l'impression que c'était un véritable journaliste... et parfaitement inoffensif. Nous l'avons traité d'agent de l'Empire sur la suggestion de Raych, ce qui s'est révélé une bonne idée. La foule qui nous entourait est devenue menaçante, et ça nous a permis de nous défaire de cet importun.

– Non, dit Davan. Ce n'était pas une invention. Mes hommes le connaissent et il travaille effectivement pour l'Empire. Mais enfin, vous ne vivez pas comme moi : vous n'utilisez pas de faux noms, et vous ne déménagez pas en permanence. Vous vous promenez sous votre véritable identité, il est inutile pour vous de vivre dans la clandestinité. Vous êtes Hari Seldon, le mathématicien.

– Effectivement. Pourquoi devrais-je m'inventer une fausse identité?

– L'Empire vous recherche, non? »

Seldon haussa les épaules. « Je m'arrange pour séjourner à des endroits où l'Empire ne peut pas m'atteindre.

– Il ne peut pas vous atteindre ouvertement, mais l'Empire n'est pas obligé de travailler ouvertement. Pour ma part, je vous conseillerais de disparaître... pour de bon.

– Comme vous... » Seldon regarda alentour, un peu écœuré. La pièce était aussi désolée que les corridors qu'ils venaient d'emprunter. L'odeur de moisi était omniprésente et tout était parfaitement déprimant.

« Oui, dit Davan. Vous pourriez nous être utile.

– Comment ça?

– Vous avez parlé à un jeune homme du nom de Yugo Amaryl.

– C'est exact.

– Amaryl dit que vous pouvez prédire l'avenir. »

Seldon poussa un gros soupir. Il en avait assez d'être planté là, debout dans cette pièce vide. Dors s'était assise sur un coussin, il y en avait bien d'autres mais ils n'avaient pas l'air trop propres. Et il n'avait pas non plus envie de s'adosser au mur couvert de moisissures.

Il remarqua : « Ou vous avez mal compris Amaryl, ou c'est lui qui m'a mal compris. Tout ce que j'ai fait, c'est de démontrer qu'il est possible de choisir des conditions initiales à partir desquelles la prévision historique n'est plus condamnée à aboutir au chaos mais peut devenir opérationnelle dans certaines limites. Que pourraient être ces conditions initiales, je l'ignore pour l'instant, et je ne suis pas sûr qu'elles puissent être découvertes par un seul chercheur quelconque – ou par plusieurs – dans un laps de temps fini. Est-ce que vous me suivez?

– Non. »

Nouveau soupir de Seldon. « Alors, laissez-moi essayer à nouveau. Il est possible de prédire l'avenir mais il n'est peut-être pas possible de trouver comment tirer parti de cette possibilité. Là, est-ce que vous me suivez? »

Davan considéra Seldon, l'air sombre, puis Dors : « Alors, vous ne pouvez donc pas prédire le futur.

– Maintenant, vous y êtes, Maître Davan.

– Appelez-moi Davan, tout court. Mais peut-être qu'un jour vous apprendrez à prédire l'avenir.

– C'est concevable.

– Alors, c'est pour ça que l'Empire vous recherche.

– Non. » Seldon leva un doigt, très professoral. « J'ai dans l'idée que c'est justement pour cela que l'Empire ne fait pas trop d'efforts pour me mettre la main dessus. Il le ferait peut-être si l'on pouvait me capturer sans trop de grabuge, mais ils savent aussi que *pour l'instant*, je n'ai rien à leur apprendre, et qu'en conséquence ça ne mérite pas de troubler le fragile équilibre de Trantor en s'ingérant dans la souveraineté locale de tel ou tel secteur. C'est pourquoi je peux évoluer sous mon vrai nom dans une relative sécurité. »

Un instant, Davan resta la tête entre les mains en marmonnant : « C'est de la folie. » Puis il se redressa, l'air las, et dit à Dors : « Êtes-vous la femme de Maître Seldon?

– Je suis son amie et sa protectrice, répondit Dors, calmement.

– Vous le connaissez bien?

– Nous sommes ensemble depuis plusieurs mois.

– Pas plus?

– Pas plus.

– Selon vous, dit-il la vérité?

– Je sais qu'il dit la vérité, mais quelle raison auriez-vous de vous fier à moi plutôt qu'à lui? Si, pour quelque raison, Hari vous ment, ne ferais-je pas de même pour le soutenir? »

Le regard de Davan alla de l'un à l'autre. Il paraissait désemparé. Puis il reprit : « De toute manière, est-ce que vous seriez prêts à nous aider?

– Que représente ce « nous » et de quel genre d'aide avez-vous besoin?

– Vous avez vu la situation, ici même, à Dahl. Nous sommes opprimés. Vous le savez sûrement, et, considérant la façon dont vous avez traité Yugo Amaryl, je ne peux pas croire que notre sort vous soit indifférent.

– Notre sympathie vous est acquise.

– Et vous devez connaître la source de cette oppression.

– Vous allez me dire qu'il s'agit du gouvernement impérial, je suppose, et j'admets volontiers qu'il a sa part de responsabilité. Mais, d'un autre côté, je constate qu'il existe à Dahl une classe moyenne qui méprise les puisatiers et une classe de délinquants qui terrorise le reste du secteur. »

Davan pinça les lèvres mais ne se laissa pas ébranler. « Tout à fait exact. Tout à fait exact. Mais l'Empire encourage cet état de fait, par principe. Dahl est capable de créer de sérieux ennuis. Que les puisatiers thermiques se mettent en grève et Trantor subira presque aussitôt une grave pénurie d'énergie... avec toutes les conséquences que ça implique. Toutefois, la bourgeoisie même de Dahl s'empressera de payer les voyous de Billibotton – et d'ailleurs – pour se battre contre les puisatiers et briser la grève. Ça s'est déjà vu. L'Empire laisse certains Dahlites prospérer – comparativement – pour mieux les convertir en laquais de l'impérialisme, tout en refusant d'appliquer les lois sur la limitation du port d'arme assez efficacement pour affaiblir la criminalité.

« Le gouvernement impérial fait cela partout – et pas seulement à Dahl. Il ne peut plus imposer sa volonté par la force, comme jadis. Aujourd'hui, Trantor est devenue si complexe, son équilibre si fragile, que les forces impériales doivent éviter toute ingérence directe...

– Une forme de décadence, observa Seldon qui se souvenait des plaintes de Hummin.

– Quoi?

– Rien, continuez. »

Davan poursuivit : « Les forces impériales doivent éviter toute ingérence directe mais, même ainsi, elles ont découvert qu'il leur reste une importante marge de manœuvre. Ainsi encourage-t-on chaque secteur à se méfier de ses voisins. A l'intérieur de chaque secteur, on encourage une certaine forme de lutte des classes. Le résultat est que, sur l'ensemble de Trantor, toute unité d'action des forces populaires est devenue impossible. Partout, les gens préfèrent se battre contre eux plutôt que faire front commun contre la tyrannie centrale, de sorte que l'Empire peut régner sans avoir à recourir à la force.

– Et selon vous, quel serait le remède? demanda Dors.

– Depuis des années, j'essaie d'instaurer un sentiment de solidarité parmi les peuples de Trantor.

– Je peux seulement supposer, observa Seldon d'un ton neutre, que la tâche doit vous paraître presque insurmontable et particulièrement ingrate.

– Vous supposez bien, reconnut Davan, mais le parti se renforce. Bon nombre de nos surineurs commencent à se rendre compte qu'il y a mieux à faire avec les couteaux que de s'entretuer. Ceux qui vous ont attaqués dans les corridors de Billibotton sont des intransigeants. En revanche, ceux qui vous soutiennent dorénavant, qui étaient prêts à vous défendre contre l'agent que vous preniez pour un journaliste, ceux-là sont mes militants. Je vis ici parmi eux. Ce n'est pas une existence agréable mais je suis en sécurité ici. Nous recrutons dans les secteurs voisins et nous nous étendons de jour en jour.

– Et où intervenons-nous? demanda Dors.

– Pour commencer, expliqua Davan, vous êtes l'un et l'autre des Exos, des lettrés. Nous avons besoin de gens comme vous parmi nos dirigeants. Le gros de nos forces provient des masses pauvres et non éduquées parce que ce sont ceux qui souffrent le plus, mais ils sont les moins aptes à dynamiser le mouvement. Chacun de vous en vaut cent comme eux.

– Étrange évaluation pour quelqu'un qui désire venir en aide aux opprimés, observa Seldon.

– Je ne parle pas de leur valeur personnelle, se hâta de rectifier Davan, mais de leur aptitude à diriger. Le parti doit avoir de bons intellectuels influents parmi ses dirigeants.

– Vous voulez dire que vous avez besoin de gens comme nous pour donner à votre parti un vernis de respectabilité?

– Il est toujours possible de présenter un objectif noble de manière ironique. Mais vous, Maître Seldon, vous êtes plus qu'un intellectuel, plus qu'un personnage respectable. Même si vous ne voulez pas admettre que vous êtes capable de percer les brumes du futur...

– Je vous en prie, Davan, l'interrompit Seldon, inutile de recourir à la poésie : la question n'est pas d'admettre ou de ne pas admettre. Je *ne peux pas* prédire le futur. Ce ne sont pas des brumes qui bouchent la vue mais des barrières d'acier au chrome.

– Laissez-moi terminer. Même si vous ne pouvez pas le prédire avec – comment dites-vous? – une précision psychohistorique, suffisante, vous avez étudié l'histoire et vous avez peut-être un certain sentiment intuitif de ses conséquences. N'est-ce pas? »

Seldon hocha la tête. « J'ai peut-être une certaine compréhension intuitive de la vraisemblance mathématique, mais mon aptitude à la transporter de façon pertinente dans le domaine historique est tout à fait incertaine. A vrai dire, je n'ai pas vraiment étudié l'histoire. Je le regrette. Cela me manque énormément.

– C'est moi l'historienne, Davan, indiqua Dors d'un ton égal, et je peux dire quelques petites choses, si vous le désirez.

– Je vous en prie, faites donc », répondit Davan, sur un ton situé entre la politesse et le défi.

« Pour commencer, l'histoire de la Galaxie a connu bien des révolutions qui ont renversé des tyrannies, parfois sur une planète isolée, parfois sur un ensemble de planètes, voire dans l'Empire tout entier ou au sein des gouvernements régionaux de la période pré-impériale. Souvent, cela n'a signifié qu'un changement de tyrannie. En d'autres termes, une classe dirigeante est remplacée par une autre – parfois plus efficace et par conséquent plus apte à se maintenir au pouvoir –, et les pauvres et les déshérités restent pauvres et déshérités sauf si leur situation empire. »

Davan, qui avait écouté attentivement, remarqua : « J'en suis parfaitement conscient. Nous le sommes tous. Peut-être pouvons-nous tirer les leçons du passé et savoir ainsi ce qu'il faut éviter. En outre, la tyrannie qui existe aujourd'hui est *réelle*. Celle qui peut exister dans l'avenir n'est jamais que potentielle. S'il faut constamment reporter le changement sous prétexte que la situation pourrait être pire, alors, il n'y a plus aucun espoir d'échapper à l'injustice.

– Un second point que vous ne devez pas oublier, poursuivit Dors, c'est que, même si vous avez le droit pour vous, même si la justice cloue au pilori la tyrannie en place, l'équilibre des forces penche le plus souvent en sa faveur. Les émeutes et les manifestations de vos combattants armés de couteaux ne pourront avoir d'effet permanent aussi longtemps qu'ils affrontent une armée équipée d'armes cinétiques, chimiques et neurologiques, et décidée à en faire usage. Vous pourrez bien avoir tous les démunis et même les gens respectables de votre côté, il vous faudra quand même vaincre les forces de sécurité et l'armée impériale, ou du moins affaiblir sérieusement leur loyauté à l'égard du pouvoir.

– Trantor est un monde plurigouvernemental. Chaque secteur a ses dirigeants propres et certains sont eux-mêmes opposés à l'Empire. Si nous pouvions avoir dans notre camp un secteur fort, ça changerait la situation, non? Nous ne serions plus de simples va-nu-pieds combattant avec des pierres et des couteaux.

– Cela veut-il dire que vous avez déjà dans votre camp un secteur fort ou seulement l'ambition d'en avoir un? »

Davan ne répondit pas.

Dors poursuivit : « J'admettrai que vous pensez au Maire de Kan. S'il est enclin à exploiter le mécontentement populaire pour accroître ses chances de renverser l'Empereur, n'avez-vous pas l'impression qu'en fin de compte son but pourrait être de lui succéder sur le trône impérial? Pourquoi prendrait-il le risque de mettre en jeu sa position actuelle, qui n'a rien de négligeable? Pour le seul amour de la justice et d'un traitement décent du peuple, un sentiment qui risque de ne pas le traverser tous les jours?

– Vous voulez dire que tout dirigeant influent qui manifeste le désir de nous aider est susceptible de nous trahir?

– C'est une situation qu'on rencontre bien trop souvent dans l'histoire galactique.

– Si nous sommes préparés à cette éventualité, ne pourrions-nous pas, nous, le trahir?

– Vous voulez dire l'utiliser et, au moment crucial, subvertir ses propres forces et le faire assassiner?

– Peut-être pas exactement ainsi, mais il pourrait y avoir un moyen de s'en débarrasser si la chose s'avérait nécessaire.

– Alors, nous avons un mouvement révolutionnaire où les principaux partenaires sont prêts à se trahir mutuellement, chacun d'eux attendant simplement son heure. Voilà qui me semble une bonne recette pour engendrer le chaos.

– Alors, vous n'allez pas nous aider? »

Seldon qui avait écouté cet échange, l'air perplexe, intervint alors : « Les choses ne sont pas aussi simples. Nous aimerions vous aider. Nous sommes de votre côté. Il me semble qu'aucun homme sensé ne peut défendre un système impérial qui ne se maintient qu'en suscitant la haine mutuelle et le soupçon. Même si ça à l'air de fonctionner, cette situation ne peut être qualifiée que de métastable; en d'autres termes, trop menacée de basculer dans l'instabilité, dans l'un ou l'autre sens. Mais la question demeure : *comment* peut-on vous aider? Si j'avais la psychohistoire, je pourrais vous dire ce qui a le plus de chances de se produire ou ce qui, parmi un certain nombre d'actions possibles, a le plus de chances d'avoir des conséquences apparemment favorables, alors je mettrais mes talents à votre disposition – mais je n'ai rien de tel. Le meilleur moyen pour moi de vous aider, c'est d'essayer de mettre au point la psychohistoire.

– Combien de temps cela vous prendra-t-il? »

Seldon haussa les épaules. « Je n'en sais rien.

– Comment pouvez-vous nous demander d'attendre indéfiniment?

– Quel est l'autre terme de l'alternative, puisque je vous suis inutile à l'heure qu'il est? Mais je vous dirai ceci : jusqu'à une période toute récente, j'étais entièrement convaincu de la totale impossibilité de rendre opérationnelle la psychohistoire. Aujourd'hui, je n'en suis plus aussi sûr.

– Vous voulez dire que vous avez une solution en tête?

– Non, juste l'intuition qu'il pourrait exister une solution. Je n'ai pas encore réussi à localiser ce qui a pu me mettre cette idée en tête. C'est peut-être une illusion, mais j'essaie. Laissez-moi continuer. Peut-être aurons-nous l'occasion de nous revoir.

– Ou peut-être, dit Davan, allez-vous retourner là où vous séjournez en ce moment et tomber finalement dans un piège tendu par l'Empire. Vous vous imaginez peut-être qu'il va vous laisser tranquillement vous débattre avec votre psychohistoire, mais je suis sûr que l'Empereur et son lèche-bottes de Demerzel ne sont pas plus que moi d'humeur à attendre indéfiniment.

– Ça ne leur servira à rien de me presser, observa Seldon sans se démonter, puisque je ne suis pas de leur côté mais du vôtre... Allons, venez, Dors. »

Ils firent demi-tour, laissant Davan seul dans sa chambre sordide, et retrouvèrent Raych qui les attendait dehors.

76

Raych finit de manger, se lécha les doigts et froissa le sac qui avait contenu son repas. Une forte odeur d'oignons imprégnait l'air – un rien différente, peut-être à cause des levures.

Dors, légèrement incommodée par l'odeur, demanda : « Où as-tu trouvé ça, Raych?

– C'est les gars de Davan. Y m' l'ont apporté. Davan est un type impec'.

– Nous n'avons plus besoin de te payer à dîner alors? » demanda Seldon dont l'estomac criait famine.

« Hé, mais vous m' devez quand même que'qu' chose », protesta Raych en lorgnant avec avidité dans la direction de Dors. « Et le couteau de la princesse? L'un des deux?

– Pas de couteau, dit Dors. Tu nous reconduis gentiment et je te donne cinq crédits.

– J' trouv'rai jamais d' couteau à cinq crédits, grommela Raych.

– Tu auras cinq crédits, c'est tout.

– Z' êtes une vraie salope, princesse.

– Je suis une vraie salope mais une fine lame, Raych, alors tu te magnes le train.

– D'accord, d'accord, on se calme. » Raych agita la main. « Par ici ».

Ils reprirent les coursives vides mais cette fois Dors, qui surveillait toujours les alentours, l'arrêta : « Attends, Raych. Nous sommes suivis. »

Raych parut furieux. « Z' êtes pas censés les entendre. »

Seldon pencha la tête et remarqua : « Je n'entends rien du tout.

– Moi, si. Bon, écoute, Raych, je n'ai pas envie de perdre mon temps : alors tu me dis tout de suite ce qui se passe, ou je te tape dessus jusqu'à ce que tu n'y voies plus clair pendant une semaine. Je ne plaisante pas. »

Raych leva un bras, sur la défensive. « Essayez voir, tiens, essayez voir... C'est les gars à Davan. C'est juste pour nous escorter, au cas où un surineur se pointerait...

– Les gars à Davan?

– Ouais. Ils suivent les galeries de service. »

La main droite de Dors jaillit pour saisir Raych par le revers de sa chemise. Elle le souleva tandis qu'il se débattait en criant : « Hé, princesse, Hé...

– Dors! intervint Seldon, ne le malmenez pas.

– Je risque de le malmener encore plus si je m'aperçois qu'il ment. C'est vous que je dois protéger, Hari, pas lui.

– J'mens pas, dit Raych qui se débattait toujours. J' mens pas!

– J'en suis certain, dit Seldon.

– Eh bien, nous verrons. Raych, dis-leur de se montrer à découvert, que je puisse les voir. » Elle le lâcha et s'essuya les mains.

« Z' êtes un peu tordue dans votre genre, princesse », se lamenta Raych. Puis il éleva la voix : « A moi, Davan! Montrez-vous un peu, les mecs! »

Il y eut un temps d'attente puis, sortant d'un porche obscur dans le corridor, deux sombres moustachus apparurent, dont l'un avait la joue balafrée sur toute la longueur. Chacun tenait dans la main un couteau, la lame sortie.

« Il y en a beaucoup d'autres, avec vous? demanda Dors, d'une voix rude.

– Quelques-uns. Ce sont les ordres. Pour vous protéger. Davan tient à votre vie.

– Merci. Tâchez d'être encore plus silencieux. Raych, tu peux avancer.

– M' avez tapé alors que j' vous disais la vérité, maugréa Raych, boudeur.

– Tu as raison, reconnut Dors. Enfin, je le crois... et je te fais mes excuses.

– J' sais pas si j' dois les accepter, fit Raych en essayant de jouer les durs. Mais d'accord, ça va pour cette fois... » Et il repartit.

Quand ils eurent rejoint la galerie principale, leur escorte invisible s'évanouit. Tout du moins, l'oreille affûtée de Dors ne la détecta plus. Ils progressaient maintenant dans la partie respectable du secteur.

Dors remarqua, songeuse : « Je n'ai pas l'impression que nous aurions des vêtements qui t'iraient, Raych.

– Qu'est-ce que vous voulez faire d'habits qui m'iraient, m'dame? » La respectabilité semblait envahir Raych sitôt qu'ils avaient quitté les corridors. « J'ai des habits.

– Je m'étais dit que tu aimerais peut-être venir chez nous prendre un bain.

– Pour quoi faire? J' me laverai un d' ces quatre. Et j' mettrai mon aut' chemise. » Il lorgna Dors, l'air finaud. « Z' êtes embêtée d' m'avoir engueulé, c'est ça? Z' essayez d' rattraper l' coup? »

Dors sourit. « Oui. Si tu veux. »

Raych leva la main, grand seigneur. « Pas d' problème. Y' a pas eu d' mal. Dites donc, z' êtes costaude, pour une fille. M' avez soul'vé comme de rien.

– J'étais fâchée, Raych. Je dois toujours m'inquiéter pour Maître Seldon.

– Z' êtes une espèce de garde du corps? » Raych considéra Seldon, inquisiteur. « Z' avez trouvé une dame comme garde du corps?

– Je n'y peux rien, fit Seldon, pince-sans-rire. C'est elle qui a insisté. Et elle connaît son boulot, c'est certain.

– Réfléchis encore, Raych, reprit Dors. Tu es sûr de ne pas vouloir de bain? Un bon bain bien chaud?

– Ça risque pas, dit l'intéressé. Croyez p't-êt' que vot' logeuse va m' laisser remettre les pieds chez elle? »

Dors leva les yeux et découvrit Casilia Tisalver plantée devant la porte de son immeuble, le regard passant alternativement de la femme exo au gosse des taudis. Il était impossible de savoir auquel des deux elle réservait son air le plus mauvais.

« Bon, eh bien, salut, m'sieur-dames, lança Raych. Ch' sais pas si elle va vouloir vous laisser entrer. » Il fourra les mains dans ses poches et s'éloigna d'un pas tranquille, en affectant un air dégagé.

« Bien le bonsoir, Maîtresse Tisalver, lança Seldon. Il se fait tard, non?

– Très tard. Une émeute a failli éclater à la porte de cette résidence quand vous avez excité la racaille contre ce journaliste.

– Nous n'avons excité personne contre personne, intervint Dors.

– J'étais là! rétorqua Maîtresse Tisalver, intransigeante. J'ai tout vu! » Elle s'effaça pour les laisser entrer mais en traînant suffisamment pour bien marquer sa réticence.

« A la voir, on dirait que c'est la goutte d'eau qui a fait déborder le vase », remarqua Dors, tandis qu'ils gagnaient leurs appartements.

« Et alors? Qu'est-ce qu'on peut y faire?

– Je me le demande. »

Policiers

RAYCH. – ... D'après Hari Seldon, la rencontre initiale avec Raych aurait été purement accidentelle. Ce n'était à l'époque qu'un gosse des rues auquel il aurait demandé sa route. Mais sa vie, par la suite, continua d'être étroitement mêlée à celle du grand mathématicien jusqu'au jour où...

ENCYCLOPAEDIA GALACTICA

77

Le lendemain matin, torse nu, lavé et rasé, Seldon frappa à la porte de la chambre mitoyenne en disant, à mi-voix : « Ouvrez-moi, Dors. »

Ce qu'elle fit. Les courtes boucles auburn de ses cheveux étaient encore humides et elle aussi était torse nu.

Seldon recula d'un pas, honteux et confus. Dors baissa les yeux, considéra d'un œil indifférent le galbe de son buste puis se noua une serviette autour des cheveux. « Qu'y a-t-il? » demanda-t-elle.

Détournant les yeux vers la droite, Seldon répondit : « Je venais vous poser des questions sur Kan.

– Quand ça, quoi? s'étonna Dors avec un naturel parfait. Et pour l'amour du ciel, Hari, ne m'obligez pas à m'adresser à votre profil. Vous n'êtes quand même pas puceau!

– J'essayais simplement d'être poli! répondit Seldon d'un ton blessé. Si vous n'y pensez pas, il est certain que j'y pense. Et il ne s'agit pas de quand ou quoi. Je veux vous parler du *secteur* de Kan.

– Pour quelle raison, au juste? Ou si vous préférez : Pourquoi Kan?

– Écoutez, Dors, je suis sérieux. Régulièrement, j'entends parler du secteur de Kan – plus précisément, de son Maire. Hummin l'a évoqué, vous l'avez fait, Davan aussi. Or je ne sais rien de se secteur ou de son Maire.

– Je ne suis pas plus que vous native de Trantor, Hari. Mes connaissances sont fort limitées mais je suis volontiers prête à les partager avec vous. Kan est située près du pôle sud – c'est un secteur vaste, très peuplé...

– Très peuplé au pôle sud?

– Nous ne sommes pas sur Hélicon, Hari. Ni sur Cinna. Nous sommes sur Trantor. Ici, tout est souterrain et il n'y a guère de différence entre le pôle et l'équateur. Bien sûr, j'imagine qu'ils entretiennent un cycle jour/nuit d'amplitude tout à fait excessive – avec de longues journées l'été, de longues nuits en hiver –, presque comme s'ils vivaient à l'air libre. Ce contraste est une simple affectation; ils sont fiers d'être polaires.

– Mais en surface, la Couverture doit être glaciale, non?

– Oh oui. La Couverture de Kan est entièrement recouverte de neige et de glace mais la couche n'est pas aussi épaisse que vous pourriez l'imaginer. Sinon, elle écraserait le dôme, mais ce n'est pas le cas; et c'est la raison fondamentale de la puissance de Kan. »

Elle se tourna vers le miroir, ôta la serviette pour envelopper ses cheveux du filet-séchoir qui, en l'espace de cinq secondes, leur donna un agréable brillant. « Vous ne pouvez pas savoir à quel point j'apprécie de ne pas avoir à porter de bonnet de peau », remarqua-t-elle en enfilant, enfin, le haut de sa tenue.

« Quel rapport entre la couche de glace et la puissance de Kan?

– Réfléchissez un peu : quarante milliards d'individus utilisent une énorme quantité d'énergie et chaque calorie utilisée dégénère en chaleur et doit finalement être évacuée. Cette chaleur résiduelle est canalisée vers les pôles, en particulier le pôle sud, qui est le plus développé des deux, pour être finalement rejetée dans l'espace. L'opération fait fondre en cours de route une bonne partie de la glace et je suis certaine que ça explique le temps couvert et pluvieux qui règne sur Trantor, même si les caïds de la météo prétendent que les choses sont plus compliquées.

– Kan n'exploite-t-il pas cette énergie avant de l'évacuer?

– C'est bien possible, pour ce que j'en sais. A propos, je n'ai pas la moindre idée des techniques utilisées pour évacuer la chaleur, mais je faisais allusion à la puissance politique. Si Dahl cessait de produire une énergie exploitable, ça gênerait certainement Trantor, mais d'autres secteurs produisent de l'énergie et pourraient accroître leur production, et bien entendu, il existe de l'énergie stockée sous diverses formes. Au bout du compte, il faudrait régler le problème de Dahl mais enfin, il n'y aurait pas urgence. Kan, en revanche...

– Oui?

– Eh bien, Kan évacue au moins quatre-vingt-dix pour cent de toute la chaleur engendrée sur Trantor et il n'existe aucune solution de rechange. Si Kan devait interrompre son émission de chaleur, la température commencerait à monter sur toute la planète.

– A Kan aussi.

– Certes, mais comme Kan est située au pôle sud, elle peut disposer d'une source d'air froid. Ce ne serait qu'une solution à court terme, mais enfin Kan tiendrait plus longtemps que le reste de Trantor. Bref, Kan constitue pour l'Empereur un problème particulièrement épineux et le Maire de Kan est – ou pourrait être – extrêmement puissant.

– Et quel genre d'individu est l'actuel Maire de Kan?

– Ça, je n'en sais rien. Pour ce que j'en ai entendu, il serait très âgé et vivrait quasiment en reclus, mais il serait dur comme une coque d'hypernef et encore parfaitement capable de manœuvrer habilement pour s'assurer le pouvoir.

– Pourquoi? je me demande. S'il est si vieux, il ne pourra en profiter longtemps.

– Qui sait, Hari? L'obsession de toute une vie, je suppose... A moins que ce soit un jeu, le goût de manœuvrer pour le pouvoir, sans vraiment chercher le pouvoir pour lui-même. Sans doute, s'il obtenait le pouvoir et prenait la place de Demerzel, ou s'il montait sur le trône impérial, serait-il déçu car la partie serait terminée. Bien sûr, s'il survivait, il pourrait toujours, par la suite, se lancer dans un nouveau jeu, celui de *garder* le pouvoir, qui pourrait se révéler tout aussi difficile et donc aussi gratifiant. »

Seldon hocha la tête. « Je suis toujours étonné qu'on veuille devenir Empereur.

– Aucun individu sensé ne le voudrait mais la " pulsion impériale ", comme on l'appelle souvent, est analogue à une maladie faisant perdre la raison à ses victimes. Et plus on monte en grade, plus on risque de l'attraper. A chaque nouvelle promotion...

– Le mal progresse, termina Seldon. Oui, je vois. Mais il me semble également que Trantor est un monde si gigantesque, aux exigences si complexes, aux ambitions si conflictuelles, que cela explique en grande partie l'incapacité de l'Empereur à gouverner. Pourquoi ne quitte-t-il pas cette planète pour aller s'installer sur un monde plus simple? »

La remarque fit rire Dors. « Vous ne poseriez pas la question si vous connaissiez votre histoire. Trantor *est* l'Empire, au terme d'une tradition millénaire. Un Empereur qui ne serait pas au Palais impérial ne serait pas l'Empereur. L'Empereur est un lieu avant même d'être une personne. »

Seldon resta silencieux, le visage figé, et au bout de quelques instants, Dors demanda : « Qu'y a-t-il, Hari?

– Je réfléchis, dit-il d'une voix étouffée. Depuis que vous m'avez conté l'anecdote de la main sur la cuisse, j'ai des pensées fugitives qui... et maintenant, cette idée que l'Empereur serait un lieu plus qu'une personne a peut-être fait vibrer une corde sensible...

– Comment cela? »

Seldon hocha la tête. « Je me le demande. Je me trompe peut-être complètement. » Son regard cessa d'être vague et il fixa Dors. « Quoi qu'il en soit, nous devrions descendre prendre notre petit déjeuner. Nous sommes déjà en retard et je ne crois pas que Maîtresse Tisalver soit d'humeur à nous le monter.

– Optimiste, va! M'est avis est qu'elle n'est même pas d'humeur à nous voir rester – petit déjeuner ou pas. Elle doit être pressée de nous jeter dehors.

– C'est bien possible, mais enfin nous la payons.

– Oui, mais je la soupçonne de nous haïr assez à présent pour mépriser nos crédits.

– Peut-être son mari éprouvera-t-il un peu plus d'affection à l'égard du loyer.

– S'il a un mot à dire, Hari, une seule personne sera plus surprise de l'entendre que moi : Maîtresse Tisalver... Bon, très bien, je suis prête. »

Et lorsqu'ils descendirent l'escalier pour rejoindre la partie de l'appartement qu'habitaient les Tisalver, la dame en question les attendait sans le moindre petit déjeuner – mais avec quelque chose de bien plus indisgeste.

78

Droite comme un i, Casilia Tisalver les attendait, un sourire crispé sur son visage rond et une lueur mauvaise dans ses yeux noirs. Son mari était appuyé, maussade, contre le mur. Au centre de la pièce, deux hommes se tenaient, très raides, comme s'ils n'avaient remarqué les coussins par terre que pour mieux les dédaigner.

L'un et l'autre avaient les cheveux bruns crépus et l'épaisse moustache traditionnelle des Dahlites. Ils étaient minces et vêtus de costumes noirs assez semblables pour être des uniformes. Une fine ganse blanche longeait leur veste jusqu'à l'épaule et descendait sur le côté de la jambe de pantalon. Chacun portait, sur le côté droit de la poitrine, une plaque discrète : l'emblème au soleil et à l'astronef, symbole de l'Empire sur tous les mondes habités de la Galaxie, avec, dans ce cas précis, un « D » noir au centre du soleil.

Seldon comprit aussitôt qu'il s'agissait de deux membres des forces de sécurité dahlites.

« Qu'est-ce qui se passe ici? » demanda Seldon, sévère.

L'un des hommes s'avança. « Je suis l'agent de secteur Lanel Russ. Et voici mon collègue, Gebore Astinwald. »

L'un et l'autre présentèrent une holo-plaque d'identité rutilante. Seldon ne se fatigua pas à les examiner. « Que voulez-vous?

– Êtes-vous Hari Seldon d'Hélicon? demanda tranquillement Russ.

– Oui.

– Et vous, Maîtresse, êtes-vous Dors Venabili de Cinna?

– Oui, répondit l'intéressée.

– Je suis ici pour enquêter sur une plainte contre un certain Hari Seldon qui aurait déclenché une émeute, dans la journée d'hier.

– C'est absolument faux.

– D'après nos informations, précisa Russ en consultant l'écran d'un petit calepin électronique, vous auriez accusé un reporter d'être un agent de l'Empire, déclenchant par là même une émeute contre lui. »

Dors s'interposa : « C'est moi qui ai dit que c'était un agent de l'Empire, monsieur. J'avais toute raison de le penser. Ce n'est certainement pas un crime d'exprimer son opinion. L'Empire garantit la liberté d'expression.

– Cela n'inclut pas les opinions émises dans l'intention délibérée de provoquer une émeute.

– Comment pouvez-vous avancer une chose pareille, monsieur l'agent? »

A cet instant, Maîtresse Tisalver intervint, d'une voix stridente : « Je peux l'avancer, moi, monsieur l'agent. Elle a vu qu'un attroupement s'était formé, un tas de voyous qui cherchaient visiblement la bagarre. Délibérément, elle leur a dit que c'était un agent de l'Empire alors qu'elle n'en savait strictement rien, et elle leur a crié ça pour les exciter. Il est évident qu'elle savait ce qu'elle faisait.

– Casilia », implora son mari, mais un seul regard de son épouse le fit taire.

Russ se tourna vers Maîtresse Tisalver. « Est-ce de vous qu'émane la plainte, Maîtresse?

– Oui. Ces deux-là habitent ici depuis quelques jours et ils n'ont pas cessé de provoquer des troubles. Ils ont invité dans mon appartement des gens de réputation douteuse, nuisant à mon standing vis-à-vis de mes voisins.

– Est-il illégal, demanda Seldon, d'inviter dans ses appartements d'honnêtes et tranquilles citoyens de Dahl? Les deux chambres de l'étage sont les nôtres. Nous les avons louées et le loyer est réglé. Est-ce un crime à Dahl que de parler à des Dahlites, monsieur?

– Non, pas du tout, admit Russ. La plainte ne porte pas là-dessus. Qu'est-ce qui vous a donné motif, Maîtresse Venabili, à supposer que l'individu que vous accusiez était bel et bien un agent de l'Empire?

– Il avait une petite moustache châtain, d'où j'ai conclu qu'il n'était pas dahlite. J'ai présumé que c'était un agent de l'Empire.

– Vous avez *présumé*? Votre associé, Maître Seldon, ne porte pas du tout de moustache. Cela vous fait-il présumer qu'il est, lui aussi, agent de l'Empire?

– En tout cas, s'empressa d'intervenir Seldon, il n'y a jamais eu d'émeute. Nous avons demandé à la foule de ne rien faire contre ce prétendu journaliste et je suis certain que ces gens ont obéi.

– Vous en êtes certain, Maître Seldon? dit Russ. D'après nos informations, vous avez quitté les lieux aussitôt après avoir porté votre accusation. Comment pouvez-vous témoigner de ce qui s'est passé après votre départ?

– Je ne peux pas, reconnut Seldon, mais permettez-moi de vous demander quelque chose : l'homme est-il mort? A-t-il été blessé?

– Cet homme a été interrogé. Il nie être un agent de l'Empire et rien ne nous indique qu'il le soit. Il prétend également avoir été malmené.

– Il peut fort bien mentir sur l'un et l'autre point, dit Seldon. Je vous suggérerais le passage à la sonde psychique.

– L'usage de la sonde est interdit sur la victime d'un délit, indiqua Russ. Le gouvernement du secteur est très ferme là-dessus. En revanche, rien n'empêche de vous y soumettre l'un et l'autre, en tant qu'*auteurs* du délit, en l'occurrence. Vous êtes d'accord? »

Seldon et Dors échangèrent un regard et Seldon répondit : « Non, bien sûr que non.

– Bien sûr que non, répéta Russ avec juste un soupçon de sarcasme dans la voix, mais vous êtes tout à fait prêt à en suggérer l'emploi sur un tiers. »

Astinwald, l'autre policier, qui jusque-là n'avait pas ouvert la bouche, sourit à cette remarque.

Russ poursuivit : « Nous avons également une information selon laquelle, il y a deux jours, à Billibotton, vous avez été impliqué dans une bagarre au couteau au cours de laquelle vous avez sérieusement blessé un citoyen dahlite du nom de... » Il frappa une touche de son calepin électronique et consulta une nouvelle page sur l'écran. « Elgin Marron.

– Votre information précise-t-elle comment la bagarre a commencé? remarqua Dors.

– Là n'est pas la question, Maîtresse. Niez-vous que la bagarre ait eu lieu?

– Bien sûr que non, protesta Seldon vivement, mais nous nions en avoir été les instigateurs. On nous a *attaqués.* Ce Marron s'est emparé de Maîtresse Venabili dans l'intention manifeste de la violer. Ce qui s'est produit par la suite relève tout simplement de la légitime défense. Ou bien Dahl ferme-t-elle les yeux sur le viol? »

Russ demanda, sur le ton le plus neutre possible : « Vous dites avoir été attaqués? Par combien d'individus?

– Dix hommes.

– Et vous seul – avec une femme – vous êtes défendu contre dix assaillants?

– Maîtresse Venabili et moi nous sommes défendus, oui.

– Comment se fait-il, dans ce cas, que ni l'un ni l'autre ne présentiez la moindre blessure? Porteriez-vous une quelconque coupure ou ecchymose qui ne serait pas directement visible?

– Pas du tout, monsieur l'agent.

– Comment se fait-il alors que, dans ce combat à un – plus une femme – contre dix, vous n'ayez pas reçu le moindre coup, quand le plaignant, Elgin Marron, a dû être hospitalisé avec des blessures qui nécessiteront une greffe de peau à la lèvre supérieure?

– Nous nous sommes bien défendus, répondit Seldon sur un ton agressif.

– Incroyablement bien. Que diriez-vous si je vous annonçais que trois hommes ont attesté que vous et votre amie avez attaqué Marron sans aucune provocation de sa part?

– Je dirais que ça dépasse l'entendement. Je suis sûr que ce Marron est déjà connu de vos services comme spécialiste du tapage et du couteau. Je vous affirme qu'il y avait dix hommes. Manifestement, six d'entre eux ont refusé de couvrir un mensonge. Les trois autres ont-ils expliqué pourquoi ils n'ont pas secouru leur ami s'ils ont été témoins d'un attaque délibérée susceptible de mettre sa vie en danger? Vous devez bien vous rendre compte qu'ils mentent.

– Suggérez-vous pour eux aussi le recours à une sonde psychique?

– Oui. Et pour vous épargner la question, je persiste à en refuser l'emploi sur nous.

– Nous avons également été informés qu'hier, après avoir quitté les lieux de l'émeute, vous avez consulté un certain Davan, rebelle notoire recherché par les services de sécurité. Est-ce vrai?

– Il vous faudra le prouver sans notre aide, répondit Seldon. Nous ne répondrons plus à aucune question. »

Russ déposa son calepin. « J'ai peur d'être obligé de vous demander de nous suivre au quartier général pour un complément d'enquête.

– Je ne crois pas que ce soit nécessaire, monsieur l'agent, dit Seldon. Nous sommes des Exos et n'avons commis aucun crime. Nous avons essayé d'éviter un reporter qui nous importunait sans raison, nous nous sommes défendus contre un viol et une menace d'assassinat dans une partie du secteur connue pour sa criminalité, et nous avons parlé avec divers Dahlites. Nous ne voyons rien qui justifie la poursuite de cet interrogatoire. Cela relèverait du harcèlement.

– C'est nous qui prenons les décisions, rétorqua Russ. Pas vous. Voulez-vous bien nous suivre?

– Non. Absolument pas, répliqua Dors.

– Attention! s'écria Maîtresse Tisalver. Elle a deux couteaux. »

L'agent Russ soupira et dit : « Merci, Maîtresse, mais je le sais. » Il se tourna vers Dors. « Savez-vous que le port du couteau sans permis, dans ce secteur, est un crime grave? Avez-vous un port d'arme?

– Non, monsieur l'agent. Je n'en ai pas.

– C'est donc sans aucun doute avec une arme illégale que vous avez assailli le sieur Marron? Vous rendez-vous compte que ça accroît sérieusement la gravité de votre crime?

– Ce n'était pas un crime, monsieur l'agent, insista Dors. Comprenez-le bien. Marron avait lui aussi un couteau et pas plus de permis que moi, j'en suis certaine.

– Rien ne nous le prouve et, tandis que Marron présente des blessures au couteau, aucun de vous deux n'en porte.

– Évidemment qu'il avait un couteau, monsieur l'agent. Si vous ne savez pas que tout le monde à Billibotton et la majorité des gens dans le reste de Dahl portent des couteaux pour lesquels ils ne détiennent aucun permis, alors vous êtes le seul à l'ignorer. On trouve ici à tous les coins de rue des boutiques qui vendent au grand jour des armes blanches. Vous le savez?

– Peu importe ce que je sais ou ne sais pas en l'occurrence. Peu importe que des tiers enfreignent la loi, et combien ils sont à le faire.

L'important, pour l'heure, c'est que Maîtresse Venabili est en infraction. Je dois vous demander de me remettre ces couteaux sur-le-champ, Maîtresse, et de m'accompagner, l'un et l'autre, au quartier général.

– En ce cas, venez les chercher vous-même », lança Dors.

Soupir de Russ. « N'allez pas vous imaginer, Maîtresse, que ce soit la seule arme connue à Dahl ou que je sois obligé de vous affronter en duel au couteau. Mon collègue et moi portons des fulgurants capables de vous détruire à l'instant, avant même que vous ayez pu porter la main à votre ceinture, si rapide soyez-vous. Nous n'en ferons pas usage, bien sûr, parce que nous ne sommes pas ici pour vous tuer. Toutefois, l'un comme l'autre, nous portons un fouet neuronique dont nous pouvons user librement. J'espère que vous n'aurez pas besoin d'une démonstration. Ça ne tue pas, ça ne cause aucun dommage irréversible, ça ne laisse pas la moindre trace, mais la douleur est atroce. Mon collègue tient en ce moment même un fouet neuronique braqué sur vous. Et voici le mien. Maintenant, vous allez nous donner vos couteaux, Maîtresse Venabili. »

Il y eut un temps d'arrêt puis Seldon reconnut : « A quoi bon, Dors. Donnez-les-lui. »

A cet instant précis, la porte fut ébranlée par une série de coups frénétiques et l'on entendit une voix haut perchée qui poussait des cris stridents.

79

Après les avoir raccompagnés jusqu'à l'appartement, Raych n'avait pas entièrement quitté le secteur.

Il s'était solidement restauré en attendant la fin de l'entrevue avec Davan; plus tard, il avait dormi un peu après avoir trouvé des toilettes plus ou moins en état. Maintenant que c'était fait, il n'avait pas vraiment d'endroit où aller. Il avait bien un vague point de chute et une mère qui n'était pas du genre à s'inquiéter de ses absences prolongées. Elle ne s'inquiétait jamais.

Il ne connaissait pas son père et se demandait parfois s'il en avait bien un. On lui avait confirmé que oui et on lui en avait crûment fourni les raisons. Parfois, ils se demandait s'il devait croire une histoire aussi tordue, mais il trouvait les détails excitants.

Ce qui le fit songer à la princesse. C'était une vieille, bien sûr, mais elle était jolie et savait se battre comme un homme – mieux qu'un homme. Tout cela l'emplissait d'idées vagues.

De plus, elle lui avait proposé de prendre un bain. Il allait parfois nager à la piscine de Billibotton, quand il avait quelques crédits à dépenser ou qu'il pouvait s'y glisser en douce. C'étaient les seuls moments où il se mouillait entièrement, mais c'était glacé et il lui fallait attendre pour sécher.

Prendre un bain, c'était différent. Il y aurait de l'eau brûlante, du savon, des serviettes, de l'air chaud. Il n'était pas certain de l'effet que ça ferait sauf que ce serait chouette si jamais elle était là.

Il était assez déluré pour connaître des passages isolés où il pourrait se planquer discrètement, près d'une salle de bains et encore assez près de l'endroit où elle était, et où il ne serait sans doute pas découvert et contraint à fuir.

Il passa la nuit à ruminer d'étranges pensées. Et s'il apprenait à lire et écrire? Pourrait-il en faire quelque chose? Il n'en était pas sûr mais peut-être qu'elle, elle saurait le lui dire. Il caressait la vague idée de recevoir de l'argent pour faire des choses qu'il ne savait pas encore faire, et d'ailleurs il n'aurait su dire en quoi elles consistaient. Il faudrait qu'on lui explique, mais comment se le faire expliquer?

S'il restait avec l'homme et la dame, ils pourraient l'aider. Mais pourquoi voudraient-ils qu'il reste avec eux?

Il s'assoupit, puis reprit bientôt ses esprits non pas à cause de la lumière, mais parce que son oreille fine avait décelé des bruits accrus venant de la galerie, signalant le début de l'activité diurne.

Il avait appris à identifier quasiment toutes les sortes de sons, car, dans le dédale souterrain de Billibotton, si vous vouliez survivre, même avec un minimum de confort, vous aviez intérêt à détecter les choses avant même de les avoir vues. Et ce bruit de véhicule à moteur qu'il entendait à présent ne lui disait rien qui vaille. C'était un bruit officiel, un bruit hostile...

Il secoua la tête pour s'éclaircir les idées, puis il se coula tranquillement vers le passage. Il n'eut pas besoin de noter l'emblème au soleil et à l'astronef peint sur la voiture. La ligne du véhicule en disait assez. Il sut qu'ils étaient venus chercher l'homme et la dame parce qu'ils étaient allés voir Davan. Il ne s'attarda pas à discuter ses idées ou à les analyser. Déjà, il avait détalé au pas de course, se frayant un passage au milieu de l'activité croissante de la journée.

Il était de retour en moins d'un quart d'heure. Le véhicule était toujours là, entouré d'une foule de curieux, prudemment postés à distance respectueuse. Leur nombre grossissait sans cesse. Il gravit l'escalier quatre à quatre, cherchant à se souvenir à quelle porte frapper. Pas le temps d'attendre l'ascenseur.

Il trouva la bonne porte – du moins, croyait-il – et martela la battant tout en couinant d'une voix étranglée : « Princesse! Princesse! »

Il était trop agité pour se rappeler son nom mais celui de l'homme lui revint en partie : « Hari! cria-t-il. Ouvrez-moi! »

La porte s'ouvrit et il se rua à l'intérieur – *tenta* de se ruer à l'intérieur. La rude patte d'un policier lui empoigna le bras. « Doucement, gamin. Où crois-tu aller?

– Lâchez-moi! J'ai rien fait! » Il regarda autour de lui. « Eh là, princesse, qu'est-ce qu'y font?

– Ils nous arrêtent, fit Dors, lugubre.

– Pourquoi? » Raych haletait, se débattait. « Eh, lâchez-moi,

’spèces de Galactos. Allez pas avec lui, princesse. Z’avez pas à le suivre.

– Toi, tu sors, dit Russ en le secouant avec véhémence.

– Non, ch’sors pas. Et vous non plus, l’Galactos. Y’a toute ma bande qui s’radine. Vous sortirez pas tant qu’eux, vous les aurez pas laissé sortir.

– Quelle bande? » Russ fronça les sourcils.

« Y sont juste à la porte, maintenant. Sans doute en train de mettre votre voiture en pièces. Et vous aussi, y vont vous mettre en pièces. »

Russ se tourna vers son collègue. « Appelle le Q.-G. Qu’ils nous envoient deux camions de Macros.

– Non! glapit Raych, qui se libéra pour se ruer sur Astinwald. Appelez pas! »

Russ brandit son fouet neuronique et tira.

Raych poussa un cri, s’agrippa l’épaule droite et tomba en se tortillant comme un forcené.

Russ eut à peine le temps de se retourner vers Seldon... déjà celui-ci, l’agrippant au poignet, écartait le fouet neuronique et, d’une clé, lui rabattait le bras, tout en lui écrasant les pieds pour le maintenir dans une relative immobilité. Hari sentit l’épaule se déboîter, à l’instant même où Russ poussait un hurlement étranglé.

Astinwald leva aussitôt son fulgurant mais le bras gauche de Dors lui bloqua l’épaule tandis que, de la main droite, elle lui plaquait sa lame contre la gorge.

« Ne bouge pas! le prévint-elle. Tu bouges d’une fraction de millimètre, et je te tranche la gorge jusqu’à la colonne vertébrale. Lâche ton arme. Lâche-la! Et le fouet neuronique. »

Seldon releva Raych, toujours gémissant, et le maintint fermement. Il se tourna vers Tisalver et l’avertit : « Il y a des gens, dehors. Des gens en colère. Je vais les faire entrer ici et ils vont casser tout ce qui leur tombera sous la main. Ils vont défoncer les murs. Si vous ne voulez pas que ça se produise, ramassez ces armes et jetez-les dans la pièce voisine. Prenez aussi celles de l’agent de sécurité qui est à terre et faites de même. Vite! Votre femme n’a qu’à vous aider. Elle y repensera à deux fois, la prochaine fois qu’elle voudra porter plainte contre des innocents. Dors, celui qui est par terre est hors jeu pour un bout de temps. Neutralisez l’autre également, mais ne le tuez pas.

– D’accord », dit Dors. Retournant son couteau, elle assomma l’autre policier avec le manche. L’homme tomba à genoux.

Elle fit la grimace : « J’ai hor-reur de faire ça.

– Ils ont tiré sur Raych », remarqua Seldon pour tenter de dissimuler son propre malaise.

Ils quittèrent l’appartement en hâte et, lorsqu’ils débouchèrent dans la galerie, la trouvèrent pleine à craquer de gens, essentiellement des hommes qui poussèrent des vivats dès qu’ils les virent apparaître. Ils furent rapidement entourés et bientôt submergés par une odeur de corps mal lavés.

Quelqu'un s'écria : « Où sont les Galactos?

– A l'intérieur, lança Dors d'une voix perçante. Laissez-les tranquilles. Ils sont hors jeu pour un moment mais ils vont avoir des renforts, alors tirez-vous en vitesse.

– Et vous, alors? » Le cri avait jailli d'une douzaine de poitrines.

« Nous partons, nous aussi. Nous ne reviendrons pas.

– Je vais m'occuper d'eux », piailla Raych, en se dégageant des bras de Seldon pour se tenir debout seul. Il se massait frénétiquement l'épaule. « J' peux marcher. Laissez-moi passer. »

La foule s'ouvrit devant lui et il lança : « M'sieur, princesse, v'nez avec moi... vite! »

Ils furent accompagnés jusqu'au bout de la galerie par plusieurs douzaines d'hommes, puis Raych désigna soudain une ouverture et murmura : « Par là, les potes. J'vous conduis dans une planque où on risque pas d' vous trouver. Même Davan la connaît pas. Le seul problème, c'est qu'y va falloir passer par les égouts. Personne viendra nous y chercher mais ça schlinguerait plutôt... voyez c' que j' veux dire?

– J'imagine qu'on y survivra », répondit Seldon.

Ainsi descendaient-ils une étroite rampe en spirale; ainsi, pour les accueillir, s'élevaient à mesure des odeurs méphitiques.

80

Raych leur avait trouvé une planque. Il avait fallu escalader les barreaux d'une échelle métallique qui les avait conduits à une espèce de vaste entrepôt dont Seldon ne put pas deviner la destination. Il était bourré d'appareillages, massifs et silencieux, dont la fonction demeurait un mystère. La salle était raisonnablement propre et dépoussiérée; d'ailleurs le courant d'air régulier qui la balayait empêchait tout dépôt de poussière et – plus important – semblait atténuer l'odeur.

Raych semblait ravi. « C'est-y pas chouette? » Il se massait encore l'épaule de temps à autre et grimaçait quand il frottait trop fort.

« Ça pourrait être pire, admit Seldon. Sais-tu à quoi sert cet endroit, Raych? »

Raych haussa les épaules ou du moins esquissa le geste et gémit. « Sais pas. » Puis il ajouta, provocant : « Qu'est-ce ça peut foutre? »

Dors, qui s'était assise par terre après avoir essuyé le sol de la main puis examiné sa paume avec méfiance, répondit : « Si vous voulez mon avis, je crois que ça fait partie d'un complexe de neutralisation et de filtrage des déchets. Le tout doit certainement finir comme engrais.

– Alors, observa Seldon, lugubre, ceux qui font marcher ce

complexe doivent y descendre périodiquement et peuvent débarquer d'un instant à l'autre, pour ce que nous en savons.

– J' suis déjà v'nu, intervint Raych. Jamais vu un pèlerin.

– Je suppose que Trantor est fortement automatisée chaque fois que c'est possible, et si une opération demande à l'être, c'est bien le traitement des déchets, observa Dors. On a une chance d'être tranquilles... pour un temps.

– Pas longtemps. Nous allons avoir faim et soif, Dors.

– J' peux vous trouver à boire et à manger, dit Raych. Faut bien savoir s' démerder quand on vit dans la rue.

– Merci, Raych, dit Seldon l'air absent, mais pour l'heure je n'ai pas faim. » Il renifla. « Je n'aurai peut-être plus jamais faim...

– Mais si, répondit Dors. Et même si vous perdez pour un temps l'appétit, la soif se fera sentir. Au moins, l'élimination ne posera pas de problème : nous sommes quasiment logés au-dessus d'un égout grand ouvert. »

Ils restèrent silencieux plusieurs minutes. La pénombre régnait à ce niveau et Seldon se demanda pourquoi les Trantoriens maintenaient un minimum d'éclairage. Il n'avait jamais rencontré l'obscurité complète dans aucun lieu public. C'était sans doute l'habitude d'une société qui ne connaissait pas de pénurie d'énergie. Étrange qu'un monde de quarante milliards d'âmes eût de l'énergie à revendre, mais, en exploitant la chaleur interne de la planète, sans parler de l'énergie solaire et des usines de fusion nucléaire en orbite, c'était le cas. En fait, tout bien considéré, aucune planète de l'Empire ne connaissait de pénurie d'énergie. Avait-il existé une époque à la technologie si primitive qu'une telle chose était possible?

Il s'appuya contre une batterie de canalisations sans doute parcourues par des eaux usées. Bientôt, il s'écarta des tuyauteries pour aller s'asseoir près de Dors.

« A-t-on un moyen quelconque de contacter Chetter Hummin?

– Pout tout dire, je lui ai envoyé un message, répondit Dors. Malgré mes réticences.

– Vos réticences?

– J'ai mission de vous protéger. Chaque fois que j'entre en contact avec lui, ça veut dire que j'ai échoué. »

Seldon la fixa, les paupières plissées. « Devez-vous être stricte à ce point, Dors? Vous ne pouvez quand même pas me protéger contre les forces de sécurité de tout un secteur.

– Je suppose que non. Nous pouvons en neutraliser quelques-uns...

– Je sais. On l'a fait. Mais ils vont envoyer des renforts... avec blindés... canons neuroniques... brouillard anesthésiant... Je ne sais pas au juste ce dont ils disposent, mais ils vont nous balancer tout leur arsenal. J'en suis certain.

– Vous avez sans doute raison. » Dors crispa les lèvres.

« Y vous trouveront jamais, Princesse », dit soudain Raych. Durant la conversation, ses yeux vifs étaient passés sans cesse de l'un à l'autre. « Z'ont jamais pu trouver Davan. »

Dors eut un sourire sans joie et ébouriffa les cheveux du garçon, puis examina sa propre paume avec consternation. « Je ne sais pas si tu fais bien de rester avec nous, Raych. Je n'ai pas envie qu'ils te trouvent, toi.

– Y me trouveront pas et si j' vous laisse, qui c'est qui vous apportera à boire et à manger, qui c'est qui vous trouvera une nouvelle planque où que les Galactos auront jamais l'idée de vous dénicher?

– Non, Raych, ils finiront par nous trouver... Ils ne font pas vraiment d'efforts pour chercher Davan. Il les embête mais j'ai dans l'idée qu'ils ne le prennent pas au sérieux. Tu vois ce que je veux dire?

– Vous voulez dire qu'il les fait simplement ch... suer et qu'il ne vaut pas une bonne chasse à l'homme?

– Tout juste. Mais, vois-tu, nous, nous avons sérieusement malmené deux officiers de police, et ça, ils ne vont certainement pas nous le pardonner. Même s'il leur faut employer tout leur arsenal, même s'ils doivent ratisser jusqu'au dernier couloir abandonné du secteur, ils finiront par nous trouver.

– Ça me donne quand même l'impression d'être... le dernier des nuls. Si je m'étais pas pointé le bec enfariné, vous auriez jamais amoché ces deux bourres, et vous auriez pas tous ces ennuis.

– Non, tôt ou tard nous aurions dû les... amocher. Qui sait? On aurait peut-être même dû en amocher davantage.

– En tout cas, vous vous êtes débrouillés comme des dieux, commenta Raych. Si j'avais pas eu mal partout, j'aurais mieux profité du spectacle.

– Ça ne nous avancera pas de nous battre contre toutes leurs forces de sécurité, observa Seldon. La question est : que vont-ils nous faire une fois qu'ils nous auront capturés? Sûrement nous condamner à la prison.

– Oh non. Si nécessaire, nous n'aurons qu'à en appeler à l'Empereur, remarqua Dors.

– L'Empereur? » Raych écarquilla les yeux. « Vous connaissez l'Empereur? »

Seldon écarta la remarque d'un signe de main. « N'importe quel citoyen de la Galaxie peut en appeler à l'Empereur. Ça me paraît une mauvaise idée, Dors. Depuis le premier instant où, avec Hummin, j'ai quitté le secteur impérial, nous n'avons cessé de fuir l'Empereur.

– Pas au point de nous laisser jeter dans une prison dahlite. Le recours impérial nous tiendra lieu de sursis, tout au moins de diversion, et peut-être pourrons-nous en profiter pour chercher une autre solution.

– Il y a toujours Hummin...

– Oui, effectivement, admit Dors, gênée, mais ce n'est pas non plus la panacée. D'abord, même si mon message lui est parvenu, et à supposer qu'il ait pu se rendre à Dahl toutes affaires cessantes, comment pourrait-il nous trouver ici? Et même alors, que pourrait-il faire contre l'ensemble des forces de sécurité de Dahl?

– En ce cas, rétorqua Seldon, il va nous falloir réfléchir à une solution avant qu'ils nous retrouvent.
– Si vous m'suivez, intervint Raych, j' peux vous garder un poil d'avance sur eux. J' connais toutes les planques du coin...
– Tu peux préserver notre avance devant un poursuivant, pas devant toute une troupe ratissant autant de coursives qu'elle voudra. Nous n'échapperons à un groupe que pour tomber sur un autre. »
S'ensuivit un long silence gêné, chacun ruminant ce qui paraissait une solution sans espoir. Puis Dors Venabili s'agita et murmura, tendue : « Les voilà. Je les entends. »
Tous trois prêtèrent l'oreille durant un moment, puis Raych se leva d'un bond et siffla : « Ils viennent de cette direction. Faut qu'on s'tire de ce côté-ci. »
Confus, Seldon n'entendait toujours rien; il aurait été ravi de se fier à l'ouïe supérieure des deux autres mais, alors même que Raych commençait à s'éloigner en hâte et sans bruit, une voix résonna contre les murs des égouts. « Ne bougez pas! Ne bougez pas! »
Et Raych s'étonna : « C'est Davan. Comment il a su qu'on était ici?
– Davan? demanda Seldon. Tu es sûr?
– Sûr et certain. Il va nous aider. »

81

« Que s'est-il passé? » s'enquit Davan.
Seldon ne se sentait guère soulagé. Il doutait que ce renfort imprévu modifiât le rapport de force entre eux et les autorités du secteur de Dahl mais, d'un autre côté, l'homme était à la tête d'effectifs propres à créer pas mal de confusion...
« Vous devriez le savoir, Davan, observa-t-il. Je soupçonne la foule assemblée devant chez les Tisalver, ce matin, d'avoir été composée en grande partie de vos partisans.
– Oui, il y en avait. On raconte déjà que vous avez été arrêtés et que vous auriez maîtrisé une escouade de Galactos. Mais pourquoi donc vous ont-ils interpellés?
– Deux, rectifia Seldon en levant deux doigts. Deux Galactos. Ça suffit amplement. Et cette interpellation était liée à la visite que nous venions de vous rendre.
– Ce n'est pas suffisant. Les Galactos ne se préoccupent pas de moi outre mesure. » Et il ajouta amèrement : « Ils me sous-estiment.
– Peut-être, mais la femme qui nous louait les chambres nous a dénoncés pour avoir déclenché une émeute... à cause du journaliste sur lequel nous sommes tombés en allant vous voir. Vous êtes au courant. Avec l'intervention de vos partisans hier et à nouveau ce matin, et avec deux agents blessés, ils pourraient bien décider de nettoyer

ces corridors – ce qui veut dire que vous aussi, vous allez en pâtir. Je suis vraiment désolé. Je n'avais vraiment pas l'intention d'être la cause de tout ceci. »

Mais Davan hocha la tête. « Non, vous ne connaissez pas les Galactos. Ce n'est pas un prétexte suffisant. Ils n'ont pas l'intention de nous éliminer. Le secteur serait obligé de réagir s'ils le faisaient. Ils sont bien trop heureux de nous laisser pourrir à Billibotton et dans nos taudis. Non, c'est après vous qu'ils en ont – et vous seuls. Qu'avez-vous fait?

– Nous n'avons rien fait, intervint Dors impatientée, et de toute manière quelle importance? S'ils n'en ont pas après vous mais après nous, ils vont débarquer pour nous déloger d'ici. Et si vous êtes sur leur passage, vous risquez de graves ennuis.

– Oh non, pas moi. J'ai des amis – des amis puissants, répondit Davan. Je vous l'ai dit hier soir. Et ils peuvent vous aider aussi bien que moi. Quand vous avez refusé de nous aider ouvertement, je les ai contactés. Ils vous connaissent, docteur Seldon. Vous êtes un homme célèbre. Ils sont en position de parler au Maire de Dahl et de veiller à ce qu'on vous laisse tranquille, quoi que vous ayez pu faire. Mais avant, il vous faudra partir – quitter Dahl. »

Seldon sourit. Une vague de soulagement le submergea. « Vous connaissez quelqu'un d'influent, vous, Davan? Quelqu'un qui vous réponde aussitôt, qui puisse dissuader le gouvernement dahlite de prendre des mesures radicales, qui puisse nous faire quitter le secteur? A la bonne heure! Je ne suis pas surpris. » Souriant, il se tourna vers Dors. « C'est comme à Mycogène. Comment Hummin fait-il son compte? »

Mais Dors hocha la tête. « Trop rapide... je ne comprends pas.

– Je crois bien qu'il peut tout faire.

– Je le connais mieux – et depuis plus longtemps – que vous, et moi je n'en crois rien. »

Sourire de Seldon. « Ne le sous-estimez pas. » Et puis, comme anxieux de ne pas s'éterniser sur le sujet, il se tourna vers Davan : « Mais vous, comment avez-vous fait pour nous trouver? Raych prétendait que vous ignoriez tout de cet endroit.

– C'est vrai, s'indigna Raych d'une voix perçante. Cette planque est à moi. C'est moi qui l'ai trouvée!

– C'est la première fois que je descends ici, reconnut Davan en parcourant du regard les lieux. Un coin intéressant. Raych est une créature des corridors, parfaitement à l'aise dans ce labyrinthe.

– Oui, Davan, nous nous en étions aperçus. Mais vous, comment l'avez-vous découverte?

– Avec un détecteur de chaleur. Un capteur d'infra-rouges réglé sur le profil thermique spécifique émis à la température de trente-sept degrés Celsius. Il réagit à la présence d'êtres humains à l'exclusion de toute autre source de chaleur. Il a réagi à votre présence à tous trois. »

Dors fronça les sourcils. « A quoi peut-il servir sur Trantor, où les gens grouillent partout? Ils en ont sur les autres planètes mais...

– Mais pas sur Trantor, acheva Davan. Je sais. Sauf qu'ils sont bien utiles dans les bas-fonds, dans les couloirs et les passages abandonnés.

– Et où l'avez-vous déniché? demanda Seldon.

– Le principal, c'est de l'avoir... Mais d'abord, il faut vous sortir d'ici, Maître Seldon. Trop de gens veulent vous récupérer et j'aimerais mieux que mon ami influent ait la préférence.

– Et où se trouve-t-il, cet ami influent?

– Il approche. Du moins, je détecte une nouvelle source à trente-sept degrés et je ne vois pas de qui d'autre il pourrait s'agir. »

A la porte apparut un nouveau venu mais l'exclamation de surprise ravie de Seldon mourut sur ses lèvres. Ce n'était pas Chetter Hummin.

Kan

KAN. – ... secteur de la cité-monde de Trantor... dans les derniers siècles de l'Empire galactique, Kan en était la partie la plus puissante, la plus stable. Depuis longtemps, ses dirigeants aspiraient au trône impérial, justifiant cette revendication par leur filiation avec les premiers Empereurs. Sous le règne de Mannix IV, Kan se remilitarisa et (à ce que prétendirent par la suite les autorités impériales) s'apprêtait à fomenter un coup d'État à l'échelle planétaire...

ENCYCLOPAEDIA GALACTICA

82

L'homme qui entra était grand et musclé. Il avait une longue moustache blonde retroussée aux extrémités et son visage était encadré d'un collier de barbe, laissant la pointe du menton et la lèvre inférieure imberbes et apparemment moites. Il avait les cheveux si blonds et taillés si court qu'un bref instant, le désagréable souvenir de Mycogène revint hanter Seldon.

Le nouveau venu portait indubitablement un uniforme. Rouge et blanc, avec un large ceinturon clouté d'argent.

Lorsqu'il parla, ce fut d'une voix basse résonnante dont l'accent différait de tout ce qu'avait entendu Seldon. Il trouvait les accents exotiques souvent grossiers mais celui-là semblait mélodieux, peut-être à cause de sa richesse en intonations graves.

« Je suis le sergent Emmer Thalus », se présenta l'homme dans une lente succession de syllabes grondantes. « Je suis venu chercher le docteur Hari Seldon.

– C'est moi », répondit l'intéressé puis, en aparté, pour Dors : « Si

Hummin n'a pas pu se déplacer en personne, il a sans doute dépêché ce superbe quartier de viande pour le représenter. »

Le sergent gratifia Seldon d'un regard impassible et un peu prolongé. Puis il ajouta : « Oui. Vous correspondez au signalement. Suivez-moi, je vous prie, docteur Seldon.

– Après vous. »

Le sergent s'effaça. Seldon et Dors Venabili s'avancèrent.

Le sergent s'arrêta et leva sa grosse patte, la paume tournée vers Dors. « J'ai reçu instruction d'emmener avec moi le docteur Hari Seldon. Mes ordres ne parlent de personne d'autre. »

Un instant, Seldon le fixa sans comprendre. Puis son étonnement laissa place à la colère. « Il est tout à fait impossible qu'on vous ait dit cela, sergent. Le docteur Dors Venabili est mon associée et ma compagne. Elle doit absolument venir avec moi.

– Ça ne correspond pas à mes ordres, docteur.

– Je me contre-fiche de vos ordres, sergent Thalus. Je ne bougerai pas d'un pouce sans elle.

– Qui plus est, ajouta Dors avec une irritation manifeste, mes ordres à moi sont de protéger le docteur Seldon en permanence. Je ne puis le faire qu'en restant avec lui. Par conséquent, où qu'il aille, je le suis. »

Perplexité du sergent. « Mes ordres sont stricts : je dois veiller à ce qu'il ne vous arrive rien de fâcheux, docteur Seldon. Si vous ne voulez pas venir de votre plein gré, je vais devoir vous porter jusqu'à mon véhicule. Je vais tâcher de le faire en douceur. »

Il étendit les deux bras comme pour le prendre à la taille et l'emporter à la manière d'un colis.

Seldon recula vivement. En même temps, il abattit le tranchant de sa paume droite sur le bras du sergent, là où le muscle était le moins épais, frappant ainsi l'os.

Le sergent inspira violemment et parut tressaillir, puis il se retourna le visage impassible, et avança de nouveau. Davan, qui observait la scène, resta figé là où il était, mais Raych passa derrière le sous-officier.

Seldon réitéra son coup, une deuxième, puis une troisième fois, mais cette fois le sergent Thalus, anticipant l'attaque, abaissa l'épaule pour l'encaisser dans le gras du muscle.

Dors avait sorti ses couteaux.

« Sergent, lança-t-elle d'une voix forte. Tournez-vous dans cette direction. Comprenez bien que je serai peut-être obligée de vous blesser sérieusement si vous persistez à emmener le docteur Seldon contre son gré. »

Le sergent s'immobilisa, parut remarquer gravement les lames qui décrivaient de lents cercles devant lui, puis répondit : « Mes ordres ne m'interdisent pas de malmener d'autres personnes que le docteur Seldon. »

Et, avec une vivacité surprenante, sa main droite se porta vers l'étui du fouet neuronique pendu à sa ceinture. Tout aussi vive, Dors brandit ses lames.

Aucun des deux n'acheva son mouvement.

Se ruant en avant, Raych avait poussé le sergent dans le dos, de la main gauche, tandis que la droite le délestait de son arme. Il s'écarta rapidement, tenant à deux mains le fouet neuronique et lança : « Les mains en l'air, sergent, ou vous allez y avoir droit! »

Le sous-officier pivota et un rictus nerveux traversa son visage cramoisi. Ce fut le seul instant où son impassibilité devait être prise en défaut. Il gronda : « Pose ça, fiston. Tu sais pas comment ça marche.

– Je sais qu'il y a un cran de sûreté, hurla Raych. Il est relevé et on peut tirer. Et j' m'en priverai pas si vous essayez d' me sauter d'ssus. »

Le sergent se figea. Il savait clairement quel danger il y avait à laisser un gamin surexcité tripoter une arme meurtrière.

Seldon n'avait pas l'air plus rassuré. « Fais attention Raych, lança-t-il. Ne tire pas. Ne laisse pas le doigt sur le contact.

– J' vais pas l' laisser m' sauter d'ssus.

– Il ne le fera pas... Sergent, je vous en conjure, ne bougez pas. Mettons les choses au point. On vous a dit de m'emmener d'ici. C'est bien exact?

– C'est exact », confirma le sergent qui, de ses yeux légèrement exorbités, continuait à fixer le jeune garçon (lequel, pour sa part, l'observait avec la même intensité).

« Mais, on ne vous a pas dit d'emmener quelqu'un d'autre. Est-ce exact?

– Non, on ne me l'a pas dit, docteur », répéta le sergent avec fermeté. Il n'allait pas en dévier, même sous la menace d'un fouet neuronique. C'était manifeste.

« Fort bien, mais écoutez-moi, sergent. Vous a-t-on donné l'ordre de *ne pas* emmener quelqu'un?

– Je viens de vous le dire...

– Non, non. Écoutez, sergent. Il y a une différence. Vos ordres étaient-ils simplement : " Emmenez le docteur Seldon! "? Était-ce là l'instruction dans son intégralité, sans mention de qui que ce soit d'autre? Ou bien vos ordres étaient-ils plus précis? Étaient-ils énoncés comme suit : " Emmenez le docteur Seldon et lui seul "? »

Le sergent rumina la question puis répondit : « On m'a dit de vous emmener, docteur Seldon.

– Donc, on ne citait personne d'autre en aucune façon, n'est-ce pas? »

Un silence. « Non.

– Vous n'aviez pas à emmener le docteur Venabili mais on ne vous l'interdisait pas non plus. N'est-ce pas? »

Un silence. « Non.

– Donc, vous pouvez l'emmener ou ne pas l'emmener, à votre guise? »

Long silence. « Je suppose que oui.

– Bien. A présent, voici Raych, ce jeune garçon qui tient un fouet neuronique braqué sur vous – *votre* fouet neuronique, je vous le rappelle – et qui brûle d'en faire usage.

– Ça ouais! s'exclama Raych.

– Pas tout de suite, Raych, dit Seldon. Et voici également le docteur Venabili, avec deux couteaux qu'elle sait utiliser en experte, ainsi que votre serviteur, qui peut, si l'occasion se présente, vous briser d'une main la pomme d'Adam au point que votre voix sera réduite à un murmure. Alors maintenant, voulez-vous emmener avec vous le docteur Venabili, oui ou non? Vos instructions vous laissent le choix. »

Et finalement, le sergent dit, sur le ton de la défaite : « Je vais emmener la femme.

– Et le garçon, Raych.

– Et le garçon.

– A la bonne heure. Ai-je votre parole d'honneur, votre parole de soldat, que vous allez faire comme vous avez dit... honnêtement?

– Vous avez ma parole d'honneur de soldat, dit le sergent.

– Bien. Raych, rends-lui le fouet – tout de suite. Ne me fais pas attendre. »

Avec une grimace dépitée, Raych regarda Dors qui hésita puis hocha lentement la tête. Elle avait l'air aussi déconfite que lui.

Raych tendit le fouet au sergent en disant : « C'est eux qui m'y forcent, 'spèce de grand... » La fin de sa phrase était inintelligible.

Seldon poursuivit : « Rangez vos couteaux, Dors. »

Dors hocha la tête mais elle obtempéra.

« Et maintenant, Sergent? »

Le sergent regarda le fouet neuronique, puis Seldon et dit : « Vous êtes un homme d'honneur, docteur Seldon, et je m'en tiens à la parole donnée. » Là-dessus, claquant les talons, il rengaina son fouet neuronique.

Seldon se tourna vers Davan : « Davan, oubliez, je vous prie, ce dont vous venez d'être le témoin. C'est de plein gré que tous trois nous allons accompagner le sergent Thalus. Dites à Yugo Amaryl, quand vous le verrez, que je ne l'oublierai pas et que, dès que cette affaire sera réglée et que j'aurai retrouvé ma liberté d'action, je veillerai à son admission dans une Université. S'il m'est possible de faire quelque chose pour votre cause, Davan, je le ferai aussi. Et maintenant, sergent, en route! »

83

« Avais-tu déjà pris l'aérojet, Raych? » demanda Hari Seldon.

Raych hocha la tête, sans piper mot. Il contemplait la Couverture qui défilait sous leurs pieds à toute vitesse, avec un mélange de respect et d'effroi.

A nouveau, Seldon nota à quel point Trantor était un monde de tunnels et de voies express. Pour la majorité de la population, même les plus longs déplacements se faisaient sous terre. Si répandu fût-il sur les Mondes extérieurs, le transport aérien était un luxe sur Trantor, et un aérojet comme celui-ci...

Comment faisait Hummin? se demanda Seldon.

Il regarda les dômes qui défilaient derrière le hublot, la verdure et les bosquets qui recouvraient cette partie de la planète, les bras de mer qu'ils survolaient parfois et dont les eaux plombées étincelaient trop brièvement quand le soleil perçait soudain l'épaisse couche nuageuse.

Une heure peut-être après le décollage, Dors, qui était en train de visionner un nouveau roman historique, apparemment sans enthousiasme, éteignit son lecteur et observa : « J'aimerais bien connaître notre destination.

– Si vous ne le savez pas, remarqua Seldon, ce n'est sûrement pas moi qui pourrai vous le dire. Vous êtes sur Trantor depuis plus longtemps que moi.

– Certes, mais à l'intérieur uniquement. Ici, au-dehors, avec seulement la Couverture pour me repérer, je suis aussi perdue que l'enfant qui vient de naître.

– Oh, enfin... Je suppose que Hummin sait ce qu'il fait.

– J'en suis persuadée, répliqua Dors, aigrement, mais il se peut que cela n'ait rien à voir avec la présente situation. Pourquoi persistez-vous à penser que tout ceci résulte de son initiative? »

Seldon arqua les sourcils : « Maintenant que vous me le demandez, je ne sais plus. Je l'avais simplement supposé. Pourquoi n'en serait-il pas ainsi?

– Parce que l'organisateur de cette opération n'a pas spécifié qu'on me prenne avec vous. Et j'ai du mal à imaginer Hummin oubliant mon existence, uniquement parce qu'il n'aurait pu se déplacer en personne, comme il l'a fait à Streeling et à Mycogène.

– Vous ne pouvez pas toujours y compter, Dors. Il arrive qu'il soit pris. Le plus étonnant, ce n'est pas qu'il n'ait pu venir à cette occasion, mais qu'il soit venu les fois précédentes.

– A supposer qu'il n'ait pas pu se déplacer en personne, nous aurait-il dépêché un somptueux palace volant aussi peu discret que celui-ci? » Du bras, elle embrassa la luxueuse cabine de leur appareil. « C'était peut-être le seul appareil disponible. Et il a peut-être pensé que personne n'irait imaginer un engin aussi voyant pour transporter des fugitifs cherchant à tout prix à ne pas se faire remarquer. La tactique bien connue du double-double jeu.

– Trop bien connue, si vous voulez mon avis. Et il aurait envoyé un crétin comme le sergent Thalus pour le remplacer?

– Le sergent n'est pas un crétin. Il a simplement été conditionné à obéir aveuglément. Pourvu qu'il ait reçu les instructions convenables, on doit s'y fier totalement.

– Tout juste, Hari : on en revient toujours au même point. Pourquoi n'a-t-il pas reçu les instructions convenables? Je ne peux imaginer que Chetter Hummin lui ait dit de vous faire sortir de Dahl sans parler de moi. Je ne peux pas. »

Seldon n'avait rien à répondre et son moral s'en ressentit.

Une heure s'écoula encore avant que Dors ne remarque : « On dirait que ça se rafraîchit dehors, le vert de la Couverture tourne au brun et j'ai l'impression qu'ils ont mis le chauffage.

– Ce qui signifie?

– Dahl est située dans la zone tropicale, et manifestement nous nous dirigeons vers le nord ou vers le sud – et assez loin, en plus. Si je parvenais à voir de quel côté la nuit vient, je pourrais vous préciser notre direction.

Finalement, ils survolèrent des côtes où une frange de glace enserrait des dômes entourés par l'océan.

Et puis, sans prévenir, l'aéronef se mit à piquer.

Raych hurla : « On va s'écraser! On va s'écraser! »

Seldon sentit son estomac se nouer et il agrippa les accoudoirs de son siège.

Dors, quant à elle, ne parut pas troublée. Elle remarqua : « Les pilotes n'ont pas l'air de s'inquiéter. Nous allons pénétrer dans un tunnel. »

A peine l'avait-elle dit qu'effectivement, les ailes de l'appareil se rabattaient pour se rétracter sous la coque et, tel un projectile, l'aérojet pénétra dans un tunnel. Instantanément, les ténèbres les enveloppèrent et, quelques secondes plus tard, l'éclairage intérieur s'allumait, révélant les parois qui filaient de part et d'autre de la coque.

Seldon grommela : « Sans doute savent-ils que le tunnel est vide, mais je crois bien que je n'aurai jamais confiance.

– Je suis certaine qu'ils en avaient l'assurance plusieurs dizaines de kilomètres avant d'y entrer, observa Dors. En tout cas, je présume que c'est la dernière étape du voyage et que nous n'allons pas tarder à savoir où nous sommes. »

Elle marqua un temps d'arrêt puis ajouta : « Et je sens que cette information ne nous enchantera pas, une fois que nous l'aurons. »

84

L'aérojet jaillit du tunnel pour déboucher sur une longue piste intérieure au toit si élevé qu'il ressemblait plus au ciel réel que tout ce que Seldon avait vu depuis le Secteur impérial.

Ils s'immobilisèrent plus vite qu'il ne l'avait escompté mais au prix d'une inconfortable décélération : Raych, en particulier, se retrouva écrasé contre le siège de devant, respirant avec peine jusqu'à ce que la main de Dors, posée sur son épaule, le tire doucement vers l'arrière.

Impressionnant et droit comme un I, le sergent Thalus descendit de l'appareil et gagna l'arrière pour ouvrir la porte du compartiment des passagers et les aider à sortir.

Seldon était le dernier. Il se tourna à moitié en passant devant lui et lança : « Ce fut un voyage agréable, sergent. »

Un sourire gagna lentement les traits de l'homme, relevant sa lèvre moustachue. Il effleura la visière de sa casquette en une esquisse de salut et répondit : « Merci encore, docteur. »

Il les aida à s'installer sur la banquette arrière d'un somptueux véhicule terrestre puis, se glissant à l'avant, il les conduisit lui-même, pilotant avec une surprenante douceur.

Ils empruntèrent de larges avenues flanquées de hauts édifices élégants, scintillants dans la lumière. Comme partout ailleurs sur Trantor, on entendait le grondement lointain du Réseau express. Dans les allées circulait une foule de gens bien vêtus pour la plupart. Il émanait de l'ensemble une expression de propreté remarquable – excessive, presque.

Seldon se sentit de moins en moins rassuré. Les doutes de sa compagne sur leur destination semblaient finalement justifiés. Il se pencha vers elle et demanda : « Croyez-vous que nous sommes de retour dans le Secteur impérial?

– Non. Les bâtiments y sont plus rococos et on ne retrouve pas ici l'ambiance " parcs et jardins " du Secteur impérial, si vous voyez ce que je veux dire...

– Alors, où sommes-nous, Dors?

– J'ai peur que nous soyons obligés de le demander, Hari. »

Le trajet était court et bientôt ils pénétrèrent dans un parc de stationnement au pied d'un imposant bâtiment de quatre étages. Une frise d'animaux imaginaires courait à son sommet, décoré de bandeaux de pierre d'un rose chaud. C'était une façade imposante au dessin assez agréable.

« Question rococo, on est servis », remarqua Seldon.

Dors haussa les épaules, incertaine.

Raych siffla et dit, essayant en vain de ne pas avoir l'air impressionné : « Eh, non mais regardez-moi c'te palace. »

Le sergent Thalus fit signe à Seldon de le suivre. L'intéressé se carra au fond de son siège et, faisant lui aussi appel au langage universel, ouvrit largement les bras pour inclure dans son geste Dors et Raych.

Le sergent hésita, comme intimidé par l'imposant porche rose. Même sa moustache parut retomber.

Puis il lança, bourru : « Eh bien, en avant tous les trois. Ma parole d'honneur tient toujours. D'autres en revanche ne seront peut-être pas obligés de se sentir liés, vous savez. »

Seldon acquiesça. « Je ne vous tiendrai responsable que de vos propres actes, sergent. »

La remarque parut manifestement le toucher car, durant un instant, son visage s'illumina comme s'il envisageait l'éventualité de serrer la main de Seldon ou de lui exprimer d'une manière quelconque son approbation sincère. Il se ravisa toutefois et posa le pied sur la première marche du perron. Aussitôt l'escalier se mit en branle.

Seldon et Dors lui emboîtèrent le pas, conservant sans problème leur équilibre. Raych, un instant pris au dépourvu, s'empressa de monter à son tour sur l'escalator, fourra les deux mains dans les poches et se mit à siffloter, mine de rien.

La porte s'ouvrit et deux femmes apparurent, encadrant le seuil, face à face. Elles étaient jeunes et séduisantes. Leurs robes, serrées à la taille par une ceinture, tombaient en plis empesés jusqu'à leurs chevilles, froufroutant lorsqu'elles marchaient. L'une et l'autre étaient brunes, avec des nattes épaisses roulées de chaque côté de la tête. (Seldon trouva cette coiffure séduisante mais il se demanda combien de temps il leur fallait le matin pour s'arranger ainsi. Il n'avait pas remarqué de coiffure aussi élaborée sur les passantes qu'il avait croisées jusque-là dans les rues.)

Les deux femmes contemplaient les nouveaux venus avec un mépris évident. Seldon n'en fut pas surpris. Après les derniers événements, Dors et lui avaient sans doute l'air aussi peu engageants que Raych.

Pourtant, l'une et l'autre réussirent à s'incliner cérémonieusement, firent demi-tour avec un bel ensemble et, en parfaite symétrie, elles leur firent signe d'entrer. (Est-ce qu'elles répétaient cette chorégraphie?) A l'évidence, on ne leur laissait pas le choix.

Ils pénétrèrent dans une salle à la décoration recherchée, encombrée de mobilier et d'objets dont l'utilité ne parut pas immédiatement manifeste à Seldon. Le sol était de teinte claire, élastique, et légèrement luminescent. Avec un certain embarras, Seldon nota que leurs pas y laissaient une marque poussiéreuse.

Puis une porte intérieure s'ouvrit en grand et une autre femme émergea, nettement plus âgée que les deux premières. (Elles s'étaient inclinées en une lente révérence à son entrée, croisant symétriquement les jambes avec une maîtrise de l'équilibre qui suscita l'admiration de Seldon ; sans aucun doute, cela exigeait de l'entraînement.)

Il se demanda si l'on attendait de lui une manifestation de respect analogue, mais, n'ayant pas la moindre idée des exigences protocolaires requises, il se contenta d'incliner légèrement la tête. Dors resta bien droite et, lui sembla-t-il, avec une pointe de dédain. Raych regardait, bouche bée, tout autour de lui, comme s'il n'avait même pas remarqué la présence de la femme qui venait d'entrer.

Elle était bien en chair – pas obèse, mais enveloppée – coiffée comme les deux jeunes femmes et vêtue d'une robe du même style, en plus ornementé – trop au goût de Seldon.

Elle était dans la force de l'âge, avec cheveux légèrement grisonnants, mais aussi des fossettes qui la rajeunissaient considérablement. Ses yeux noisette pétillaient de bonne humeur et, dans l'ensemble, elle paraissait plus maternelle qu'âgée.

Elle leur demanda : « Comment allez-vous, tous les trois? » La présence de Dors et de Raych ne l'avait pas surprise, et elle les embrassait dans un même salut. « Je vous attendais depuis un certain temps et j'avais même failli vous intercepter sur la Couverture de Streeling. Vous êtes le docteur Hari Seldon, que j'attendais de connaître avec impatience. Et vous devez être, je suppose, le docteur Dors Venabili, car on a signalé votre présence à ses côtés. Je crains, en revanche, de ne pas connaître l'identité du jeune homme, mais je suis ravie de faire sa connaissance. Maintenant ne perdons pas notre temps en palabres car je suis sûre que vous aimeriez d'abord vous délasser.

– Et prendre un bain, madame, dit Dors avec une certaine insistance. Nous aurions tous besoin d'une bonne douche.

– Oui, sans aucun doute, dit la femme. Et aussi de vous changer. Surtout le jeune homme. » Elle examina Raych sans la moindre trace de mépris ou de désapprobation qu'avaient manifesté les deux jeunes femmes.

« Comment vous appelez-vous, jeune homme?

– Raych », répondit l'intéressé d'une voix légèrement étranglée. Puis il s'empressa d'ajouter, à tout hasard : « M'dame.

– Quelle étrange coïncidence, dit la femme, l'œil pétillant. Un présage, peut-être. Moi-même, je me prénomme Rachelle. N'est-ce pas curieux?... Mais venez, on va s'occuper de vous. Ensuite, nous aurons tout notre temps pour dîner et bavarder.

– Attendez, madame, dit Dors. Puis-je vous demander où nous sommes?

– Mais à Kan, quelle question! Et, je vous en prie, appelez-moi donc Rachelle, nous serons plus à l'aise. Je n'ai jamais beaucoup goûté le cérémonial. »

Dors se raidit. « Le moment est-il mal choisi pour vous poser la question? N'est-il pas naturel que nous désirions savoir où nous sommes? »

Rachelle partit d'un agréable rire gazouillant. « Franchement, docteur Venabili, il faudrait revoir le nom de cet endroit. Je ne vous renvoyais pas la question, j'y répondais tout simplement. Vous ne vous m'avez pas demandé *où* pour que je vous réponde *quand*. Je vous ai simplement indiqué que vous étiez à “Kan”. Vous êtes dans le secteur de Kan.

– A Kan? insista Seldon.

– Tout à fait, docteur Seldon. Nous désirions vous avoir depuis le jour de votre conférence au Congrès décennal, d'où notre plaisir extrême à vous avoir aujourd'hui parmi nous. »

85

En fait, il leur fallut une journée entière pour faire disparaître fatigue et courbatures, se laver et se récurer, obtenir des habits neufs (satinés et plutôt amples, à la mode locale) et dormir.

Ce fut durant leur seconde soirée à Kan qu'eut lieu le dîner promis par Madame Rachelle.

La table était vaste – trop vaste pour quatre convives : Hari Seldon, Dors Venabili, Raych et Rachelle. Murs et plafond étaient baignés d'un éclairage tamisé dont la couleur changeait selon un rythme propice à attirer l'œil sans pour autant incommoder l'esprit. La nappe (qui n'était pas en tissu et dont Seldon n'avait su reconnaître la matière) semblait littéralement étinceler.

Les serveurs étaient nombreux et silencieux et, quand la porte s'ouvrit, Seldon crut apercevoir, postés à l'extérieur, des soldats en armes, au garde-à-vous : la salle était un gant de velours mais la main de fer n'était pas loin.

Rachelle se montra aimable et gracieuse; elle s'était manifestement prise d'amitié pour Raych qu'elle avait absolument tenu à faire asseoir à côté d'elle.

Raych – récuré, poli, resplendissant, pratiquement méconnaissable dans ses habits neufs et avec ses cheveux lavés, coupés et brossés – n'osait quasiment pas ouvrir la bouche, comme s'il sentait que son vocabulaire ne correspondait plus à son apparence. Sa gêne faisait peine à voir et il ne cessait d'observer Dors avec attention chaque fois qu'elle manipulait son couvert, cherchant à décalquer au plus près ses moindres mouvements.

La chère était savoureuse mais épicée – au point que Seldon avait du mal à reconnaître l'exacte nature des mets.

Le visage replet de leur hôtesse s'éclaira d'un doux sourire qui révélait des dents éclatantes; elle remarqua : « N'allez pas vous imaginer qu'on mette dans la nourriture des additifs mycogéniens : tout ce que vous consommez est d'origine locale. Il n'y a pas sur toute la planète de secteur plus autosuffisant que Kan. Nous travaillons dur pour y parvenir. »

Seldon hocha gravement la tête et répondit : « Tout ce que vous nous avez offert était succulent, Rachelle. Nous vous en sommes extrêmement reconnaissants. »

En même temps, il se disait que la nourriture kanite était loin d'avoir la qualité mycogénienne. Plus que jamais, comme il l'avait murmuré plus tôt à Dors, il avait l'impression de fêter sa propre défaite. Ou celle de Hummin, ce qui paraissait revenir au même.

Après tout, il s'était fait capturer par Kan, une éventualité qui avait tout particulièrement préoccupé Hummin lors de l'incident de la Couverture.

« Peut-être qu'en ma qualité d'hôtesse, reprit Rachelle, vous me pardonnerez si je vous pose des questions personnelles. Ai-je raison de supposer que vous n'êtes pas tous les trois de la même famille? Que vous, Hari, et vous, Dors, n'êtes pas mariés et que Raych, ici présent, n'est pas votre fils?

– Nous n'avons effectivement aucun lien de parenté, confirma Seldon. Raych est né sur Trantor, je suis moi-même natif d'Hélicon et Dors de Cinna.

– Et comment, dans ce cas, avez-vous fait connaissance? »

Seldon l'expliqua brièvement en donnant le moins de détails possible. « Bref, ajouta-t-il, rien de bien intéressant ou de romantique dans ces rencontres.

– Pourtant, j'ai cru comprendre que vous auriez créé des difficultés à mon aide de camp, le sergent Thalus, quand il voulait simplement vous faire sortir de Dahl.

– Je me suis attaché à Dors et Raych, dit gravement Seldon, et je n'avais pas envie d'être séparé d'eux. »

Rachelle sourit : « Vous êtes un sentimental, à ce que je vois.

– Absolument. Je suis sentimental. Et intrigué.

– Intrigué?

– Eh bien oui. Et puisque vous avez eu l'amabilité de nous poser des questions personnelles, puis-je vous en poser une à mon tour?

– Bien sûr, mon cher Hari. Faites. Demandez ce que vous voulez.

– Dès notre arrivée, vous avez dit que Kan désirait m'avoir depuis le jour où j'ai fait ma communication au Congrès décennal. Pour quelle raison?

– Vous n'êtes certainement pas naïf au point de ne pas vous en douter. A cause de la psychohistoire.

– Jusque-là, je veux bien le comprendre. Mais qu'est-ce qui vous fait penser que le fait de m'avoir, moi, signifie que vous déteniez la psychohistoire?

– Vous n'avez quand même pas été étourdi au point de la perdre en route...

– C'est encore pire, Rachelle. Je ne l'ai jamais eue. »

Les fossettes se creusèrent sur le visage de Rachelle. « Mais vous disiez l'avoir, lors de votre conférence. Non que j'y aie compris grand-chose. Je ne suis pas mathématicienne, j'ai horreur des chiffres. Mais j'emploie des mathématiciens qui m'ont expliqué votre théorie.

– Dans ce cas, ma chère Rachelle, il faut que vous m'écoutiez plus attentivement. J'imagine qu'ils ont dû vous dire que j'ai établi que les prévisions psychohistoriques sont possibles, mais ils ont certainement dû ajouter qu'elles restent inapplicables.

– Je n'arrive pas à y croire, Hari. Le lendemain même de votre intervention, vous étiez convoqué en audience par ce pseudo-empereur, Cléon.

– Le *pseudo*-empereur? murmura Dors, ironique.

– Eh bien oui, dit Rachelle comme si elle répondait à une question tout à fait sérieuse. Pseudo-empereur. Parfaitement. Il n'a aucun droit légitime au trône.

– Rachelle, intervint Seldon, écartant cette digression avec quelque impatience, j'ai dit à Cléon exactement ce que je viens de vous dire et il m'a laissé repartir. »

Cette fois, Rachelle ne souriait plus. Une légère irritation transparut dans sa voix : « Oui, il vous a laissé repartir comme le chat avec la souris de la fable. Et il vous a traqué depuis lors – à Streeling, à Mycogène, à Dahl. Et il vous traquerait jusqu'ici, s'il l'osait. Mais allons, notre discussion sérieuse devient un peu trop sérieuse. Amusons-nous. Musique! »

A ces mots retentit dans la pièce, en sourdine, une allègre mélodie instrumentale. Rachelle se pencha vers Raych et lui dit doucement : « Mon garçon, si tu n'es pas à l'aise avec la fourchette, sers-toi de ta cuillère ou de tes doigts. Je ne m'en formaliserai pas.

– Bien m' dame, dit Raych en s'étranglant à moitié mais Dors, qui avait attiré son regard, articula en silence : « Ta fourchette. »

Raych garda la fourchette.

« La musique est superbe, madame, dit Dors, évitant délibérément toute familiarité, mais il ne faut pas qu'elle nous distraie. J'ai toujours pensé, dès le début, que notre poursuivant pouvait être au service du secteur de Kan. Vous ne seriez certainement pas aussi bien renseignée si Kan n'était pas le premier moteur. »

Rachelle éclata de rire. « Kan a ses yeux et ses oreilles partout, bien sûr, mais nous ne sommes pas les poursuivants. Sinon, nous vous aurions récupérés sans coup férir, comme ce fut le cas au bout du compte à Dahl; là, nous étions bel et bien à vos trousses. En revanche, lorsqu'une poursuite échoue, lorsqu'une main manque sa proie, vous pouvez être certain que c'est Demerzel qui est derrière.

– Le tenez-vous en si piètre estime? s'étonna Dors.

– Eh oui. Ça vous étonne? Nous l'avons battu.

– Vous? Ou le secteur de Kan?

– Le secteur, évidemment, mais dès l'instant où Kan est victorieuse, je suis moi-même victorieuse.

– Comme c'est étrange, remarqua Dors. L'opinion semble prévaloir dans tout Trantor que les habitants de Kan ne se préoccupent guère de victoire, de défaite ou de quoi que ce soit. On a le sentiment qu'il n'y a qu'une seule volonté, une seule poigne qui compte à Kan, celle du Maire. Vous, ou n'importe quel autre Kanite, ne devez pas peser lourd en comparaison. »

Large sourire de Rachelle. Elle prit le temps de contempler Raych avec bienveillance et de lui pincer la joue avant de répondre : « Si vous croyez que notre Maire est un autocrate et qu'une seule volonté dirige Kan, vous avez peut-être bien raison. Mais, même dans ce cas, je suis toujours en droit d'user du pronom personnel car ma volonté est en cause.

– La vôtre, pourquoi? demanda Seldon.

– Pourquoi pas? » dit Rachelle tandis que les domestiques commençaient à débarrasser la table. « Mais parce que c'est moi le Maire de Kan. »

86

Raych fut le premier à réagir. Oubliant totalement le vernis de civilité qui le gênait tant aux entournures, il partit d'un rire rauque et lança : « Eh, princesse, pouvez pas êt' maire. C'est un poste pour les mecs. »

Rachelle le regarda avec bonne humeur et lui répondit, calquant son accent à la perfection : « Eh, mon p' tit gars, des maires, y en a chez les nanas comme chez les mecs. Mets-toi bien ça dans la cafetière et laisse mariner. »

Les yeux de Raych lui sortirent de la tête et il la fixa, abasourdi : « Eh, princesse, savez jac'ter comme un chef.

– Je veux, mon n' veu. Tant qu' tu voudras », dit Rachelle, souriant toujours.

Seldon se racla la gorge et remarqua : « Vous avez effectivement un sacré accent, Rachelle. »

Rachelle inclina légèrement la tête. « Je n'ai pas eu l'occasion de le pratiquer depuis bien des années, mais c'est une chose qui ne s'oublie pas. J'ai eu jadis un ami, un très bon ami, qui était Dahlite – quand j'étais toute jeune. » Elle soupira. « Il ne parlait pas ainsi, bien sûr – il était très intelligent –, mais il pouvait prendre cet accent à tout moment et c'est lui qui me l'a appris. C'était formidable de parler ainsi entre nous. Ça créait un monde qui excluait tout ce qui nous entourait. C'était merveilleux. C'était également impossible. Mon père me l'a bien fait comprendre. Et voilà que débarque ce jeune voyou de Raych pour me rappeler ces jours depuis longtemps enfuis... Il a l'accent, les yeux, cette allure impudente, et dans cinq ou six ans d'ici, il sera les délices et la terreur des jolies femmes. Pas vrai, Raych?

– J' sais pas, princes... euh, m' dame.

– J'en suis persuadée comme je suis sûre que tu ressembleras énormément à mon... vieil ami, et mieux vaudra alors que je n'aie pas l'occasion de te voir. Et maintenant, le dîner est terminé et il serait temps pour toi de regagner ta chambre, Raych. Tu pourras regarder un peu l'holovision si tu as envie. Je doute que tu saches lire... »

Raych rougit. « Je saurai lire un jour. Maître Seldon l'a dit.

– Alors, s'il l'a dit, je suis sûre que tu sauras. »

Une jeune femme s'approcha de Raych, après une révérence respectueuse en direction de Rachelle. Seldon n'avait pas remarqué qu'on l'avait appelée.

« J' peux pas rester avec Maître Seldon et m' dame Venabili? demanda Raych.

– Tu les verras plus tard, dit Rachelle, mais le Maître, la dame et moi nous avons à discuter maintenant... alors, il faut que tu y ailles. »

Silencieusement, Dors lui fit signe d'obéir et, avec une grimace, le garçon se glissa hors de son siège et suivit la servante.

Dès que Raych fut parti, Rachelle se tourna vers ses hôtes et leur dit : « Le garçon ne risque rien, évidemment, il sera bien traité. N'ayez aucune crainte à son sujet, je vous en prie. Et je ne risque rien, moi non plus : comme cette servante, une douzaine d'hommes en armes peuvent surgir – et bien plus vite – au premier appel. Je veux que ce soit bien compris. »

Seldon remarqua sur un ton égal : « Nous ne songions certainement pas à vous attaquer, Rachelle – ou bien dois-je dire à présent “madame le Maire”?

– Restons-en à Rachelle. J'ai cru comprendre que vous êtes un véritable lutteur, Hari, et que vous, Dors, savez fort bien manier les couteaux que nous avons d'ailleurs subtilisés dans votre chambre. J'aimerais mieux que vous ne comptiez pas trop sur vos talents en ce domaine car je préférerais avoir devant moi un Hari amical, sans armes, et vivant...

– Tout le monde sait pertinemment, madame le Maire, remarqua Dors sans se départir de son hostilité, que le maître de Kan, depuis quarante ans, est Mannix, quatrième du nom, qu'il est toujours en vie et en pleine possession de ses facultés. Alors qu'êtes-vous au juste?

– Exactement ce que je vous ai dit, Dors. Mannix IV est mon père. Il est, pour reprendre vos termes, toujours en vie et en pleine possession de ses facultés. Aux yeux de l'Empereur et de tout l'Empire, il est Maire de Kan, mais il est las des obligations du pouvoir et désire, en fin de compte, les laisser glisser entre mes mains qui sont tout aussi désireuses de s'en emparer. Je suis sa fille unique et toute ma vie j'ai été formée au gouvernement. Mon père reste donc Maire en titre, mais c'est moi qui le suis en fait. C'est à moi, désormais, que les forces armées de Kan prêtent serment d'allégeance et, à Kan, c'est la seule chose qui compte. »

Seldon hocha la tête. « Admettons. Mais même dans ce cas, qu'il s'agisse du Maire Mannix IV ou du Maire Rachelle 1re – vous êtes première du nom, je suppose –, vous n'avez aucune raison de me retenir prisonnier. Je vous ai déjà dit que je n'ai pas de psychohistoire opérationnelle et j'ai l'impression que ni moi ou ni un autre n'en aura jamais. Je l'ai dit à l'Empereur. Je ne vous suis pas plus utile qu'à lui.

– Quel naïf vous faites! s'exclama Rachelle. Connaissez-vous l'histoire de l'Empire? »

Seldon hocha la tête. « Ces derniers temps, j'en suis venu à souhaiter la connaître mieux.

– Moi, je la connais parfaitement bien, intervint sèchement Dors, même si ma spécialité concerne surtout la période préimpériale, madame le Maire. Mais pourquoi cette question?

– Si vous connaissez votre histoire, alors vous savez que la maison de Kan est antique et honorable et qu'elle descend de la dynastie dacienne.

– Les Daciens étaient au pouvoir il y a cinq millénaires. Le nombre de leurs descendants depuis cent cinquante générations doit atteindre la moitié de la population galactique – si l'on en croit les généalogistes, malgré l'extravagance de leurs prétentions.

– Nos généalogistes, docteur Venabili... (et le ton de Rachelle, pour la première fois, était glacial et dépourvu d'aménité, tandis que ses yeux brillaient comme l'acier)... « nos généalogistes ne sont pas extravagants. Ils sont parfaitement documentés. La maison de Kan a régulièrement conservé des postes de pouvoir durant toutes ces générations et, à plusieurs occasions, nous avons effectivement détenu le trône impérial et eu des Empereurs.

– Les vidéo-livres d'histoire, remarqua Dors, qualifient en général les dirigeants de Kan d'"anti-empereurs", jamais reconnus par la masse de l'Empire.

– Tout dépend du vidéo-livre et de son auteur. A l'avenir, nous nous chargerons du travail, car ce trône qui fut nôtre sera nôtre à nouveau.

– Pour y parvenir, vous devrez déclencher une guerre civile.

– Il n'y a pas grand risque, observa Rachelle en se remettant à sourire. C'est ce que je dois vous expliquer parce que je compte sur l'aide du docteur Seldon pour prévenir une telle catastrophe. Toute sa vie, mon père, Mannix IV, a été un homme de paix. Il a toujours été loyal envers l'occupant du Palais impérial et il a tout fait pour que Kan reste un pilier, solide et prospère, de l'économie trantorienne, pour le bien de l'Empire tout entier.

– Que je sache, l'Empereur ne lui a pas pour autant témoigné plus de confiance, remarqua Dors.

– J'en suis certaine, dit Rachelle sans se départir de son calme, car les Empereurs du temps de mon père se savaient des usurpateurs issus d'une lignée usurpatrice. Des usurpateurs ne peuvent se fier aux prétendants légitimes. Pourtant mon père a maintenu la paix. Il a, bien sûr, développé et entraîné de superbes forces de sécurité afin de préserver la paix, la prospérité et la stabilité de ce secteur, et les autorités impériales l'ont laissé faire parce qu'elles voulaient une Kan paisible, prospère et stable – et surtout loyale.

– Mais, l'est-elle, loyale? s'enquit Dors.

– Au véritable Empereur, bien sûr. Et nous avons aujourd'hui atteint le stade où notre puissance nous permet de renverser le gouvernement en un clin d'œil – dans une attaque éclair, en fait. Avant qu'on ait pu seulement parler de « guerre civile », nous aurons un véritable Empereur – ou une Impératrice, si vous préférez – et Trantor se retrouvera tout aussi paisible qu'auparavant. »

Dors hocha la tête. « Puis-je vous éclairer de mes lumières d'historienne?

– Je suis toujours prête à écouter. » Et elle inclina imperceptiblement la tête vers Dors.

« Si développées, si entraînées, si équipées que soient vos forces de sécurité, elles ne peuvent égaler les forces impériales, soutenues par vingt-cinq millions de planètes.

– Ah, mais vous touchez là du doigt la faiblesse de l'usurpateur, docteur Venabili. Il y a bien vingt-cinq millions de mondes sur lesquels sont éparpillées les forces impériales. Ces forces sont dispersées sur un espace incommensurable, sous les ordres d'un nombre incalculable d'officiers, dont aucun n'est particulièrement enclin à guerroyer hors de sa province, et dont bon nombre seraient prêts à défendre leur intérêt propre plutôt que celui de l'Empire. Nos forces, en revanche, sont toutes regroupées ici, sur Trantor. Nous pouvons agir et en finir avant que tous ces amiraux et généraux du fond de la Galaxie aient eu le temps de se mettre dans la tête qu'on a besoin d'eux.

– Mais la réaction viendra, et avec une force irrésistible.

– En êtes-vous sûre? dit Rachelle. Nous occuperons le Palais. Trantor sera à nous, et en paix. Pourquoi les forces de l'Empire interviendraient-elles quand, en continuant à s'occuper de ce qui le regarde, chaque petit chef militaire peut avoir son propre monde, sa propre province à gouverner? Est-ce là ce que vous voulez? demanda Seldon, songeur. Êtes-vous en train de me dire que vous vous préparez à diriger un Empire éclaté en mille morceaux?

– C'est parfaitement exact, confirma Rachelle. Je dirigerai Trantor, ses stations spatiales et les quelques systèmes planétaires proches qui forment sa province. J'aimerais mieux être Empereur de Trantor qu'Empereur de toute la Galaxie.

– Vous vous satisferiez de la seule Trantor? s'étonna Dors avec la plus profonde incrédulité.

– Pourquoi pas? » dit Rachelle, se fâchant soudain. Elle se pencha brusquement, les deux paumes plaquées sur la table. « C'est le projet que nourrit mon père depuis quarante ans. S'il se raccroche à la vie, c'est pour assister à son accomplissement. Qu'avons-nous à faire de millions de mondes lointains qui ne signifient rien pour nous, qui affaiblissent, qui attirent nos forces au loin sur des parsecs cubes d'espace, sans signification, qui nous font sombrer dans un chaos administratif, qui nous ruinent avec leurs querelles et leurs problèmes sans fin alors qu'ils ne sont que des néants lointains en ce qui nous concerne? Notre propre monde surpeuplé – notre cité planétaire – est assez galactique pour nous. Nous avons tout ce qu'il nous faut pour subsister. Quant au reste de la Galaxie, qu'il vole en morceaux si ça lui chante. Chaque minable galonné peut en récupérer un morceau pour lui. Ils n'auront pas besoin de se battre. Il y en aura bien assez pour tous.

– Mais ils se battront tout de même, objecta Dors. Chacun refusera de se contenter de sa province. Chacun craindra que son voisin ne se contente pas de la sienne. Chacun se sentira en danger et rêvera d'une autorité galactique comme du seul moyen de garantir la sécurité. Voilà ce qui est certain, madame l'Impératrice de Rien. Il y aura des guerres interminables où vous serez irrémédiablement entraînées, Trantor et vous – pour la ruine générale.

– Ça se pourrait, répondit Rachelle avec un mépris manifeste, pour peu qu'on ne voie pas plus loin que vous, pour peu qu'on s'appuie sur les leçons ordinaires de l'histoire.

– Qu'y a-t-il au-delà? rétorqua Dors. Qui voudrait s'appuyer sur autre chose que sur les leçons de l'histoire?

– Qui? s'exclama Rachelle. Eh bien, *lui*! »

Et son bras se tendit, l'index pointé vers Seldon.

« Moi? dit l'intéressé. Je vous ai déjà dit que la psychohistoire... »

Rachelle l'interrompit : « Ne vous répétez pas, mon bon docteur Seldon. Nous n'y gagnerons rien. Croyez-vous, docteur Venabili, que mon père n'aurait pas été conscient du danger de guerres civiles interminables? Croyez-vous qu'il n'aurait pas consacré sa grande intelligence à trouver le moyen d'empêcher une telle chose? Ça fait dix ans qu'il se prépare à mettre la main sur l'Empire en l'espace d'un jour. Il ne lui manquait que la garantie de sécurité par-delà la victoire.

– Que vous ne pouvez pas avoir.

– Que nous avons eue dès l'instant où nous avons entendu la contribution du docteur Seldon au Congrès décennal. J'ai aussitôt compris que c'était ce qu'il nous fallait. Mon père était trop âgé pour en saisir immédiatement la portée. Mais quand je la lui ai expliquée, il l'a vue à son tour et dès ce moment il m'a officiellement transmis ses pouvoirs. Aussi est-ce à vous, Hari, que je dois ma position actuelle, et à vous que je devrai ma position, supérieure encore, à l'avenir.

– Je ne cesse de vous répéter qu'il est impossible de... » commença Seldon, de plus en plus irrité.

« Peu importe ce qui est ou non possible. Ce qui importe, c'est ce que les gens *croiront* possible ou non. Ils vous croiront, Hari, quand vous leur direz que selon la prévision psychohistorique Trantor peut se gouverner seule, que les provinces peuvent devenir des royaumes et qu'ils peuvent vivre ensemble en paix.

– Je ne me hasarderai pas à une telle prédiction en l'absence d'une psychohistoire authentiquement constituée. Je ne jouerai pas les charlatants. Si vous voulez des choses de ce genre, dites-les vous-même.

– Allons, Hari. Ils ne me croiront pas. C'est vous qu'ils croiront. Le grand mathématicien. Pourquoi ne pas leur faire ce plaisir?

– Il se trouve, dit Seldon, que l'Empereur s'imaginait également m'utiliser comme prophéties pour sa gloire personnelle. J'ai refusé de tenir ce rôle pour lui, croyez-vous que je vais le faire pour vous? »

Rachelle garda le silence quelques instants et, quand elle reprit la parole, sa voix avait perdu son intense excitation pour devenir presque enjôleuse.

« Hari, dit-elle, réfléchissez un peu à la différence entre Cléon et moi. Ce que Cléon voulait sans aucun doute obtenir de vous, c'était un outil de propagande pour se maintenir sur le trône. Cadeau bien inutile car le trône ne peut être préservé. Ignoreriez-vous que l'Empire galactique est dans un état de décadence qu'il ne pourra pas supporter beaucoup plus longtemps? Trantor elle-même glisse en douceur vers sa ruine à cause du poids croissant de la gestion de vingt-cinq millions de planètes. Ce qui nous attend, c'est l'effondrement et la guerre civile, quoi que vous puissiez faire pour Cléon.

– J'ai déjà entendu ce genre de raisonnement, dit Seldon. Il se peut qu'il soit vrai. Mais ensuite?

– Eh bien ensuite, aidons l'Empire à éclater sans provoquer de guerre. Aidez-moi à m'emparer de Trantor. Aidez-moi à instaurer un gouvernement solide sur un domaine assez petit pour être dirigé efficacement. Laissez-moi accorder la liberté au reste de la Galaxie, que chacune de ses parties aille son propre chemin selon sa culture et ses coutumes. La Galaxie redeviendra un ensemble harmonieux, librement uni par les liens du commerce, du tourisme et de la communication, et l'on évitera le funeste destin d'un éclatement désastreux qui nous menace sous l'emprise du pouvoir actuel, à peine capable de maintenir même la cohésion d'ensemble. Mon ambition est modérée : un seul monde, non des millions; la paix, non la guerre; la liberté, non l'esclavage. Réfléchissez-y et aidez-moi.

– Pourquoi la Galaxie devrait-elle me croire plus que vous? Personne ne me connaît et aucun des commandants de la flotte se laissera impressionner par le seul mot de « psychohistoire »?

– Vous ne convaincrez pas tout de suite; mais je n'entends pas agir tout de suite. La Maison de Kan a patienté des milliers d'années, elle peut bien attendre quelques milliers de jours. Collaborez avec moi et je rendrai votre nom célèbre. Je ferai rayonner les promesses de la psychohistoire sur tous les mondes et, au moment opportun, quand j'aurai décidé que l'instant d'agir est venu, vous prononcerez votre prédiction et nous frapperons. Alors, en un éclair aux yeux de l'histoire, la Galaxie renaîtra sous un Ordre Nouveau qui la rendra stable et heureuse pour l'éternité. Allons, Hari, pouvez-vous me refuser ça? »

Renversement

THALUS, EMMER. – ... Sergent dans les forces armées de sécurité du secteur de Kan de l'antique Trantor...

... En dehors de ces éléments biographiques parfaitement anodins, on ne sait rien de cet homme, sinon qu'en une occasion il a tenu le destin de la Galaxie entre ses mains.

ENCYCLOPAEDIA GALACTICA

87

Le petit déjeuner du lendemain fut servi dans une alcôve proche des chambres des trois captifs et de fait il était somptueux : non seulement le choix était extraordinairement varié mais il y avait de tout à profusion.

Seldon s'attabla devant un monceau de saucisses épicées, ignorant les funestes prédictions de Dors Venabili quant aux maux d'estomac et autres coliques.

« La dame... commença Raych, euh, la Madame Maire a dit, quand elle est venue me voir hier soir...

– Elle est venue te voir? s'étonna Seldon.

– Ouais. Elle voulait être sûre que j'étais bien installé. Elle a dit que, quand elle aurait l'occasion, elle m'emmènerait au zoo.

– Au zoo? » Coup d'œil de Seldon à Dors. « Quel genre de pensionnaires peuvent-ils bien avoir sur Trantor? Des chiens et des chats?

– Il existe quelques espèces aborigènes, indiqua Dors, et j'imagine qu'ils en ont fait venir d'autres mondes, et puis il y a la faune commune à l'ensemble des planètes – même si bien sûr elle est mieux représentée ailleurs. D'ailleurs, Kan est réputée pour son zoo, sans doute le meilleur de la planète, juste après la ménagerie impériale.

– C'est une chouette vieille dame, commenta Raych.

– Pas si vieille que ça, rectifia Dors, et elle ne nous laisse certainement pas mourir de faim.

– C'est déjà ça », admit Seldon.

Le petit déjeuner achevé, Raych partit en exploration.

Une fois qu'ils eurent réintégré la chambre de Dors, Seldon remarqua, visiblement mécontent : « Je ne sais pas combien de temps on va nous laisser en paix. Elle a manifestement concocté notre emploi du temps à l'avance.

– A vrai dire, nous n'avons guère lieu de nous plaindre pour le moment. Nous sommes bien mieux lotis que nous l'étions à Mycogène ou à Dahl.

– Dors, ne seriez-vous pas en train de vous laisser séduire par cette femme?

– Moi? Par Rachelle? Bien sûr que non. Qu'est-ce qui vous fait penser une chose pareille?

– Eh bien, vous êtes bien installée, bien nourrie; il serait naturel de vous détendre et d'accepter la situation comme elle se présente.

– Oui. Tout naturel. Pourquoi pas?

– Écoutez, vous racontiez hier soir ce qui arrivera si elle gagne la partie. Je n'y connais peut-être pas grand-chose en histoire, mais je suis prêt à vous croire sur parole et, à vrai dire, ce raisonnement se tient, même pour un non-historien comme moi. L'Empire éclatera et ses fragments lutteront les uns contre les autres jusqu'à... jusqu'à la fin des temps. Il faut l'empêcher d'agir.

– Je suis bien d'accord. Il faut l'en empêcher. Mais je ne vois pas comment régler ce petit détail pour l'instant. » Elle fixa intensément Seldon. « Hari, vous n'avez pas dormi de la nuit, n'est-ce pas?

– Et vous? » Pour lui, en tout cas, c'était manifeste.

Dors le dévisagea, l'air troublé. « Avez-vous passé une nuit blanche en pensant à la destruction de la Galaxie à cause de mes paroles?

– A cause d'elles et d'autres choses... Peut-on contacter Chetter Hummin? » Cette dernière question avait été murmurée.

« J'ai essayé de le toucher dès que nous avons dû fuir l'arrestation à Dahl. Il n'est pas venu. Je suis certaine qu'il a bien reçu le message mais il n'est pas venu. Quantité de raisons ont pu l'en empêcher, mais dès qu'il pourra il sera là.

– Vous croyez qu'il lui est arrivé quelque chose?

– Non. Je ne crois pas.

– Comment pouvez-vous en être sûre?

– J'en aurais eu vent, d'une manière ou d'une autre. J'en suis sûre. Et ça n'a pas été le cas. »

Seldon plissa le front : « Je n'en suis pas aussi sûr que vous. En fait, je ne suis sûr de rien. Même si Hummin arrive, que pourra-t-il faire? Si le secteur de Kan, comme le prétend Rachelle, a l'armée la mieux organisée de Trantor, que pourra-t-il faire contre elle?

– Ne perdons pas notre temps à discuter de ça. Vous croyez-vous capable de convaincre Rachelle – de réussir à lui faire entrer dans la tête – que vous n'avez pas de psychohistoire?

– Je suis sûr qu'elle en est convaincue, comme elle est convaincue que je ne risque pas de la découvrir avant de nombreuses années – si je la découvre jamais. Mais ça ne l'empêchera pas d'affirmer que je l'ai et, pourvu qu'elle le fasse assez habilement, les gens la croiront et à l'occasion ils agiront selon les prédictions et les déclarations qu'elle m'attribuera – même si je n'ouvre pas la bouche.

– Évidemment, ça prendra du temps. Elle ne va pas vous rendre célèbre du jour au lendemain. Ni même en l'espace d'une semaine. Pour le faire proprement, ça peut lui prendre une année. »

Seldon arpentait la chambre : arrivé au bout, il pivota brusquement pour revenir sur ses pas. « Ça se pourrait, mais je n'en sais rien. Elle pourrait être pressée et vouloir agir plus rapidement. Ça ne me paraît pas le genre de femme à prendre son mal en patience. Et son vieux père, Mannix IV, doit être plus impatient encore. Il doit sentir l'approche de la mort et, s'il a œuvré toute sa vie dans ce but, il aimerait sans doute mieux le voir réalisé cette semaine que la semaine prochaine. Par ailleurs... » Il s'interrompit pour examiner la chambre.

« Par ailleurs, quoi?

– Eh bien, il faut que nous retrouvions la liberté. Voyez-vous, j'ai résolu le problème de la psychohistoire. »

Les yeux de Dors s'agrandirent. « Vous avez réussi! Vous en êtes venu à bout!

– Pas au plein sens du terme. Ça pourra prendre des décennies... ou même des siècles, pour ce que j'en sais. Mais j'ai désormais la certitude qu'on peut la mettre en pratique, que ce n'est pas une simple théorie. Je sais que c'est faisable, et il me faut maintenant le temps, la tranquillité, les ressources nécessaires pour y travailler. La cohésion de l'Empire doit être préservée jusqu'à ce que je trouve – moi ou plutôt mes successeurs – un moyen de le maintenir en l'état ou de minimiser les effets du désastre si jamais il se produit malgré nos efforts. C'est l'impossibilité de m'atteler à la tâche qui m'a empêché de dormir la nuit dernière. »

88

C'était leur cinquième jour à Kan et, ce matin-là, Dors aidait Raych à enfiler un costume officiel auquel ni l'un ni l'autre n'était accoutumé.

Dubitatif, Raych se contempla dans l'hologlace qui lui renvoyait un reflet précis, imitant en tout point ses mouvements mais sans l'inversion propre aux miroirs habituels. Raych n'avait jamais encore vu d'hologlace et il ne pouvait s'empêcher de chercher à la toucher et de rire, un peu gêné, chaque fois que sa main passait au travers tandis que simultanément, l'image venait tâter en vain son corps de chair et d'os.

« J'ai un drôle d'air », jugea-t-il en fin de compte.

Il étudia la tunique, confectionnée dans un tissu très souple, munie d'une fine ceinture ouvragée, puis effleura de la main le col empesé qui lui remontait derrière les oreilles.

« J'ai la tête comme un œuf dans un coquetier.

– C'est le genre de tenue que portent à Kan les enfants des familles riches, expliqua Dors. Tu vas faire l'admiration et l'envie de tous ceux qui te verront.

– Avec les cheveux plaqués comme ça?

– Certainement. Et tu vas porter ce petit chapeau rond.

– J'aurai encore plus l'air d'un œuf.

– Alors, évite de te faire gober. A présent, souviens-toi bien de ce que je t'ai dit. Garde pour toi tes astuces et tâche de ne pas te comporter en mioche.

– Mais je suis un mioche », et il la contempla avec de grands yeux innocents.

« Je suis surprise de te l'entendre dire. Je suis sûre que tu te vois comme un adulte de douze ans. »

Raych sourit. « D'accord... Je serai un bon espion.

– Ce n'est pas ce que je te demande. Ne prends pas de risques. Ne va pas écouter aux portes. Si tu te fais prendre, ça ne servira personne – surtout pas toi.

– Allons donc, princesse, pour qui qu' vous m' prenez? Un mioche, ou quoi?

– C'est toi qui viens de le dire, Raych, non? Contente-toi d'écouter tout ce qui se dit sans en avoir l'air. Et de t'en souvenir. Pour nous le répéter. C'est plutôt facile.

– Facile à dire pour vous, M' dame Venabili, sourit Raych, et facile à faire pour moi.

– Et sois prudent. »

Clin d'œil du gamin : « Je veux. »

Un laquais (aussi arrogant qu'un laquais sait l'être) vint prendre Raych pour le conduire auprès de Rachelle.

Seldon les regarda partir et remarqua, songeur : « Il ne va sans doute rien voir du zoo tant il va faire d'efforts pour tout entendre. Je ne suis pas certain qu'il soit convenable de faire courir un tel danger à ce garçon.

– Un danger? J'en doute. Raych a grandi dans les taudis de Billibotton, souvenez-vous. Je le soupçonne d'être plus malin que nous deux réunis. De plus, Rachelle, l'adore et elle risque de lui passer tous ses caprices, pauvre femme.

– Vous la plaignez vraiment, Dors?

– Insinuez-vous qu'elle n'est pas digne de compassion sous prétexte qu'elle est la fille d'un Maire, qu'elle se considère comme Maire de plein droit – et qu'elle envisage de détruire l'Empire? Peut-être avez-vous raison mais, même ainsi, certains aspects de sa personnalité peuvent attirer la sympathie. Par exemple, elle a connu un chagrin d'amour. C'est tout à fait évident. Sans doute a-t-elle eu le cœur brisé – au moins durant un temps.

– Avez-vous déjà eu un chagrin d'amour, Dors? »

Dors réfléchit un instant à la question puis elle répondit : « Non, pas vraiment. Je suis trop absorbée par mon travail pour connaître des chagrins d'amour.

– Je m'en doutais.

– Alors, pourquoi cette question?

– J'aurais pu me tromper.

– Et vous? »

Seldon avait l'air gêné. « A ce qu'il se trouve, oui. J'ai trouvé le temps d'avoir le cœur brisé. Fendu, à tout le moins.

– Je m'en doutais.

– Alors, pourquoi cette question?

– Pas parce que je pensais me tromper, je vous le promets. Je voulais juste voir si vous mentiriez. Vous ne l'avez pas fait et j'en suis heureuse. »

Il y eut un silence puis Seldon reprit : « Cinq jours déjà, et il ne s'est toujours rien passé.

– Sauf que nous sommes très bien traités, Hari.

– Si les animaux pouvaient penser, ils trouveraient qu'ils sont bien traités, eux aussi, quand on se contente de les engraisser en vue de l'abattoir.

– J'admets qu'elle est en train d'engraisser l'Empire...

– Mais quand passera-t-il à l'abattoir?

– Quand elle sera prête, je présume.

– Elle s'est vantée de réussir son coup d'État en une journée et j'ai l'impression qu'elle pourrait le déclencher quand elle veut.

– Même si c'est le cas, elle voudra d'abord être sûre qu'elle peut paralyser la réaction impériale et ça pourrait prendre du temps.

– Combien? Elle pense y arriver en se servant de moi mais elle ne fait aucun effort en ce sens. Rien ne révèle qu'elle essaye d'asseoir ma réputation. Où que j'aille dans le secteur, je reste tout aussi anonyme. Aucune foule de Kanites ne se rassemble pour m'acclamer. Les holojournaux ne parlent pas de moi. »

Dors sourit. « A vous entendre, on pourrait presque croire que ça vous vexe de ne pas être transformé en vedette. Vous êtes naïf, Hari. Ou vous n'êtes pas historien, ce qui revient au même. Je crois que vous devriez déjà être content que la psychohistoire ait au moins fait de vous un historien si elle ne peut sauver l'Empire. Si tous les hommes comprenaient l'histoire, ils cesseraient peut-être de réitérer sempiternellement les mêmes erreurs.

– En quoi suis-je naïf? » protesta Seldon en levant la tête pour la regarder de haut.

« Ne soyez pas vexé, Hari. La naïveté fait une partie de votre séduction.

– Je sais. Cela excite vos instincts maternels et on vous a demandé de prendre soin de moi. Mais en quoi suis-je naïf?

– Parce que vous croyez que Rachelle veut vous faire passer pour un prophète auprès de toute la population de l'Empire. Ce n'est certainement pas son intention. Il est difficile de faire bouger rapidement des quadrillions d'individus. Il faut compter avec l'inertie sociale et psychologique, au même titre qu'avec l'inertie physique. Et, en se démasquant, elle ne ferait qu'alerter Demerzel.

– Alors, qu'est-elle en train de concocter?

– Je crois plutôt que les informations vous concernant – convenablement grossies et enjolivées – parviennent à un nombre restreint d'élus. A ces vice-rois de secteurs, à ces amiraux de la flotte, à tous ces personnages influents dont elle sent qu'ils la considèrent d'un bon œil – et qu'ils lorgnent l'Empereur d'un sale œil. Qu'une petite centaine d'entre eux rallient son camp et Rachelle Ire pourrait déstabiliser les loyalistes juste assez longtemps pour instaurer son Ordre Nouveau et l'assurer assez pour neutraliser toute résistance. Du moins, c'est le raisonnement que je lui prête.

– Et toujours pas de nouvelles de Hummin.

– Je suis sûre qu'il doit malgré tout faire quelque chose. La situation est trop sérieuse pour être ignorée.

– L'idée vous est-elle venue qu'il pourrait être mort?

– C'est une possibilité mais je ne le crois pas. S'il était mort, la nouvelle me serait parvenue.

– Ici?

– Même ici. »

Seldon haussa les sourcils mais ne dit rien.

Raych revint en fin d'après-midi, ravi et surexcité, plein d'histoires de singes et de *démoris* dakariens, et il accapara la conversation au cours du dîner.

Ce ne fut qu'à la fin du repas, quand ils eurent regagné leurs appartements, que Dors demanda : « A présent, raconte-moi ce qui s'est passé avec Madame le Maire, Raych. Dis-moi tout ce qu'elle a dit ou fait que tu juges utile de nous faire savoir.

– Y a une chose », et le visage de Raych s'illumina. « Même que c'est pour ça qu'on l'a pas vue au dîner, j' parie.

– Quoi donc?

– Le zoo était fermé sauf pour nous, vous voyez. On était toute une troupe – Rachelle et moi et tout plein de types en uniformes, de belles dames en beaux habits et tout ça... Et puis, il y a eu ce galonné – différent des autres, qui n'était pas là au début – qui est arrivé vers la fin de la visite. Il lui a murmuré quelque chose à l'oreille et Rachelle s'est tournée vers les gens, leur a fait un signe de la main comme s'il fallait plus qu'ils bougent et personne n'a plus bougé. Et puis elle s'est écartée un peu avec ce nouveau mec pour lui parler sans être entendue. Sauf que j' continuais, l'air distrait, à regarder les cages, si bien que j'ai pu m'approcher d'elle, mine de rien, et entendre ce qu'elle disait.

« Elle a dit : “ Comment ont-ils osé? ”, l'air vraiment fâché. Et le type en uniforme, il avait l'air nerveux – j'ai juste jeté un coup d'œil en douce, pasque j' voulais faire comme si j' regardais les animaux, mais j'ai bien entendu leur conversation. Il a dit que quelqu'un – j' me souviens plus du nom, mais il était général ou quoi. Il a dit que ce général disait que les officiers avaient juré diligence au vieux de Rachelle...

– Juré allégeance, rectifia Dors.

– Un truc comme ça, et qu'ils étaient pas chauds pour obéir aux ordres d'une femme. Il disait qu'ils voulaient le vieux ou que sinon, s'il était malade ou quoi, elle avait qu'à choisir un autre bonhomme pour être Maire, pas une dame.

– Pas une dame? Tu en es sûr?

– C'est ce qu'il a dit. Chuchoté, plutôt. Il était très nerveux et Rachelle était dans une telle colère qu'elle pouvait à peine parler. Elle a dit : " J'aurai sa peau. Ils me jureront tous allégeance dès demain et celui qui refusera aura des raisons de le regretter dans l'heure qui suivra. " Voilà exac-te-ment ce qu'elle a dit. Puis elle a fait renvoyer tout le monde, on est tous rentrés, et elle m'a pas dit un mot de tout le trajet. Elle est simplement restée assise, l'air mauvais et très fâché.

– Parfait, dit Dors. En as-tu parlé à qui que ce soit, Raych?

– Bien sûr que non. C'est ce que vous vouliez?

– Tout à fait. Tu as bien travaillé, Raych. A présent, va dans ta chambre et oublie tout ce qui s'est passé. N'y repense même pas. »

Une fois qu'il fut parti, Dors se tourna vers Seldon et lui dit : « C'est très intéressant. Des filles ont déjà succédé à leur père – ou à leur mère – et détenu la Mairie ou d'autres postes à haute responsabilité de par le passé. On a même connu des Impératrices régnantes, comme vous le savez sans doute, et je n'ai pas souvenir, au cours de l'histoire de l'Empire, qu'il y ait jamais eu la moindre réticence à servir sous leurs ordres. On se demande pourquoi une telle chose se produit à Kan aujourd'hui.

– Pourquoi pas? demanda Seldon. Récemment encore, nous étions à Mycogène où les femmes sont tenues dans un mépris total et où il serait hors de question de leur offrir un poste de responsabilité, si mineur fût-il.

– Oui, bien sûr, mais c'est une exception. Il existe des endroits où ce sont les femmes qui dominent. Dans la majorité des cas, toutefois, le gouvernement et le pouvoir ont été plus ou moins partagés entre les deux sexes. Si les postes élevés sont en majorité occupés par des hommes, c'est en général parce que les femmes ont tendance à être plus liées – biologiquement – aux enfants.

– Mais qu'en est-il à Kan?

– L'égalité sexuelle y règne pour autant que je sache. Rachelle n'a pas hésité à assumer la responsabilité de la Mairie et j'imagine que le vieux Mannix n'a pas hésité non plus à la lui accorder. Et la découverte de dissidents mâles semble avoir provoqué sa surprise et sa colère. Elle ne devait pas s'y attendre.

– Tout cela semble manifestement vous ravir. Pourquoi?

– Simplement parce que c'est si peu naturel que ça doit être un coup monté et j'imagine que Hummin est à l'origine du coup...

– Vous le croyez? » Seldon était songeur.
« Je le crois.
– Eh bien, vous savez quoi? Moi aussi. »

89

C'était leur dixième jour à Kan et, ce matin-là, Hari Seldon entendit sonner à sa porte tandis que la voix haut perchée de Raych s'écriait : « Monsieur! Monsieur Seldon! C'est la guerre! »

Seldon mit un moment à émerger du sommeil et sauta hors du lit. Il frissonna légèrement (les Kanites aimaient vivre dans des appartements glacés, avait-il remarqué dès le début de leur séjour) en allant ouvrir la porte.

Raych bondit dans la chambre, surexcité, les yeux écarquillés. « Monsieur Seldon, ils ont pris Mannix, le vieux Maire. Ils ont...

– Qui ça, ils, Raych?

– Les Impériaux. Leurs aérojets ont envahi tout le pays cette nuit. Tous les journaux holovisés en parlent. Le poste est allumé dans la chambre de la princesse. Elle a dit de vous laisser dormir mais je me suis dit que vous voudriez savoir.

– Et tu as eu tout à fait raison. » Ne s'arrêtant que pour saisir au vol une robe de chambre, Seldon pénétra en coup de vent dans la chambre de Dors. Elle était complètement habillée et regardait l'holoviseur encastré dans l'alcôve.

Petite, nette, l'image montrait un bureau derrière lequel était assis un homme dont la tunique arborait, parfaitement reconnaissable, l'insigne au soleil et à l'astronef. De part et d'autre, avec le même insigne, se tenaient deux soldats en armes. L'officier installé au bureau était en train de dire : « ... sous le contrôle pacifique de sa Majesté impériale. Le Maire Mannix est en parfaite santé et il jouit de l'intégralité de ses pouvoirs exécutifs sous le conseil amical et éclairé des troupes impériales. Il viendra sous peu faire une déclaration pour appeler la population kanite au calme et demander à tous les soldats de Kan encore armés de déposer les armes. »

Suivirent d'autres bulletins énoncés d'une voix dépourvue d'émotion par divers journalistes, tous porteurs d'un brassard aux armes impériales. Les nouvelles étaient toujours les mêmes : la reddition de telle ou telle unité des forces de sécurité kanites après quelques coups de feu symboliques – et parfois sans la moindre résistance. Telle ou telle ville était occupée – et les annonces étaient entrecoupées de vues de foules kanites contemplant, l'air sombre, les forces impériales qui défilaient dans les rues.

« Tout a été exécuté à la perfection, commenta Dors. La surprise a été totale. Toute résistance était impossible et il n'y en a eu pratiquement aucune. »

Puis le Maire Mannix IV apparut, comme promis. Il était debout et, peut-être pour sauver les apparences, aucun uniforme impérial n'était visible alentour, mais Seldon était convaincu qu'il devait y en avoir beaucoup hors du champ de la caméra.

Mannix était âgé mais sa force, même usée, était encore visible. Ses yeux refusaient de regarder l'objectif en face et il parlait apparemment sous la contrainte mais – comme on l'avait annoncé – il conseillait à ses concitoyens de garder leur calme, de n'offrir aucune résistance, d'éviter à Kan un bain de sang et de coopérer avec l'Empereur auquel on souhaitait de vivre longtemps sur le trône.

« Pas la moindre mention de Rachelle, nota Seldon. C'est comme si sa fille n'existait pas.

– Personne n'en a parlé, confirma Dors, et cette demeure – qui est après tout sa résidence, ou du moins l'une d'entre elles – n'a pas été attaquée. Même si elle est parvenue à s'échapper et se réfugier dans un secteur voisin, je doute qu'elle soit longtemps en sécurité sur Trantor.

– Peut-être pas, répondit une voix, mais ici au moins, je serai tranquille quelque temps. »

Rachelle pénétra dans la pièce, normalement habillée, parfaitement calme. Elle souriait même, mais ce n'était pas un sourire joyeux; plutôt un froid rictus qui retroussait ses lèvres.

Tous trois la fixèrent, interdits, puis Seldon se demanda si l'un de ses domestiques l'accompagnait – ou s'ils s'étaient empressés de déserter au premier signe d'adversité.

Avec une certaine froideur, Dors prit la parole : « Je constate, Madame le Maire, que vos espoirs de coup d'État sont désormais vains. Apparemment, vous avez été devancée.

– Je n'ai pas été devancée. J'ai été trahie. On a acheté mes officiers et – au mépris de toute l'histoire et de toute raison – ils ont refusé de se battre pour une femme et non pour le vieux maître. Puis, en traîtres qu'ils sont, ils ont laissé capturer leur vieux maître pour l'empêcher d'organiser la résistance. »

Elle chercha du regard un siège et s'assit. « Et maintenant, l'Empire va fatalement poursuivre son déclin et mourir, quand j'étais prête à lui offrir un sang neuf.

– Je crois plutôt, remarqua Dors, que l'Empire a évité une période indéfinie de luttes inutiles et destructrices. Consolez-vous avec cela, Madame le Maire. »

Mais c'était comme si Rachelle ne l'avait pas entendue. « Tant d'années de préparatifs balayées en une nuit. » Affalée, défaite, elle semblait avoir vieilli de vingt ans.

« Je doute que tout ait pu s'accomplir en une nuit, observa Dors. Suborner vos officiers – si tel a été le cas – a dû prendre du temps.

– Dans ce domaine, Demerzel est un expert et je l'ai manifestement sous-estimé. Comment a-t-il procédé, je l'ignore. Menaces, pots-de-vins, arguments mielleux et spécieux? C'est un maître dans l'art des coups fourrés et de la trahison, j'aurais dû le savoir. »

Elle poursuivit après un silence : « S'il avait agi ouvertement, je n'aurais eu aucun mal à détruire toutes les forces qu'il pouvait envoyer contre moi. Mais qui aurait pensé que Kan serait trahie, qu'un serment d'allégeance serait foulé avec une telle légèreté? »

Toujours rationnel, Seldon ne put s'empêcher d'observer : « J'imagine que ce n'est pas à vous qu'ils ont prêté serment, mais à votre père.

– Absurde, rétorqua Rachelle. Quand mon père m'a transmis les fonctions de Maire, comme il était légalement en droit de le faire, il m'a automatiquement transmis tous les serments d'allégeance prêtés devant lui. Les précédents ne manquent pas. Il est de coutume de répéter le serment devant le nouveau dirigeant mais ce n'est qu'une cérémonie symbolique, sans aucune valeur légale. Mes officiers le savent, même s'ils ont choisi de l'oublier. Ils ont pris prétexte de mon sexe parce qu'ils tremblent de peur devant une vengeance impériale qui ne se serait jamais produite s'ils avaient été vaillants, à moins qu'ils ne tremblent d'avidité à l'idée des récompenses promises et dont ils ne verront jamais la couleur, si je connais mon Demerzel. »

Elle se tourna brusquement vers Seldon. « C'est vous qu'il veut, vous le savez. Demerzel nous a frappés à cause de vous. »

Seldon sursauta. « Pourquoi moi? »

– Ne faites pas l'innocent. Pour la même raison que je désirais vous avoir, bien entendu. » Elle soupira. « Au moins, je ne suis pas totalement trahie. Il me reste encore des soldats loyaux. Sergent! »

Le sergent Thalus entra, d'une démarche discrète et prudente que sa taille rendait presque incongrue. Son uniforme était impeccable, sa moustache fièrement ourlée.

« Madame le Maire », dit-il en se mettant au garde-à-vous.

Apparemment, c'était toujours le même superbe quartier de viande, pour reprendre l'expression de Seldon – un homme qui suivait toujours aveuglément les ordres, sans se préoccuper le moins du monde du total bouleversement de la situation.

Rachelle sourit tristement à Raych. « Et comment vas-tu, toi, mon petit Raych? J'avais l'intention de faire quelque chose de toi. Mais je n'en aurai pas eu le temps...

– Bonjour, m' d... madame, dit Raych, gêné.

– Comme je voulais faire quelque chose de vous, docteur Seldon, et là aussi je dois implorer votre pardon. Je ne le pourrai pas.

– Pour moi, madame, vous n'avez pas de regrets à avoir.

– Mais que si. Je ne peux pas laisser Demerzel vous récupérer sans rien faire. Ce serait une victoire de trop pour lui, et cela au moins je puis l'empêcher.

– Je n'ai pas plus l'intention de travailler pour lui, madame, je vous l'assure, que pour vous.

– La question n'est pas de travailler ou non. Elle est de se faire manipuler. Adieu, docteur Seldon. Sergent, abattez-le. »

Le sergent dégaina son éclateur et Dors, avec un cri, se rua en avant – mais Seldon l'avait devancée et la prit par le coude. Il l'agrippa désespérément.

« Reculez-vous, Dors, s'écria-t-il, ou il va vous tuer. Moi, il ne me tuera pas. Toi aussi, Raych, reste à l'écart. Ne fais pas un geste. »

Seldon fit face au sergent. « Vous hésitez, Sergent, parce que vous savez que vous ne pouvez tirer. J'aurais pu vous tuer, il y a dix jours, mais je n'en ai rien fait. Et vous m'avez alors donné votre parole d'honneur que vous me protégeriez.

– Qu'est-ce que vous attendez? aboya Rachelle. Je vous ai dit de l'abattre, Sergent. »

Seldon ne dit rien de plus. Il resta immobile, tandis que le sous-officier, les yeux écarquillés, maintenait son arme braquée vers la tête de Seldon.

« Je vous ai donné un ordre! hurla Rachelle.

– J'ai votre parole », dit calmement Seldon.

Et le sergent Thalus répondit d'une voix étranglée : « Le déshonneur, d'un côté comme de l'autre. » Sa main retomba et l'arme chut à terre avec bruit.

Rachelle éclata : « Alors, vous aussi, vous me trahissez! »

Avant que Seldon ait pu faire un geste ou Dors se dégager de son étreinte, Rachelle avait récupéré l'éclateur, visé le sergent et pressé le contact.

Seldon n'avait encore jamais vu quelqu'un se faire éclater sous ses yeux. Sans doute à cause du nom même de l'arme, il s'était plus ou moins attendu à un bruit assourdissant, une explosion de chair et de sang. Cet éclateur kanite, en tout cas, n'agit aucunement de la sorte. Seldon n'aurait su dire les dégâts occasionnés à l'intérieur de la poitrine du sergent, toujours est-il que sans changer d'expression, sans le moindre rictus de douleur, l'homme s'effondra devant lui, mort et bien mort.

Et maintenant Rachelle braquait l'arme sur Seldon, avec une fermeté qui excluait tout espoir de survie au-delà des prochaines secondes.

Ce fut Raych, toutefois, qui décida de passer à l'action à l'instant même où le sergent s'affalait. Fonçant entre Seldon et Rachelle, il agita furieusement les mains.

« M' dame, m' dame, s'écria-t-il. Tirez pas! »

Rachelle hésita un instant. « Écarte-toi, Raych. Je ne veux pas te faire de mal. »

Dors n'attendait que cet instant d'hésitation. Se dégageant violemment, elle plongea vers Rachelle, cette dernière tomba en poussant un cri et l'arme tomba à terre une seconde fois.

Ce fut Raych qui la récupéra.

Laissant échapper un profond soupir, Seldon dit d'une voix tremblante : « Raych, donne-moi ça. »

Mais le garçon recula. « Z' allez pas la tuer, hein, Maître Seldon! Elle a été sympa avec moi.

– Je ne vais tuer personne, Raych. Elle, en revanche, elle a tué le sergent et elle m'aurait tué, mais elle n'a pas osé tirer de peur de te blesser, et pour cela nous lui laisserons la vie sauve. »

Ce fut au tour de Seldon de s'asseoir, tenant négligemment l'éclateur à la main tendis que Dors retirait le fouet neuronique d'un étui resté à la ceinture du sergent défunt.

Une nouvelle voix résonna : « Je vais m'occuper d'elle, Seldon. »

Celui-ci leva les yeux et dit, soudain joyeux : « Hummin! Enfin!

– Je suis désolé d'avoir tant tardé, Seldon. J'avais des tas de choses à faire. Comment allez-vous, docteur Venabili? Je suppose que voici la fille de Mannix, Rachelle. Mais qui est ce garçon?

– Notre ami Raych est un jeune Dahlite que nous avons recueilli », expliqua Seldon.

Des soldats entraient à présent et, sur un geste discret de Hummin, ils relevèrent respectueusement Rachelle.

Libre de relâcher sa surveillance, Dors épousseta d'une main ses vêtements et défroissa son corsage. Seldon se rendit soudain compte qu'il était toujours en robe de chambre.

Se dégageant avec mépris de l'étreinte des soldats, Rachelle pointa le doigt vers Hummin : « Qui est-ce? » demanda-t-elle à Seldon.

« Chetter Hummin, un ami, et mon protecteur sur cette planète.

– Votre *protecteur*? » Rachelle fut prise d'un rire dément. « Espèce de crétin! Idiot! Cet homme est Demerzel et vous n'avez qu'à regarder d'un peu plus près votre prétendue compagne Venabili pour vous apercevoir qu'elle le sait pertinemment. Vous avez été piégé depuis le début, comme jamais vous ne l'avez été avec moi! »

90

Hummin et Seldon déjeunèrent ensemble, ce jour-là, seuls et quasiment séparés par un rempart de silence.

C'est vers la fin du repas que Seldon se secoua et dit, d'une voix animée : « Eh bien, monsieur, comment dois-je m'adresser à vous? Je vous imagine toujours en tant que " Chetter Hummin ", mais même si je vous accepte sous votre nouvelle personnalité, je ne peux sûrement pas vous appeler " Eto Demerzel ". En cette qualité, vous jouissez d'un titre officiel, et j'ignore l'usage protocolaire. Éclairez-moi.

– Appelez-moi simplement " Hummin ", répondit gravement son interlocuteur, si ça ne vous dérange pas. Ou bien " Chetter ". Oui, je suis Eto Demerzel, mais en ce qui vous concerne je suis toujours Hummin. A vrai dire, les deux sont inséparables. Je vous ai dit que l'Empire était sur la pente du déclin et de l'effondrement. Je crois que c'est la vérité, quel que soit mon titre. Je vous ai dit que je voulais faire de la psychohistoire le moyen de prévenir ce déclin et cet effondrement, ou à tout le moins d'apporter un renouveau, un sang neuf, si cette décadence devait aller jusqu'à son terme. J'en reste également persuadé, quel que soit mon titre.

– Mais vous m'aviez à portée de la main! Je suppose que vous étiez dans les parages lors de mon entrevue avec sa Majesté impériale.

– Avec Cléon? Oui, bien sûr.

– Alors, vous auriez pu me parler à ce moment, comme vous l'avez fait plus tard en vous présentant comme étant Hummin.

– Ça m'aurait avancé à quoi? En tant que Demerzel, des tâches énormes m'incombent. Je dois m'occuper de Cléon, homme plein de bonnes intentions mais peu doué, et l'empêcher, dans la mesure de mes moyens, de commettre des erreurs. Je dois remplir mon rôle dans le gouvernement de Trantor et de l'Empire. Comme vous avez pu le constater, j'ai dû consacrer une bonne partie de mon temps à mettre Kan hors d'état de nuire.

– Oui, je sais, murmura Seldon.

– Ça n'a pas été facile et j'ai bien failli perdre la partie. J'ai passé des années à me colleter avec Mannix, j'ai appris à comprendre son mode de pensée et à contrer coup par coup chacune de ses initiatives. Jamais je n'aurais imaginé que, de son vivant, il transmettrait ses pouvoirs à sa fille. Je ne l'avais donc pas étudiée et n'étais pas préparé à son extraordinaire imprudence. A l'encontre de son père, toute son éducation l'avait poussée à considérer le pouvoir comme allant de soi et elle n'a jamais eu aucune idée de ses limites. C'est ainsi qu'elle a pu s'emparer de vous, me contraignant à agir avant d'être tout à fait prêt.

– Résultat : vous avez bien failli me perdre. Par deux fois, je me suis retrouvé face au canon d'un éclateur.

– Je sais. » Hummin hocha la tête. « Et nous aurions pu également vous perdre sur la Couverture – encore un accident que je n'avais su prévoir.

– Mais vous n'avez pas vraiment répondu à ma question. Pourquoi m'avoir expédié par toute la planète pour échapper à Demerzel quand vous étiez vous-même Demerzel?

– Vous avez dit à Cléon que la psychohistoire était un concept purement théorique, une sorte de jeu mathématique sans application pratique. Cela aurait pu être vrai et, si je vous avais abordé de manière officielle, je suis certain que vous auriez tout simplement maintenu votre point de vue. Oui, j'étais attiré par la notion de psychohistoire. Je me demandais si, en fin de compte, ce n'était pas uniquement un jeu. Comprenez bien que je ne désirais pas simplement me servir de vous : je voulais une psychohistoire concrète, applicable.

« Je vous ai donc expédié, comme vous dites, par toute la planète avec le terrible Demerzel en permanence sur vos talons. Voilà, me suis-je dit, un stimulant puissant pour l'esprit : la psychohistoire en deviendra excitante, bien plus qu'un jeu mathématique. Vous pouviez avoir envie de la mettre au point pour Hummin, l'idéaliste sincère, alors que vous refuseriez de céder à ce laquais impérial de Demerzel. En outre, vous auriez un aperçu des divers aspects de Trantor, ce qui vous serait utile – bien plus, certainement, que de vivre dans votre tour d'ivoire sur une planète lointaine, seulement entouré de collègues mathématiciens. Avais-je raison? Avez-vous fait des progrès?

– En psychohistoire? Effectivement. Mais je pensais que vous étiez au courant.
– Comment aurais-je pu l'être?
– J'en ai parlé à Dors.
– Mais pas à moi. Quoi qu'il en soit, parlez-m'en maintenant. Voilà une bonne nouvelle.
– Pas tant que ça. Je n'en suis qu'aux balbutiements. Mais c'est quand même un début.
– Est-ce le genre de débuts qu'on peut expliquer même à un non-mathématicien?
– Je le pense. Voyez-vous, Hummin, j'ai longtemps considéré la psychohistoire comme une science dépendant de l'interaction de vingt-cinq millions de mondes, chacun peuplé en moyenne de quatre milliards d'âmes. C'est trop. Il est impossible de manipuler un ensemble aussi complexe. Si je voulais réussir, trouver le moyen de rendre la psychohistoire applicable, il me fallait avant tout découvrir un système plus simple.
« J'ai donc envisagé de remonter dans le temps pour m'occuper d'un monde unique, celui qu'occupait l'humanité en ces temps obscurs antérieurs à la colonisation de la Galaxie. A Mycogène on parlait du monde originel d'Aurora, et à Dahl j'ai entendu évoquer une Terre ancestrale. J'ai cru d'abord qu'il pouvait s'agir d'une seule et même planète sous des noms divers, mais les deux mondes différaient assez sur au moins un point pour rendre toute confusion impossible. Peu importait d'ailleurs. Car on avait sur l'une et l'autre planète si peu de connaissances, et si obscurcies par le mythe et la légende, qu'il ne fallait pas espérer y appliquer les méthodes de la psychohistoire. »
Il s'interrompit pour siroter son jus de fruit, sans quitter des yeux Hummin.
« Bon, et ensuite? dit celui-ci.
– Entre-temps, Dors m'avait raconté quelque chose, que j'appelle l'histoire de la main sur la cuisse. C'était une simple anecdote amusante et banale, et qui ne signifiait rien en soi. Pourtant, elle avait amené Dors à évoquer les différences des mœurs sexuelles d'un monde à l'autre, comme d'un secteur à l'autre de Trantor. Il m'apparut alors qu'elle considérait les divers secteurs de Trantor comme autant de mondes indépendants. J'en avais à présent huit cents à rajouter à mes vingt-cinq millions! La différence paraissait infime, aussi l'oubliai-je et n'y repensai plus.
« Mais, à mesure que mon périple m'amenait du secteur impérial à Streeling, puis à Mycogène, puis à Dahl, puis à Kan, je pus constater par moi-même l'étendue de leurs différences. L'image de Trantor, vue non plus comme un monde unique mais comme un complexe de mondes juxtaposés, s'imposait à mon esprit, mais je n'avais toujours pas entrevu le point crucial.
« La révélation me vint en écoutant Rachelle – vous voyez, j'ai eu de la chance de me faire capturer par Kan, en fin de compte, puis

d'entendre les plans grandioses que l'impétuosité de Rachelle l'a amenée à me révéler. En effet, elle me dit que sa seule ambition était d'avoir Trantor et quelques planètes voisines. C'était un empire en soi, estimait-elle, et elle écartait les mondes extérieurs comme autant de " lointains néants ".

« Ce fut à ce moment précis que je vis ce qui devait somnoler au tréfonds de mon esprit depuis pas mal de temps. D'un côté, Trantor possédait un système social extraordinairement complexe, en tant que planète densément peuplée composée de huit cents mondes plus petits. C'était en soi un système assez complexe pour rendre la psychohistoire, significative, et en même temps il était assez simple, comparé à l'Empire dans son ensemble, pour la rendre peut-être applicable en pratique.

« Et les vingt-cinq millions de Mondes extérieurs? C'étaient de " lointains néants ". Certes, ils affectaient Trantor et celle-ci les affectait, mais c'étaient des effets de second ordre. Si je pouvais construire en première approximation une psychohistoire opérationnelle pour Trantor seule, alors les effets mineurs des Mondes extérieurs pourraient être ajoutés ultérieurement au modèle pour le perfectionner. Voyez-vous ce que je veux dire? J'étais en quête d'un monde unique pour y établir une science psychohistorique applicable et je le cherchais dans le lointain passé, alors que depuis le début il était sous mes pieds, ici et maintenant.

– Splendide! s'exclama Hummin, visiblement ravi et soulagé.

– Mais tout reste à faire, Hummin. Je dois étudier Trantor en détail. Concevoir les outils mathématiques pour traiter le problème. Avec un peu de chance, et si je vis assez longtemps, j'aurai peut-être les réponses avant ma mort. Sinon, ce sera à mes successeurs de poursuivre la tâche. L'Empire se sera sans doute effondré et brisé depuis longtemps quand la psychohistoire deviendra une technique opérationnelle.

– Je ferai tout ce qui est en mon pouvoir pour vous aider.

– Je le sais bien.

– Alors, vous me faites confiance, bien que je sois Demerzel?

– Entièrement. Absolument. Mais si je vous fais confiance, c'est parce que vous n'êtes *pas* Demerzel.

– Mais je le suis, insista Hummin.

– Oh, que non. Votre personnage de Demerzel est aussi éloigné de la vérité que votre personnage de Hummin.

– Que voulez-vous dire? » Ses yeux s'agrandirent tandis qu'il s'écartait légèrement de Seldon.

« Je veux dire que vous avez sans doute choisi ce nom " Hummin " par une espèce d'ironie désabusée. " Hummin " est une déformation d'" humain ", n'est-ce pas? »

L'intéressé se garda de répondre. Il continuait de fixer Seldon.

Et finalement, Seldon expliqua : « Parce que vous n'êtes pas humain, n'est-ce pas, " Hummin-Demerzel "? Vous êtes un robot. »

Dors

SELDON HARI. ... On a coutume d'évoquer Hari Seldon uniquement à propos de la psychohistoire, de ne voir en lui que l'incarnation des mathématiques et du changement social. Sans nul doute a-t-il lui-même encouragé cette vision des choses car nulle part, dans ses écrits officiels, il ne donne le moindre indice sur la manière dont il a résolu les divers problèmes posés par la psychohistoire. A l'en croire, l'intuition aurait aussi bien pu lui tomber du ciel. De même qu'il ne nous dit rien des impasses où il a pu se fourvoyer, des erreurs de parcours qu'il a pu commettre.

... Quant à sa vie privée, c'est le vide total. En ce qui concerne ses parents et sa famille, nous avons une poignée d'indices, sans plus. On sait que son fils unique, Raych Seldon, a été adopté, mais on ignore dans quelles circonstances. Quant à sa femme, on sait seulement qu'elle a existé. A l'évidence, Seldon désirait rester une énigme en dehors de tout ce qui avait trait à la psychohistoire. Comme s'il avait senti – ou voulu faire sentir – qu'il n'avait pas vécu, mais simplement psychohistorifié.

ENCYCLOPAEDIA GALACTICA

91

Assis, impassible, Hummin fixait toujours Seldon et celui-ci, pour sa part, attendait. C'était, estimait-il, à son interlocuteur de reprendre la parole.

Ce que fit Hummin mais simplement pour dire : « Un robot? Moi? Par robot, je présume que vous entendez une créature artificielle, du genre de l'objet que vous avez vu dans le Sacratorium de Mycogène?

– Pas exactement.

– Pas une carcasse métallique noircie? Pas un simulacre sans vie? » insista Hummin sans aucune trace d'amusement.

« Non. Vie artificielle n'est pas obligatoirement synonyme de métal. Je parle d'un robot impossible à distinguer d'un être humain par son aspect.

– Alors, Hari, comment pouvez-vous le distinguer?

– Pas par son aspect.

– Expliquez-vous.

– Hummin, au cours de ma fuite, j'ai entendu parler de deux mondes antiques, je vous l'ai dit : Aurora et la Terre. Chacun semblait considéré comme un monde originel ou unique. Dans les deux cas, on m'a parlé de robots, mais avec une différence. »

Seldon considéra, pensif, l'homme assis en face de lui, se demandant s'il allait par quelque signe trahir qu'il était moins qu'un homme – ou plus. Il poursuivit : « Lorsqu'on évoquait Aurora, un robot était cité sous le nom de Renégat, de traître, comme un individu qui déserte la cause. Lorsqu'il s'agissait de la Terre, on parlait d'un robot héroïque, qui représentait le salut. Était-ce trop s'avancer de supposer qu'il s'agissait d'un seul et même robot?

– L'était-ce? murmura Hummin.

– C'est ce que j'ai pensé tout d'abord. Je croyais qu'Aurora et la Terre étaient deux mondes distincts et contemporains. Je ne sais pas lequel a précédé l'autre. A voir l'arrogance et le sentiment de supériorité manifestes des Mycogéniens, on pouvait supposer qu'Aurora était le monde originel; s'ils méprisaient les Terriens, c'est que ceux-ci en étaient les rejetons dérivés – ou dégénérés.

« D'un autre côté, Mère Rittah, qui parlait, elle, de la Terre, me convainquit que cette planète était le foyer originel de l'humanité; la position isolée de la minuscule enclave mycogénienne, perdue dans une immense galaxie de milliards d'individus totalement imperméables à leur étrange éthique, pouvait suggérer que la Terre était l'authentique monde des origines, et Aurora le descendant aberrant. Je ne saurais en décider, je vous transmets mes réflexions telles quelles, pour que vous puissiez comprendre mes conclusions. »

Hummin acquiesça. « Je vois où vous voulez en venir. Poursuivez, je vous prie.

– Les deux planètes étaient ennemies. A entendre la Mère Rittah, c'était évident. Quand je compare les Mycogéniens, qui semblent incarner Aurora, et les Dahlites, qui semblent incarner la Terre, j'imagine qu'Aurora – qu'elle ait été ou non antérieure – était la planète la plus évoluée, celle qui pouvait produire les robots les plus élaborés, des créatures apparemment impossibles à distinguer des êtres humains. Un tel robot a donc été conçu et fabriqué sur Aurora. Mais c'était un renégat qui déserta la planète. Pour les Terriens, en revanche, c'était un héros; c'est donc qu'il a rallié la Terre. Quels furent les raisons, les motifs d'une telle créature, je l'ignore.

– D'une telle machine, voulez-vous dire...

– Peut-être, mais quand je vous vois assis devant moi, j'ai du mal à utiliser un tel mot. Mère Rittah était convaincue que le robot héroïque – *son* robot héroïque – existait toujours, qu'il reviendrait quand le besoin s'en ferait sentir. Il m'a semblé qu'il n'y avait rien d'impossible à imaginer un robot immortel, ou qui du moins le resterait tant qu'on ne négligerait pas de remplacer les pièces usées.

– Même le cerveau? objecta Hummin.

– Même le cerveau. Je n'entends rien à la robotique, mais j'imagine qu'on doit pouvoir programmer un cerveau neuf d'après les données de l'ancien. Et Mère Rittah avait évoqué d'étranges pouvoirs mentaux. Je me suis dit : ce doit être possible. Je suis peut-être par certains côtés sentimental, mais pas au point d'imaginer que ce seul robot, en passant d'un camp à l'autre, ait pu altérer le cours de l'histoire. Un robot ne pouvait à lui seul assurer la victoire de la Terre et la défaite d'Aurora – à moins d'avoir quelque trait bien particulier.

– L'idée vous est-elle venue, Hari, que vous êtes en train d'évoquer là des légendes, des légendes qui ont pu être déformées au cours des siècles et des millénaires, au point de draper d'un voile de surnaturel des événements parfaitement banals? Pouvez-vous vous croire vraiment à l'existence d'un robot non seulement d'apparence humaine mais en outre éternel et doté de pouvoirs mentaux? N'êtes-vous pas en train de vous mettre à croire au surnaturel?

– Je sais fort bien de quoi sont faites les légendes et je ne suis pas homme à me laisser aveugler par elles ou à croire aux contes de fées. Malgré tout, quand je les vois confortées par une série d'événements bizarres dont j'ai été le témoin – voire l'acteur...

– Tels que...?

– Hummin, à peine avais-je fait votre connaissance que je me fiais entièrement à vous. D'accord, vous m'avez aidé à me défendre contre ces deux voyous quand rien ne vous y forçait et cela m'a prédisposé en votre faveur, car j'ignorais à l'époque que ces hommes étaient à votre solde, agissant selon vos ordres... Mais peu importe.

– Oui, peu importe », confirma Hummin en laissant finalement transparaître une trace d'amusement dans sa voix.

« Je vous ai fait confiance. Je me suis laissé facilement convaincre de ne pas retourner chez moi sur Hélicon, pour me muer en vagabond errant à la surface de Trantor. J'ai cru tout ce que vous m'avez raconté sans la moindre discussion. J'ai remis mon sort entièrement entre vos mains. Maintenant que j'y repense, je ne me reconnais pas. Je ne suis pas homme à me laisser si facilement manipuler, et pourtant je suis entré dans le jeu. Mieux encore, je n'ai même pas trouvé étrange ce comportement si éloigné de mon caractère.

– C'est vous qui vous connaissez le mieux, Hari.

– Il ne s'agit pas seulement de moi. Comment expliquer que Dors Venabili, une femme superbe aux multiples obligations professionnelles, abandonne tout pour m'accompagner dans ma fuite? Comment expliquer qu'elle risque sa vie pour sauver la mienne et se consacre à ma protection, comme si c'était une sorte de devoir sacré, avec une obstination qui confine à l'entêtement? Était-ce simplement parce que vous le lui aviez demandé?

– Je le lui ai effectivement demandé, Hari.

– Pourtant, elle ne me paraît pas être le genre de femme à bouleverser aussi radicalement son existence juste parce qu'on le lui demande. Je ne peux pas croire non plus qu'elle ait eu un simple coup de foudre pour moi, sans pouvoir s'en empêcher. Je le regrette un peu mais elle me semble maîtriser ses émotions, bien plus – je vous le confesse franchement – que je ne m'en sens moi-même capable à son égard.

– C'est une femme merveilleuse, admit Hummin. Je ne vous blâme pas. »

Seldon poursuivit. « Plus étonnant encore, comment se fait-il que Maître-du-Soleil Quatorze, ce monstre d'arrogance, à la tête d'une population elle-même pétrie de vanité, ait été prêt à accueillir deux barbares comme Dors et moi, et à nous traiter aussi bien que pouvaient le faire – et que l'ont fait – les Mycogéniens? Alors que nous avions enfreint toutes les règles, commis tous les sacrilèges, comment avez-vous fait pour le convaincre de nous laisser repartir?

« Comment avez-vous fait pour convaincre les Tisalver, aveuglés par leurs préjugés mesquins, de nous accueillir chez eux? Comment faites-vous pour être à l'aise où que ce soit, vous lier d'amitié avec n'importe qui, influencer tout le monde, nonobstant les particularités individuelles? Pendant qu'on y est, comment êtes-vous arrivé à manipuler Cléon? Et s'il est aussi malléable et modelable qu'on le dit, comment avez-vous fait pour manipuler son père, que tout le monde s'accorde à considérer comme un tyran arbitraire et brutal? Comment avez-vous réalisé tout cela?

« Mais surtout, comment se fait-il que Mannix IV de Kan ait pu passer des dizaines d'années à édifier une armée incomparable, entraînée à l'efficacité dans les moindres détails, et qui pourtant se désagrège dès que sa fille s'avise de l'utiliser? Comment avez-vous réussi à persuader ces hommes de jouer les traîtres, sans exception, comme vous l'avez fait?

– Cela ne pourrait-il pas signifier tout simplement que je suis un homme de tact, habitué à traiter avec toutes sortes d'individus, à rendre des services aux gens influents et à faire valoir les services que je peux encore leur rendre à l'avenir? Rien de ce que j'ai accompli, me semble-t-il, n'exige le recours au surnaturel.

– Rien? Pas même la neutralisation de l'armée kanite?

– Ils ne voulaient pas servir une femme.

– Ils devaient savoir depuis des années que le jour où Mannix renoncerait à ses pouvoirs ou disparaîtrait, Rachelle deviendrait leur Maire; pourtant, jamais ils n'avaient montré le moindre signe de mécontentement – jusqu'à ce que vous le jugiez nécessaire. Une fois, Dors vous a décrit comme un homme très persuasif. Et certes vous l'êtes. Plus que n'importe quel homme ordinaire. Mais pas plus qu'un robot immortel doté de pouvoirs mentaux particuliers. – Eh bien, Hummin?

– Qu'attendez-vous de moi, Hari? Que je m'identifie comme robot, n'ayant de l'homme que l'apparence? comme immortel? comme prodige mental? »

Seldon se pencha vers son interlocuteur, assis de l'autre côté de la table. « Oui, c'est ce que j'attends. J'attends que vous me disiez la vérité, et je soupçonne fortement que ce que vous venez d'esquisser *est* la vérité. Vous, Hummin, êtes le robot que Mère Rittah évoque sous le nom de Da-Nee, l'ami de Ba-Lee. Vous devez l'admettre. Vous n'avez pas le choix. »

92

C'était comme s'ils étaient tous deux dans un minuscule univers autonome. Là, au milieu de Kan, tandis que les forces kanites se laissaient désarmer par les troupes impériales, ils étaient assis tranquillement. Là, en plein cœur d'événements qu'observait Trantor tout entière – et peut-être toute la Galaxie – subsistait cette minuscule bulle au sein de laquelle Seldon et Hummin se livraient leur joute stratégique – le premier cherchant par tous les moyens à faire naître une nouvelle réalité, le second se gardant de rien faire pour en accepter l'existence.

Seldon ne craignait pas d'être interrompu. Il était sûr que leur bulle avait une frontière impénétrable et que les pouvoirs de Hummin – non, du *robot* – maintiendraient à distance tout intrus tant que la partie ne serait pas achevée.

Hummin reconnut enfin : « Vous êtes un type ingénieux, Hari, mais je n'arrive pas à voir pourquoi je devrais admettre que je suis un robot et pourquoi je n'aurais pas le choix. Tout ce que vous avez dit peut être vrai – votre comportement, celui de Dors, de Maître-du-Soleil Quatorze, des Tisalver, des généraux kanites – tout peut s'être déroulé comme vous l'avez dit, mais cela ne rend pas pour autant obligatoire votre *interprétation* des événements et de leur signification. Sans nul doute, ce qui s'est produit peut avoir une explication naturelle. Vous m'avez fait confiance parce que vous avez accepté ce que je disais; Dors a jugé votre sécurité importante parce qu'elle sentait que la psychohistoire était quelque chose de crucial, étant elle-même historienne; Maître-du-Soleil Quatorze et les Tisalver étaient à mon endroit redevables de services dont vous ignorez tout; les généraux kanites rechignaient à être sous les ordres d'une femme, rien de plus. Pourquoi faudrait-il recourir au surnaturel?

– Voyons, Hummin. Croyez-vous réellement au déclin de l'Empire et jugez-vous réellement important d'éviter que la chute se produise sans que personne n'ait levé le petit doigt pour l'empêcher, ou à tout le moins en amortir les conséquences?

– Absolument. » Quelque part, Seldon savait qu'il parlait sincèrement.

« Et vous voulez vraiment que je mette au point les détails de la psychohistoire, car vous vous en sentez vous-même incapable?

– Je n'ai pas les dons nécessaires pour cela.

– Et vous avez l'impression que je suis seul capable d'appréhender la psychohistoire – même si parfois j'en doute moi-même?

– Oui.

– Et vous devez par conséquent estimer que, si vous êtes en mesure de m'y aider, vous devez le faire.

– Certes.

– Les sentiments personnels – les considérations égoïstes – n'interviendraient à aucun moment? »

L'esquisse d'un sourire effleura les traits graves de Hummin et, l'espace d'une seconde, Seldon décela la présence d'un aride et vaste désert de lassitude derrière le mur de courtoisie de son interlocuteur. « J'ai bâti une longue carrière sans jamais tenir aucun compte des sentiments personnels ou des considérations égoïstes.

– Alors, je vous demande votre aide. Je peux mettre au point la psychohistoire en me basant sur Trantor seule mais je vais rencontrer des difficultés. Ces difficultés, je les surmonterai peut-être, mais ma tâche serait facilitée si je connaissais certains faits déterminants. Par exemple, de ces deux mondes, Aurora et la Terre, lequel fut le berceau de l'humanité? Ou était-ce un troisième, entièrement différent? Quelles étaient les relations entre ces deux planètes? Ont-elles, l'une ou l'autre, ou l'une et l'autre, colonisé la Galaxie? Si une seule l'a fait, pourquoi pas l'autre? Si toutes deux l'ont fait, quelle fut l'issue de cette rivalité? Et tous les mondes descendent-ils d'une seule de ces planètes originelles ou des deux? Comment se fait-il que les robots ont été abandonnés? Comment Trantor est-elle devenue planète impériale plutôt qu'une autre? Et qu'est-il advenu d'Aurora et de la Terre, dans l'intervalle? Il y a mille questions que je pourrais vous poser sur-le-champ et cent mille autres qui risquent de naître au fur et à mesure de ma progression. Êtes-vous prêt à me laisser dans l'ignorance, Hummin, au risque de me voir échouer dans ma tâche, quand vous pourriez m'éclairer et m'aider à réussir?

– Si j'étais ce robot, aurais-je dans mon cerveau la place pour loger les vingt mille années d'histoire de ces millions de mondes différents?

– J'ignore la capacité des cerveaux robotiques. J'ignore la capacité du vôtre. Mais si vous n'avez pas la capacité suffisante, alors ces informations, que vous ne pouvez contenir, vous devez les avoir stockées quelque part en sûreté et de façon qu'elles vous soient facilement accessibles. Si vous détenez ces informations dont j'ai besoin, comment pouvez-vous me les refuser? Et si vous ne pouvez me les refuser, comment alors pouvez-vous nier que vous êtes un robot – et plus précisément ce robot : le Renégat? »

Seldon se carra dans son siège et exhala un gros soupir. « C'est pourquoi je vous repose la question : êtes-vous ce robot? Si vous voulez la psychohistoire, alors vous devez l'admettre. Si vous persistez à le nier, et si vous parvenez à me convaincre que vous ne l'êtes pas, alors mes chances de concrétiser la psychohistoire se réduisent considérablement. A vous donc de décider. Êtes-vous un robot? Êtes-vous Da-Nee? »

Et Hummin répondit, toujours aussi imperturbable : « Vos arguments sont irréfutables. Je suis R. Daneel Olivaw. Le " R " signifie " robot ". »

93

R. Daneel Olivaw s'exprimait tout aussi calmement mais Seldon crut déceler un changement subtil dans sa voix, comme s'il était plus à l'aise maintenant qu'il n'avait plus un rôle à jouer.

« En vingt mille ans, dit Daneel, personne n'a deviné que j'étais un robot, aussi longtemps que je n'ai pas jugé bon de le faire savoir. Parce que les hommes avaient abandonné les robots depuis si longtemps que bien peu se rappelaient leur existence. Mais aussi parce que j'ai effectivement la capacité de détecter et de modifier les émotions humaines. La détection ne présente aucune difficulté, mais l'altération des émotions soulève pour moi des problèmes dus à ma nature de robot – même si je peux le faire quand bon me semble. J'en suis techniquement capable mais je dois d'abord dépasser ma volonté de ne pas y recourir. J'essaie de ne jamais interférer, sauf quand je n'ai pas d'autre choix. Dans ce cas, il est rare que je fasse plus que donner un coup de pouce, le plus infime possible, à ce qui est déjà latent. Et si je peux parvenir à mes fins sans cette intervention minimale, alors je l'évite.

« Je n'ai pas eu besoin de manipuler Maître-du-Soleil Quatorze pour l'amener à vous recevoir – remarquez que je parle de " manipuler " car cela n'a rien d'une tâche agréable. Je n'ai donc pas eu à le manipuler parce qu'il était en dette à mon égard et que c'est un homme d'honneur, malgré les bizarreries que vous avez pu noter chez lui. Je suis effectivement intervenu la seconde fois, quand vous aviez commis un sacrilège à ses yeux, mais je n'ai pas eu grand-chose à faire : il n'était pas pressé de vous remettre aux autorités impériales qu'il n'aime pas. Je me suis contenté de renforcer un peu cette aversion et il s'est empressé de vous remettre entre mes mains, en acceptant mes arguments qu'en temps normal il aurait jugés spécieux.

« Vous non plus, je ne vous ai pas spécialement manipulé. Vous vous méfiiez aussi des Impériaux. C'est le cas de la plus grande partie de l'humanité de nos jours, ce qui est un facteur important du déclin et de la détérioration de l'Empire. Qui plus est, vous étiez fier de la psychohistoire en tant que concept, fier d'en avoir eu l'idée. Vous n'étiez pas gêné d'avoir à prouver que c'est une discipline applicable. Cela ne pouvait que renforcer votre orgueil. »

Seldon plissa le front et remarqua : « Pardonnez-moi, Maître Robot, mais je n'ai pas conscience d'être un tel monstre d'orgueil. »

Daneel sourit benoîtement : « Vous n'êtes absolument pas un monstre d'orgueil. Vous êtes parfaitement conscient qu'il n'est ni admirable, ni utile d'être mû par l'orgueil; vous tentez de réfréner cette pulsion, mais vous pourriez aussi bien regretter d'être mû par les battements de votre cœur. Vous ne pouvez empêcher ni l'un ni l'autre. Même si vous vous dissimulez votre orgueil à vous-même pour préserver votre tranquillité d'esprit, vous ne pouvez me le dissimuler. Je n'ai eu qu'à le renforcer imperceptiblement pour qu'aussitôt vous soyez prêt à prendre des mesures destinées à vous cacher de Demerzel, mesures qui vous auraient fait hésiter quelques instants auparavant. Et vous vous êtes retrouvé prêt à travailler sur la psychohistoire avec une ardeur que vous auriez trouvée indigne de vous un peu plus tôt.

« Je ne vis donc pas la nécessité de toucher à autre chose et vous êtes parvenu tout seul à vos conclusions sur les robots. Si j'avais prévu cette éventualité, je serais peut-être intervenu pour l'empêcher, mais mon intuition et mes capacités ne sont pas infinies. Je ne regrette pas d'avoir échoué, car vos arguments sont bons. Il est important que vous sachiez qui je suis et que, de mon côté, je puisse mettre mes dons à votre service.

« Les émotions, mon cher Seldon, sont un puissant moteur de l'action humaine, bien plus puissant que les hommes ne le croient, et vous ne pouvez imaginer ce que peut faire l'intervention la plus minime et à quel point je répugne à y recourir. »

Seldon exhala un gros soupir; il essayait de s'imaginer en homme mû par son orgueil et le résultat ne lui plaisait guère. « Pourquoi?

– Parce qu'il est si facile d'en faire trop. J'ai dû empêcher Rachelle de transformer l'Empire en anarchie féodale. J'aurais pu agir de manière brutale, au risque de provoquer un soulèvement sanglant. Les hommes restent des hommes – et les généraux kanites sont presque tous des hommes. Il ne faut à vrai dire pas grand-chose pour éveiller le mépris et la peur des femmes qui sommeillent chez tout homme. C'est peut-être une question biologique qu'en tant que robot je ne suis pas en mesure de saisir complètement.

« Toujours est-il que je n'ai eu qu'à renforcer ce sentiment chez ses officiers pour entraîner l'effondrement de ses plans. Si j'en avais fait un tout petit peu trop, j'aurais échoué dans mon projet : l'occupation sans effusion de sang. Je ne voulais rien d'autre que les mettre hors d'état de résister à l'arrivée de mes soldats. »

Daneel marqua un temps d'arrêt, comme s'il cherchait ses mots, puis il reprit : « Je ne souhaite pas entrer dans le détail mathématique de mon cerveau positronique. Cela dépasse mon entendement, mais peut-être pas le vôtre si vous y prêtez un minimum d'attention. Toujours est-il que je suis gouverné par les Trois Lois de la Robotique qui, traditionnellement s'énoncent ainsi – ou du moins s'énonçaient ainsi, jadis :

« Un : un robot ne peut porter atteinte à un être humain ni, en restant passif, laisser un être humain exposé au danger.

« Deux : un robot doit obéir aux ordres donnés par les êtres humains, sauf si de tels ordres sont en contradiction avec la Première Loi.

« Trois : un robot doit protéger sa propre existence dans la mesure où cette protection n'est pas en contradiction avec la Première et la Deuxième Loi.

« Mais j'avais un... ami, il y a vingt mille ans. Un autre robot. Différent de moi. Impossible de le confondre avec un humain, lui. Mais c'était lui qui avait les pouvoirs mentaux, et c'est par son entremise que j'ai acquis les miens.

« Il lui semblait qu'il aurait dû y avoir une loi encore plus générale que les trois précédentes. Il l'avait baptisée la " Loi Zéro ", puisque zéro vient avant un. Elle s'énonce ainsi :

« Zéro : un robot ne peut porter atteinte à l'humanité ni en restant passif, laisser l'humanité exposée au danger.

« La Première Loi est donc modifiée comme suit :

« Un : un robot ne peut porter atteinte à un être humain ni, en restant passif, laisser un être humain exposé au danger, sauf si cette démarche est en contradiction avec la Loi Zéro.

« Et les autres lois doivent être modifiées de manière analogue. Comprenez-vous? »

Daneel marqua consciencieusement un temps d'arrêt et Seldon répondit : « Je comprends. »

Daneel poursuivit. « Le problème, Hari, c'est qu'un être humain est facile à identifier. Je peux vous en désigner un. Il est aisé – ou du moins, relativement aisé – de discerner ce qui risque de porter atteinte à un être humain. Mais qu'est-ce que *l'humanité?* Qu'entend-on au juste lorsqu'on parle de l'humanité? Et comment définir une atteinte à l'humanité? A quel moment telle ou telle action fait-elle plus de bien que de mal à l'humanité dans son ensemble et comment peut-on en décider? Le robot qui a proposé la Loi Zéro est mort – il est devenu définitivement inactif – parce qu'il a été contraint à une action qu'il sentait nécessaire à la sauvegarde de l'humanité sans pouvoir en être absolument certain. Et, au moment d'être inactivé, il m'a confié la responsabilité de la Galaxie.

« Depuis cette époque, j'ai fait de mon mieux. Je me suis immiscé le moins possible, faisant confiance aux hommes pour juger par eux-mêmes de ce qui était bon pour eux. Eux, ils pouvaient jouer; moi, pas. Ils pouvaient rater leur cible; je n'osais pas. Ils pouvaient faire le mal par mégarde; pour moi, c'était l'inactivation assurée. La Loi Zéro ne laisse pas de place aux dangers provoqués par mégarde.

« Mais, à certains moments, j'étais bien obligé de passer à l'action. Que je sois encore opérationnel prouve que mes interventions ont toujours été modérées et discrètes. Toutefois, à mesure que l'Empire s'engageait plus avant sur la pente du déclin, j'ai dû intervenir de plus en plus souvent et voilà plusieurs décennies que je suis réduit à jouer le rôle de Demerzel, pour tenter d'orienter le gouvernement vers une politique capable de conjurer la ruine – et malgré tout, je fonctionne toujours, comme vous pouvez le constater.

« Quand vous avez fait votre communication au Congrès décennal, j'ai compris aussitôt que la psychohistoire offrait un instrument susceptible d'identifier ce qui est bien ou mal pour l'humanité. Grâce à elle, nos décisions ne seraient plus prises à l'aveuglette. Je pourrais à nouveau laisser à l'humanité le soin de les prendre elle-même et intervenir uniquement en cas d'extrême urgence. J'ai donc fait en sorte que Cléon ait vent de votre communication et vous convoque. Puis, ayant appris de votre bouche même que la psychohistoire n'avait aucun intérêt pratique, j'ai été forcé de réfléchir au moyen de vous pousser coûte que coûte à essayer quelque chose. Comprenez-vous, Hari? »

Plutôt désarçonné, Seldon répondit : « Je comprends, Hummin.

– Pour vous, je dois rester Hummin en ces rares occasions où je pourrai vous voir. Je vous donnerai les informations dont je dispose si vous en avez besoin et, en tant que Demerzel, je vous protégerai autant qu'il me sera possible. Quant à Daneel, vous ne devrez jamais en parler.

– Loin de moi cette intention, s'empressa d'affirmer Seldon. Ayant besoin de votre aide, je gâcherais tout à entraver vos plans.

– Oui, je sais que vous n'en ferez rien, reconnut Daneel avec un sourire las. Après tout, vous êtes assez vaniteux pour désirer vous voir attribuer tout le crédit de la psychohistoire. Pas question que quelqu'un apprenne jamais que vous avez eu besoin de l'aide d'un robot. »

Seldon rougit. « Je ne suis pas...

– Mais si, même si vous vous le dissimulez soigneusement. Et c'est important, car je renforce ce sentiment, juste assez pour vous empêcher définitivement de parler de moi à quiconque. Vous n'aurez même pas l'idée de le faire.

– Je suspecte Dors de se douter de... remarqua Seldon.

– Elle sait qui je suis, confirma Daneel. Et elle non plus ne peut en parler. Maintenant que vous connaissez tous deux ma vraie nature, vous pourrez parler de moi librement entre vous, mais jamais à personne d'autre. »

Daneel se leva. « Hari, mon travail m'attend à présent. D'ici peu, vous allez, Dors et vous, être ramenés au Secteur impérial...

– Le jeune garçon, Raych, doit m'accompagner. Je ne peux pas l'abandonner. Il y a aussi un jeune Dahlite du nom de Yugo Amaryl...

– Je comprends. On ramènera Raych avec vous et il en sera de même pour tout ami de votre choix. On s'occupera de vous comme il convient. Et vous pourrez travailler à la psychohistoire. Vous aurez une équipe à votre disposition, ainsi que les ordinateurs et la documentation nécessaires. J'interviendrai le moins possible. Et quand naîtront des résistances à vos projets, si elles ne mettent pas leur réalisation en danger, vous devrez les surmonter tout seul.

– Attendez, Hummin, s'inquiéta Seldon. Et si, malgré toute votre aide et tous mes efforts, il était en fin de compte impossible de rendre la psychohistoire applicable? Si j'échouais? »

Daneel se leva. « En ce cas, j'ai un plan de rechange sous la main. Un plan auquel je travaille depuis longtemps, sur un autre monde, d'une autre manière. Il est également très difficile et par certains côtés plus radical encore que la psychohistoire. Il se peut qu'il échoue, lui aussi, mais on a plus de chances de succès en ouvrant deux routes plutôt qu'une seule.

« Suivez mon conseil, Hari! Si vous parvenez un jour à mettre au point un système susceptible d'empêcher le pire, tâcher d'en imaginer deux, de telle sorte que, si le premier échoue, le second prenne le relais. L'Empire doit être stabilisé ou rebâti sur de nouvelles fondations. Qu'elles existent en deux exemplaires plutôt qu'en un seul, si c'est possible.

« Et maintenant, je dois retourner à mes affaires ordinaires et vous aux vôtres. On s'occupera de vous. »

Et, sur un dernier signe de la tête, il s'éclipsa.

Seldon le regarda partir et commenta doucement : « D'abord, il faut que je parle à Dors. »

94

« Le palais est dégagé, indiqua Dors. Rachelle ne sera pas maltraitée. Et vous allez regagner le Secteur impérial, Hari.

– Et vous Dors? demanda Seldon, à voix basse, la gorge serrée.

– Je présume que je vais retourner à l'Université. Ces derniers temps, mes travaux ont été négligés, mes classes abandonnées.

– Non, Dors, une tâche plus grande vous attend.

– Laquelle?

– La psychohistoire. Je ne peux pas affronter le projet sans vous.

– Bien sûr que si. Je suis totalement ignare en mathématiques.

– Et moi en histoire – et nous avons besoin des deux. »

Cela la fit rire : « Je suppose que, parmi les mathématiciens, vous devez être unique. En revanche, moi, chez les historiens, je suis dans la moyenne, je ne me démarque certainement pas du lot. Vous n'aurez aucun mal à trouver de nombreux historiens mieux à même que moi de répondre aux exigences de la psychohistoire.

– En ce cas, Dors, je me permets de vous faire remarquer que la psychohistoire requiert plus que les lumières d'un mathématicien et d'un historien. Elle exige aussi la volonté d'affronter ce qui risque d'être le problème de toute une vie. Sans vous, Dors, je n'aurai pas cette volonté.

– Bien sûr que si, vous l'avez.

– Dors, si vous n'êtes pas avec moi, je n'ai pas l'intention de l'avoir. »

Dors le considéra, pensive. « Cette discussion est vaine, Hari. Il ne fait aucun doute que la décision revient à Hummin. Et s'il me renvoie à l'Université...

– Il n'en fera rien.

– Comment pouvez-vous en être sûr?

– Parce que je lui ai mis le marché en main. S'il vous réexpédie à l'Université, je rentre à Hélicon et l'Empire peut courir tout seul à sa perte.

– Vous n'êtes pas sérieux.

– Tout ce qu'il y a de plus sérieux.

– Vous ne comprenez pas que Hummin peut modifier vos sentiments pour que vous travailliez à la psychohistoire – même sans moi? »

Seldon hocha la tête. « Jamais Hummin ne prendra de décision aussi arbitraire. Je lui ai parlé. Il n'ose pas trop intervenir sur l'esprit humain parce qu'il est lié par ce qu'il appelle les Lois de la Robotique. Modifier mon esprit au point que je n'aurais plus envie de vous avoir auprès de moi, Dors, est le genre de changement qu'il ne peut risquer. D'un autre côté, s'il me laisse tranquille et si vous me rejoignez dans le projet, il aura ce qu'il veut : une bonne chance de voir se concrétiser la psychohistoire. Pourquoi ne s'en tiendrait-il pas à ça? »

Dors hocha la tête. « Il peut ne pas être d'accord pour des raisons qui lui sont propres.

– Pourquoi? Il vous a demandé de me protéger, Dors. A-t-il annulé son ordre?

– Non.

– Alors, il veut que vous poursuiviez. Et moi, je demande votre protection.

– Contre quoi? Vous avez désormais la protection de Hummin, sous la forme de Demerzel et sous celle de Daneel, et il ne vous faut certainement pas plus.

– Si j'avais la protection de tous les hommes et de toutes les forces de la Galaxie, c'est quand même la vôtre que je voudrais.

– Alors, vous ne me voulez pas pour la psychohistoire. Vous me voulez pour votre protection. »

Seldon se renfrogna. « Non! Pourquoi déformez-vous mes paroles? Pourquoi me forcez-vous à dire ce que vous savez déjà? Ce n'est ni pour la psychohistoire ni pour ma protection que j'ai besoin de vous. Ce ne sont que des excuses et j'en utiliserai d'autres s'il le faut. C'est pour vous – rien que vous. Et si vous voulez la raison véritable, c'est parce que vous êtes *vous*.

– Vous ne me connaissez même pas.

– Peu importe. Je m'en moque... Et pourtant, je vous connais en un sens. Mieux que vous ne pensez.

– Vraiment?

– Bien sûr. Vous suivez les ordres et vous risquez votre vie pour moi sans l'ombre d'une hésitation et apparemment sans vous soucier des conséquences. Vous avez appris à jouer au tennis avec une rapidité phénoménale. Vous avez appris encore plus rapidement à manier le couteau et vous vous êtes tirée avec maestria du combat contre Marron; avec une maîtrise... *inhumaine* – si vous me passez l'expression. Vous avez une musculature étonnamment développée et des réflexes incroyablement rapides. Vous pouvez deviner quand une pièce est sous écoute et entrer en contact avec Hummin sans recourir à aucun appareil.

– Et que concluez-vous de tout cela? le coupa Dors.
– Il m'est apparu que Hummin, en tant que R. Daneel Olivaw, avait une tâche impossible. Comment un seul et unique robot essaierait-il de guider l'Empire? Il faut qu'il ait des aides.
– C'est évident. Des millions, j'imagine. Je l'aide. Vous l'aidez. Le petit Raych l'aide aussi.
– Vous, vous êtes d'un genre différent.
– En quel sens, Hari? Dites-le donc. Si vous vous l'entendez dire, vous réaliserez aussitôt à quel point c'est insensé. »
Seldon la considéra longuement puis répondit, à voix basse : « Non, je ne le dirai pas parce que... parce que je m'en fiche.
– Vraiment? Vous voulez me prendre telle que je suis?
– Je vous prendrai comme je pourrai. Vous êtes Dors et, quoi que vous puissiez être, je ne veux rien d'autre au monde. »
Doucement, Dors lui expliqua : « Hari, je veux ce qui est bon pour vous à cause de ce que je suis, mais je sens que, si je n'étais pas ce que je suis, je le voudrais quand même. Et je ne crois pas que je sois faite pour vous.
– Je m'en fiche éperdument. » Hari baissa les yeux, arpentant la pièce en se demandant ce qu'il allait dire ensuite. « Vous a-t-on déjà embrassée?
– Bien sûr, Hari. C'est un élément de la vie en société et je vis en société.
– Non, non! Je veux dire, avez-vous *vraiment* embrassé un homme? Enfin, vous savez, passionnément?
– Eh bien oui, Hari.
– Y avez-vous pris plaisir? »
Dors hésita. « Quand on m'a embrassée de la sorte, j'y ai pris plus de plaisir qu'à décevoir le jeune homme que j'aimais bien, un être dont l'amitié signifiait pour moi quelque chose. » A ce point, Dors rougit et détourna le visage. « Hari, je vous en prie, c'est délicat pour moi à expliquer. »
Mais Hari, plus résolu que jamais, insista : « Donc, vous l'avez embrassé pour de mauvaises raisons, pour éviter de le blesser.
– Peut-être que c'est ce que tout le monde fait, en un sens. »
Seldon rumina cette réponse puis demanda soudain : « Et vous, avez-vous jamais demandé qu'on vous embrasse? »
Dors marqua un temps d'arrêt, comme si elle passait sa vie en revue. « Non.
– Ou désiré être embrassée de nouveau, après la première fois?
– Non.
– Avez-vous déjà couché avec un homme? demanda-t-il doucement, désespérément.
– Bien sûr, je vous l'ai dit. Ce genre de choses fait partie de la vie. »
Hari la saisit aux épaules comme s'il voulait la secouer. « Mais avez-vous jamais ressenti le désir, le besoin de ce genre d'intimité avec une personne en particulier? Dors, avez-vous jamais éprouvé de *l'amour?* »

Dors leva les yeux lentement, presque tristement, et croisa le regard de Seldon. « Je regrette, Hari, mais non. »

Seldon la relâcha, et ses bras retombèrent, ballants.

Alors Dors lui posa doucement la main sur le bras et dit : « Vous voyez bien, Hari. Je ne suis pas vraiment ce que vous voulez. »

Seldon baissa la tête et regarda par terre. Il pesa la question, essayant de réfléchir rationnellement. Puis il renonça. Il voulait ce qu'il voulait, et ceci au-delà de toute raison.

Il releva les yeux. « Dors, ma chérie, même ainsi je m'en fiche quand même. »

Seldon la prit dans ses bras et approcha doucement son visage du sien, comme s'il s'attendait à ce qu'elle s'écarte, et il l'attira contre lui.

Dors ne bougea pas et il l'embrassa – lentement, longuement, puis enfin passionnément –, et soudain il sentit qu'elle le serrait plus fort.

Quand enfin il cessa, elle le regarda avec des yeux qui reflétaient son sourire et lui dit :

« Embrassez-moi encore, Hari. S'il vous plaît. »

TABLE

Préface par Jacques Goimard

Avertissement de l'auteur. 11
Mathématicien. 13
Fuite. 32
Université. 48
Bibliothèque. 61
Couverture. 79
Sauvetage. 99
Mycogène. 113
Maître-du-Soleil. 130
Microferme. 147
Livre. 163
Sacratorium. 180
Aire. 200
Puits thermique. 219
Billibotton. 241
Clandestins. 259
Policiers. 275
Kan. 291
Renversement. 309
Dors. 324

Achevé d'imprimer au Canada
Imprimerie Gagné Ltée Louiseville